●暮らしと四季を優雅に楽しむ●

実用 おりがみ

金杉登喜子・折り紙夢工房著

成美堂出版

暮らしに役立つおりがみ

テーブルコーディネートにおりがみを取り入れて、すてきな食卓を
演出してみてはいかがですか。

シンプルなお皿
【→P.56】

犬の箸置き
【→P.60】

葉っぱのお皿
【→P.54】

六角形のコースター
【→P.57】

サクラの置物
【→P.166】

五角形のコースター
【→P.58】

飾って楽しいおりがみ

いつものお部屋におりがみを取り入れるだけで、
ちがった雰囲気が楽しめます。

キキョウのリース
【→P.102】

スワンのペン立て
【→P.198】

しきりケース
【→P.71】

しきりケースにぴったりの
引き出し 【→P.73】

ひもつきめがねケース
【→P.42】

コスモスの玄関飾り
（コスモス）【→P.182】

花の
キーホルダー
【→P.112】

ニチニチソウの
イヤリング
【→P.109】

クリスマスローズの
コサージュ【→P.106】

贈って喜ばれるおりがみ

大切な人に感謝の気持ちを込めて
プレゼントしましょう。

小さな手提げ袋（中サイズ）
【→P.34】

花のキーホルダー
【→P.112】

プチ巾着
【→P.45】

卯
【→P.134】

ユリのフラワー
アレンジメント
【→P.90】

ふた付きの
ギフトバッグ
【→P.30】

ふうせんの
ピアス
【→P.111】

バラボックス
【→P.81】

のりいらずの封筒
【→P.22】

もくじ

難易度を３段階で表示しています。

★☆☆ かんたん

★★☆ ふつう

★★★ 難しい

毎日大活躍のテーブル小物

暮らしに使える生活小物

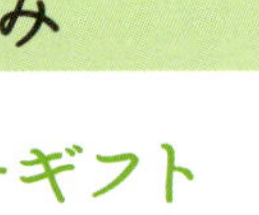

3章　花のおりがみ

大切な人に贈るフラワーギフト

お部屋を彩るフラワーインテリア

華やかで美しい花のアクセサリー

4章　季節のおりがみ

干支飾り

12か月の玄関飾り

5章 ブロックおりがみ

作って使えるブロックおりがみ

本書で使用する道具・材料

用意する紙と材料はそれぞれの作品ページに記載しています。
使用する道具や材料の購入場所がわからないときは、このページを確認しましょう。

主な紙

● おりがみ

15×15cm、24×24cmを主に使用しています。それより小さいサイズは切って使います。

● 色画用紙、厚紙

厚みのある紙です。本書では主に土台にしたり、底に敷いたりするときに使用しています。

● 和紙

普通のおりがみと比べて丈夫な和紙には、模様のあるものやしわがあるもの、透けているものなど、さまざまな種類があります。本書では主に、大きな作品を作るときに使用しています。

● 包装紙など

印象を変えたいときや雰囲気を出したいときには、包装紙やワックスペーパーを使用し、丈夫に作りたいときには厚みのあるパターンペーパーを使用するのがおすすめです。

● タント

普通のおりがみよりも厚く、しっかりとした紙です。本書では主にブロックおりがみを作るときに使用しています。

主な道具・材料

● はさみ ● カッター ● のり、接着剤 ● テープ、両面テープ ● ピンセット

● ペンチ

ワイヤーや金具などを曲げるときに使います。

● ニッパー

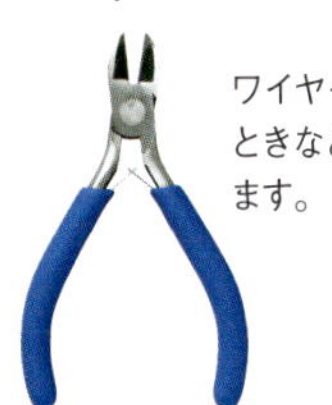

ワイヤーを切るときなどに使います。

● 目打ち

穴を開けるときなどに使います。

● ワイヤー（造花用）

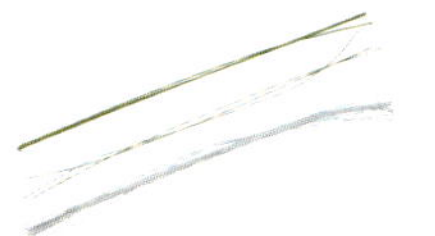

テープの巻いてある地巻きワイヤーと巻いていない銀色の裸ワイヤーがあります。本書では特に指定がない場合は地巻きワイヤーを使います。番号が大きくなるほど細くなります。

● ペップ

主に花を作る際に花芯の役割を果たします。粒のつき方や大きさ、色はさまざまです。本書では参考として、粒のつき方と大きさ（粒の直径）を紹介しています。

● フローラルテープ

花の茎を作るときなどに使います。粘着性があり、引っ張りながら巻きつけて使います。色はさまざまですので、作品に合わせてお選びください。

紙や材料が購入できる場所

材　料	購入できる場所
おりがみ	100円ショップや文具店、紙の専門店など
色画用紙、厚紙	100円ショップや文具店など
和紙	和紙の専門店など
包装紙など（包装紙、ワックスペーパー、パターンペーパー）	100円ショップやクラフト用品の専門店など
タント	紙の専門店など
ワイヤー	手芸や造花の材料の専門店など
ペップ	手芸や造花の材料の専門店など
フローラルテープ	手芸や造花の材料の専門店など
アクセサリーパーツ（9ピン、丸カン、ブローチ用のピン、カンつきネジバネ、釣針ピアス、カニカンつきストラップ）	100円ショップや手芸専門店など
かんざし	手芸専門店など
ひも	100円ショップや手芸専門店など
植木鉢	100円ショップや園芸専門店など
紙粘土	100円ショップなど
箱	100円ショップなど

本書の折り記号と折り方

本書に出てくる折り記号とその折り方を紹介します。折り記号は、おりがみを折るときの約束事を、矢印や線で表したものです。しっかり確認してから折り始めましょう。

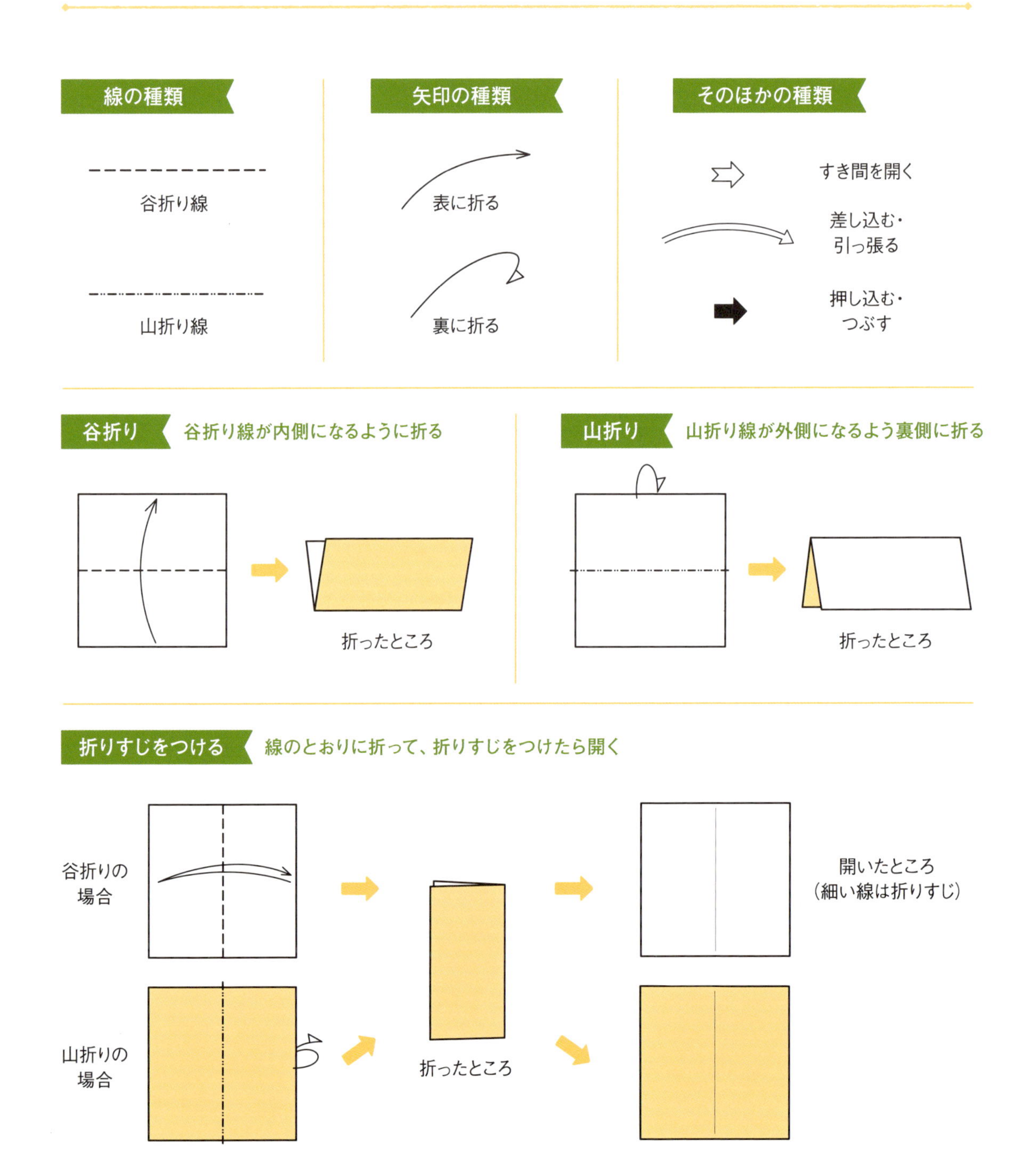

図を拡大する

次にくる形を拡大して表す

拡大したところ

図を縮小する

次にくる形を縮小して表す

縮小したところ

図の向きを変える1

次にくる形を、右に回転して表す

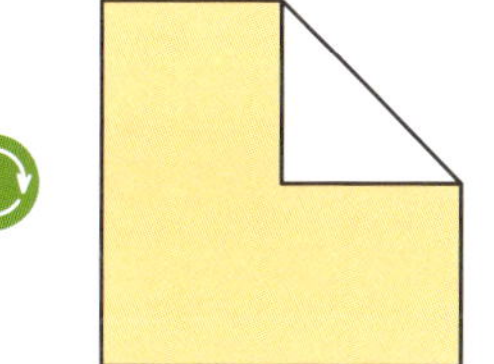

右回りに向きを変えたところ

図の向きを変える2

次にくる形を、左に回転して表す

左回りに向きを変えたところ

裏返す

上下はそのままで、表側を裏に返す

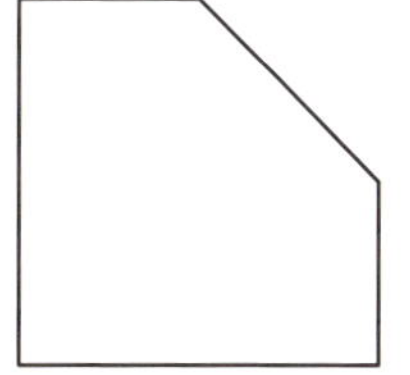

裏返したところ

切る

線の位置まで切り込みを入れる、切りとる

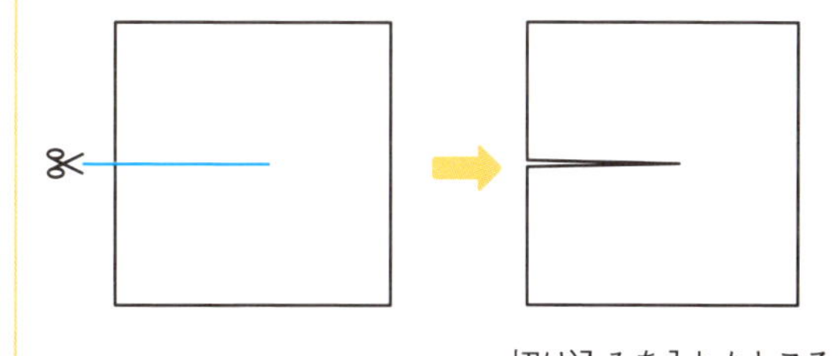

切り込みを入れたところ

仮想線

次に折る形や、隠れている部分を点線で表す

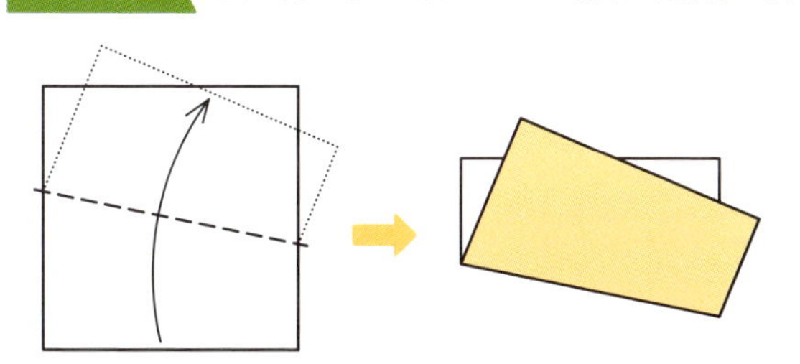

次の形を表したところ

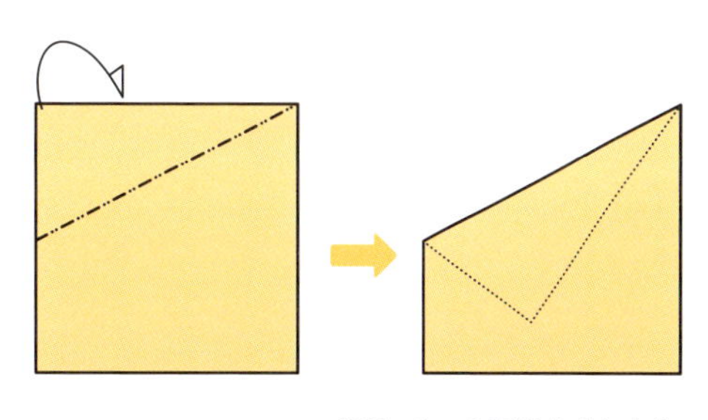

隠れている部分を表したところ

等分にする

同じ長さを表す

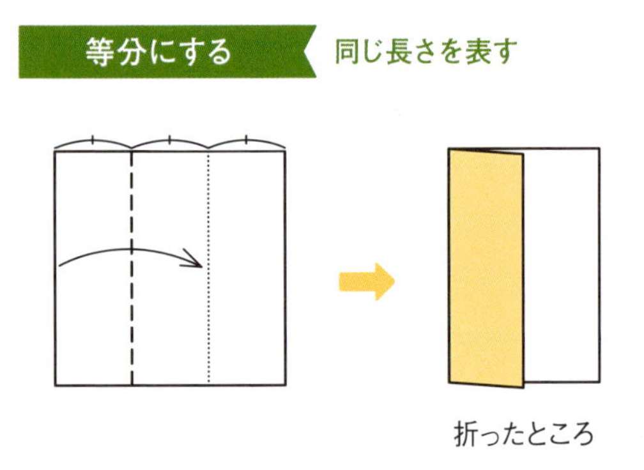

折ったところ

○が重なるように折る

辺や角などの○と○が重なるように折る

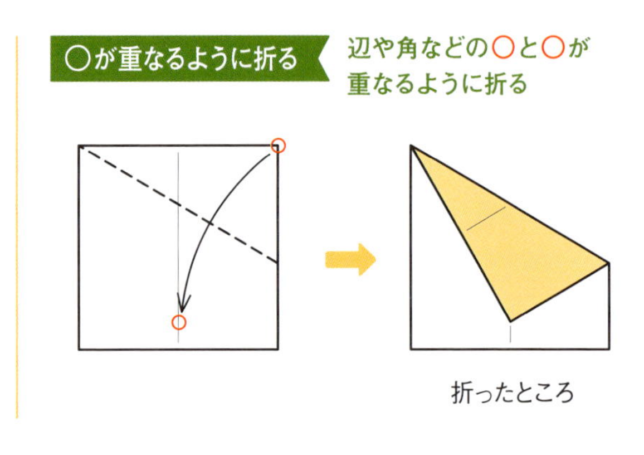

折ったところ

段に折る（段折り）

谷折りと山折りを、線のとおりに交互に折る

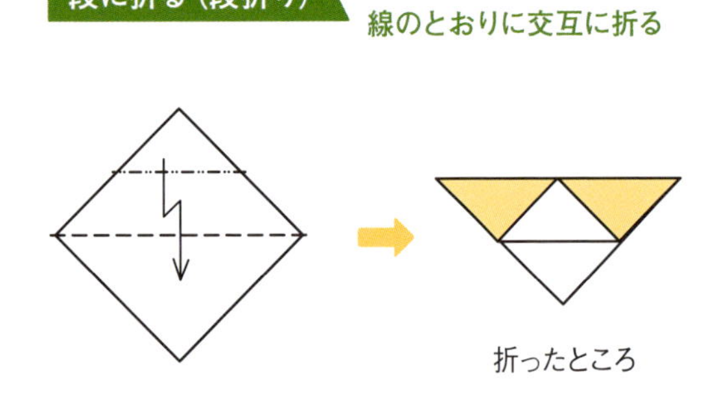

折ったところ

巻くように折る

線のとおりに、同じ方向に繰り返し折る

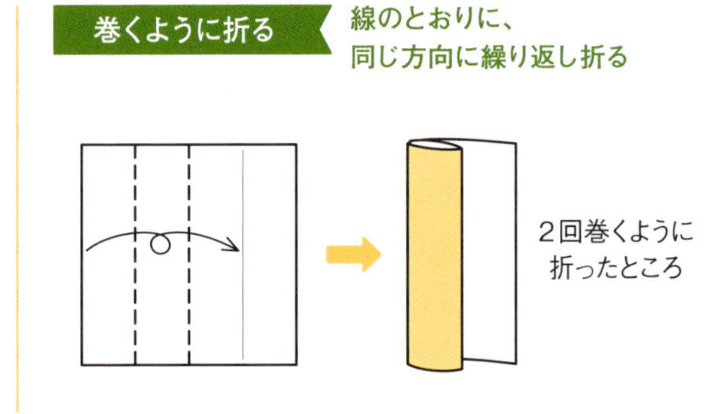

2回巻くように折ったところ

かぶせ折り

角のすき間を開き、外側へかぶせるように折る

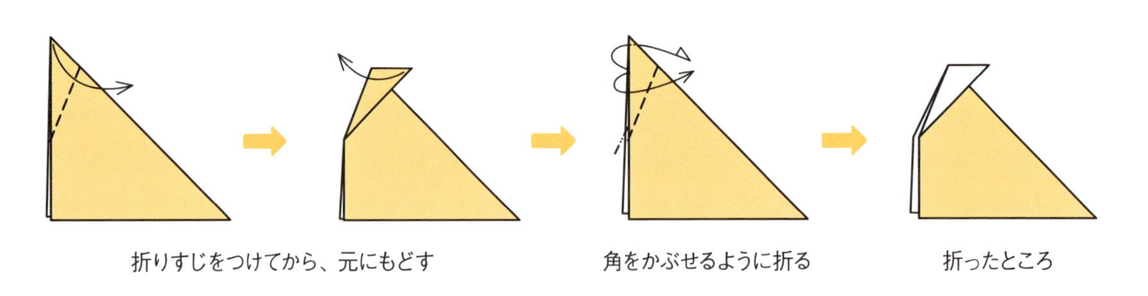

折りすじをつけてから、元にもどす　角をかぶせるように折る　折ったところ

中わり折り

角のすき間を開き、線のとおりに内側へ折り込む

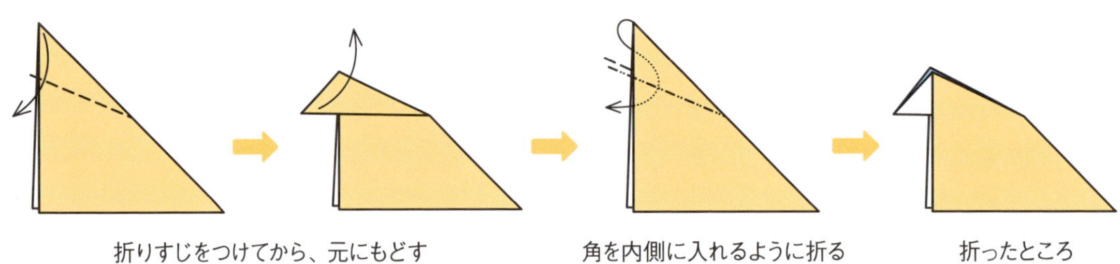

折りすじをつけてから、元にもどす　角を内側に入れるように折る　折ったところ

基本形の折り方

おりがみには、「基本形」とよばれる、よく使われる折り方がいくつかあります。本書の中で、
基本形から折り始める作品は、折り方を省略しています。こちらのページを参考にしてください。

かんのん基本形

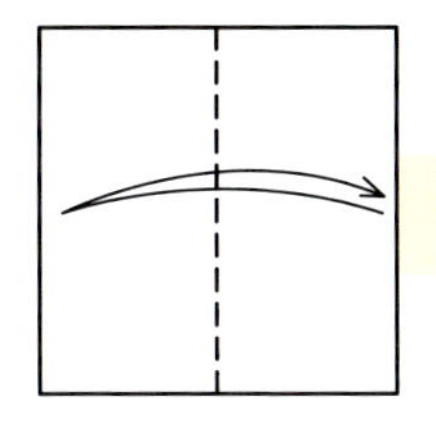

折りすじをつける

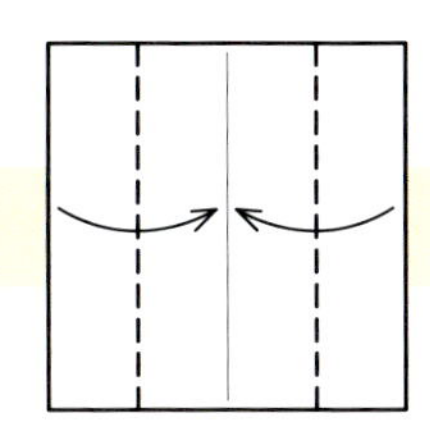

真ん中に合わせて折る

かんのん基本形の

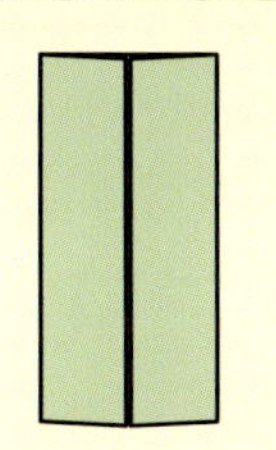

ざぶとん基本形

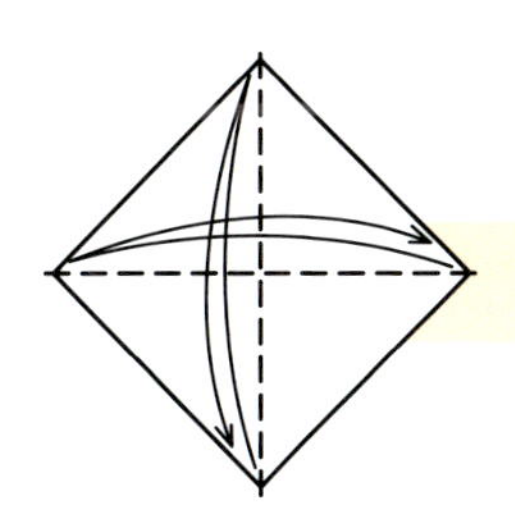

折りすじをつける

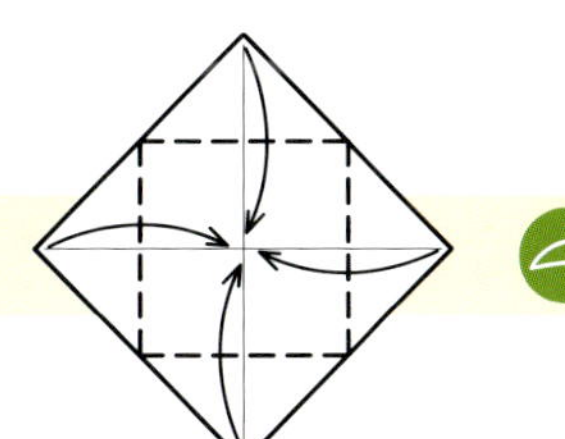

真ん中に合わせて折る

ざぶとん基本形の

できあがり

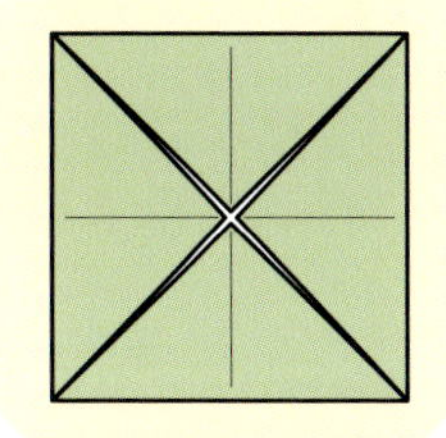

正方基本形

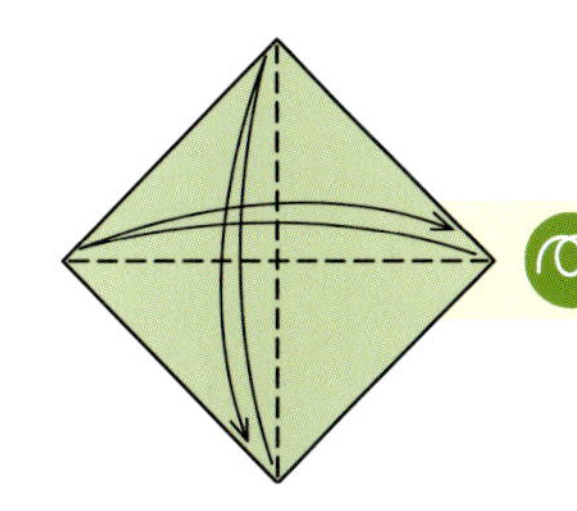

折りすじをつける

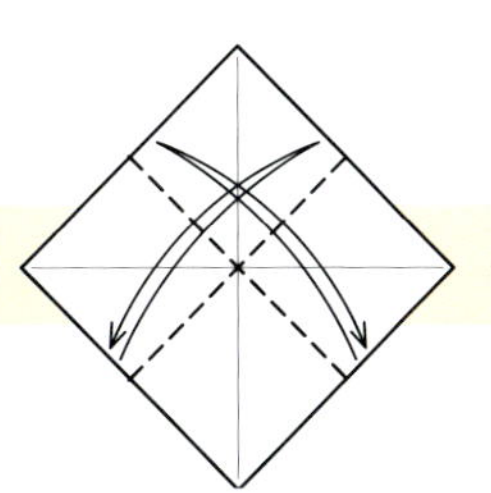

折りすじをつける

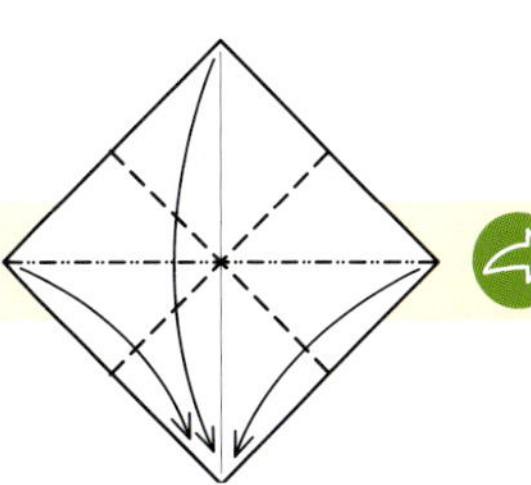

角を合わせて折りたたむ

正方基本形の

できあがり

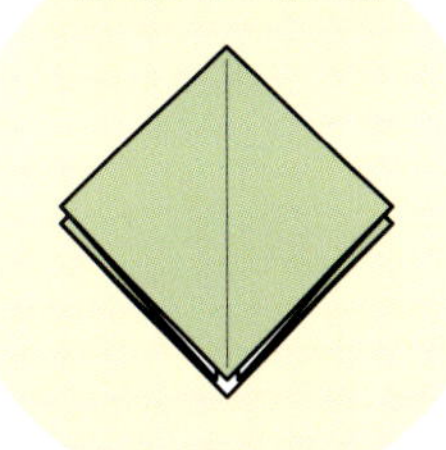

本書の見方

2枚以上の紙を使い、組み合わせる作品は、最初に必要なパーツを紹介しています。

● 花 1個と 種 1個、葉を作って組み合わせます。

見本の作品で使った紙のサイズや材料、作品のおおよそのサイズなどを記載しています。道具（はさみやのりなど）については、ここには記載していませんので、必要に応じてお使いください。サイズは縦（高さ）×横（幅）×奥行きで表しています。なお、作品の完成サイズは作り方によって変わることもあります。本書で使用する道具や材料についてはP.13をご確認ください。

見本は一例です。フレームや台などを使い、スタイリングしているものもありますので、ご使用時の参考にしてみてください。

難易度を3段階で分けています。星の数が多くなるほど難しくなります。

ポイントでは作品をすてきに仕上げるコツや、紙選びについてのアドバイスなどを記載しています。

途中で記号が出てきたときは、指示に従いましょう。記号の説明はP.14〜16をご確認ください。

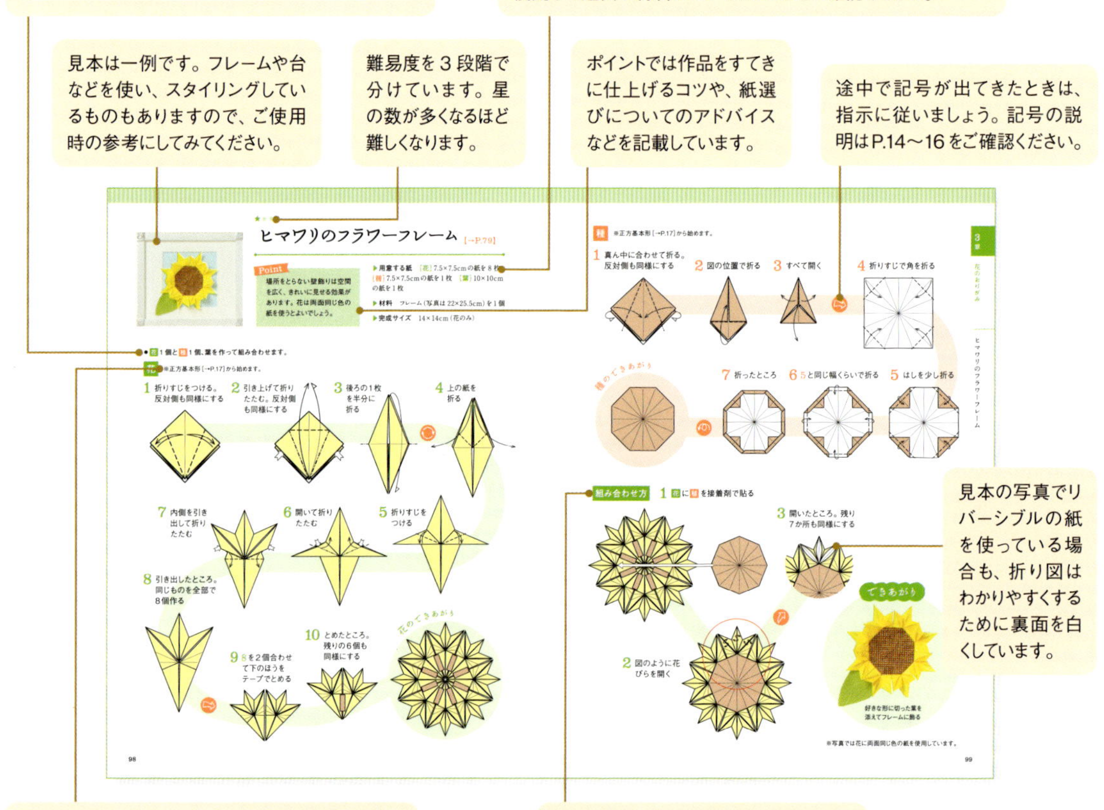

見本の写真でリバーシブルの紙を使っている場合も、折り図はわかりやすくするために裏面を白くしています。

基本形から折り始める作品などは、折り方を省略しています。基本形についてはP.17をご確認ください。

パーツを組み合わせて作る作品は、最後に写真や図を使って説明しています。

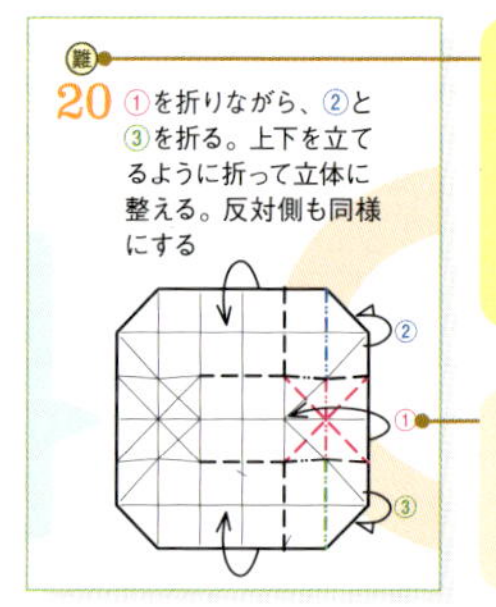

特に難しい工程や気をつけたい工程には、このマークがついています。折り線をよく確認し、次以降の折り図も参考にしながら何度か試してみましょう。それまでにつけた折り線が合っていたかもご確認ください。

わかりやすくするために折り線の色を変えたり、折る順番を示したりしているところがあります。

折り方をよりわかりやすくするために、写真を使っているところがあります。

中わり折りしているところ

上手に折るコツ

・折りすじはしっかりつけましょう。折りたたみやすくなったり、立体にしやすくなったりと、次の工程が折りやすくなります。
・きっちりした幅で折りたいときや、まっすぐに折りたいときは定規をあてて折るとよいでしょう。
・小さな作品や細かい工程を折るときはピンセットを使うときれいに仕上げやすくなります。
・作品によっては仕上げるのにコツがいりますので、いらない紙で何度か練習するとよいでしょう。

ラッピングおりがみ

ポチ袋やギフトボックスなど、
大切な人へプレゼントを贈るときに役立つおりがみです。
お気に入りの紙を使って作れば、
一層気持ちが伝わります。

普段使いから特別な日まで

気持ちも届けられる ラッピング小物

鶴の祝儀袋
【→P.26】

ハートのポチ袋
【→P.24】

慶事や新年のお祝いは、とっておきの1枚に包んで気持ちを伝えましょう。

のりいらずの封筒
【→P.22】

1枚の紙で折れる
ギフトボックス
【→P.28】

手作りの箱に入れるだけで、いつものおすそわけがすてきなプレゼントに。

大きな手提げ袋
【→P.32】

大切な贈り物だから、外袋にもぜひこだわりを。

ふた付きの
ギフトバッグ
【→P.30】

小さな手提げ袋
（小サイズ）【→P.34】

作者：不詳

★★★

のりいらずの封筒【→P.7、20】

Point

A5サイズの便せんの２つ折りが入るサイズです。口の部分をすき間に差し込むので、しっかりと封ができます。

▶**用意する紙**
35×26cmの紙（和紙や包装紙など）を1枚

▶**完成サイズ**　11×17.5cm

1 半分に折る

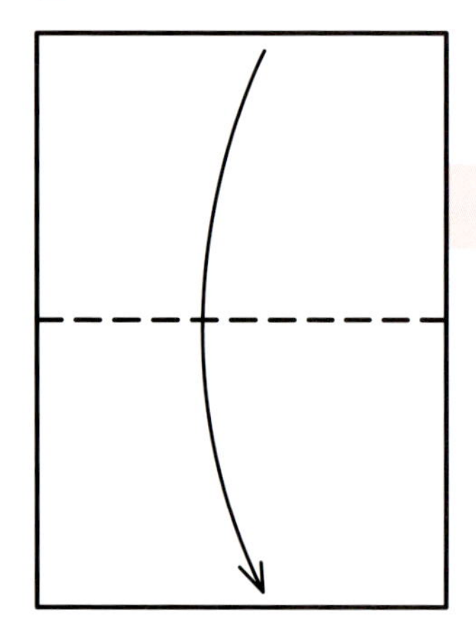

2 上の１枚を半分に折る

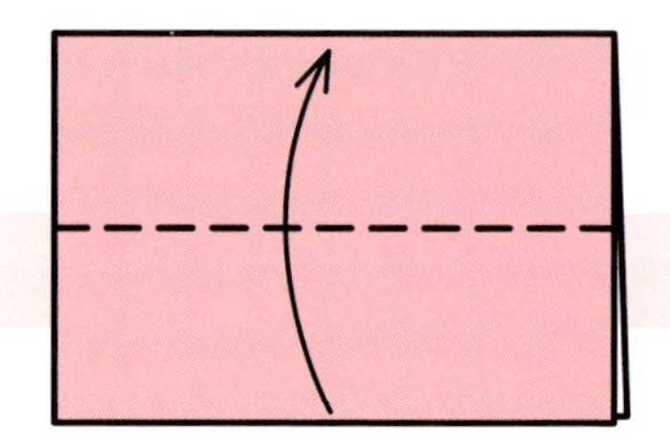

3 上の１枚に折りすじをつける

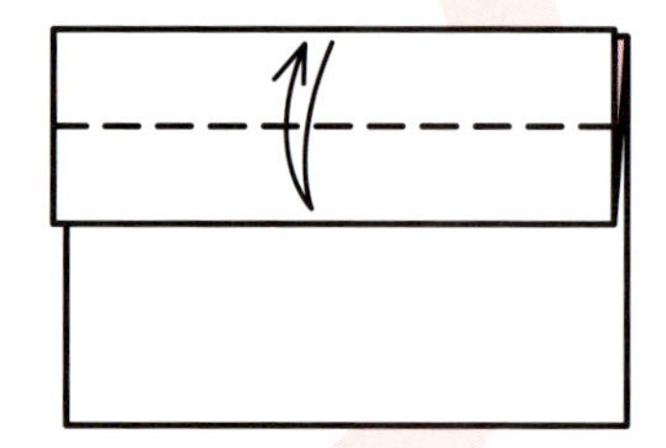

4 折りすじに合わせて上の１枚を２回巻くように折る

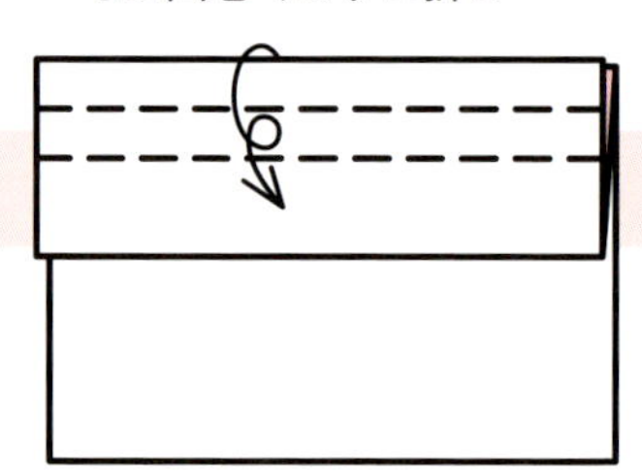

5 折りすじをつける

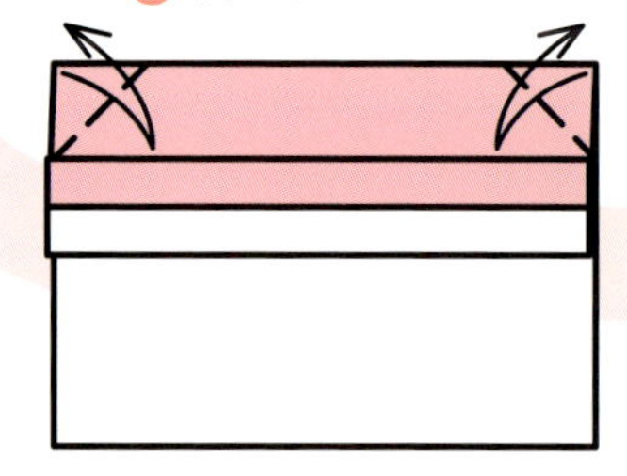

6 上の１枚を開く

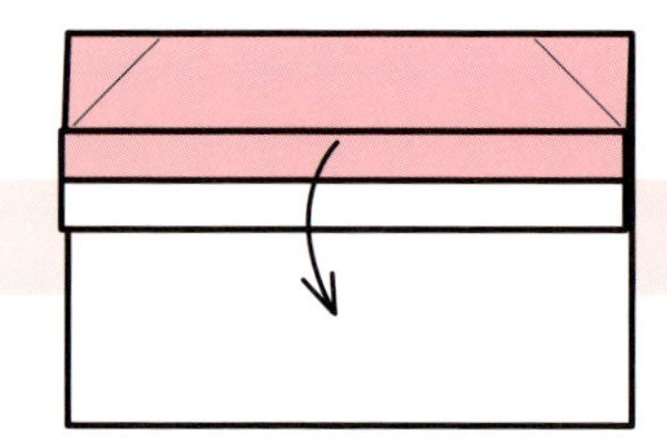

7 折りすじをつける

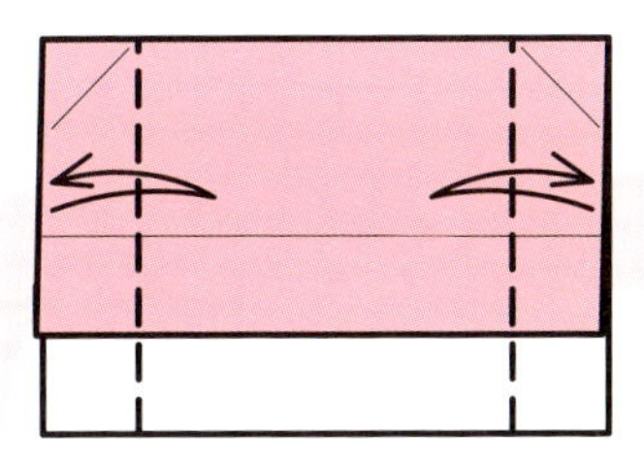

8 開いて折りたたむ

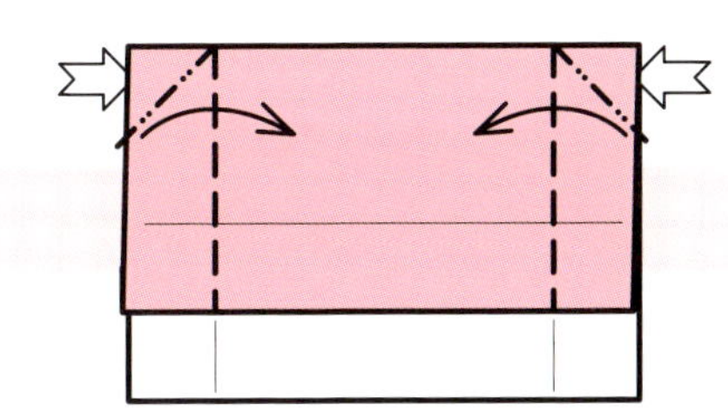

9 折りすじで折る

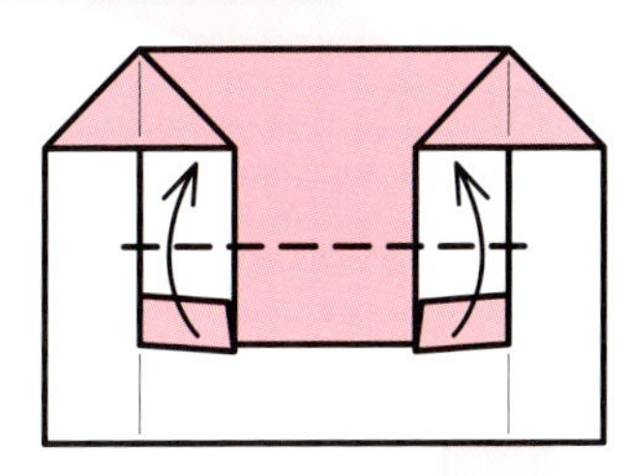

10 開いて折りたたむ

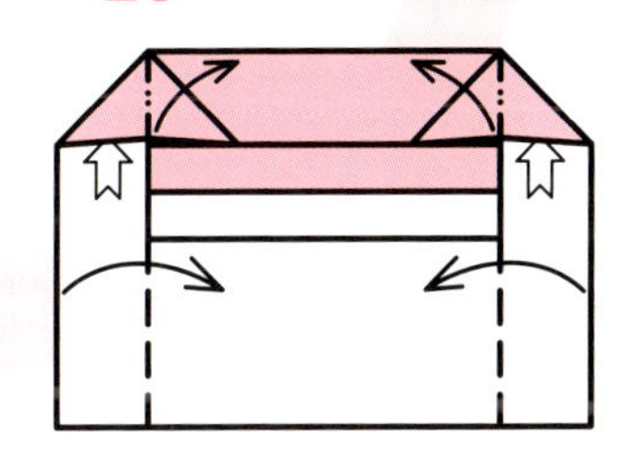

11 折りすじで内側に折る

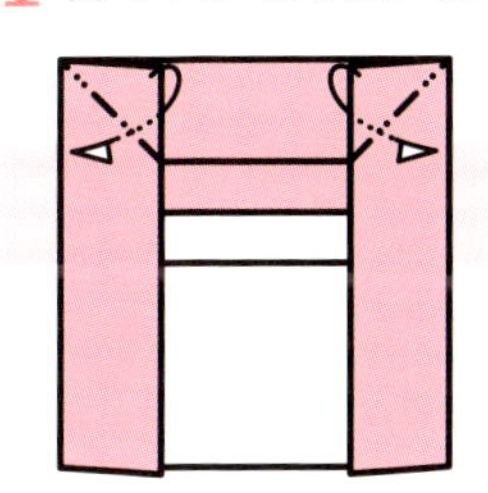

12 ○が重なるように
折りすじをつける

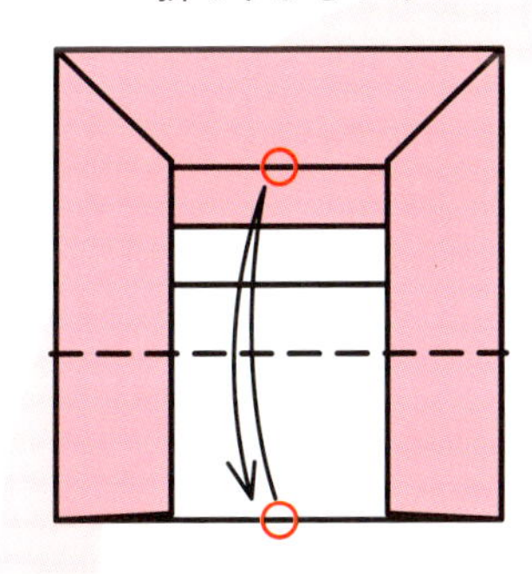

13 折りすじに合わせて
折る

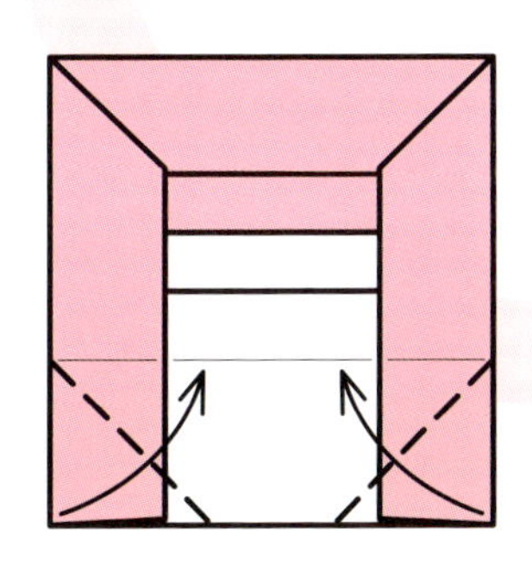

14 折りすじで折り、
すき間に差し込む

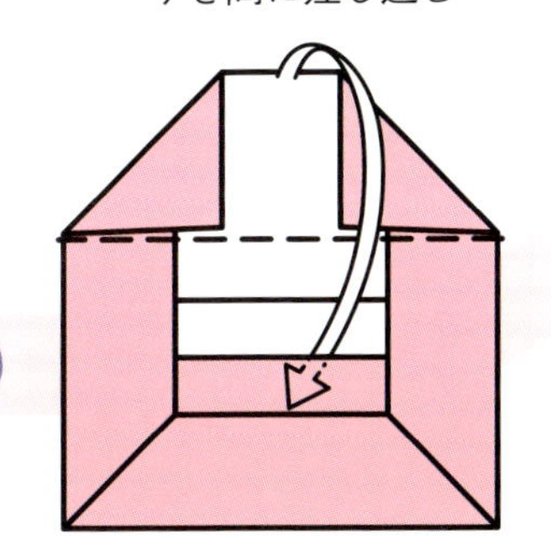

できあがり

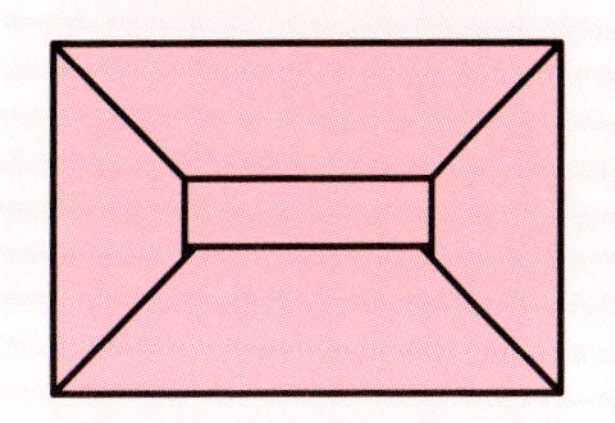

★★★

ハートのポチ袋【→P.20】

【→P.20】

Point

ハートにしたい面を表にして折り始めましょう。リバーシブルの紙を使うと、袋部分もぐっと華やかになります。

▶**用意する紙**
24×24cmの紙を１枚

▶**完成サイズ**　6×9cm

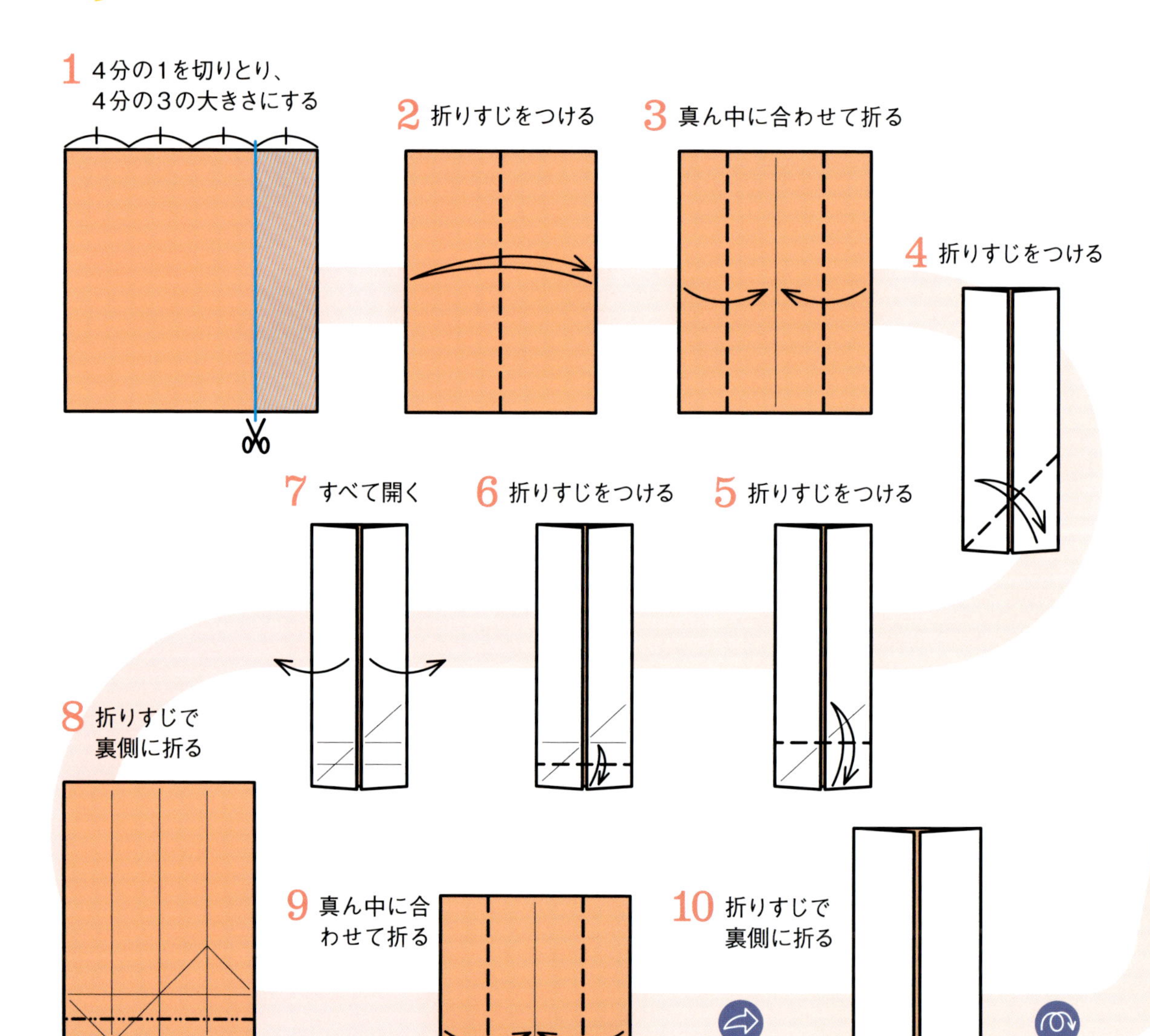

11 中わり折りする

12 折ったところ

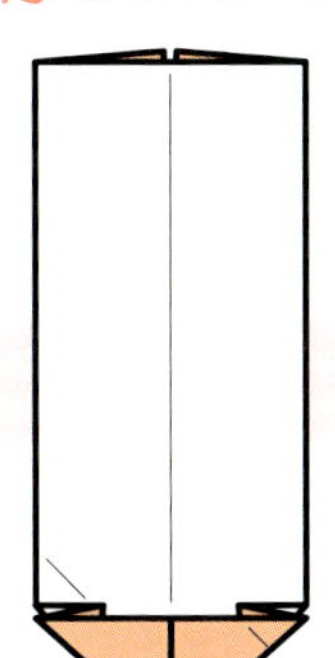

13 図の位置で折る

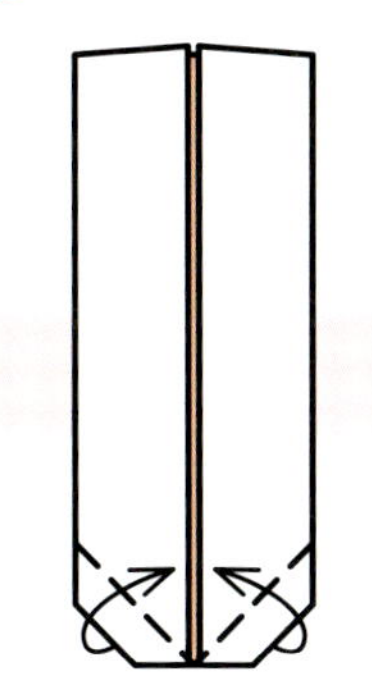

14 ○が重なるように折りすじをつける

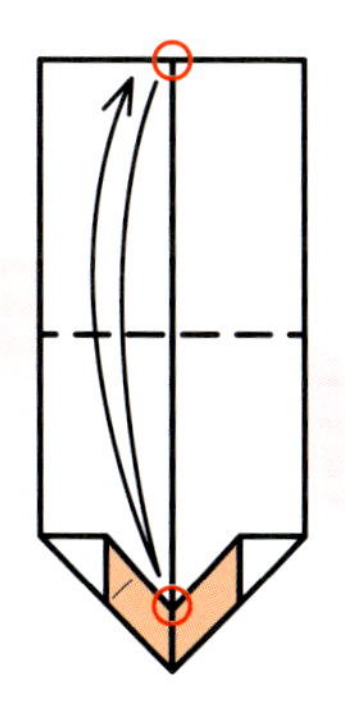

15 開くように折る

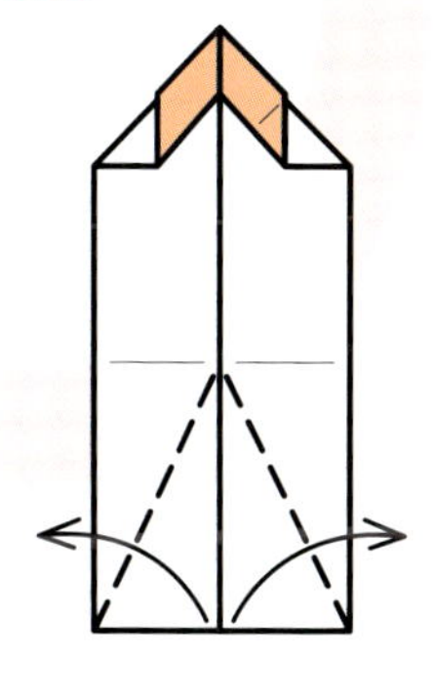

16 折りすじで折り、すき間に差し込む

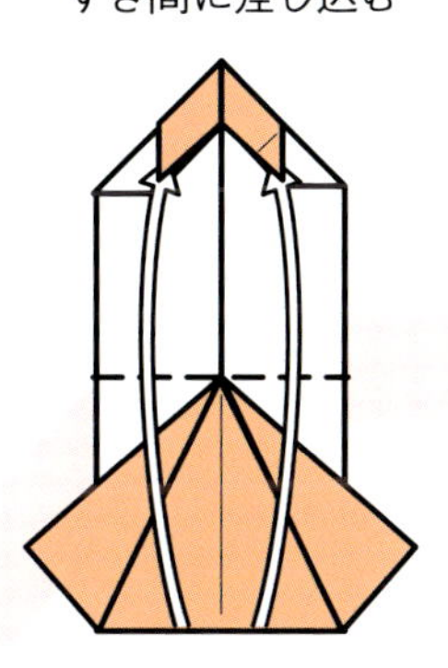

アドバイス

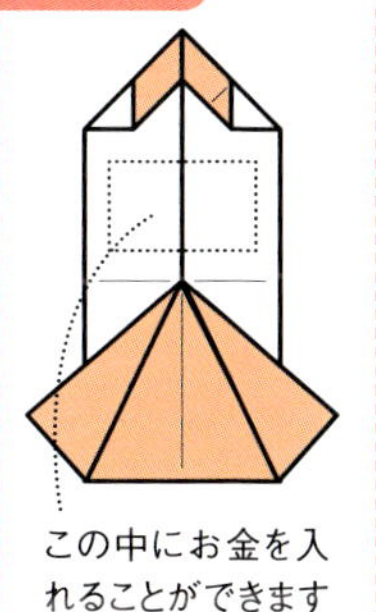

この中にお金を入れることができます

17 ○が重なるように裏側へ折る

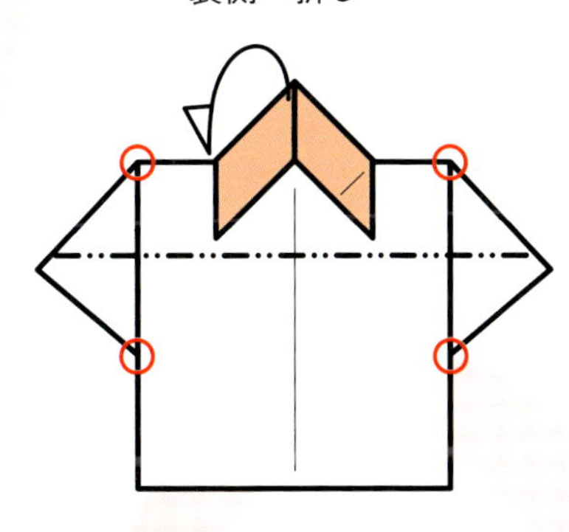

18 中わり折りする

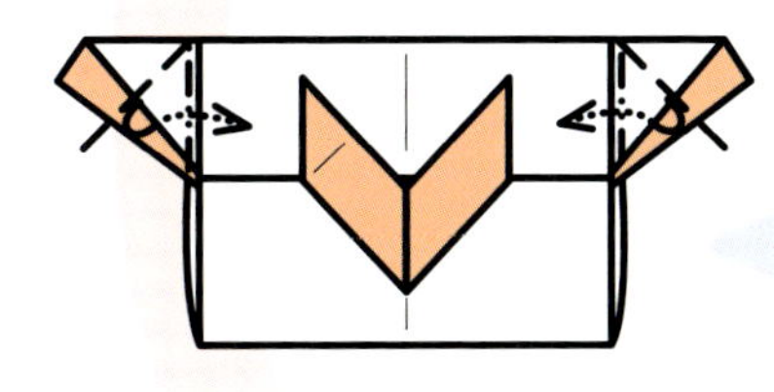

中わり折りしているところ

19 左右のはみ出た部分をすき間に差し込んで、しまう

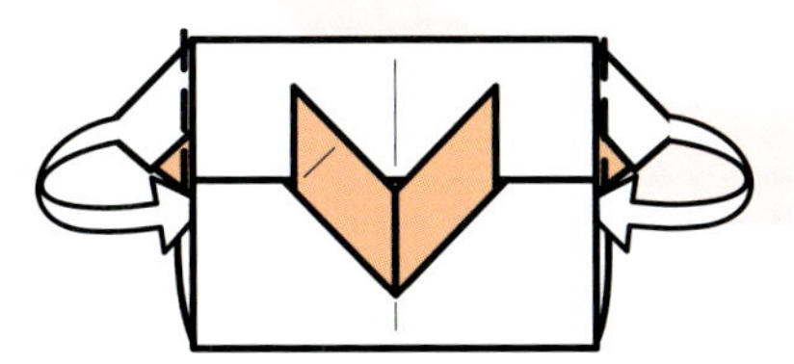

20 図の位置で内側に折る

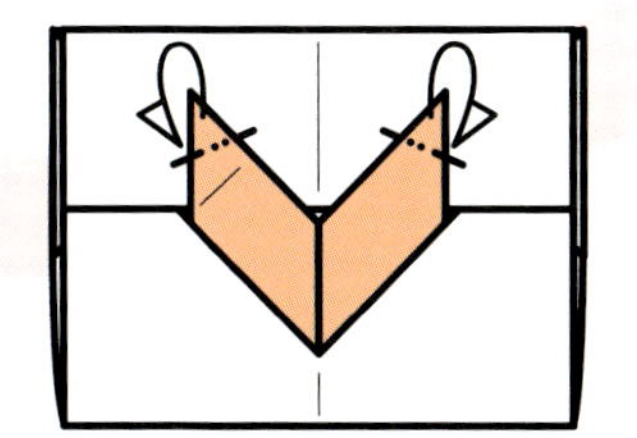

できあがり

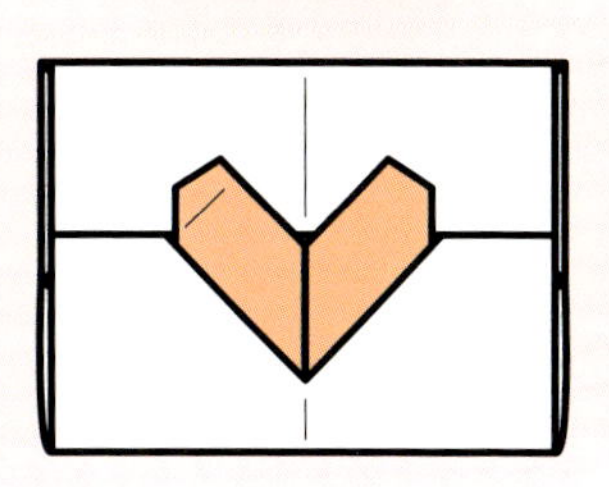

★★★

鶴の祝儀袋 【→P.20】

Point

手作りの祝儀袋は、きっと受け取る方の心に残るはず。ご祝儀を折らずに包めるように、大きめの紙をご用意ください。

▶**用意する紙**
44×35cmの紙（和紙や包装紙など）を1枚

▶**完成サイズ**　10×19cm

1 角をはしに合わせて折りすじをつける

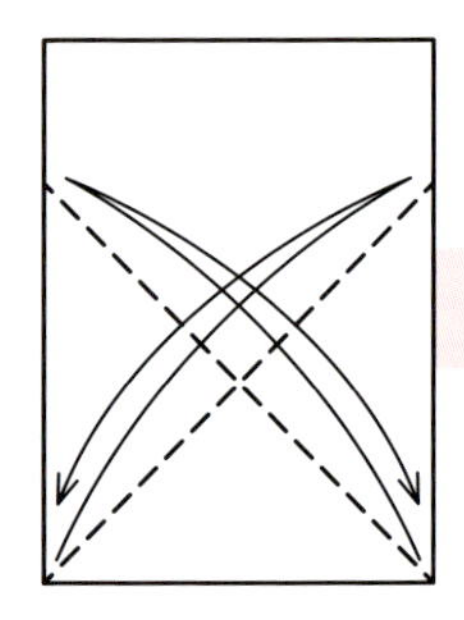

2 折りすじをつける

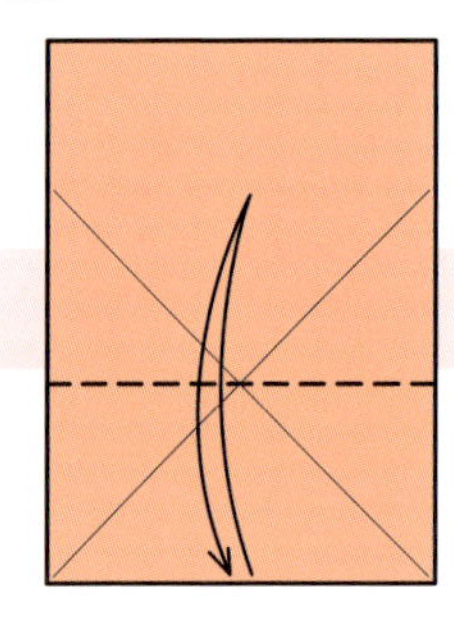

3 図のように折りたたむ

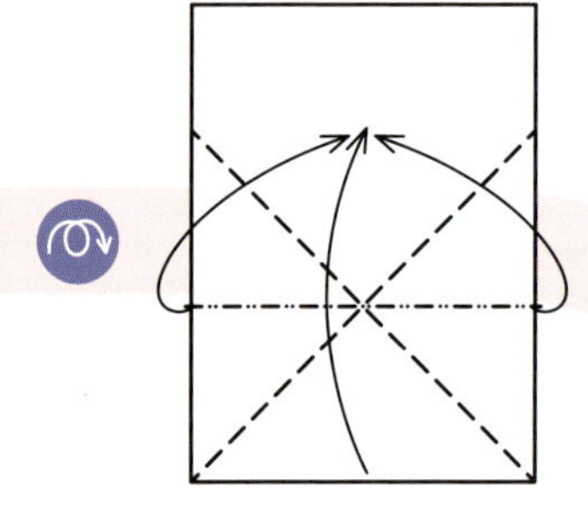

4 折りすじをつける

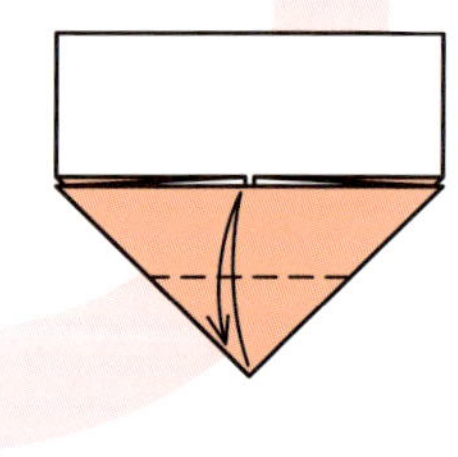

5 上の紙に折りすじをつける

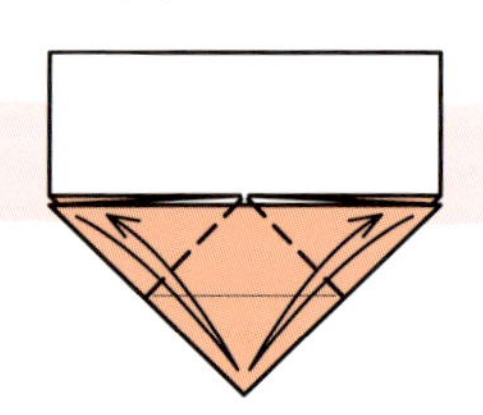

6 上の紙に折りすじをつける

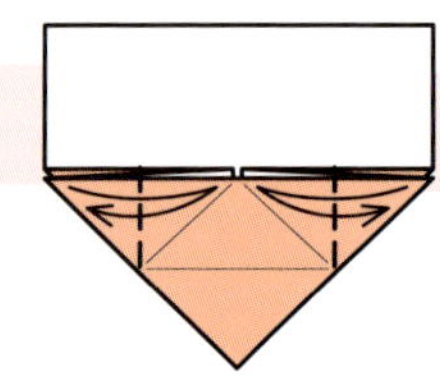

7 上の1枚を開き、折りすじで折りたたむ

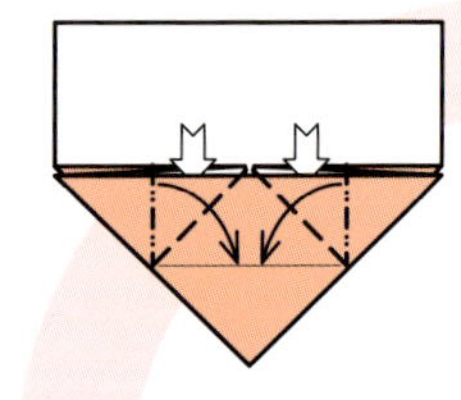

8 真ん中に合わせて山折りしてから谷折りする（段折り）

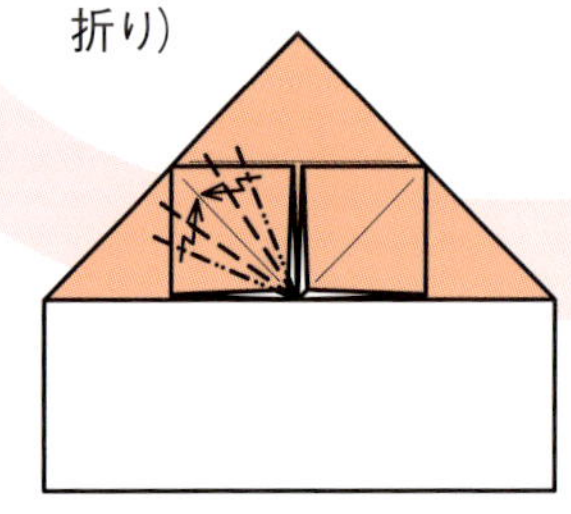

9 折りすじをつける

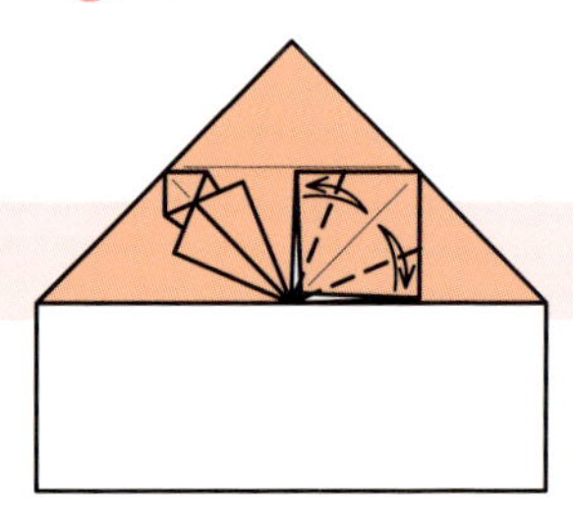

10 図の位置で、上の紙に切り込みを入れる

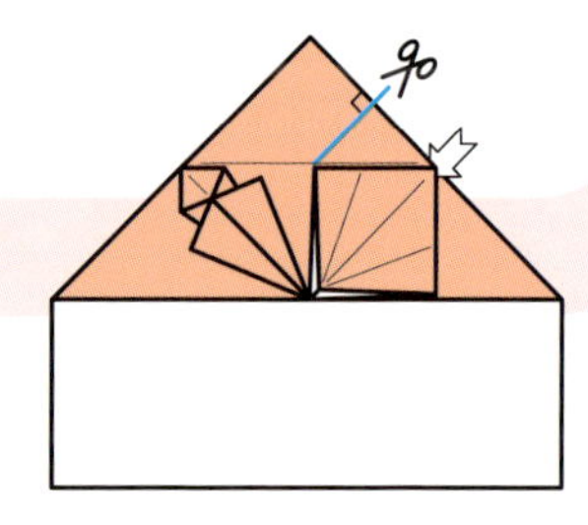

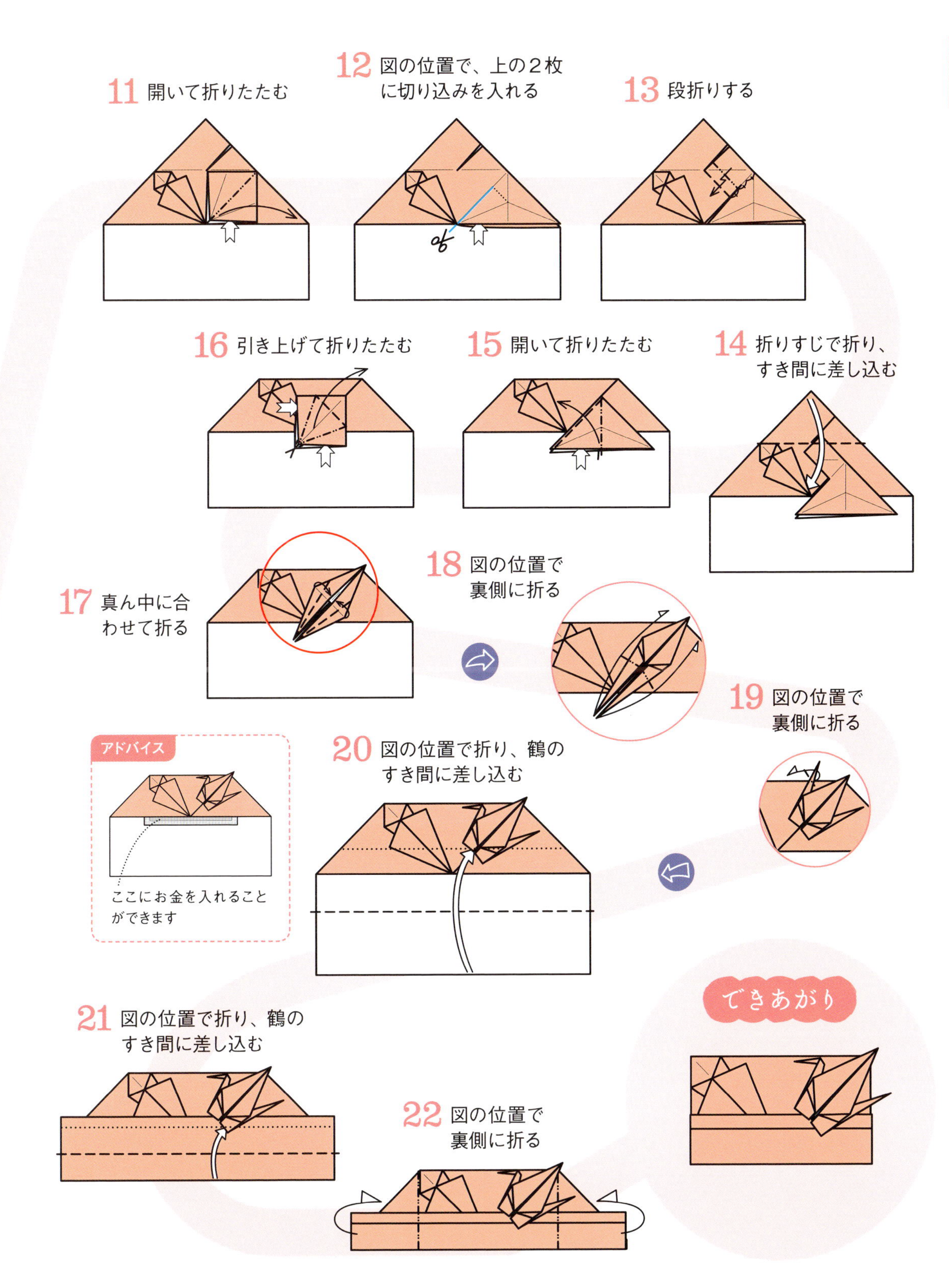
11 開いて折りたたむ
12 図の位置で、上の2枚に切り込みを入れる
13 段折りする
14 折りすじで折り、すき間に差し込む
15 開いて折りたたむ
16 引き上げて折りたたむ
17 真ん中に合わせて折る
18 図の位置で裏側に折る
19 図の位置で裏側に折る
20 図の位置で折り、鶴のすき間に差し込む
アドバイス
ここにお金を入れることができます
21 図の位置で折り、鶴のすき間に差し込む
22 図の位置で裏側に折る
できあがり

作者：青木良

★★★

1枚の紙で折れるギフトボックス 【→P.21】

Point

キャンディなどの小さなプレゼントにピッタリのサイズです。折りすじをしっかりつけておけば12〜14が楽に折れます。

▶**用意する紙**

15×15cmの紙を1枚

▶**完成サイズ**　4×4×4cm

※かんのん基本形［→P.17］から始めます。

1 折りすじをつける

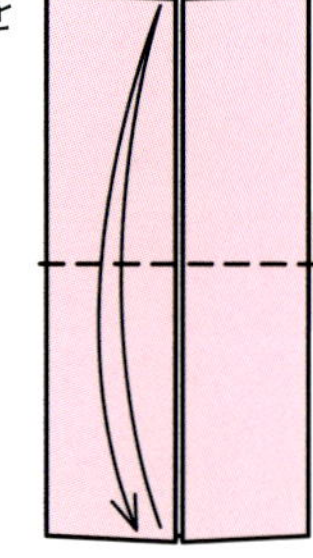

2 折りすじをつける

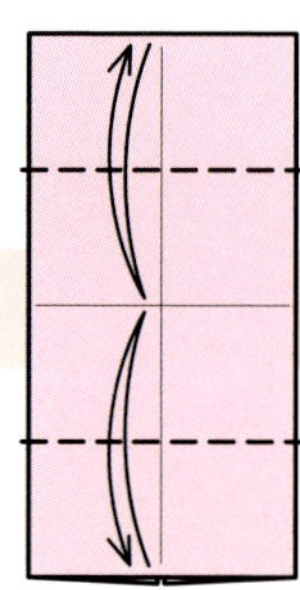

3 すべて開く

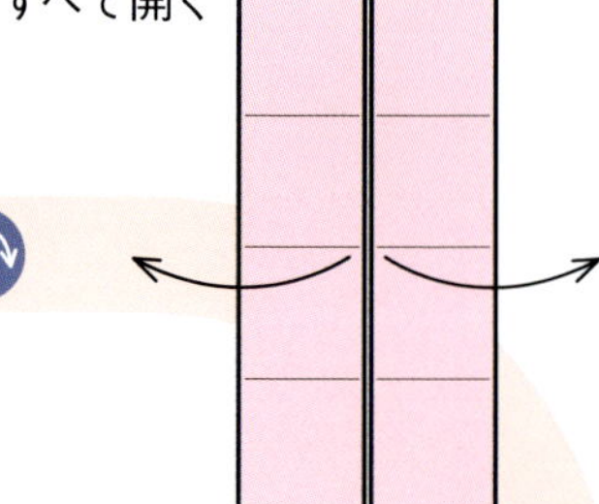

4 折りすじに合わせて折る

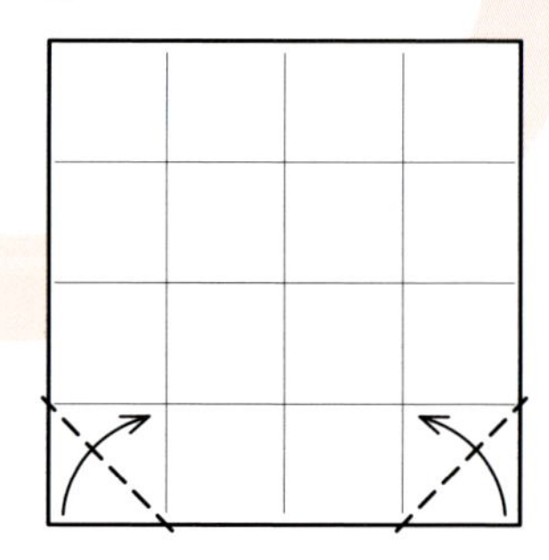

5 4か所に折りすじをつける

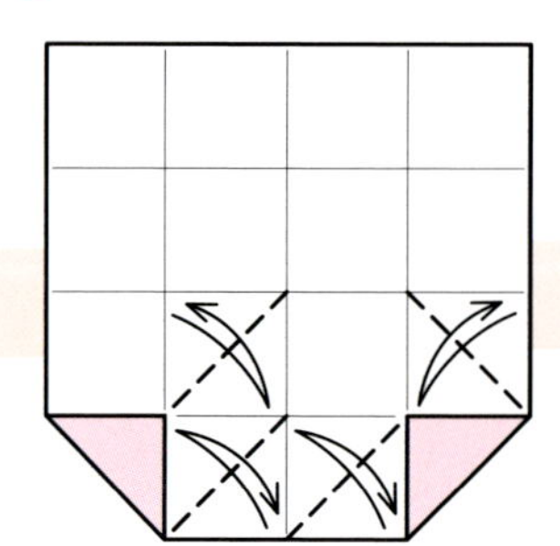

6 5か所に折りすじをつける

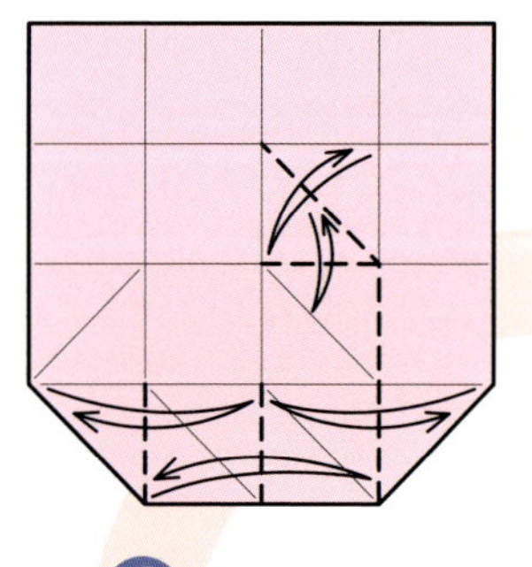

7 図の折り線部分だけを折って8の形にする

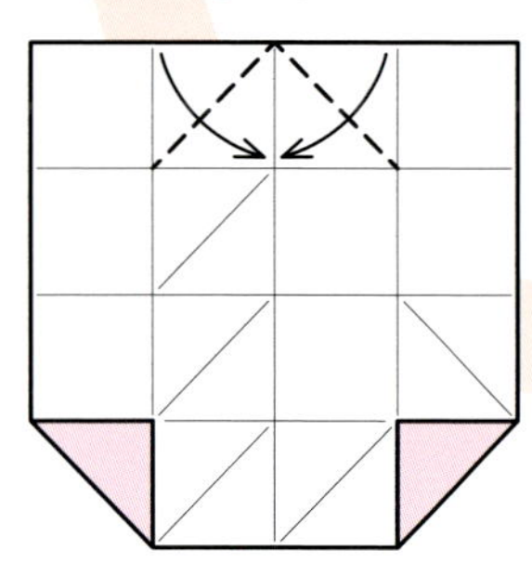

8 折りすじをつける

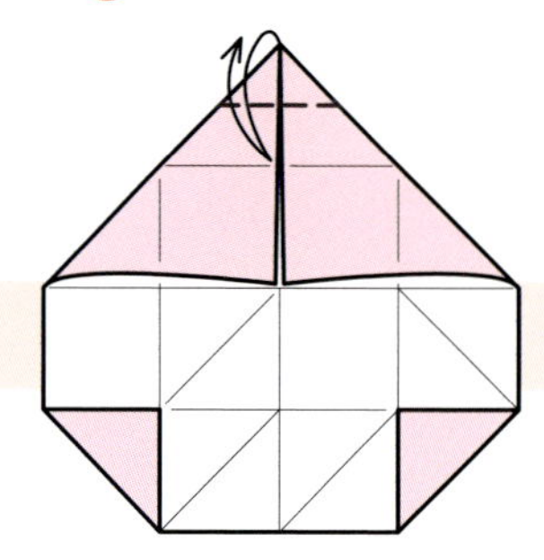

9 折りすじをつける

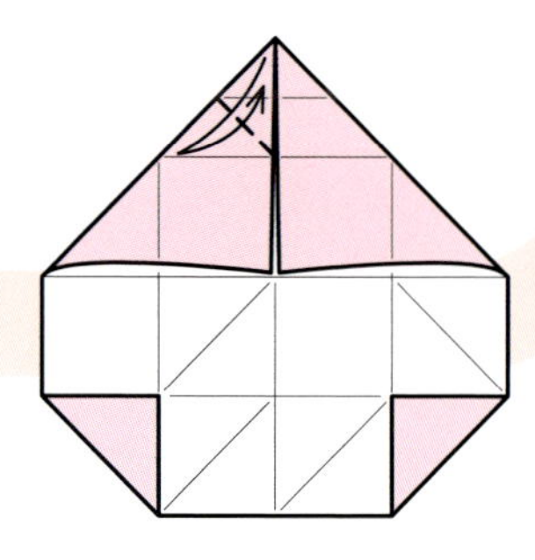

10 折りすじで段折りする

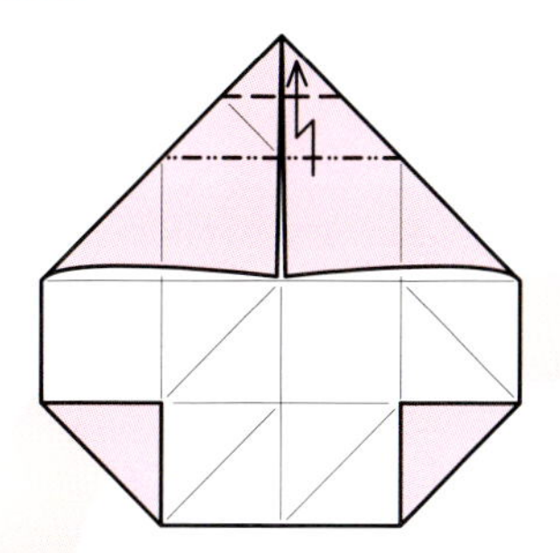

11 上の紙を開きながら①を折って立体にする

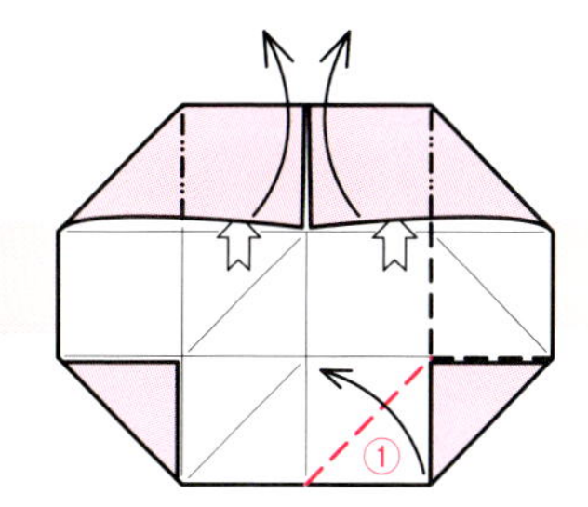

12 下の山折り線で裏側に折る

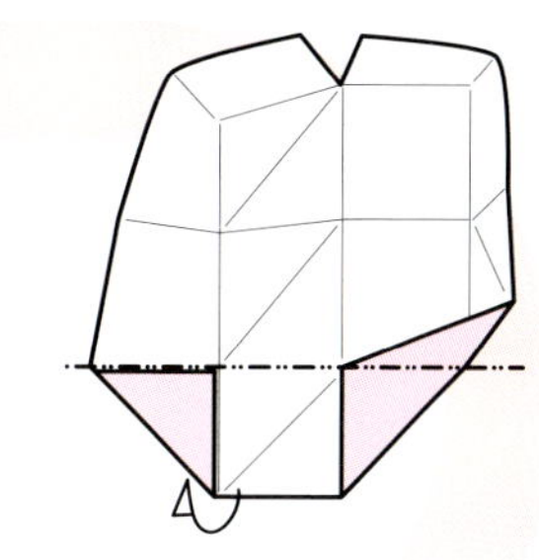

13 ①を折って○が重なるように折る。底を目安にすると折りやすい

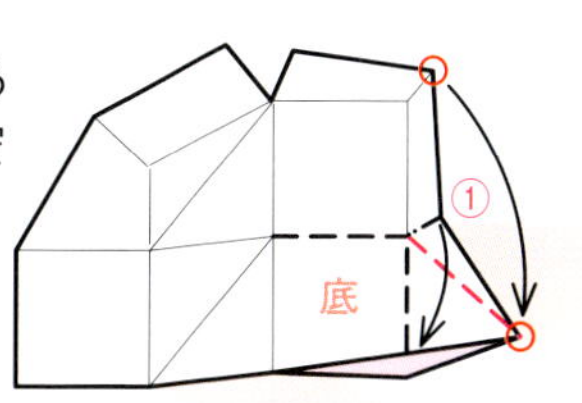

難

14-1 まず①を折り、②を折りながら左側の後ろのすき間（⇨）を開き、③の○が重なるように折る

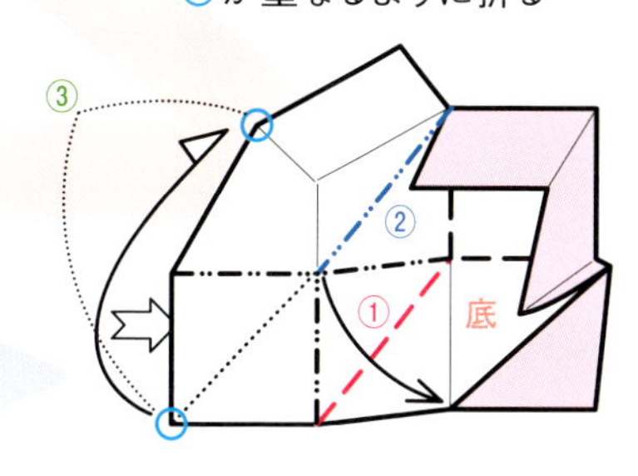

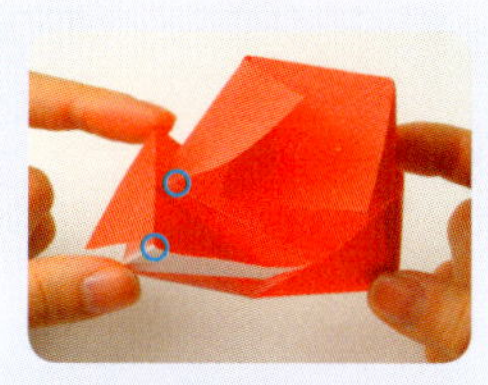

③の○は裏側からかぶせるように重ねる

14-2 AをBの下に差し込む。AとDの間のポケットにCを差し込む。EをFの下になるように差し込んで立方体にする

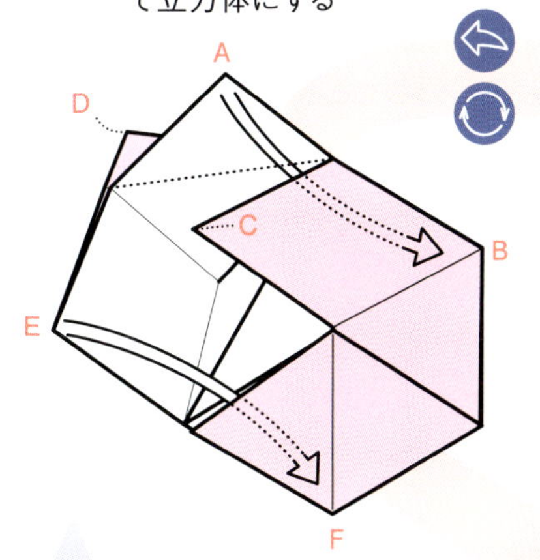

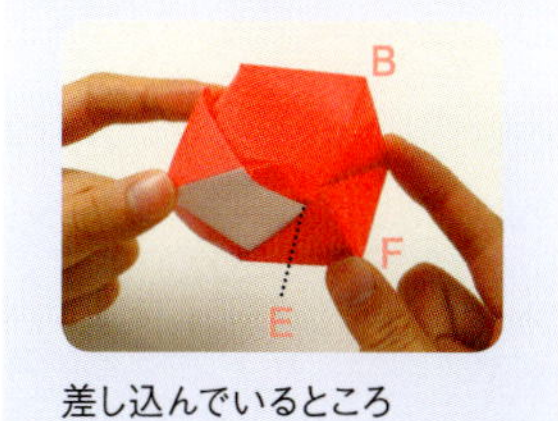

差し込んでいるところ

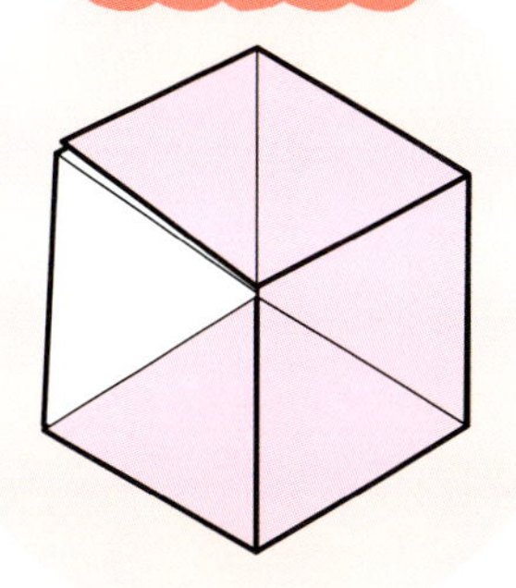

使い方

開けるときは、再度引き出す

★★★

ふた付きのギフトバッグ

【▸P.7、21】

Point

折りすじをしっかりつけると、仕上げがかんたんになります。マチつきなので、厚みのあるプレゼントも入れられます。

▶**用意する紙**
35×35cmの紙（和紙や包装紙など）を1枚

▶**完成サイズ**　9.5×12×3cm

1 折りすじをつける

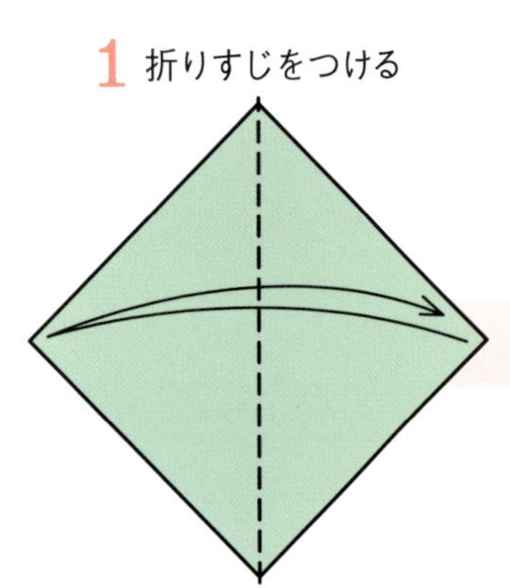

2 半分に折る

3 上の1枚を折って、少しだけ折りすじをつける

4 少しだけ折りすじをつける

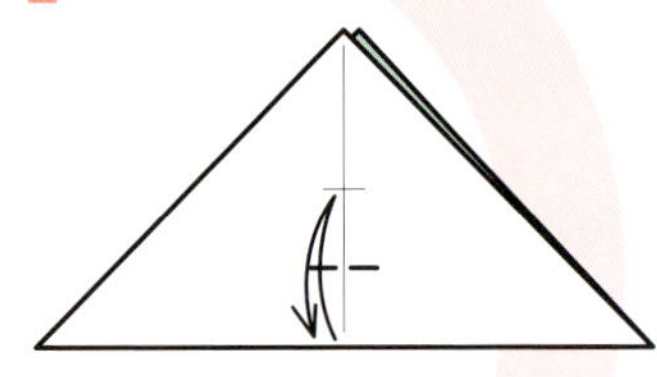

5 少しだけ折りすじをつける

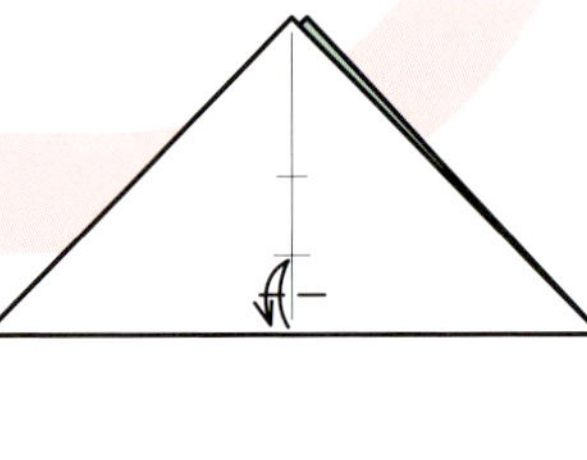

6 5でつけた折りすじの半分の位置で折る。反対側も同様にする

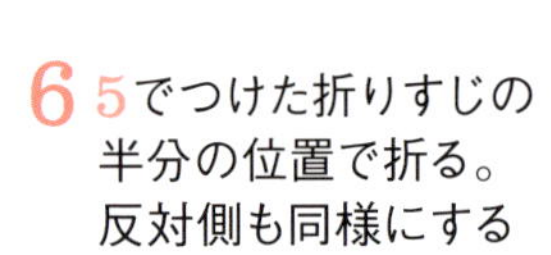

7 ○が重なるように折りすじをつける

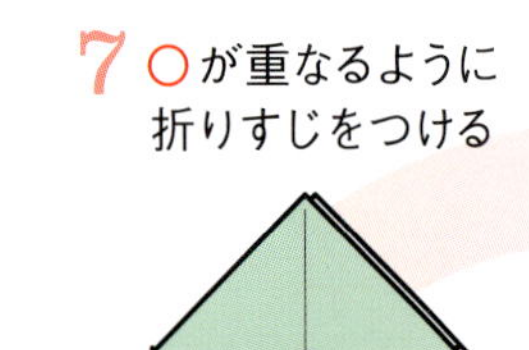

8 ○と○がそれぞれ重なるように折りすじをつける

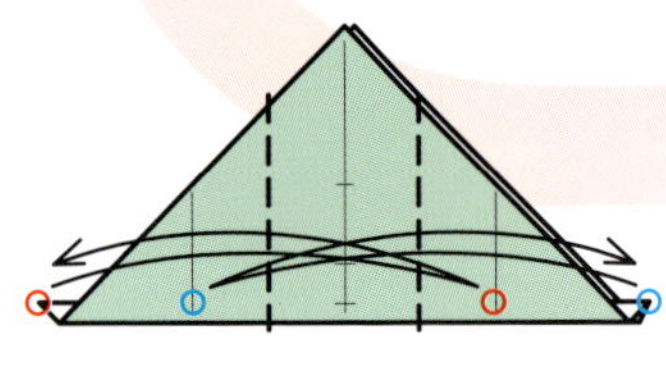

9 折りすじをつける

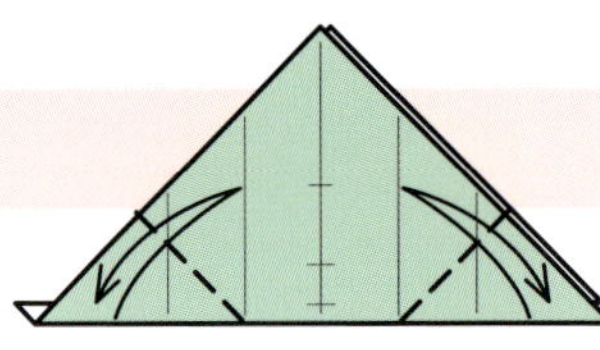

10 すべて開く

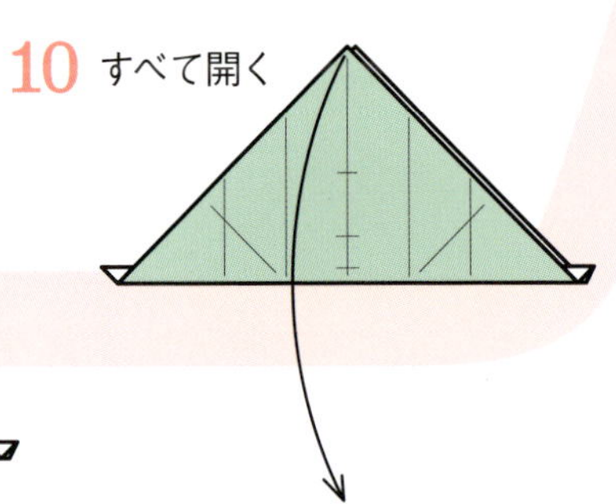

11 ○と○と○が それぞれ重なる ように折る

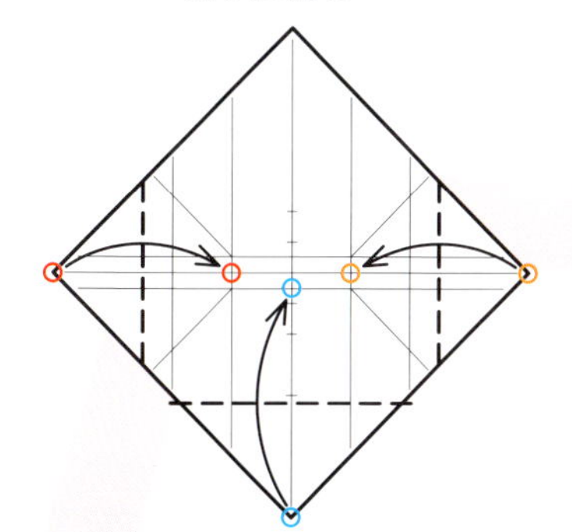

12 図の位置で裏側に 折りながら、上の 1枚を開く

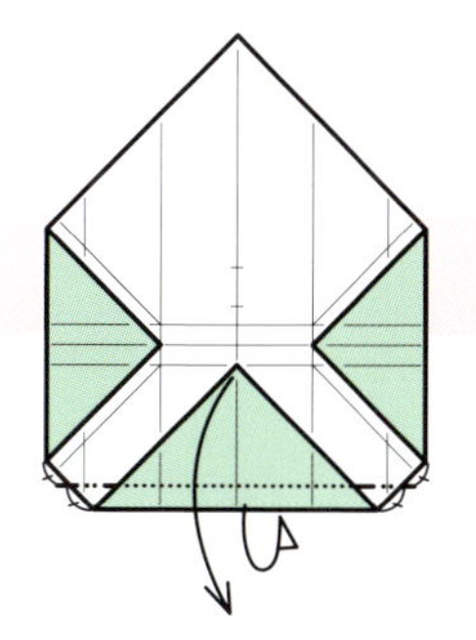

13 折りすじを つけなおす

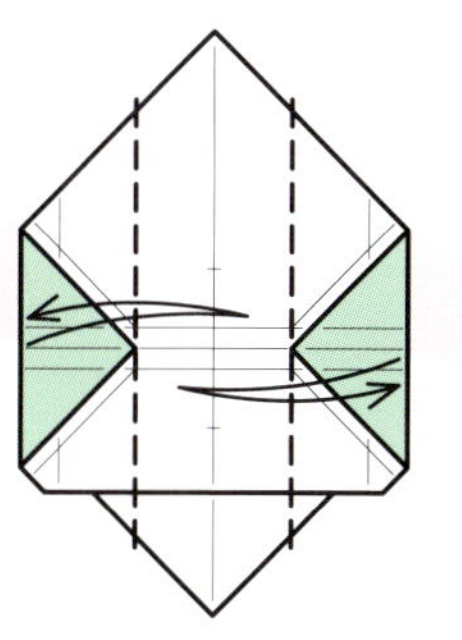

難 **14** 図のように折って 立体にして、15の 形にする

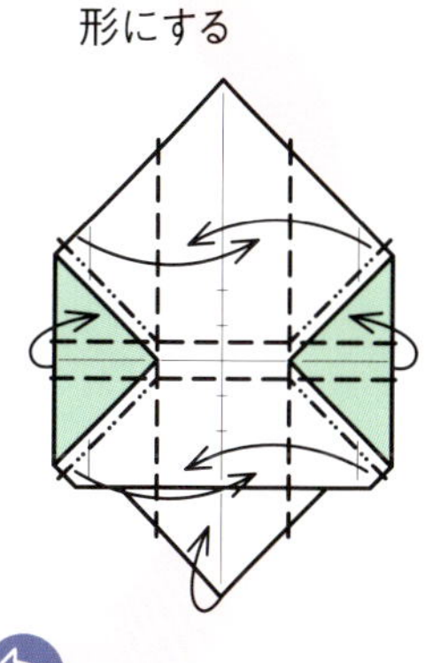

15 折ったところ。折った 部分は接着剤で貼る

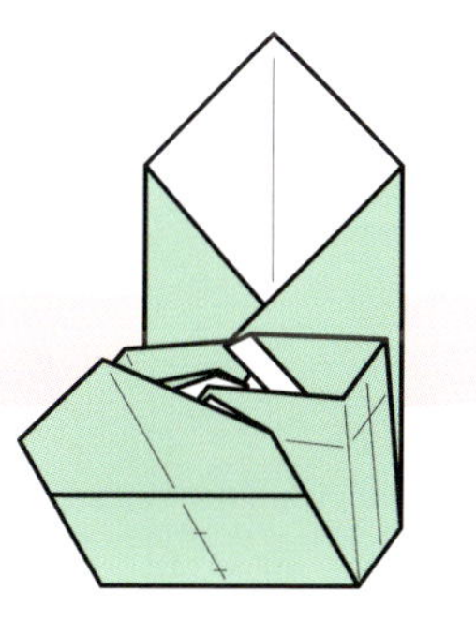

16 図のように内側に折る。 折った部分は接着剤で 貼る

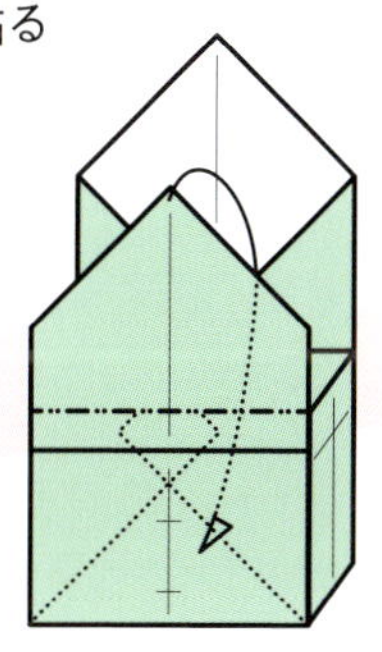

17 図の位置で折る

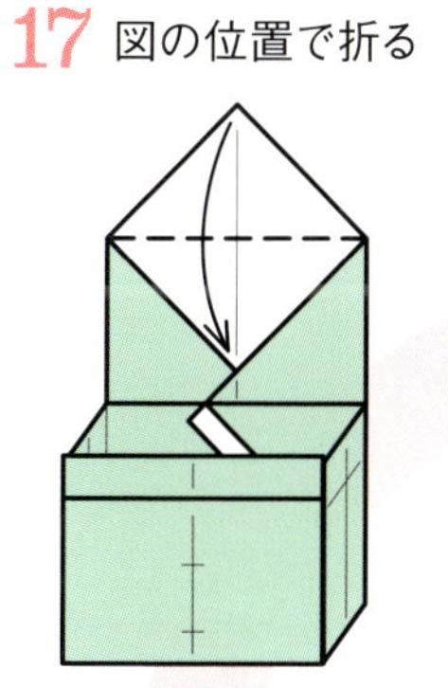

18 図の位置で折る

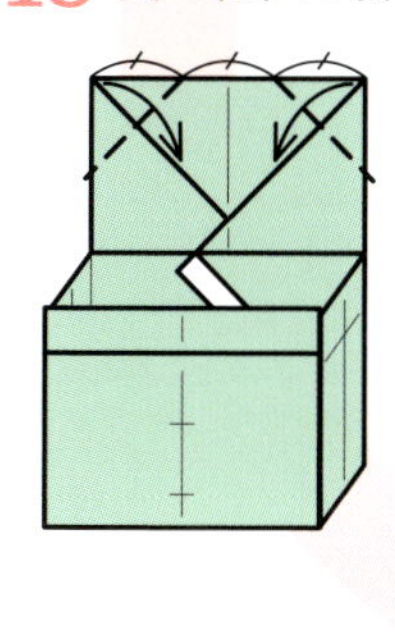

19 図のように押し 込みながら、図 の位置で折る

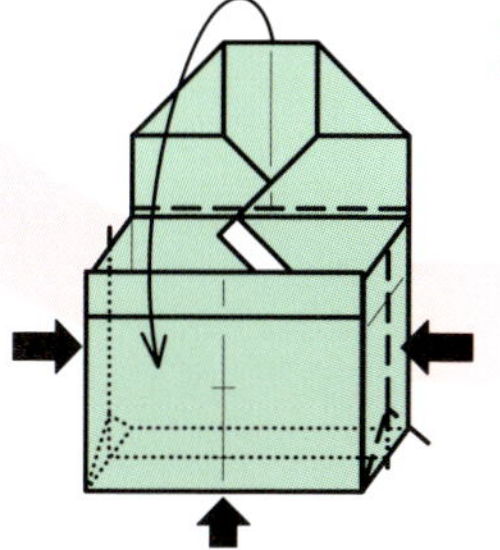

20 図の位置で折り、 内側に差し込む

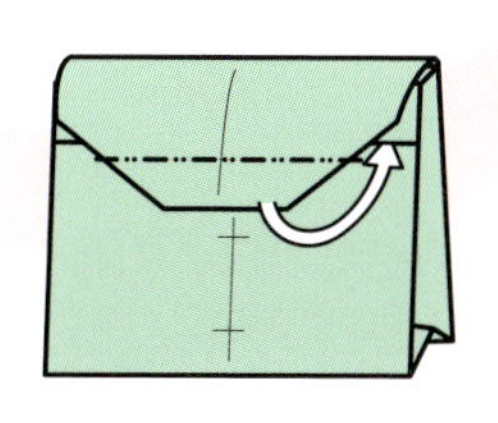

できあがり

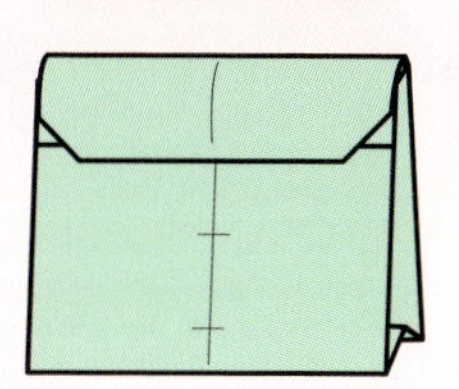

★★☆

大きな手提げ袋 【→P.21】

Point

取っ手もいっしょに折り込むので、外れにくく、使い勝手ばつぐん。15cm四方のおりがみを持ち運ぶのにも便利です。

▶用意する紙

［取っ手］50×14cmの紙（和紙や包装紙など）を1枚

［袋］55×55cmの紙（和紙や包装紙など）を1枚

▶完成サイズ　26×18.5×7cm

取っ手

取っ手の紙を半分に切り、さらに長さ40cmに切った紙を使う。残った10cmの紙2枚は 袋 のマチの補強に使う。

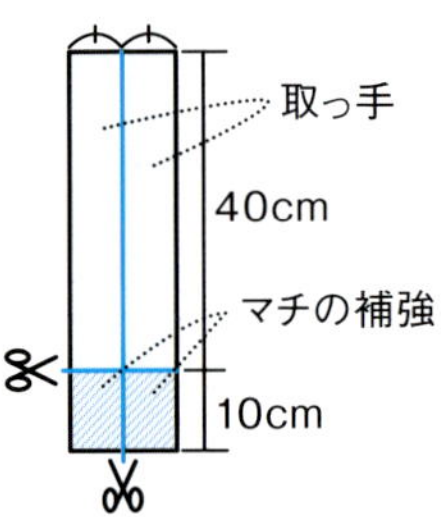

1 折りすじをつける

2 真ん中に合わせて折る

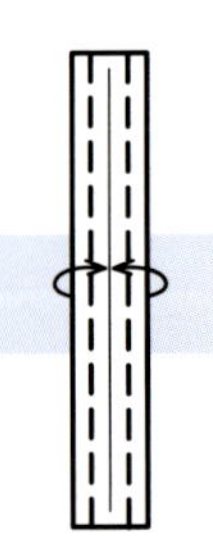

3 半分に折りもどす

4 好みの長さになるように両はしを裏側に折る

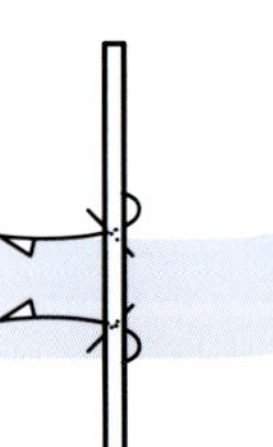

取っ手のできあがり

同じものを2個作る

袋

1 折りすじをつける

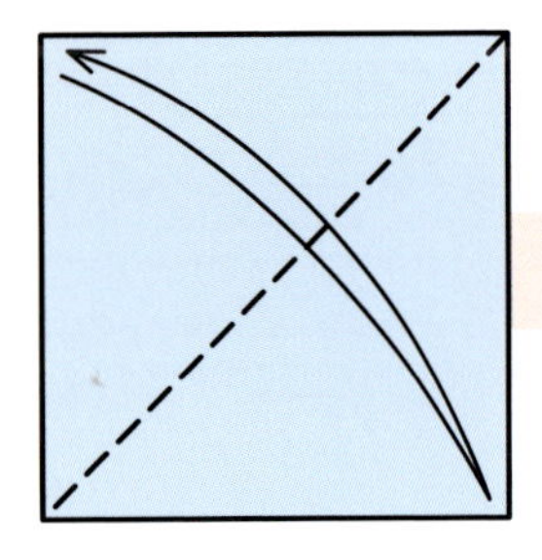

2 折りすじをつける

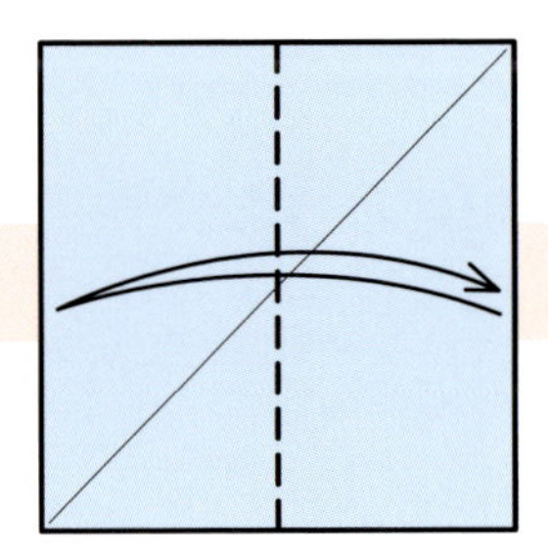

3 折りすじをつける

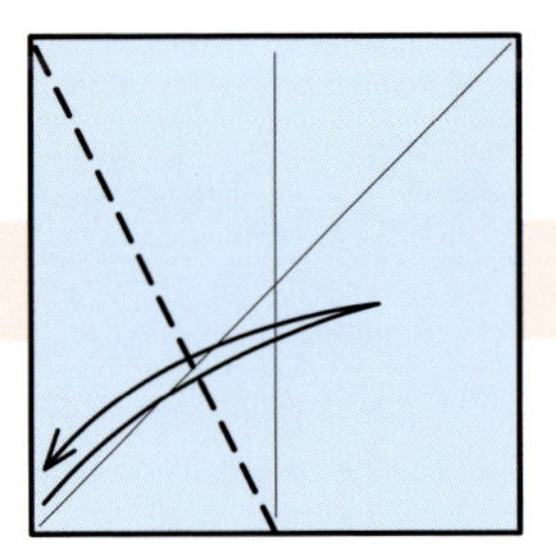

4 折りすじをつける

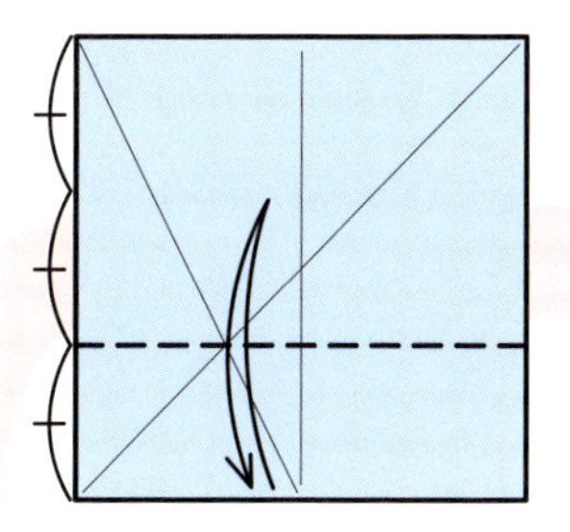

5 折りすじをつける

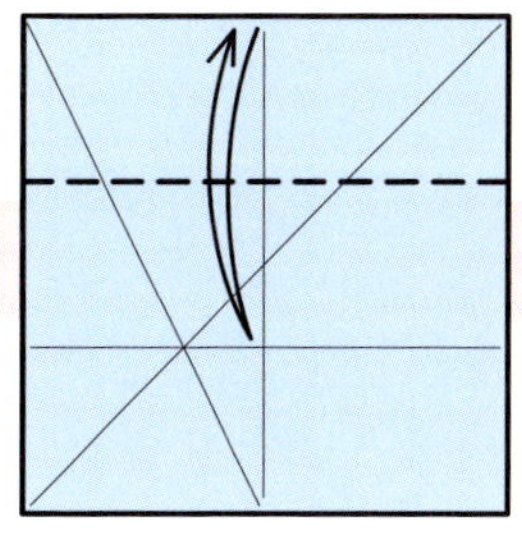

藤本修三氏「漸近等分法」より

6 半分に折りもどす

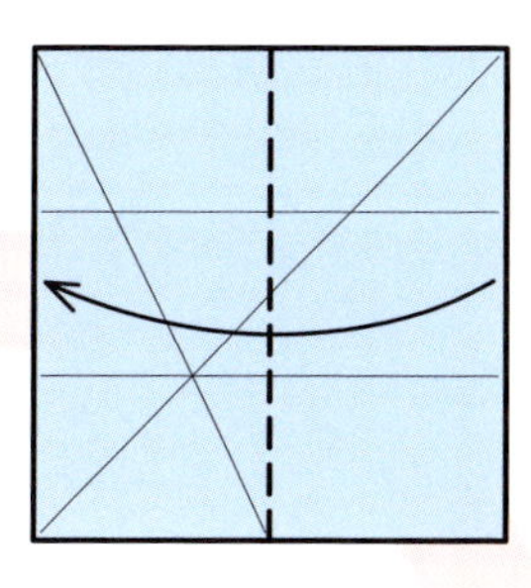

7 上の1枚に少しだけ折りすじをつける

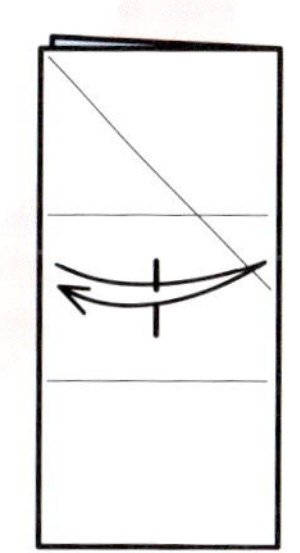

8 少しだけ折りすじをつける

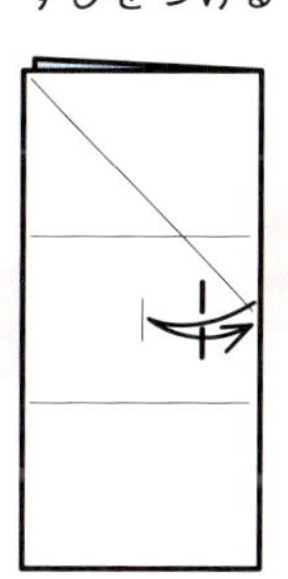

9 折りすじをつける

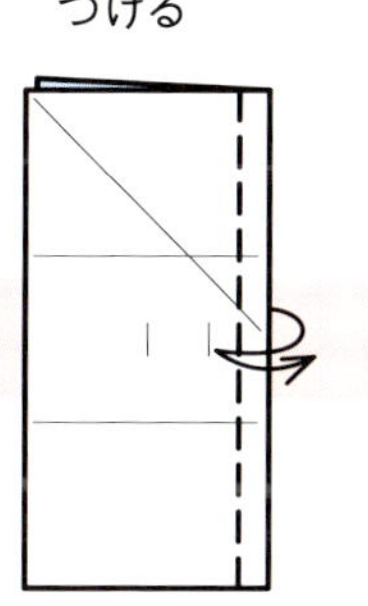

10 折りすじで折る。反対側も同様にする

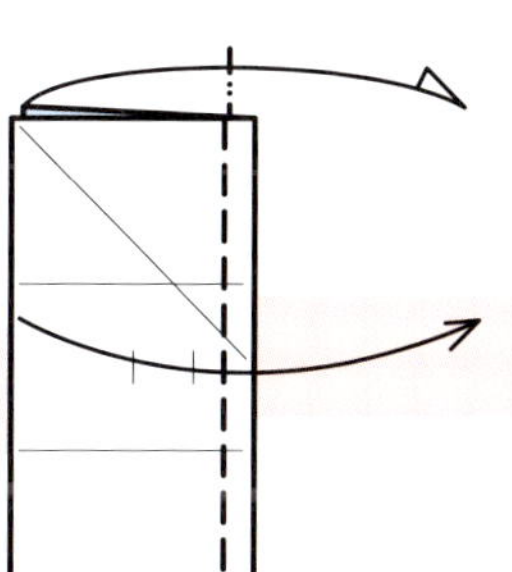

11 折りすじをつける

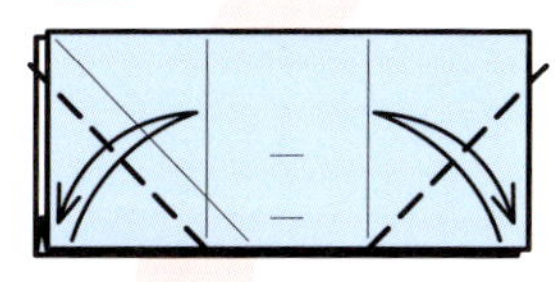

12 すべて開く

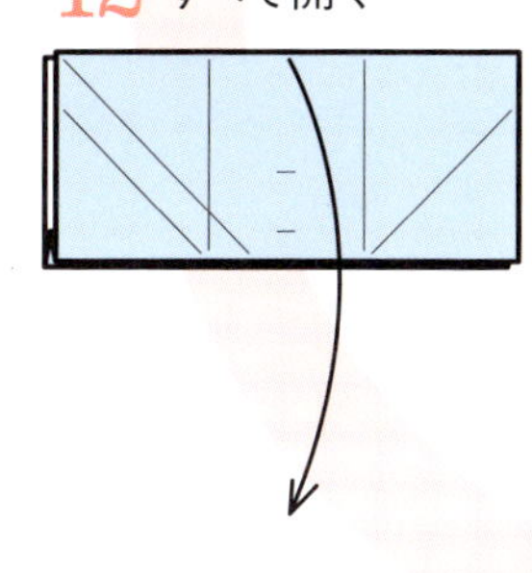

13 マチの補強の紙2枚を接着剤で貼りつけ、図のように折って立てる

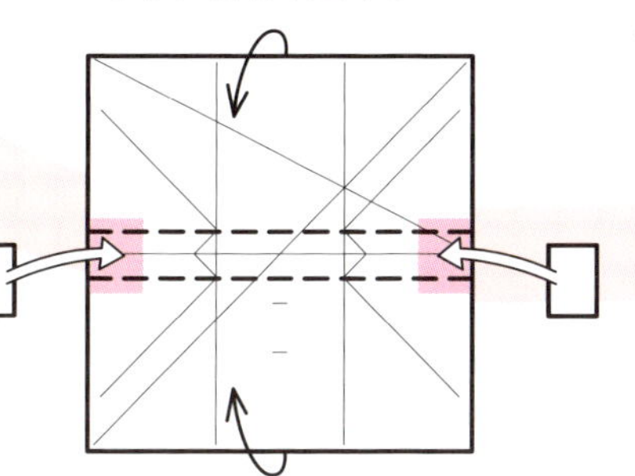

14 段折りし、×の部分を接着剤で貼りつける。反対側も同様にする

難

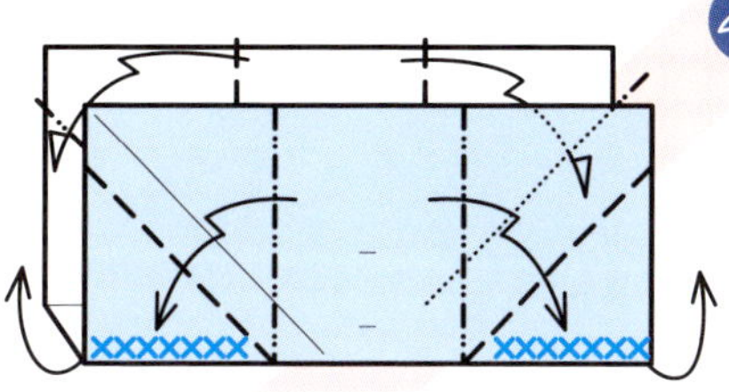

15 図の位置で押し込む

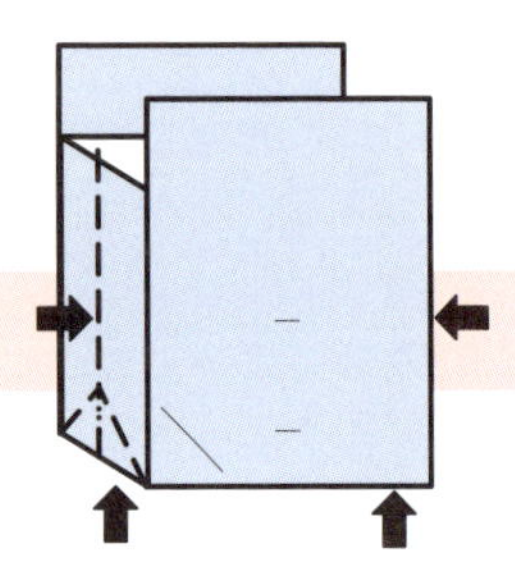

16 図の位置で折りすじをつける。反対側も同様にする

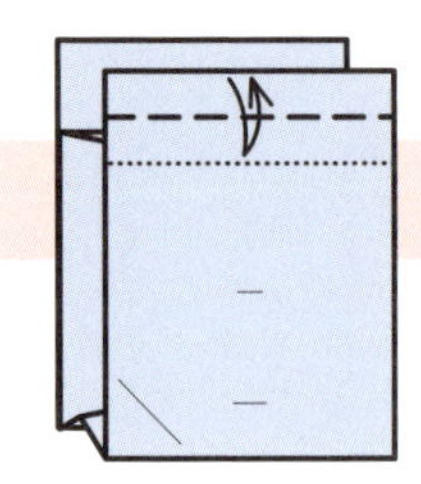

17 取っ手 のはしを折りすじに合わせて接着剤で貼る。上から2回巻くように折り、折った部分も貼りつける。反対側も同様にする

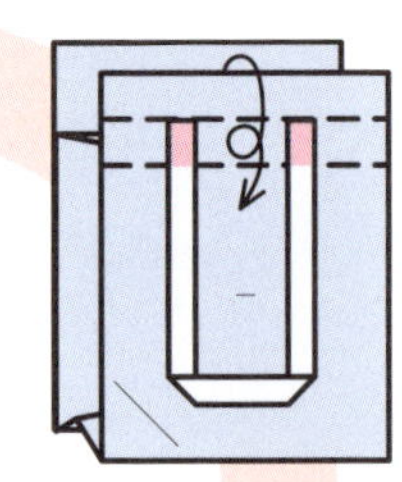

18 取っ手 を引き上げて折る。反対側も同様にする

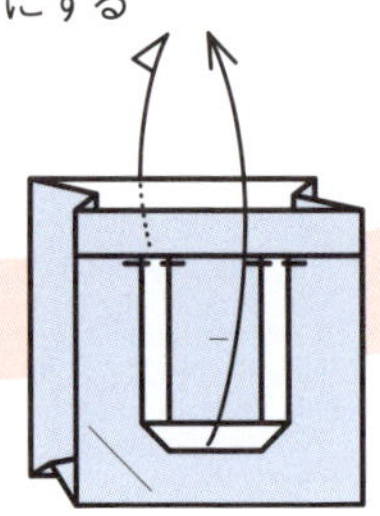

できあがり

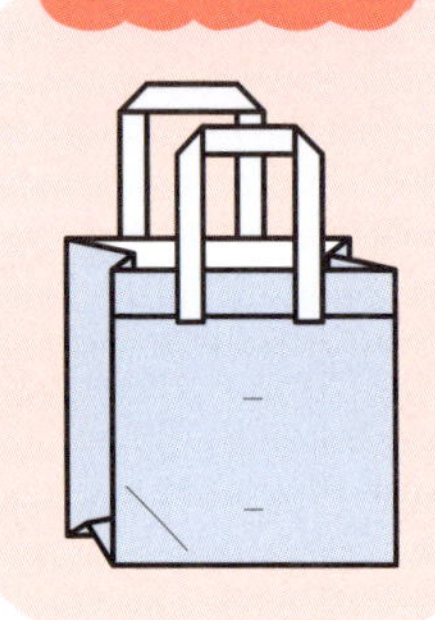

アレンジ

★★★

小さな手提げ袋 【→P.6、21】

Point

中に入れるものに合わせて紙のサイズを変えてみましょう。ペンなどの小物や、プレゼント用のお菓子を入れるのにおすすめです。

中サイズ

▶**用意する紙**

[取っ手] 42×10.5cmの紙（和紙や包装紙など）を1枚（マチの補強は10cmの長さで切りとる）

[袋] 42×42cmの紙（和紙や包装紙など）を1枚

▶**完成サイズ**　20×14×5cm

小サイズ

▶**用意する紙**

[取っ手] 24×6cmの紙（和紙や包装紙など）を1枚（マチの補強は8cmの長さで切りとる）

[袋] 24×24cmの紙（和紙や包装紙など）を1枚

▶**完成サイズ**　11.5×8×3cm

特小サイズ

▶**用意する紙**

[取っ手] 15×4cmの紙（和紙や包装紙など）を1枚（マチの補強は3.5cmの長さで切りとる）

[袋] 15×15cmの紙（和紙や包装紙など）を1枚

▶**完成サイズ**　7×5×2cm

2章

暮らしのおりがみ

めがねケースやブックカバーなど
便利で実用的な作品を集めました。
日々の暮らしにさりげなくおりがみを
取り入れてみませんか。

使うたびに気分が晴れやかに

さりげなくおしゃれな日常小物

ひもつきめがねケース
【→P.42】

ブックカバー
【→P.44】

持ち歩いたり出し入れしたり、手に取る機会が多いからこそ、お気に入りの紙で手作りするのはいかがですか。

プチ巾着
【→P.45】

小物の持ち運びやプレゼントのラッピングなど、便利に使える、小さな巾着です。

ティッシュケース
【→P.46】

その日のコーディネートに合わせた紙で折れば、センスアップにも一役買いそう。

昔ながらの薬包み
【→P.48】

富士山の
カードケース 【→P.49】

実用的で、温かみのあるカードケースは、贈り物としても喜ばれるでしょう。

ポケット３つの
カードケース 【→P.50】

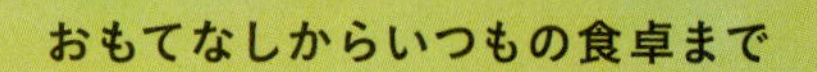
おもてなしからいつもの食卓まで

毎日大活躍のテーブル小物

卓上がパッと明るくなる器たち。楽しいお茶の時間の始まりです。

かめさんのキャンディボックス 【→P.51】

シンプルなお皿
【→P.56】

葉っぱのお皿
【→P.54】

かわいい犬とコースターは、いつもテーブルに置いておきたい存在。

五角形のコースター
【→P.58】

六角形のコースター
【→P.57】

犬の箸置き
【→P.60】

おめでたい席にぴったりな箸袋。華やかな柄がよく映えます。

着物の箸袋
【→P.62】

人に見せたくなる

暮らしに使える生活小物

葉書ファイル
【→P.64】

大切な絵葉書や手紙を収納できるファイル。きれいな色の和紙でカラフルに。

犬の印鑑ケース
【→P.66】

ネコの印鑑ケース
【→P.65】

印鑑が複数あると管理が大変。そんなとき、動物の印鑑ケースで使い分けましょう。

フォトスタンド
【→P.70】

自転車の置物
【→P.67】

写真のよさを引き出すシンプルなフォトスタンドと、躍動感あふれる自転車の置物。リビングや玄関に飾ってもいいですね。

マスキングテープやボタンなど、ごちゃつきがちな小物の収納に最適です。

しきりケース
【→P.71】

★★★

ひもつきめがねケース

【→P.5、36】

Point

ひもつきなので、壁にかけておけば、めがねをなくす心配がありません。前ポケットには綿棒や爪楊枝も入ります。

▶用意する紙

24×24cmの紙を2枚（外側と内側）

▶材料

ひも（お好みの長さ。写真は24cm）

▶完成サイズ

16×8cm（ひも部分は含まず）

1 外側の紙を上にして、2枚を重ねる

2 折りすじをつける

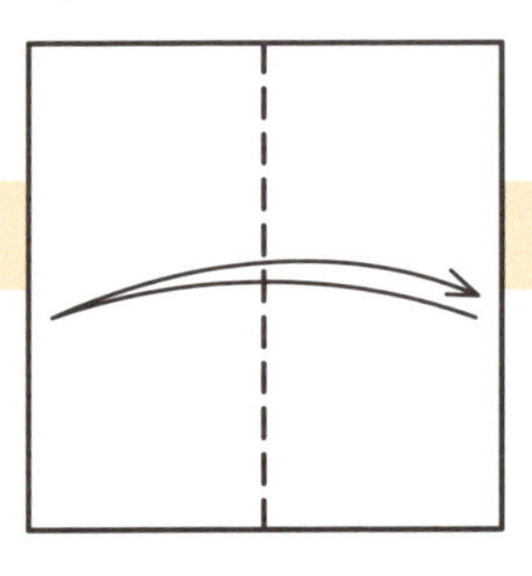

3 真ん中に合わせて折る

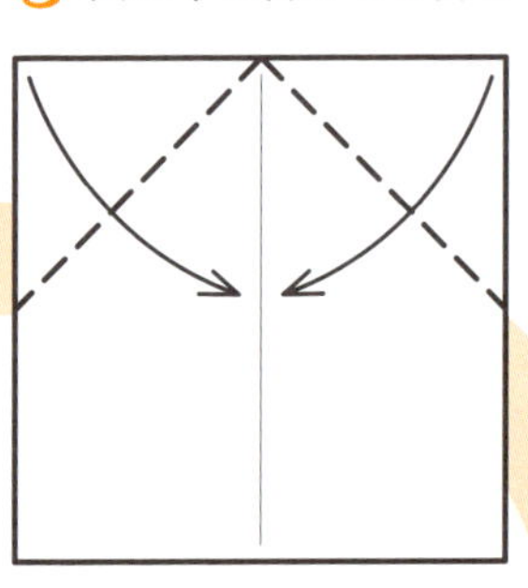

4 中の1枚を引き出して重なりを外す

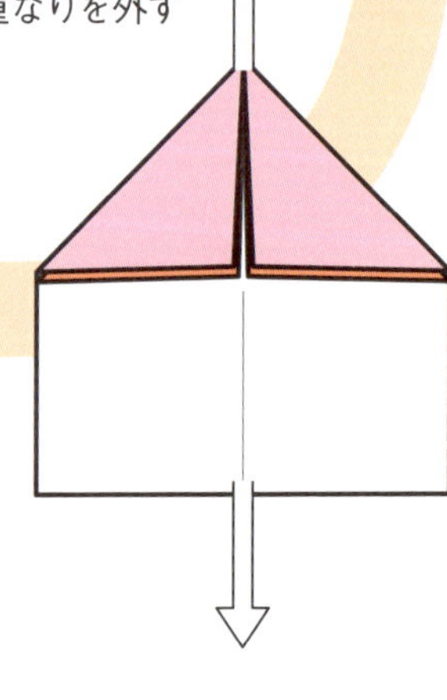

5 内側の紙を裏返し、6mmほど上にずらしてもう1枚に重ねる

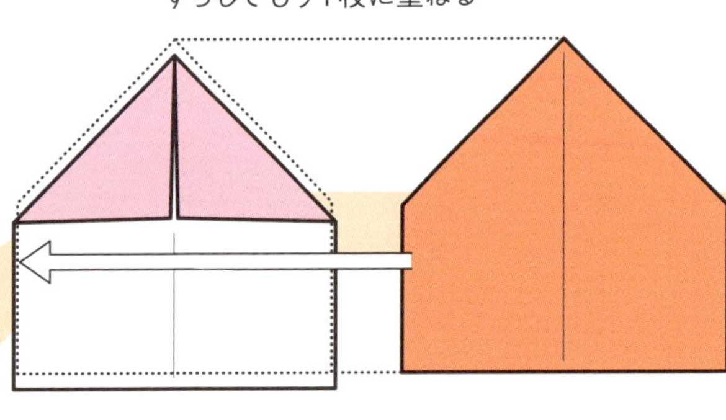

6 図の位置で折る

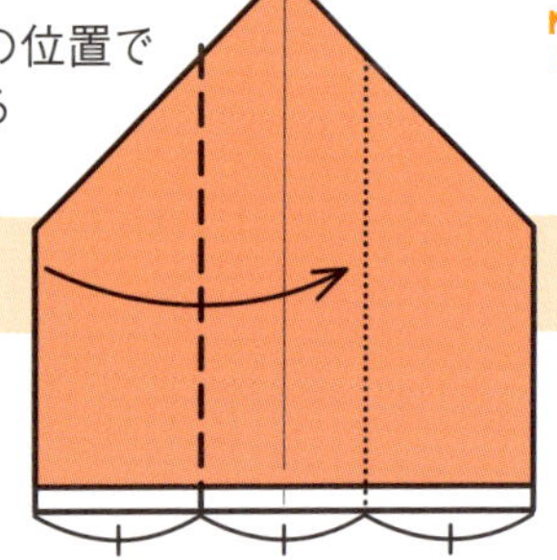

7 図の位置で折る

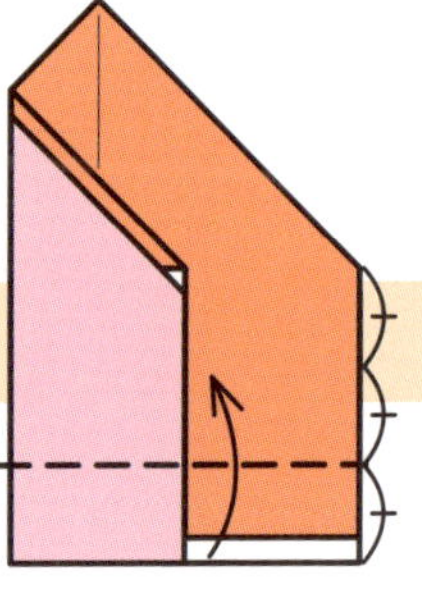

8 図の位置で折る

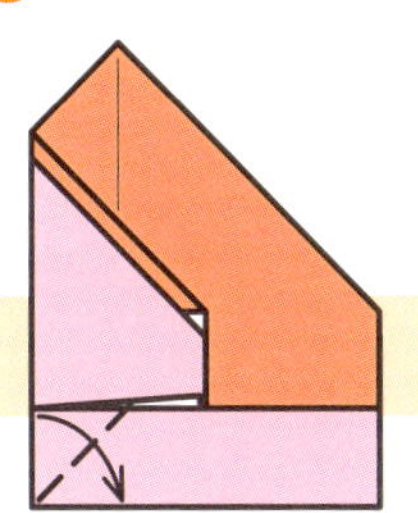

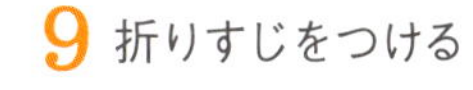

9 折りすじをつける

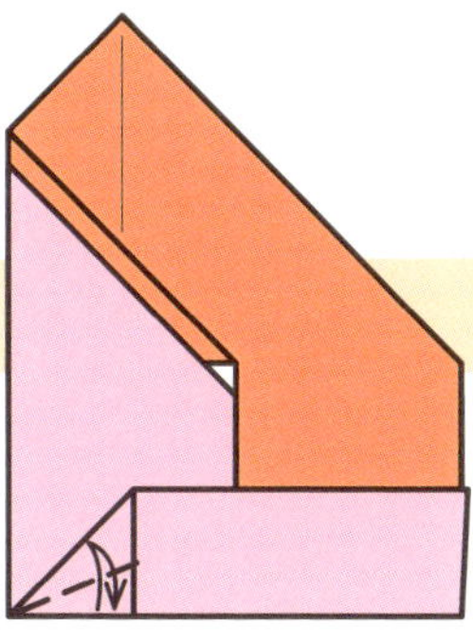

10 内側の紙もいっしょに開いて折りたたむ

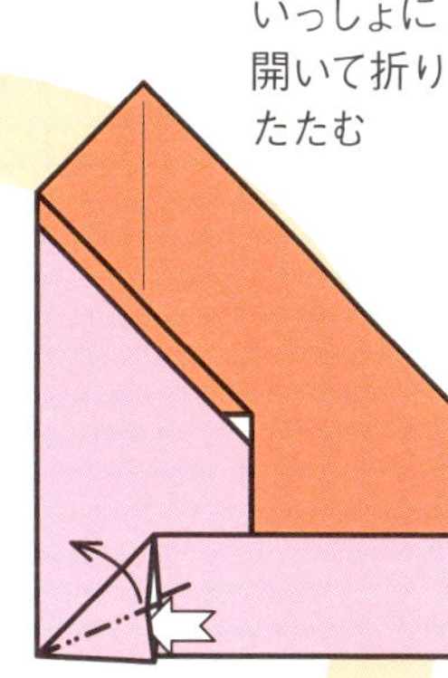

11 図の位置で折る

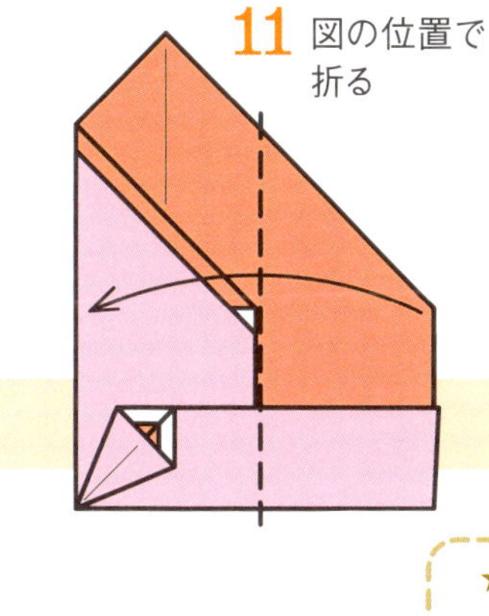

12 上の1枚を図の位置で折る

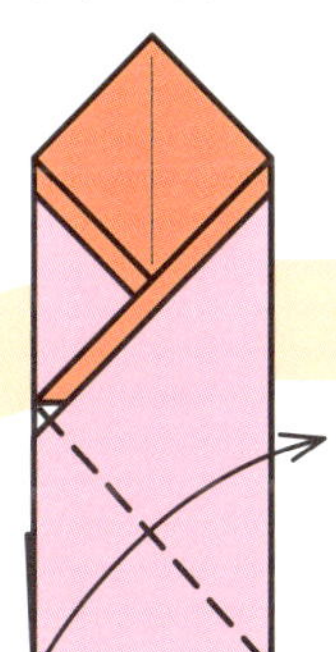

13 2か所を裏側に折る

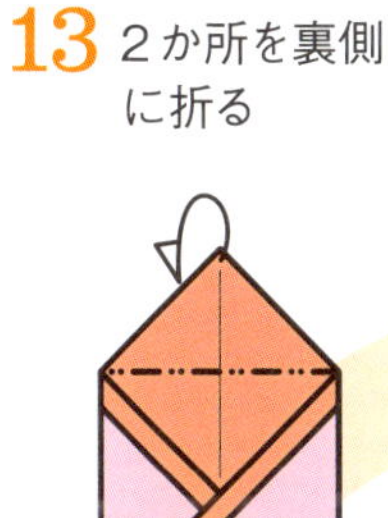

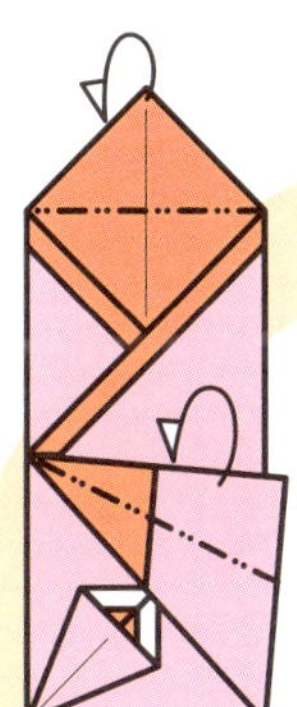

できあがり

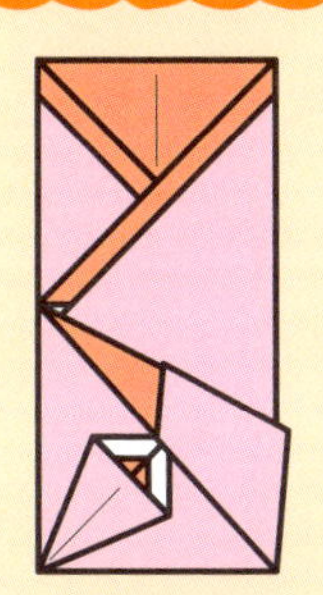

上の紙を接着剤で貼りつけてから使う

ひものつけ方

13で裏側に折った部分の内側に接着剤をつけ、結んで輪にしたひもを通してから貼りつけると、ひもを固定できる

アレンジ

★★★

かべかけ小物入れ

▶用意する紙
18.5×18.5cm（両面パターンペーパーなど）を1枚

▶完成サイズ 12×6.5cm

Point

リバーシブルの紙1枚で折る小物入れです。ひもつきめがねケースの1と4〜5をぬかして折りましょう。

★★★

ブックカバー 【→P.36】

作者：不詳

Point
本を広げたサイズより、ひと回り大きい紙をご用意ください。上下左右3cm以上ゆとりがあれば、しっかり固定できます。

▶**用意する紙**
21×30cmの紙（和紙や包装紙など）を1枚（A6判、厚みが1cmの文庫本の場合）

▶**完成サイズ**
15×22.5cm（広げた場合）

1 本を開いたときのサイズに合わせて、折りすじをつける

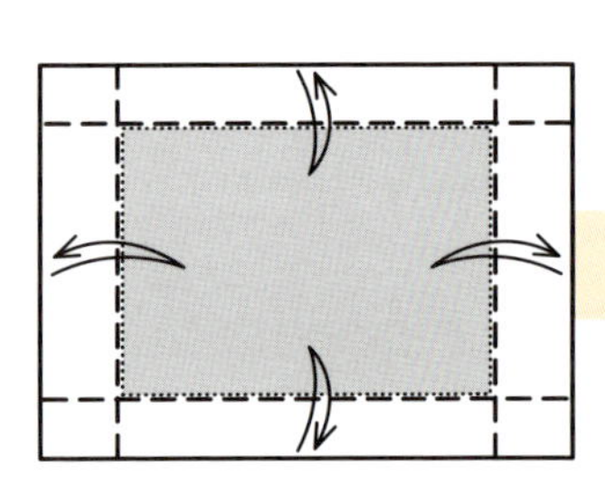

2 本の背の厚みに合わせて、少し斜めに切り込みを入れる

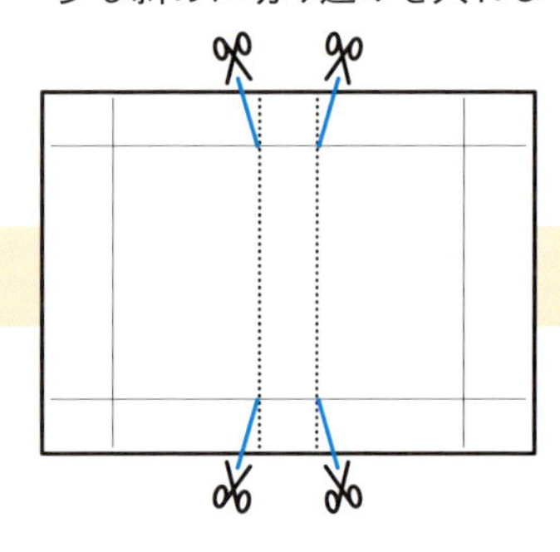

3 図の位置で折る

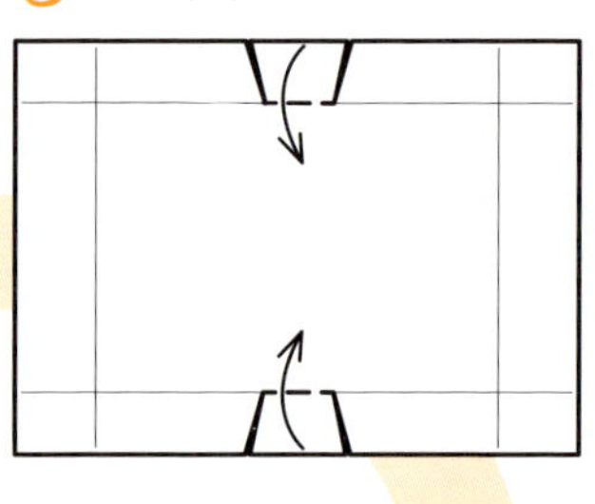

4 左右を折りすじで折りもどす

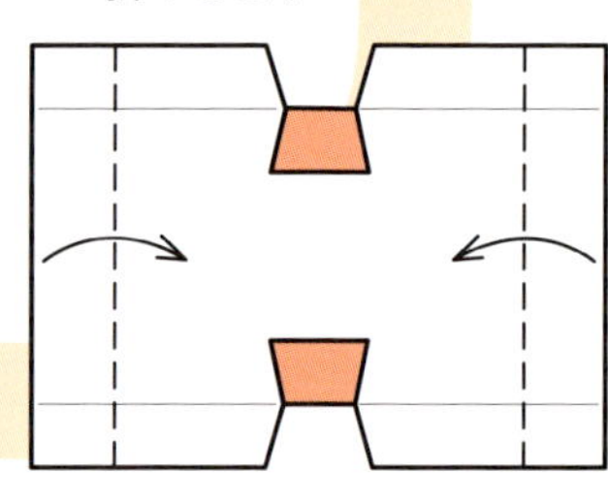

5 角を折る

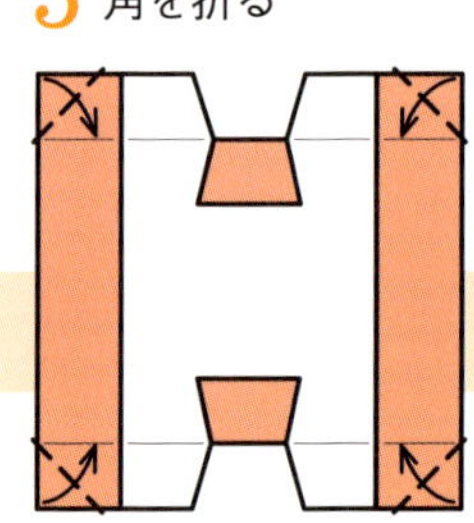

6 図のように内側に折り込む

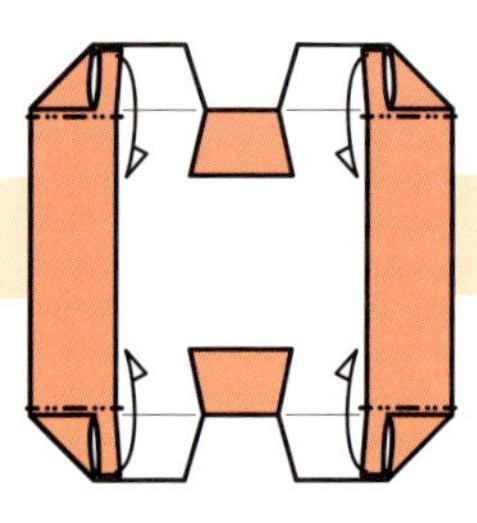

7 すき間に本の表紙と裏表紙を差し込む

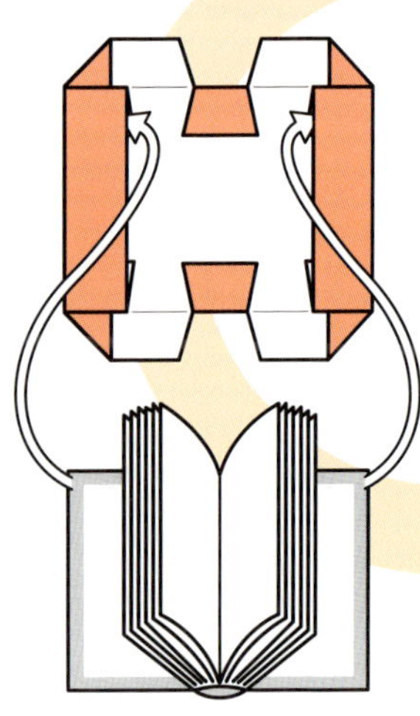

8 上下のはみ出た部分を折る

できあがり

★★★

プチ巾着

【→P.6、36】

Point
和紙の中でも、もみ紙を使うと丸みのある巾着になります。のど飴などを入れて、携帯するのもおすすめです。

▶用意する紙
10×30cmの和紙を2枚（外側と内側）

▶材料　5cmのひもを8本（本体）、5×6.5cmの厚紙を1枚（底）、4.5×6cmの厚紙を1枚（底の内側）、30cmのひもを2本

▶完成サイズ　6.5×6.5×5cm（ひも部分は含まず）

1 外側の紙の上を1cm折る

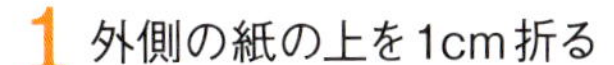
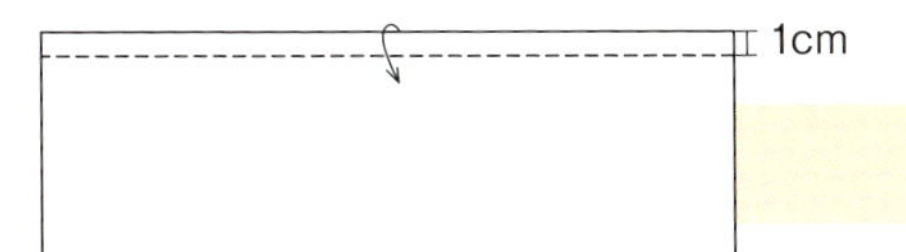

2 はしを少しあけ、5cmのひもを輪になるようにして接着剤で貼る。同じ間隔で残りの7本も貼りつける

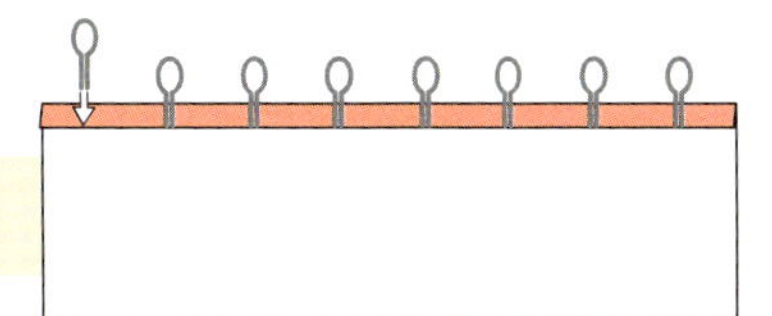

3 内側の紙の上を1cm裏側に折る

4 2の上に3の紙を合わせて接着剤で貼る

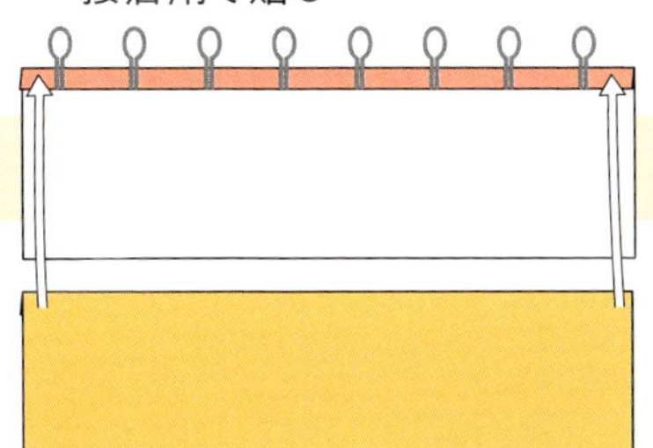

5 折りすじをつける（写真は下から約2.5cm）

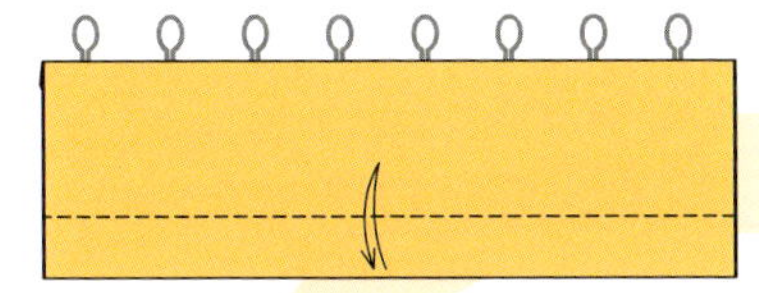

6 はしから順に段折りし、折りすじをつける

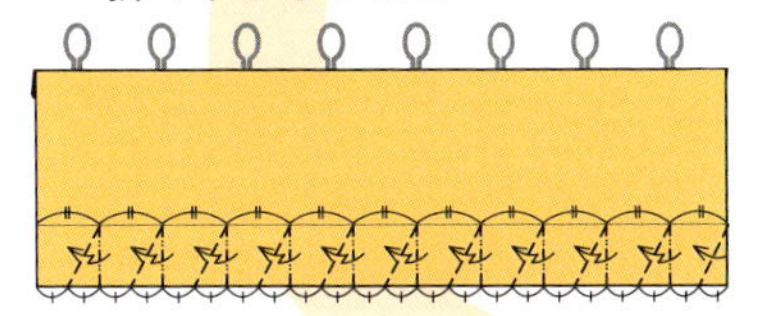

7 折りすじで筒状に丸くしていく。数か所を接着剤でとめると形作りやすい。はしの×の部分と底部分は接着剤で貼る

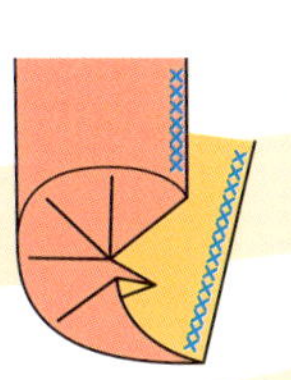

8 底と底の内側の厚紙の角をそれぞれ丸く切る

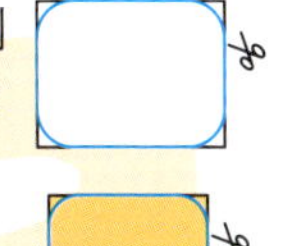

9 7の下に8の底の厚紙、中に底の内側の厚紙を接着剤で貼る

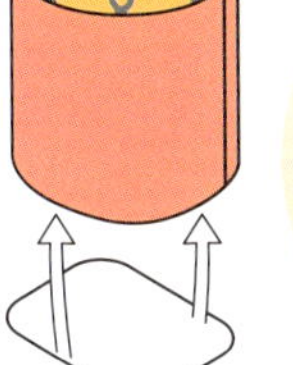

10 図のように30cmのひも2本を通し、それぞれのはしを結び、紙にひだを寄せるようにして口を閉じる

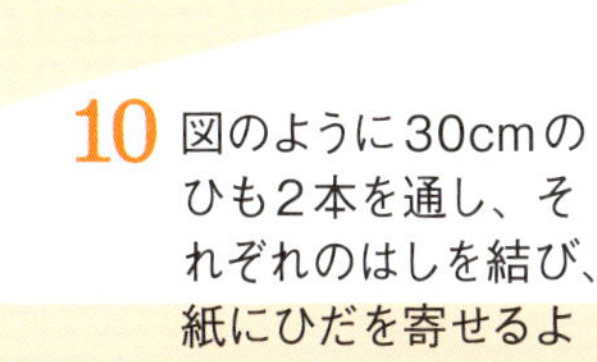
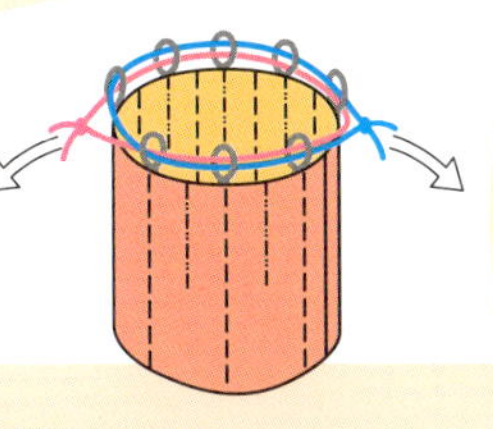

※わかりやすくするため、ここではひもの色を変えています。

★★★

ティッシュケース【→P.37】

【→P.37】

Point

使用済みのティッシュを入れておけるよう、裏にポケットをつけました。リバーシブルの紙で折るのがおすすめです。

▶**用意する紙**

[本体] 25×25cmの紙（和紙や包装紙など）を1枚

[裏ポケット] 25×25cmの紙（和紙や包装紙など）を1枚

▶**完成サイズ**　12.5×9.5cm

本体

※かんのん基本形［→P.17］から始めます。

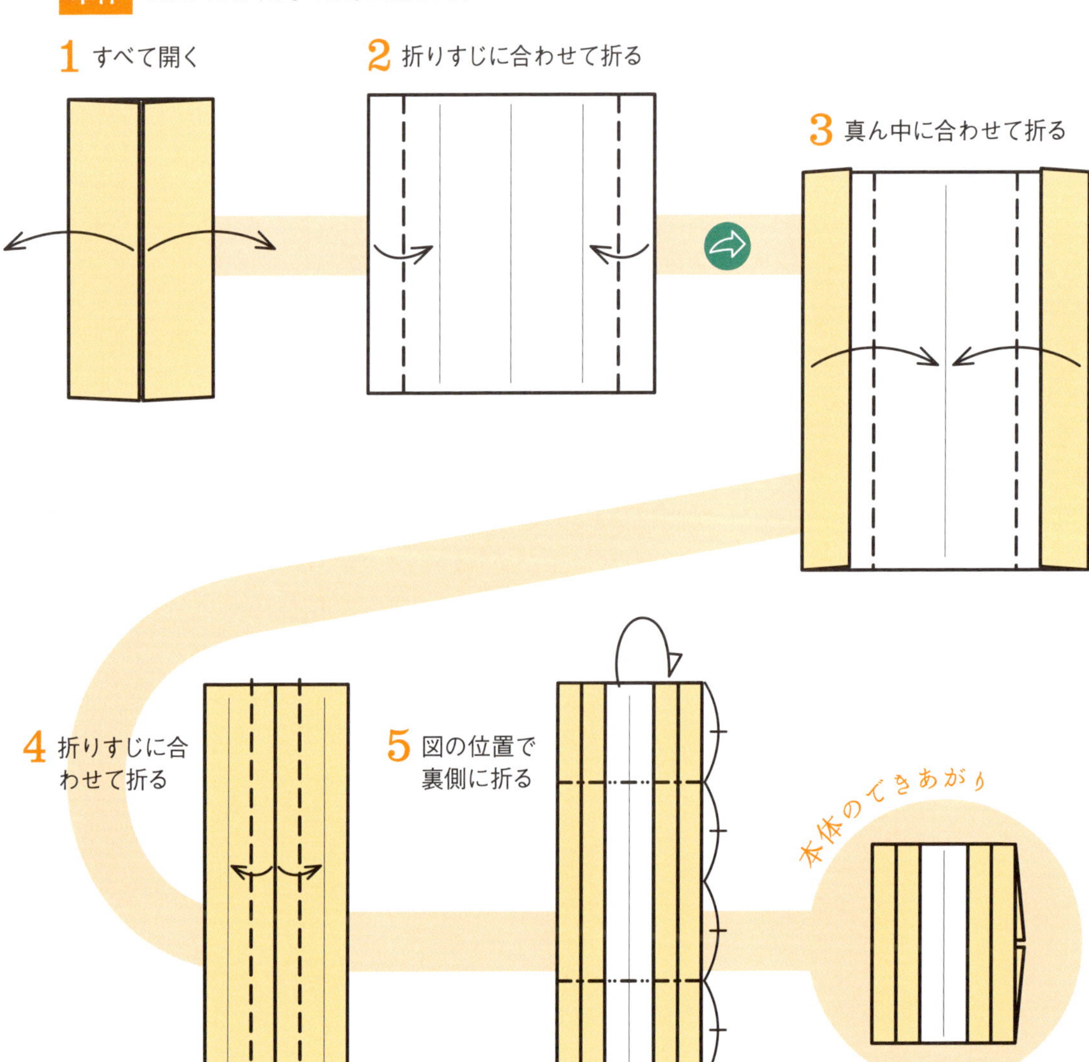

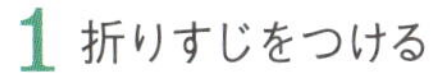

1 折りすじをつける

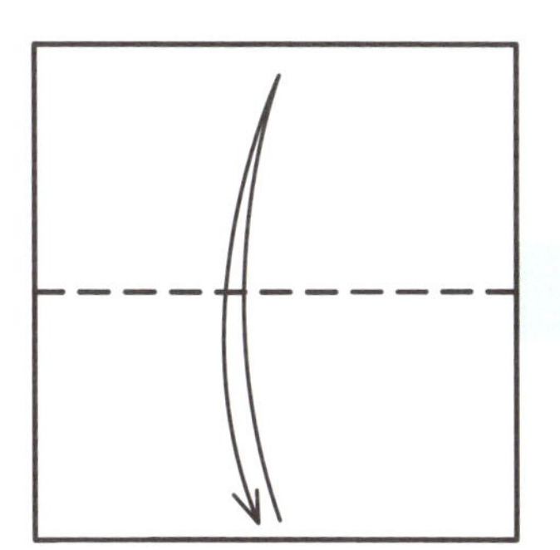

2 折りすじをつける

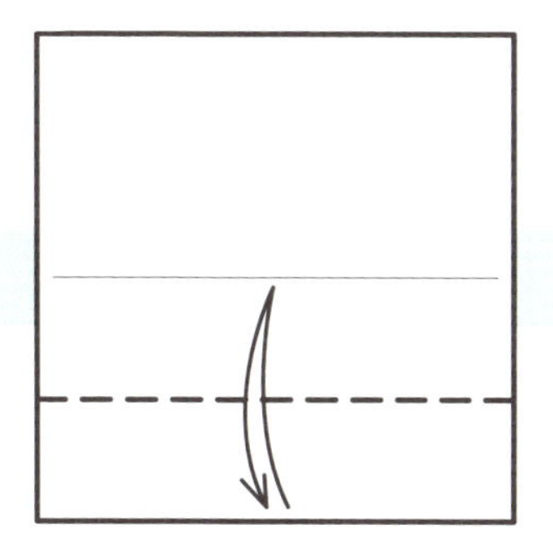

3 折りすじに合わせて折る

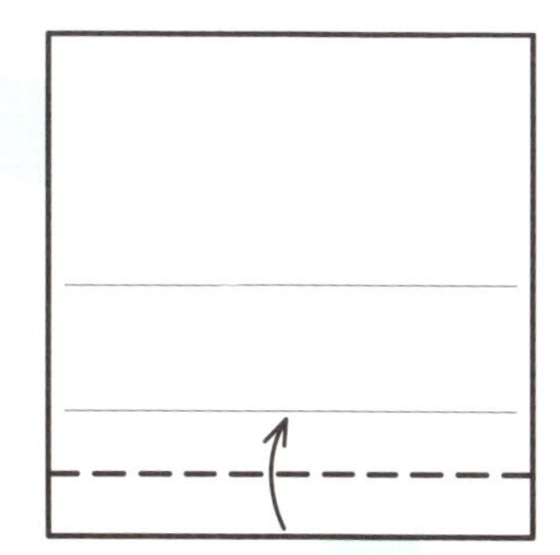

4 真ん中の折りすじで折りもどす

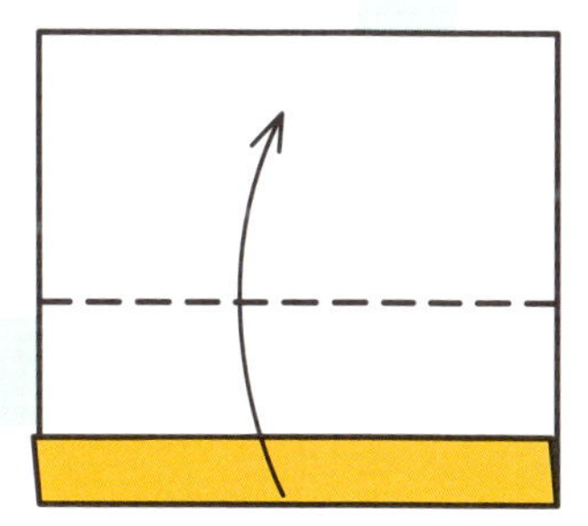

5 真ん中の幅が 本体 の幅と同じになるように、左右を裏側に折る

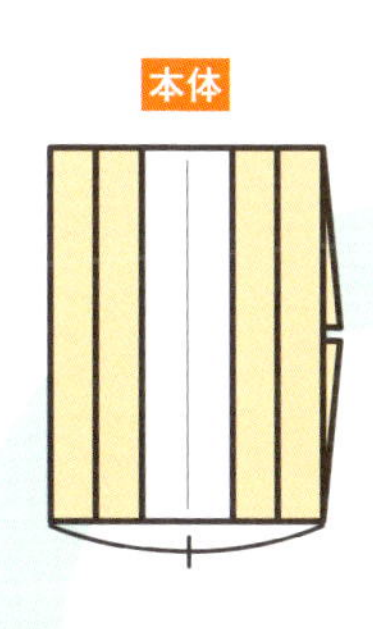

組み合わせ方

本体 を裏返した 裏ポケット のすき間に差し込む

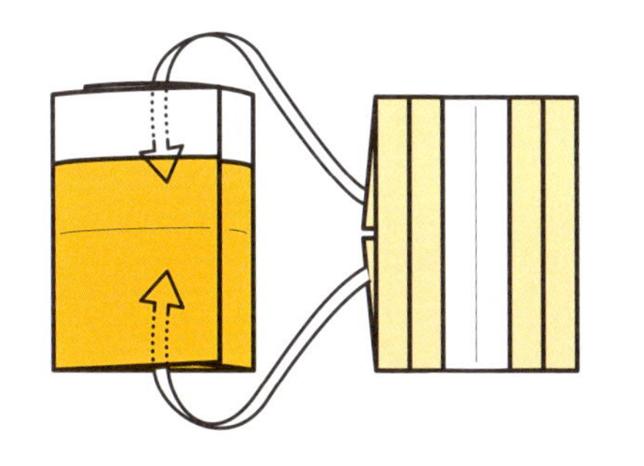

できあがり

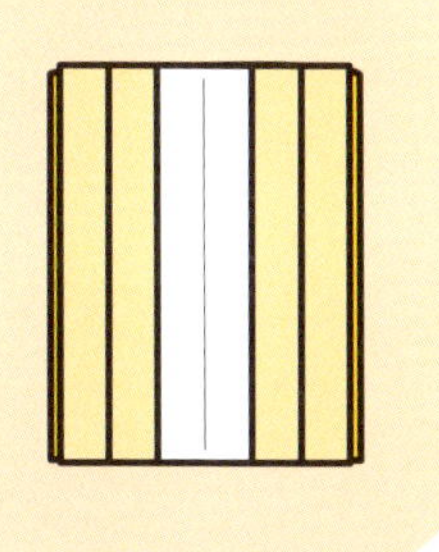

伝承作品

★★★

昔ながらの薬包み

【→P.37】

Point

伝承作品のコップから作る薬包みです。1杯分のお茶やコーヒーの粉を入れて持ち運ぶのもいいですね。

▶**用意する紙** 15×15cmの紙を1枚

▶**完成サイズ** 5×6cm

1 半分に折る

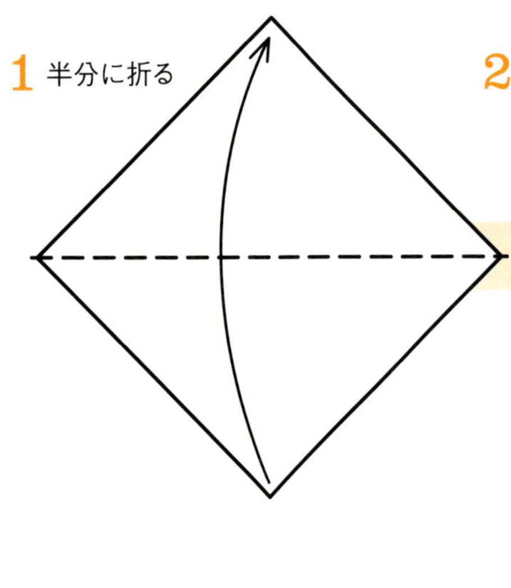

2 はしに合わせて少しだけ折りすじをつける

3 ○が重なるように折る

4 ○が重なるように折る

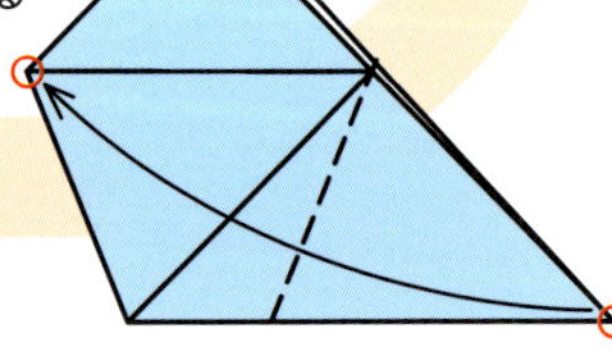

5 ○が重なるように折る

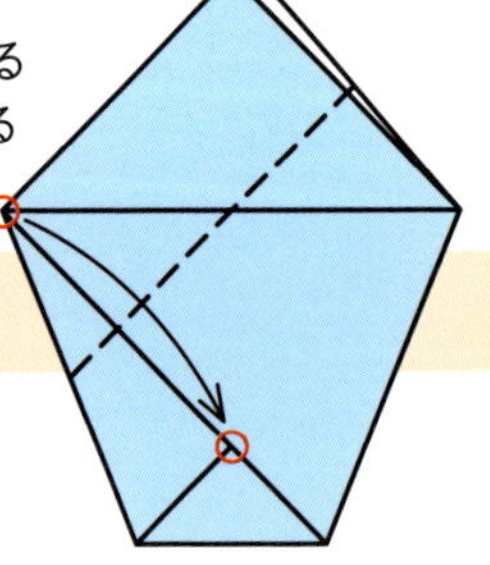

6 ○が重なるように折る

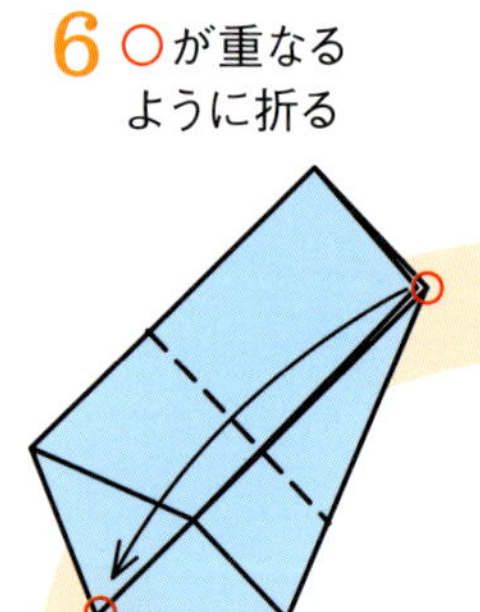

7 図のように内側に折り込む

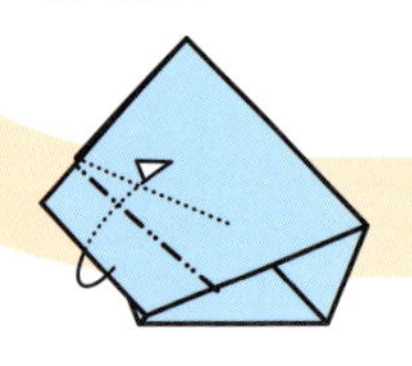

できあがり

使い方

4を折り終わった後まで開いて、中身を入れる

★★★

富士山のカードケース 【→P.37】

Point

開くと富士山が目に飛び込んでくる、縁起のよいカードケースです。富士山の両側にカードを入れられます。

▶**用意する紙**
24×24cmの紙を1枚(内側)、16×32cmの紙(和紙や包装紙など)を1枚(外側)

▶**完成サイズ** 12×24.5cm(広げた場合)
※写真は、内側の紙の上半分に別の紙をのりづけして仕上げています。

1 内側の紙に折りすじをつける

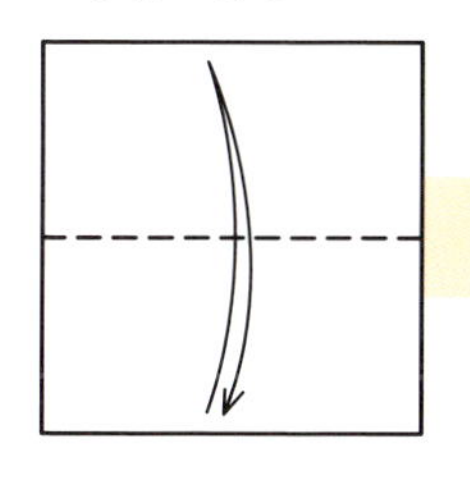

2 下から2cmほどの位置で折る

3 真ん中に合わせて折る

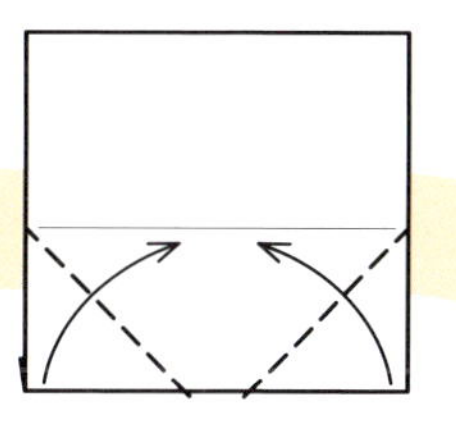

4 真ん中で折りもどす

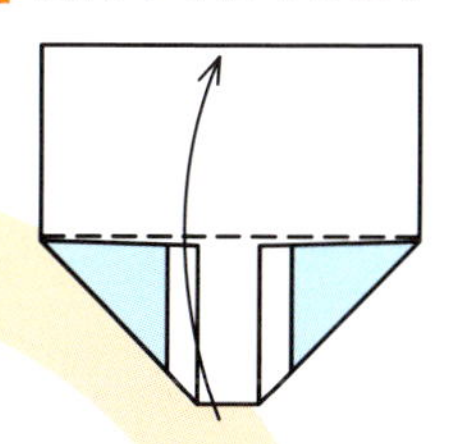

5 折ったところ

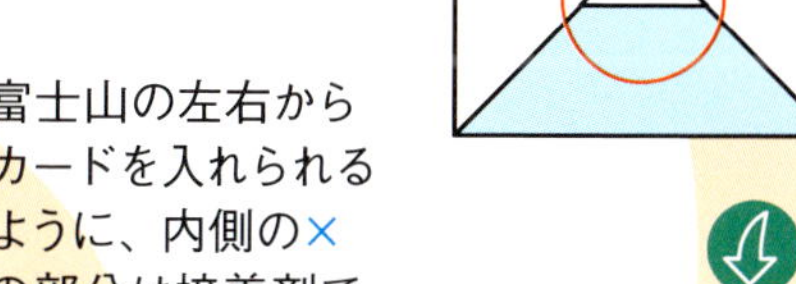

6 図のように上の1枚を波状に切る

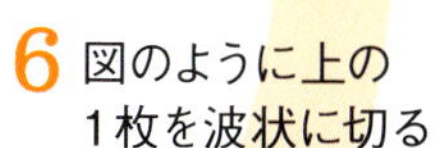

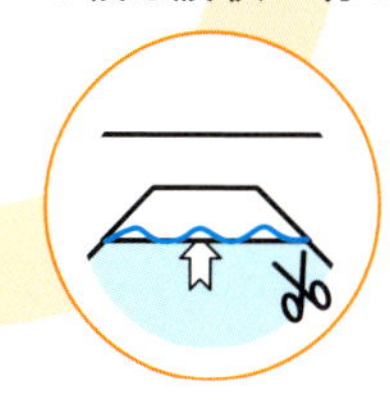

7 富士山の左右からカードを入れられるように、内側の×の部分は接着剤で貼りつけておく

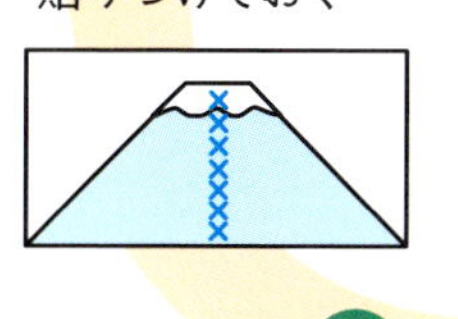

8 7を外側の紙の真ん中に重ねる。図のように折りすじをつけてから、7を外す

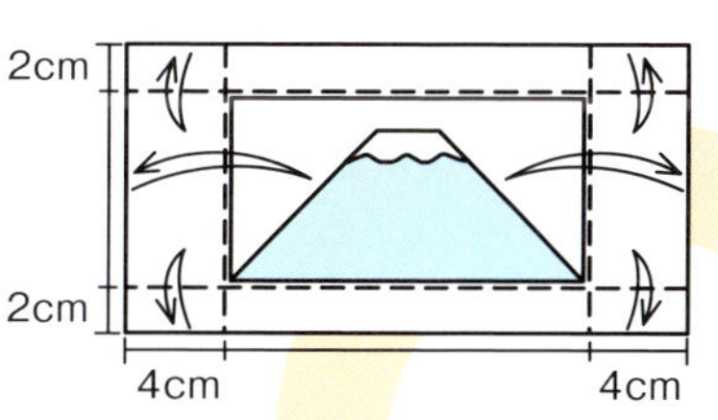

9 折りすじに合わせて折る

10 折りすじで折りもどす

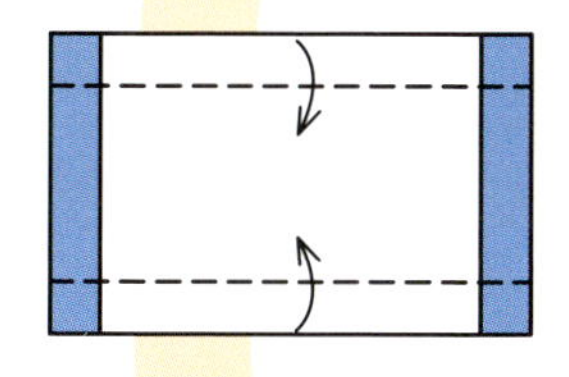

11 折りすじで折りもどす

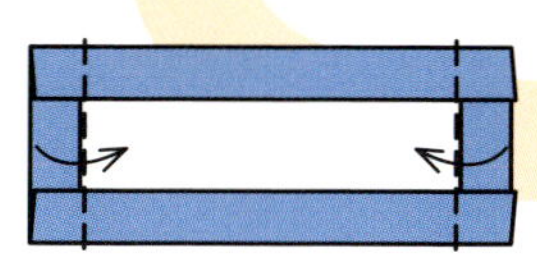

12 7を左右のすき間に差し込む

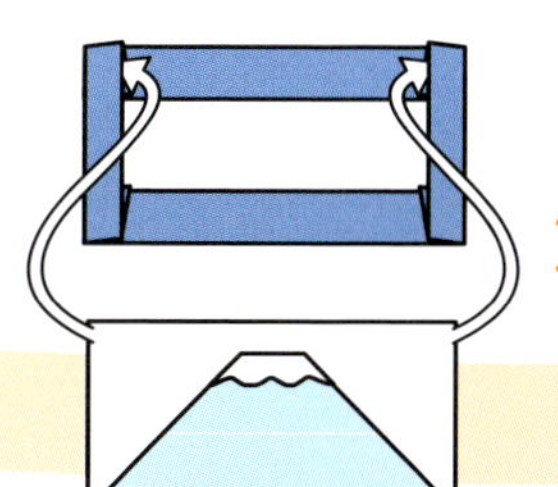

13 折りすじをつける

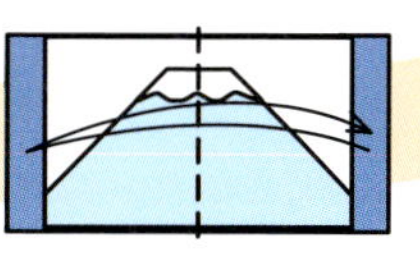

できあがり

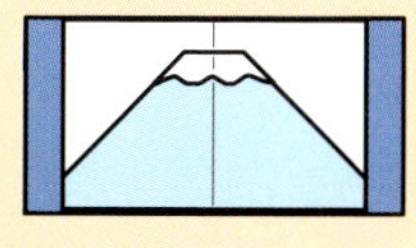

★★★

ポケット3つのカードケース 【→P.37】

Point

ショップカードや診察券など、たまりがちなカード類を種類別にすっきり整理できます。名刺入れとしてもどうぞ。

▶用意する紙

35×17.5cmの紙（和紙や包装紙など）を1枚

▶完成サイズ

8×13cm（ふたを閉じた場合）

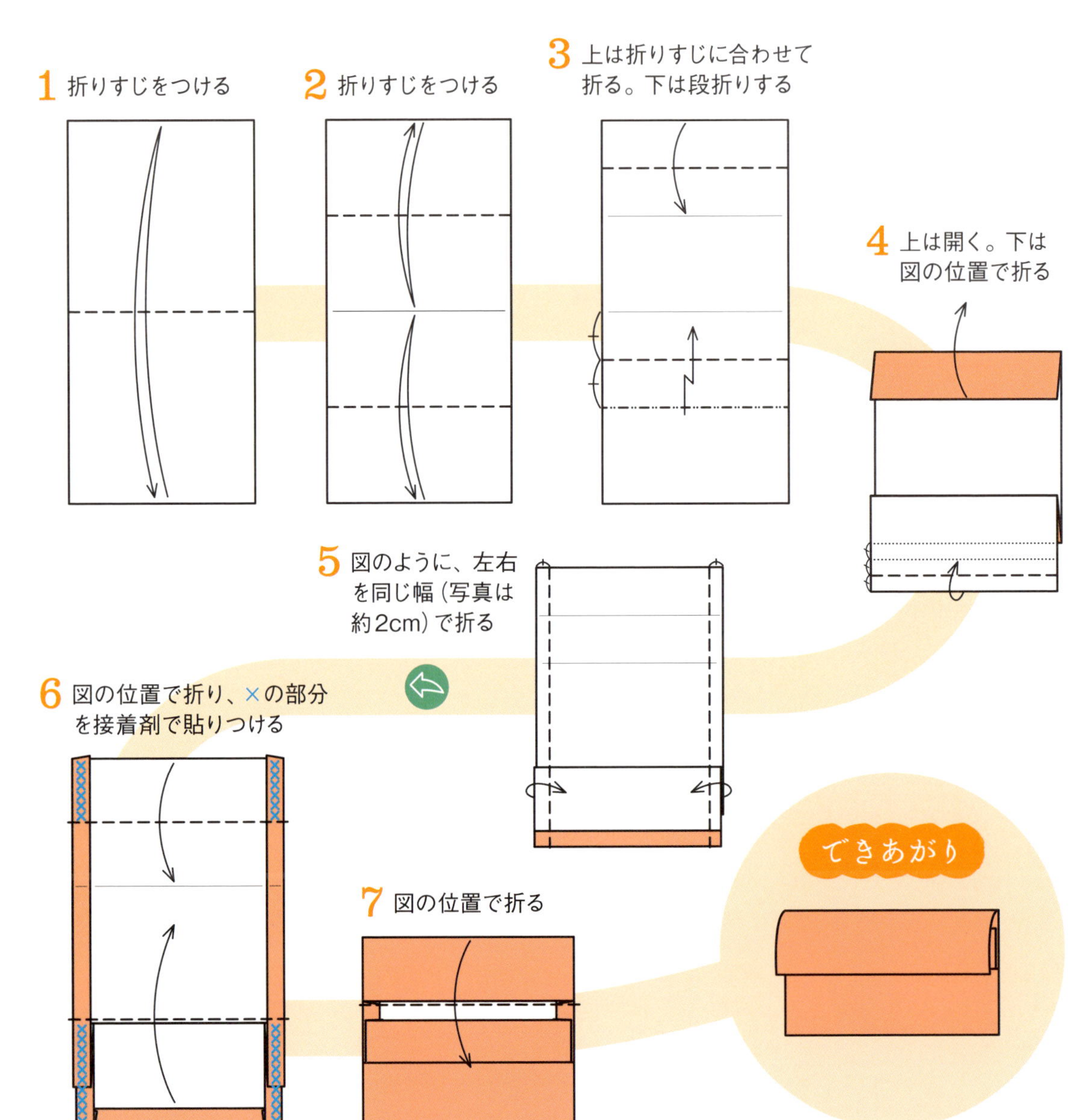

★★★

かめさんのキャンディボックス 【→P.38】

Point

亀に見立てたユニークなキャンディボックスです。こうらのふたはサイドで固定できるので、使い勝手もばつぐん!

▶**用意する紙**
[本体][ふた] 24×24cmの紙を各1枚

▶**完成サイズ** 9.5×19×9.5cm

● 本体 と ふた を作って組み合わせます。

本体

※ざぶとん基本形[→P.17]から始めます。

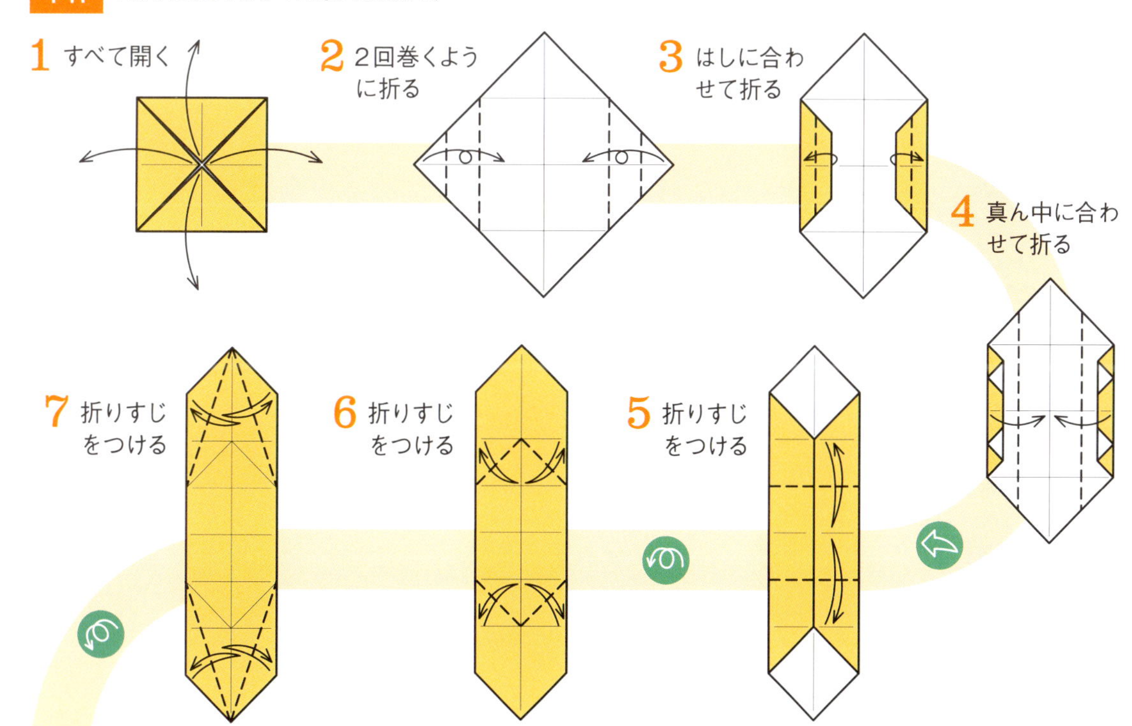

8 左右を開く

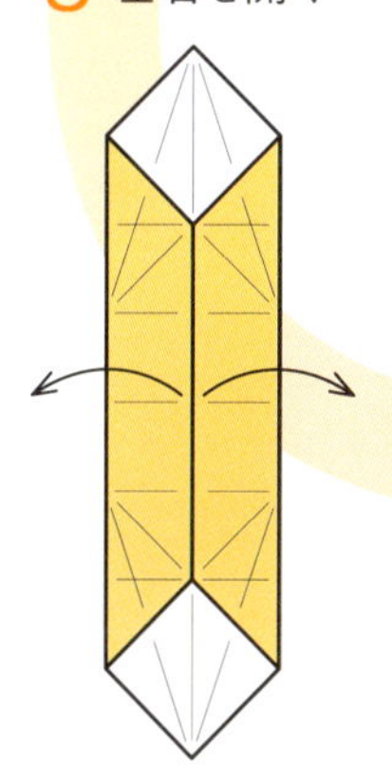

9 図のように折って立体にする

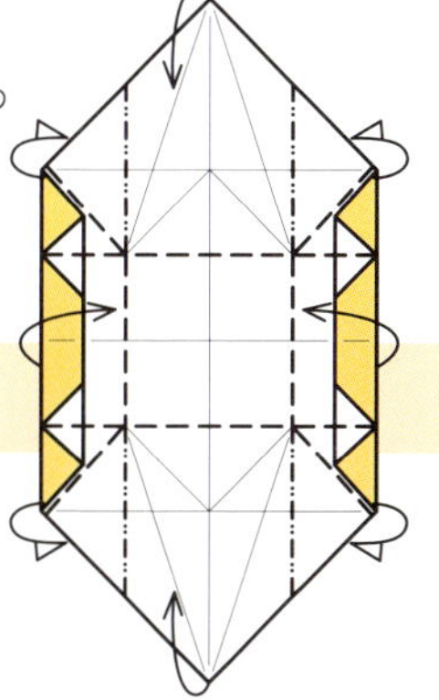

10 図のように折りすじで折る。反対側も同様にする

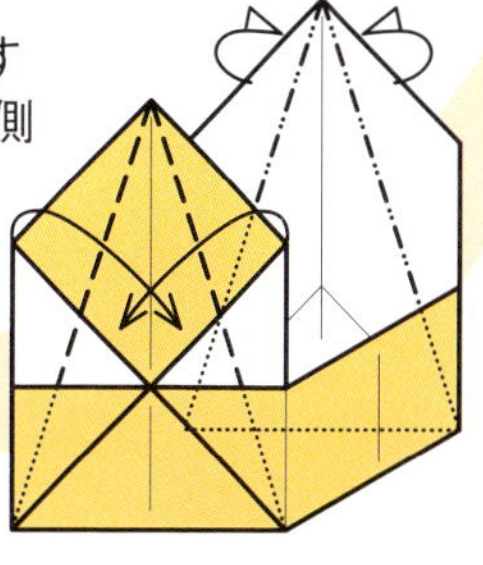

次のページへ

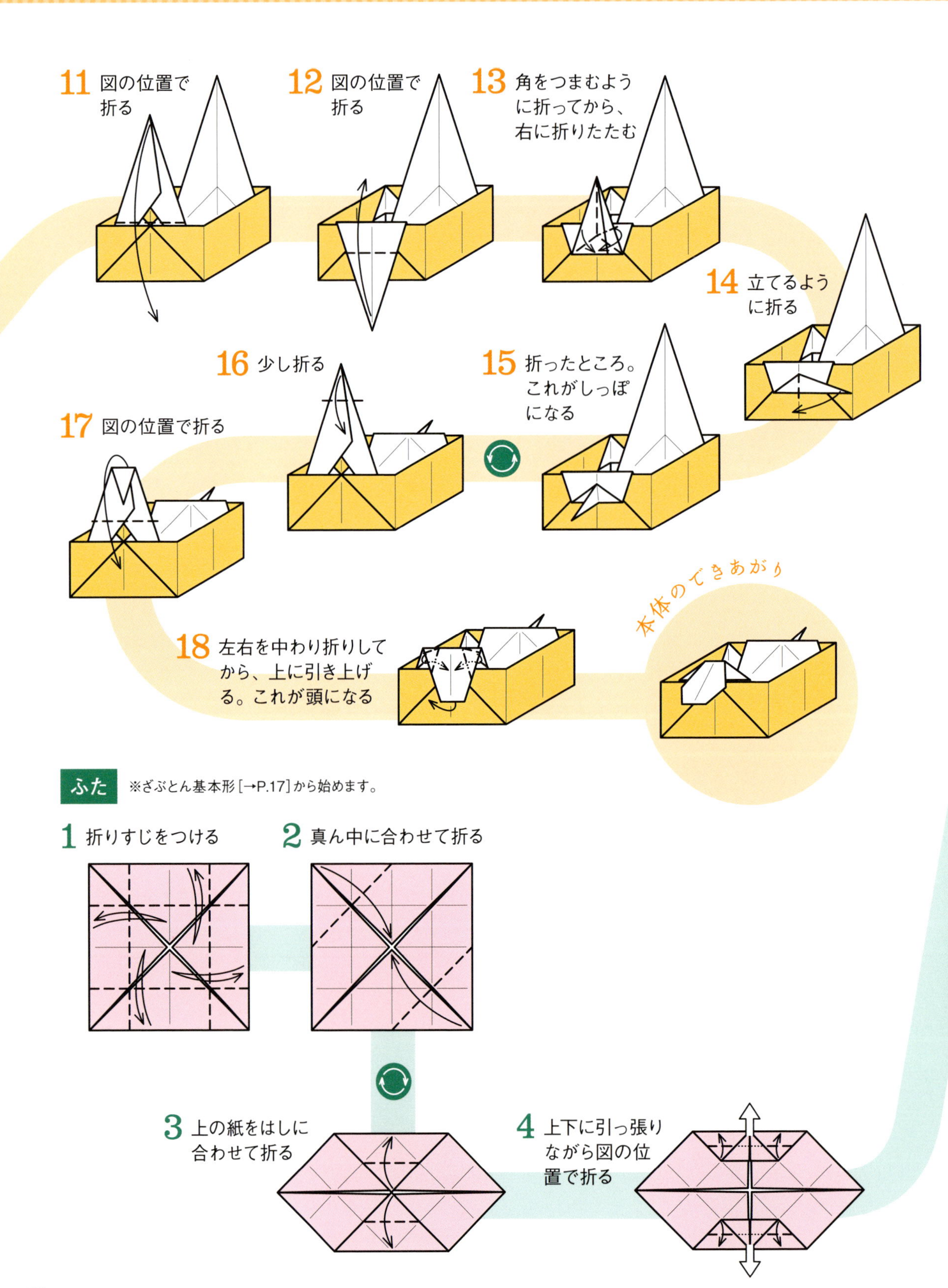
11 図の位置で折る
12 図の位置で折る
13 角をつまむように折ってから、右に折りたたむ
14 立てるように折る
15 折ったところ。これがしっぽになる
16 少し折る
17 図の位置で折る
18 左右を中わり折りしてから、上に引き上げる。これが頭になる
本体のできあがり
ふた
※ざぶとん基本形［→P.17］から始めます。
1 折りすじをつける
2 真ん中に合わせて折る
3 上の紙をはしに合わせて折る
4 上下に引っ張りながら図の位置で折る

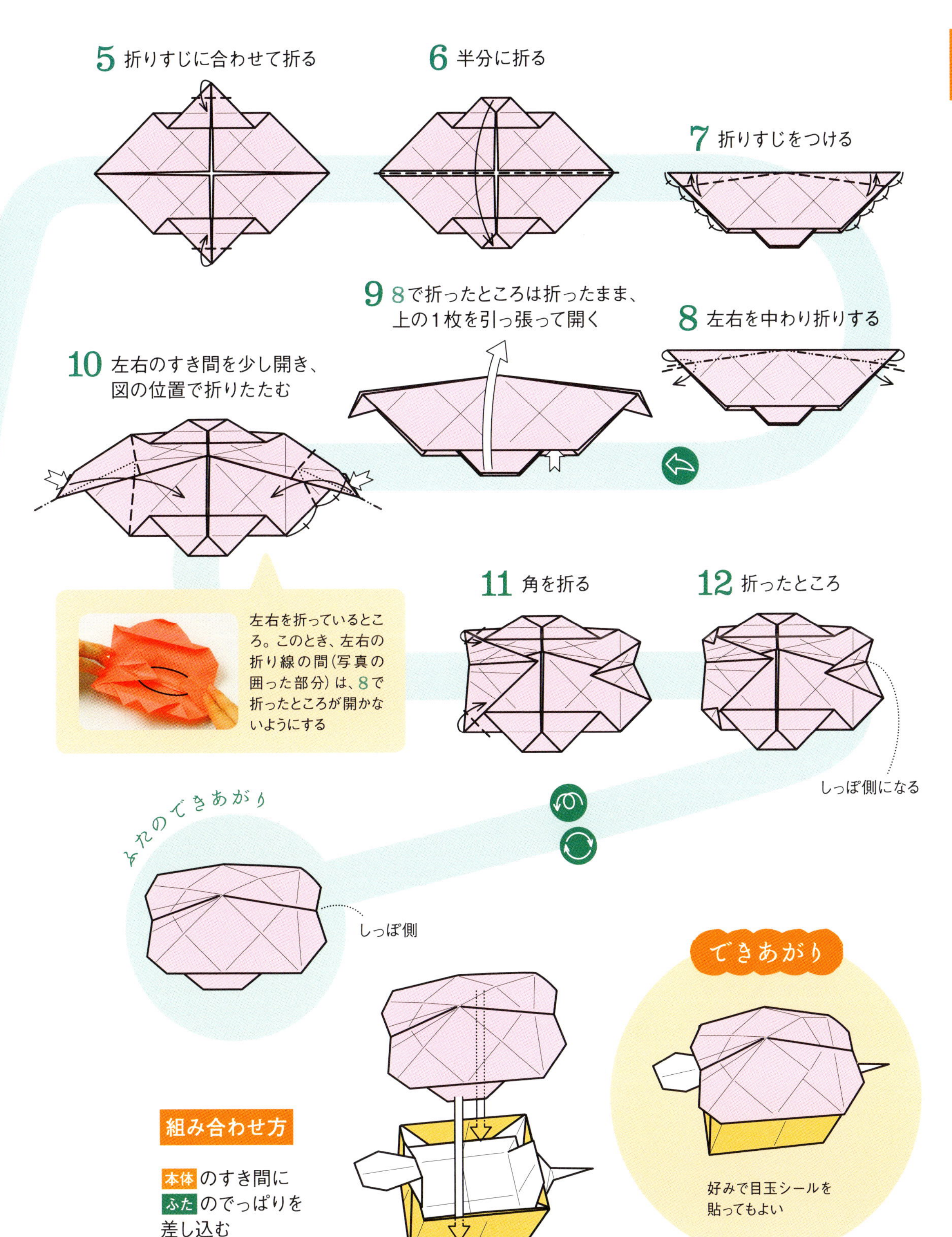

組み合わせ方

本体のすき間にふたのでっぱりを差し込む

★★★

葉っぱのお皿 【→P.2、38】

Point

葉っぱに見立てたおしゃれな器です。ぜひ緑や赤、黄などの色の紙を使って雰囲気たっぷりに折ってください。

▶**用意する紙**
15×15cmの紙を1枚

▶**完成サイズ**　2.5×9×18cm

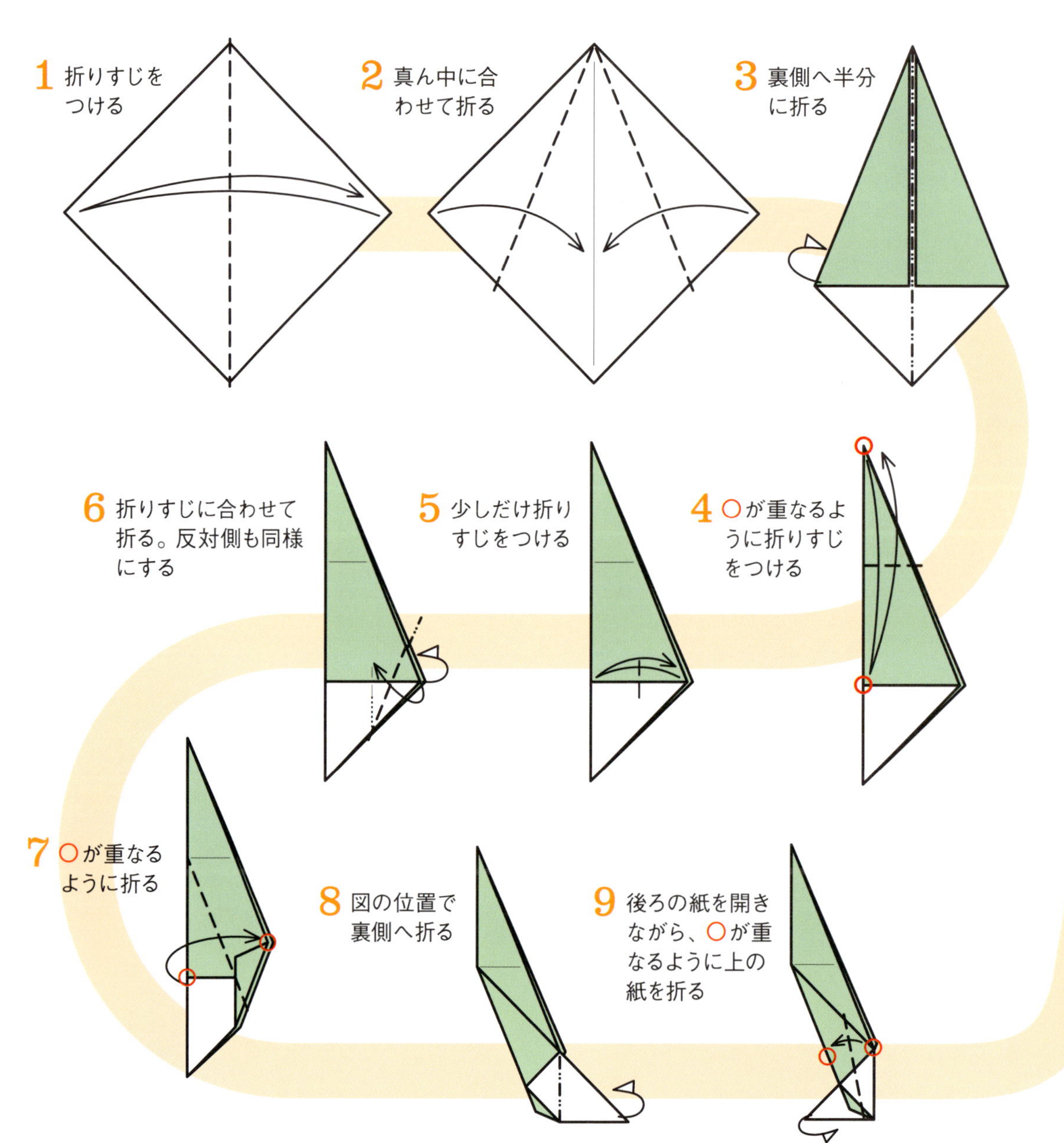

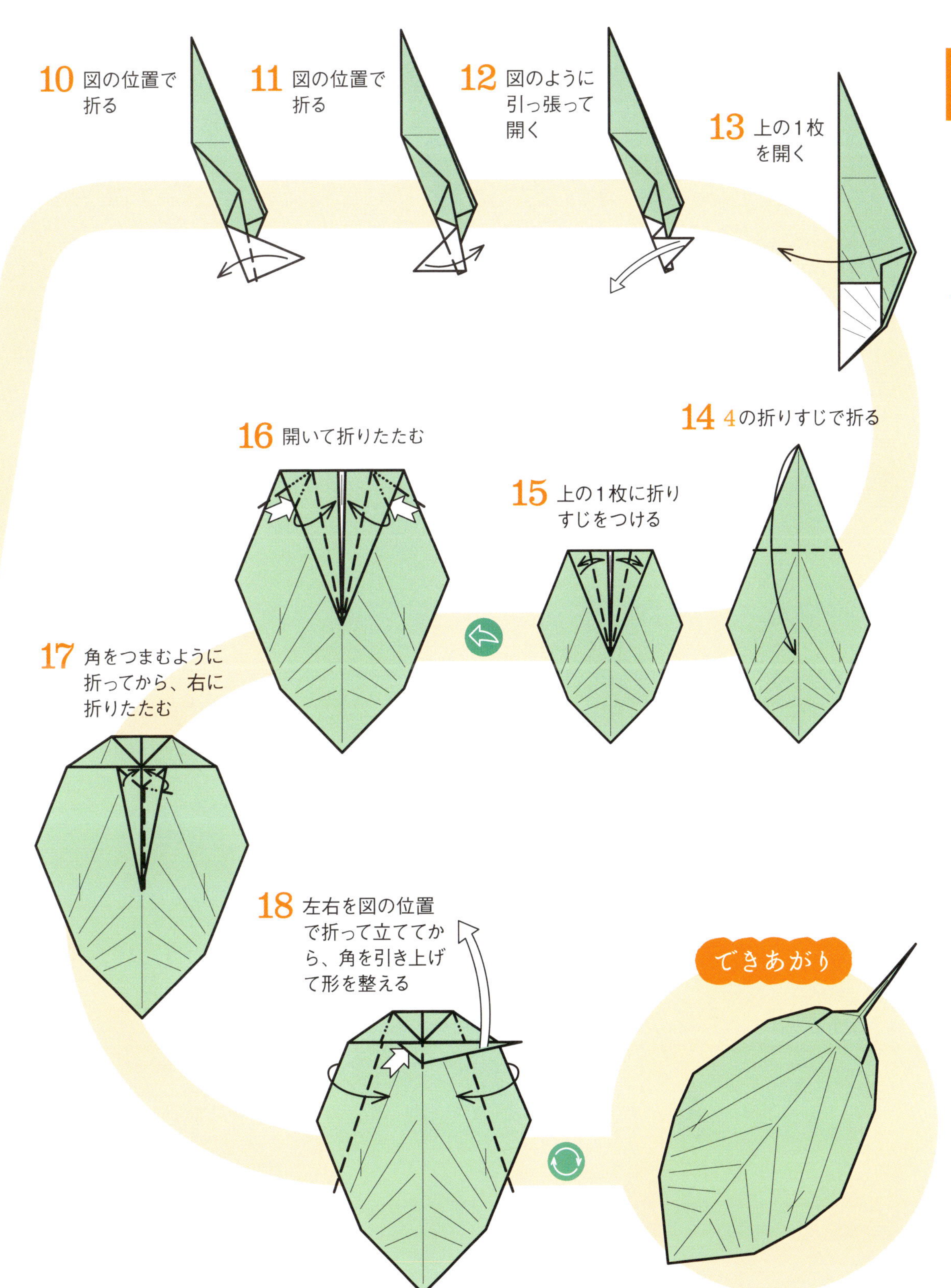
10 図の位置で折る
11 図の位置で折る
12 図のように引っ張って開く
13 上の1枚を開く
14 4の折りすじで折る
15 上の1枚に折りすじをつける
16 開いて折りたたむ
17 角をつまむように折ってから、右に折りたたむ
18 左右を図の位置で折って立ててから、角を引き上げて形を整える
できあがり

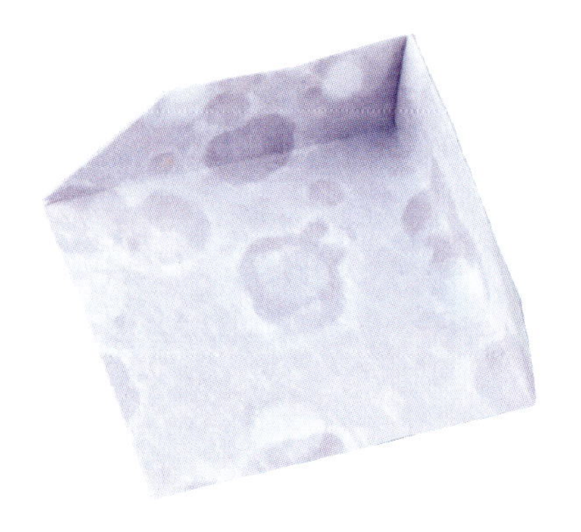

★★★

シンプルなお皿

【→P.2、38】

Point

ちょっとしたお茶菓子などをのせるのにぴったりな器です。サイズを変えて作っても、またちがう趣がありますよ。

▶**用意する紙**
15×15cmの紙を1枚

▶**完成サイズ** 2.5×8×8cm

※ざぶとん基本形［→P.17］から始めます。

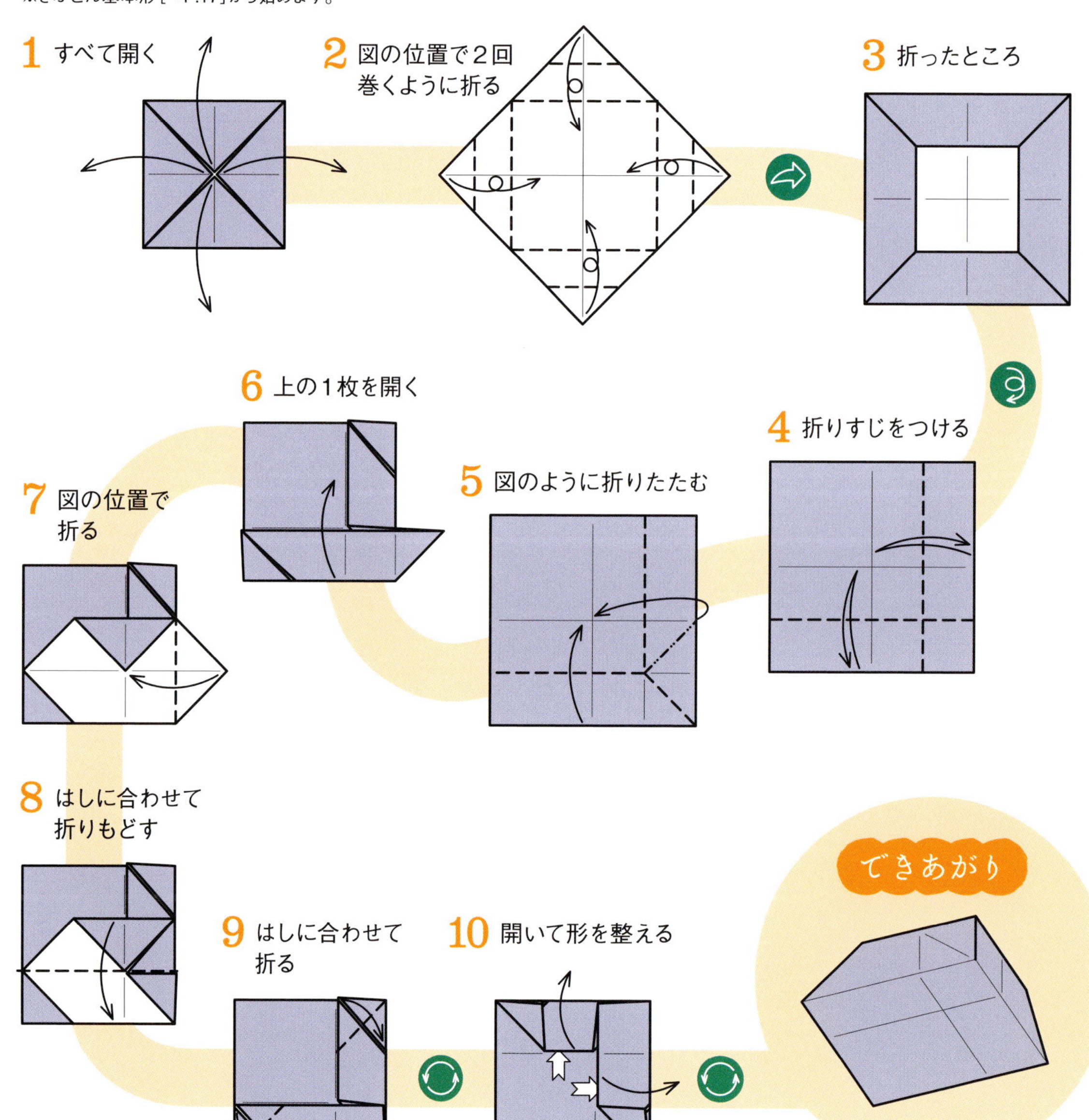

★★★

六角形のコースター

【→P.2、39】

Point

六角形が、すてきなコースターに早変わり！ いくつか作っておけば、いつでも取り替えられるので便利です。

▶**用意する紙**
15×15cmの紙を1枚

▶**完成サイズ** 8.5×7.5cm

1 折りすじをつける

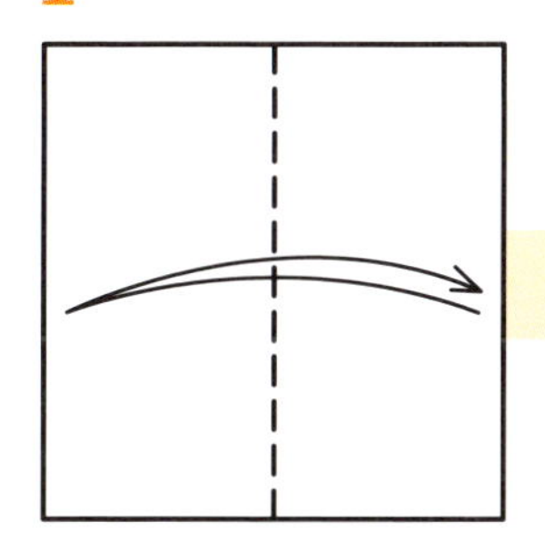

2 ○が重なるように折る

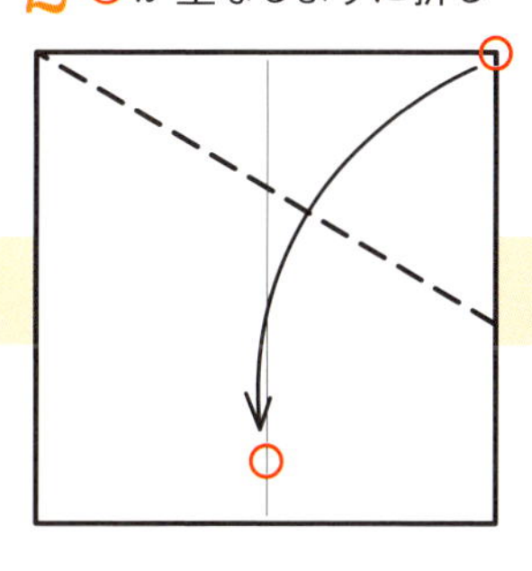

3 ○が重なるように折る

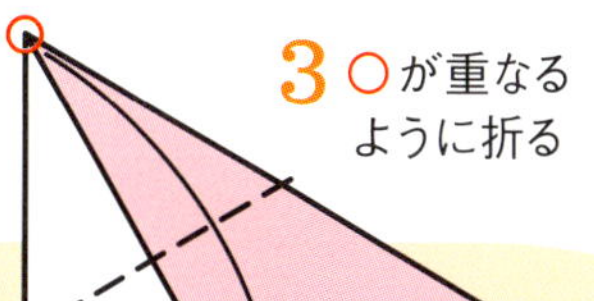

4 真ん中に合わせて折る

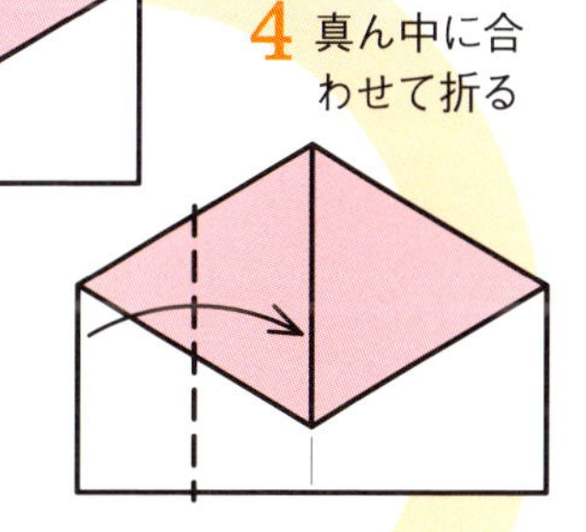

5 図の位置で折る

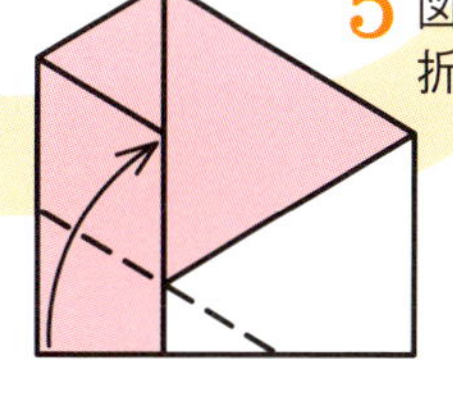

6 図の位置で折る

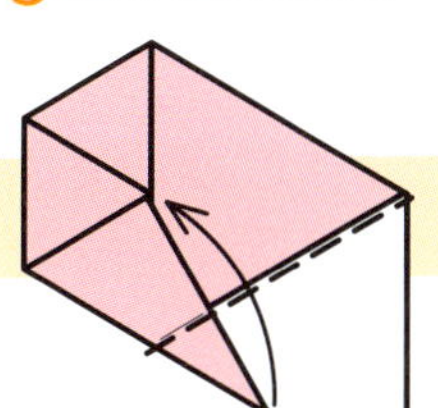

7 折りすじをつける

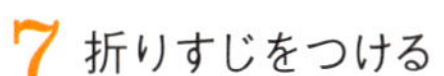

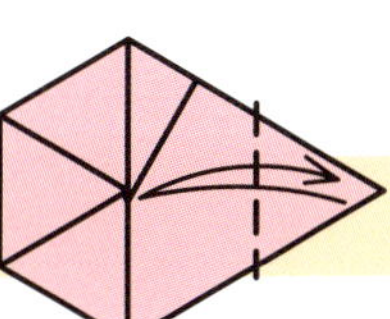

8 上の1枚を、①で折ってから左下のすき間に差し込んで折りたたむ

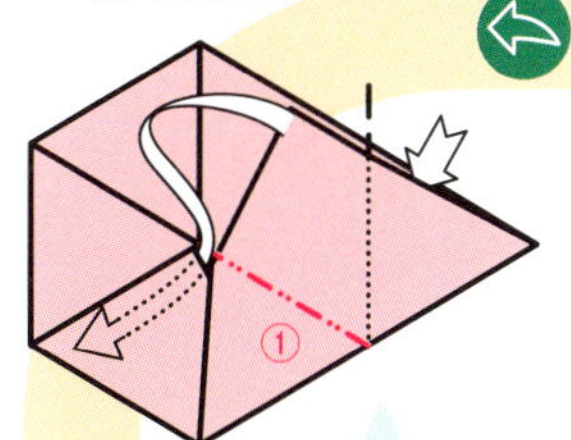

差し込んでいるところ。①は一度谷折りにしてから山折りにすると折りやすい

9 折ったところ

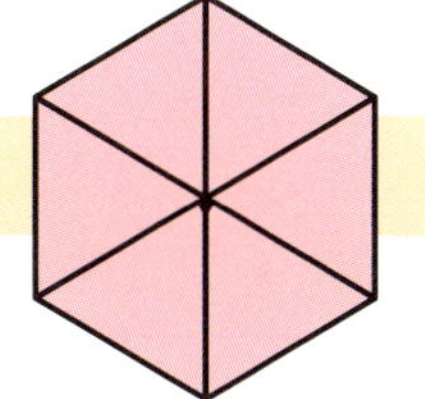

できあがり

★★★

五角形のコースター 【→P.3、39】

Point

こちらも定番の五角形をコースターにしたものです。六角形のコースター[→P.57]とおそろいで使うのもおすすめです。

▶**用意する紙**
15×15cmの紙を1枚

▶**完成サイズ** 8.5×9cm

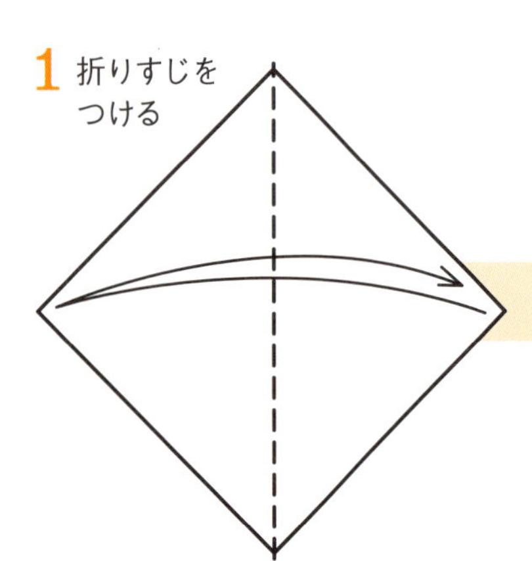

1 折りすじをつける

2 真ん中で折る

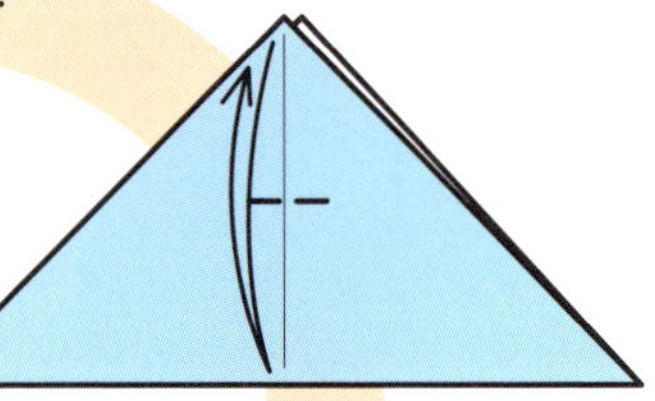

3 上の1枚に少しだけ折りすじをつける

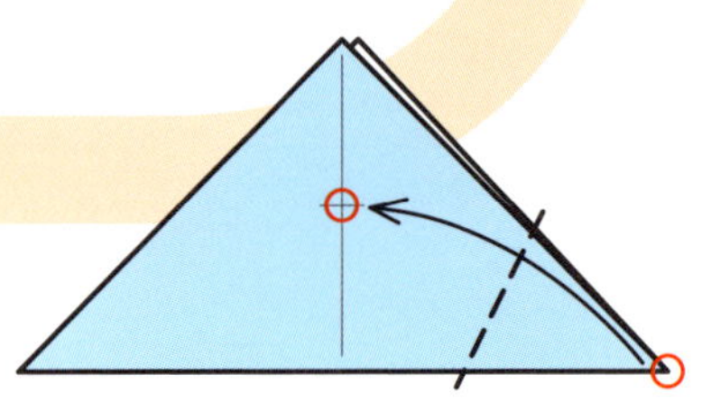

4 ○が重なるように折る

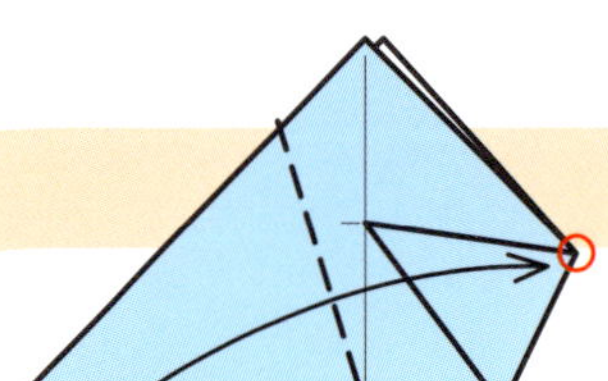

5 ○が重なるように折る

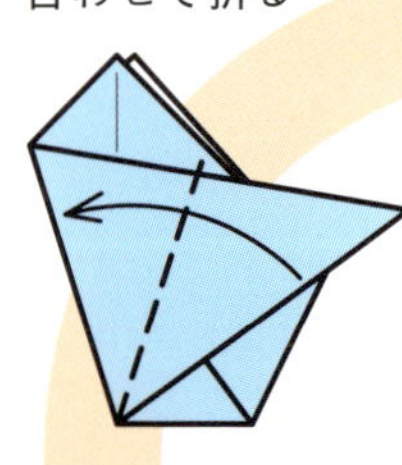

6 上の1枚をはしに合わせて折る

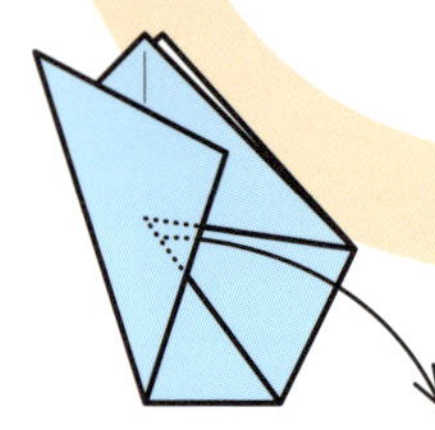

7 内側の1枚を開く

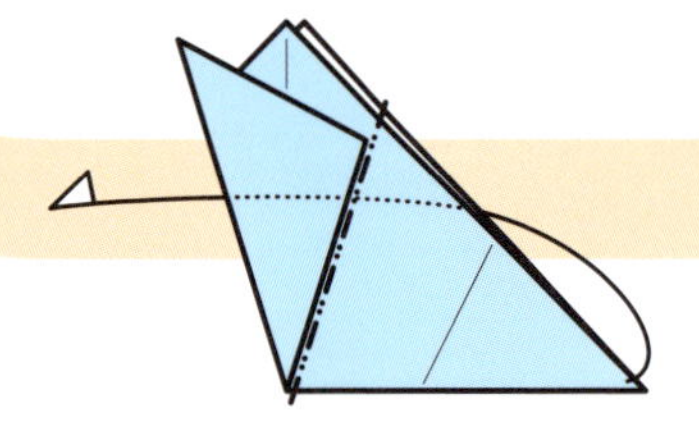

8 図の位置で裏側に折る

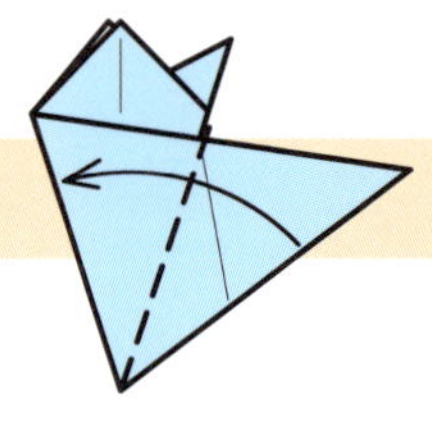

9 はしに合わせて折る

10 図の位置で切る

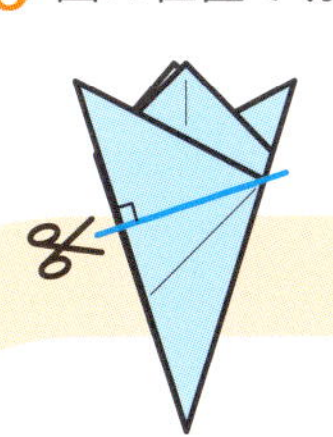

11 すべて開く

12 開いたところ

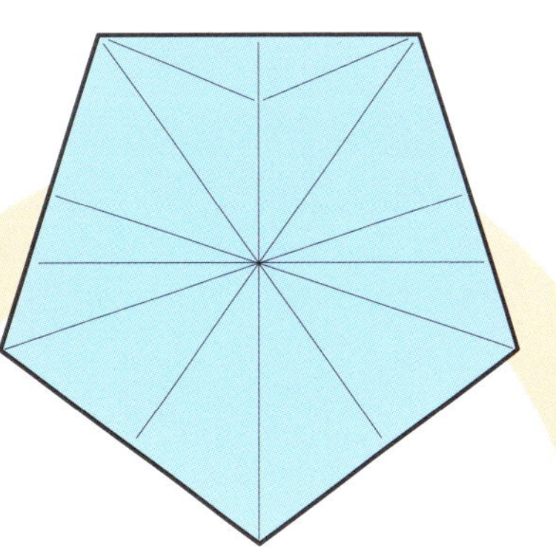

13 角を真ん中に合わせて折る

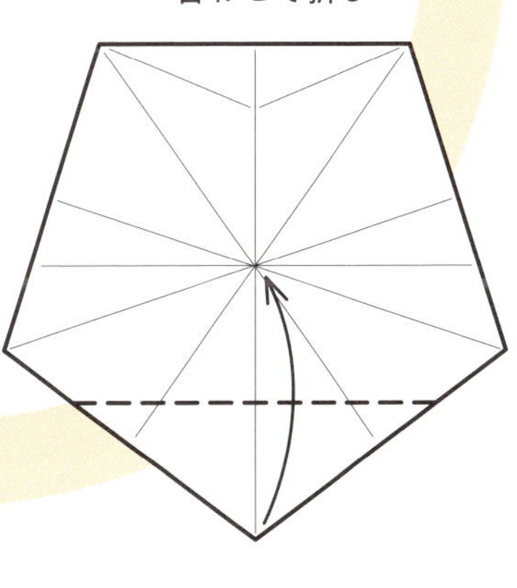

14 真ん中に角が重なるように折る

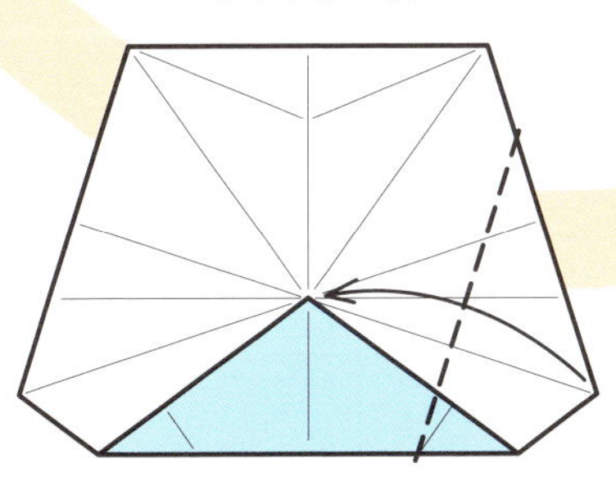

15 真ん中に角が重なるように折る。残り2つの角も同様にする

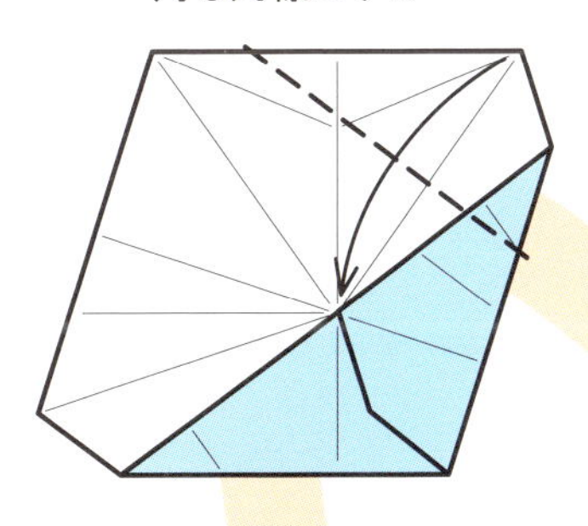

16 一番上の1枚を開く

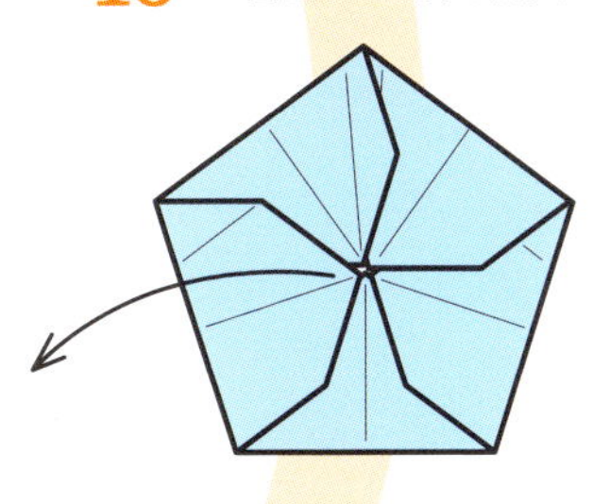

17 図のように内側に折り込む

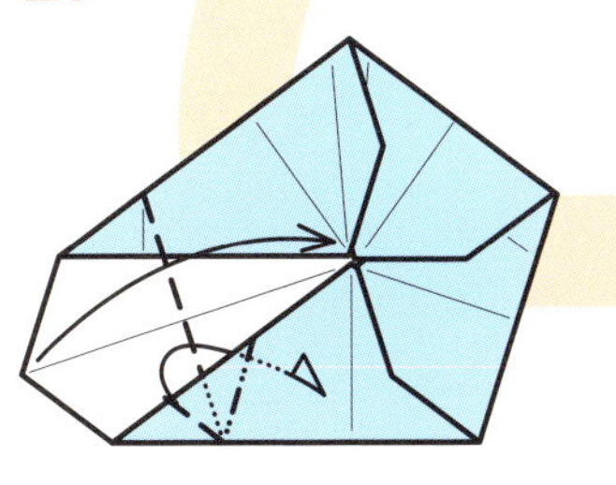

18 折ったところ

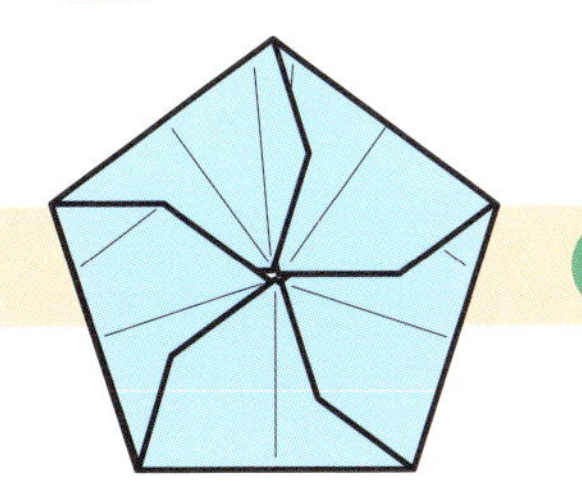

できあがり

★★★

犬の箸置き

【→P.2、39】

Point

箸袋を使って折れるかわいい箸置きです。コツをつかむまでは、縦横比が 1:5 の紙で練習してみましょう。

▶**用意する紙**
4×20cmの紙を1枚

▶**完成サイズ** 4.5×6.5×2cm

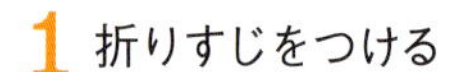

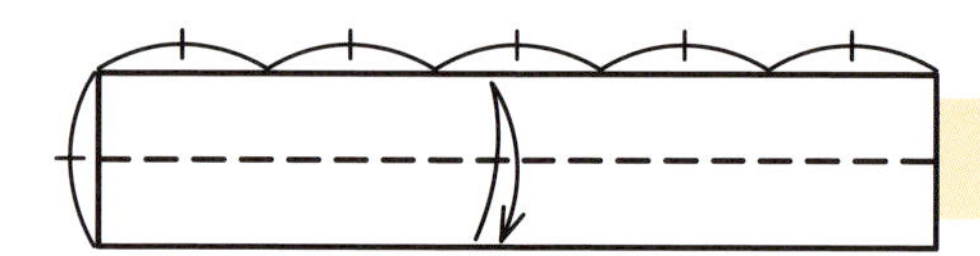

2 真ん中に合わせて折る

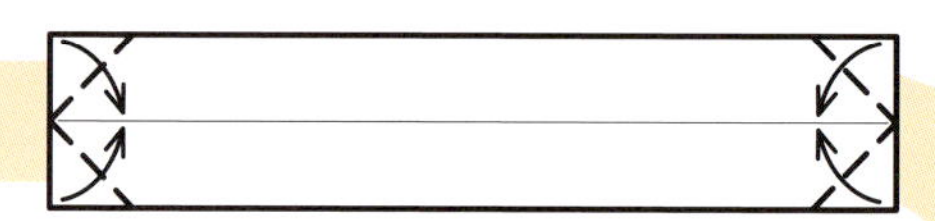

3 真ん中に合わせて折る

4 段折りする

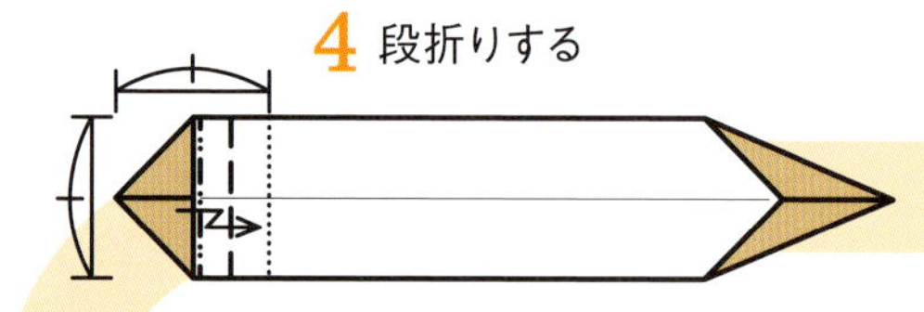

5 図の位置で折る

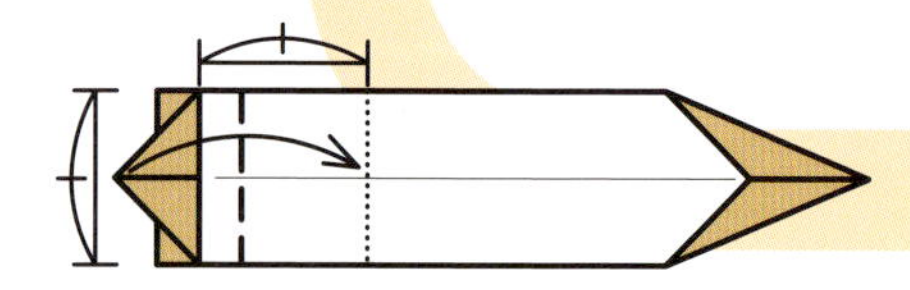

6 折ったところ

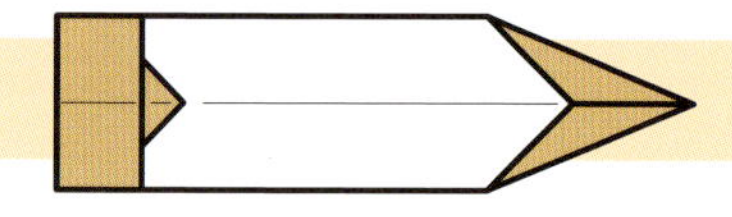

7 図の位置で折る

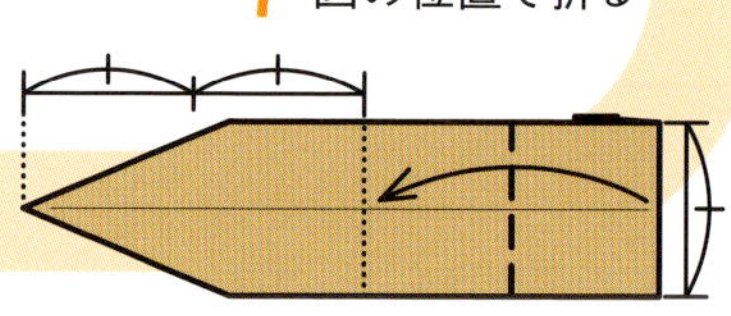

8 上の1枚を開く

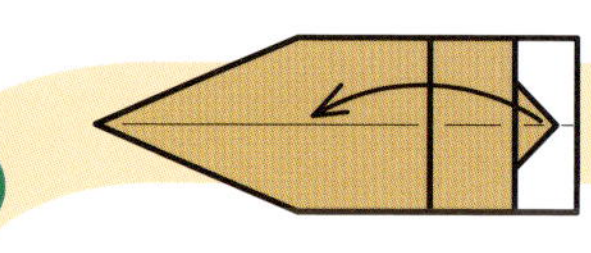

9 裏側へ半分に折る

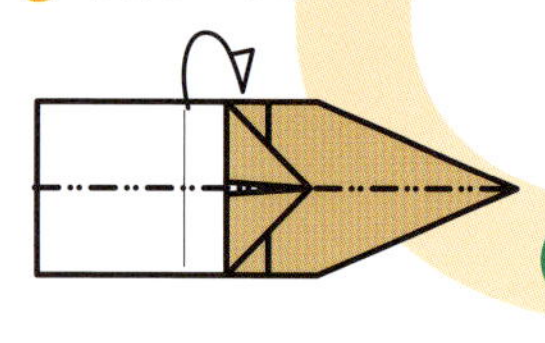

10 ○が重なるように折る

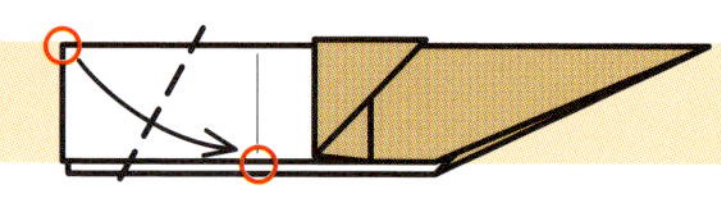

11 しっかり折ってから開く

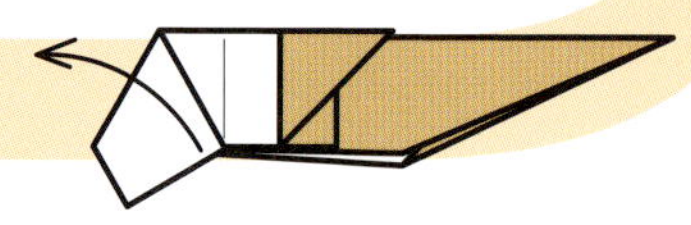

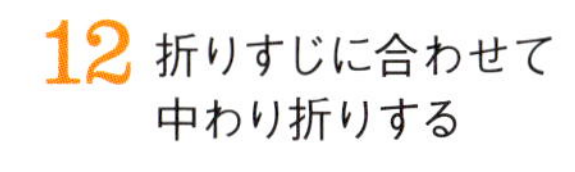

12 折りすじに合わせて中わり折りする

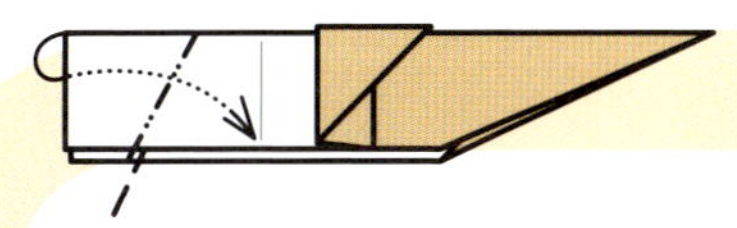

13 内側でさらに中わり折りする。犬の前あしができる

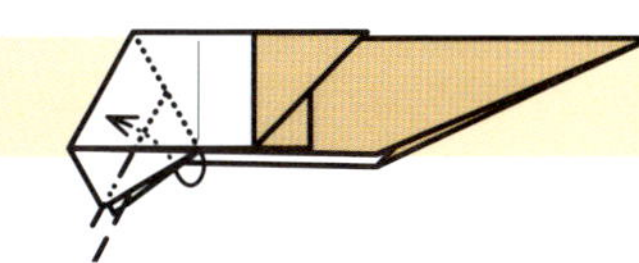

14 上の1枚だけ、かぶせ折りする。犬の顔ができる

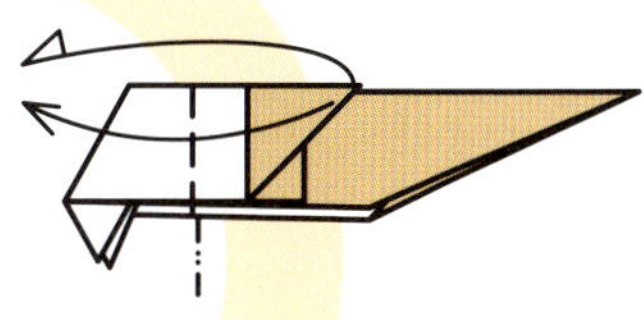

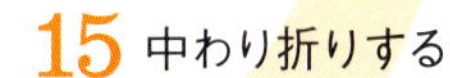

15 中わり折りする

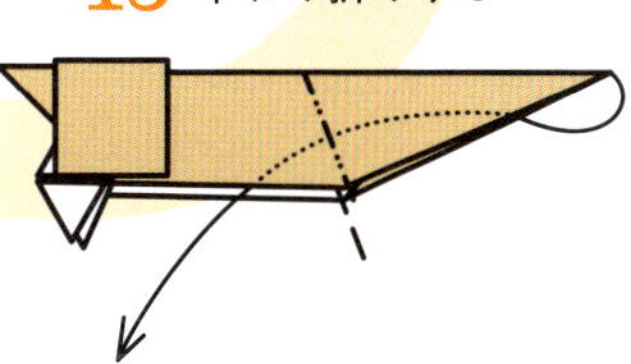

16 中わり折りする。犬のしっぽができる

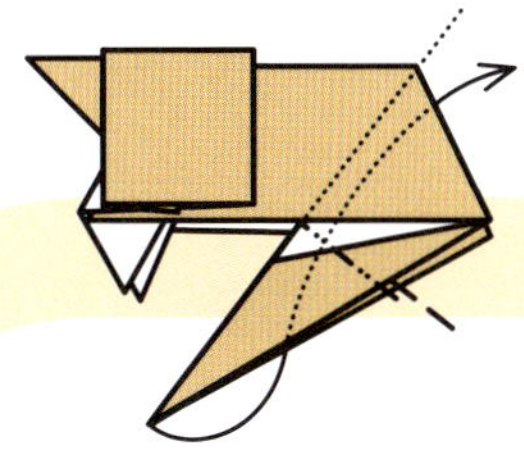

17 内側でさらに中わり折りする。犬の後ろあしができる

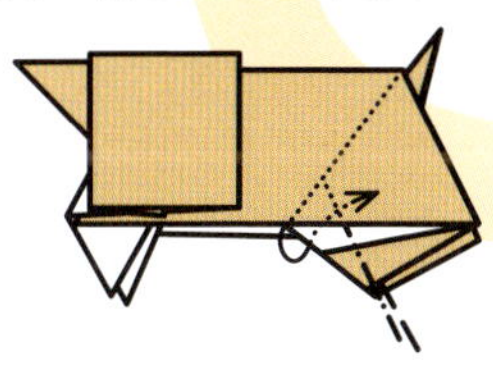

18 図のように、頭の部分を真上に引っ張って折る

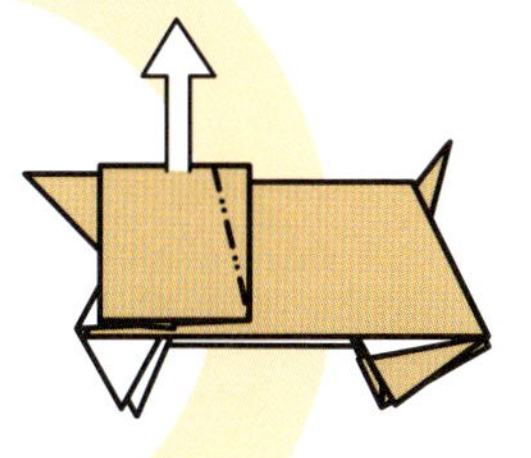

顔の角度を変えてもかわいい！

19 中わり折りする

20 指で押して背中部分をへこませる

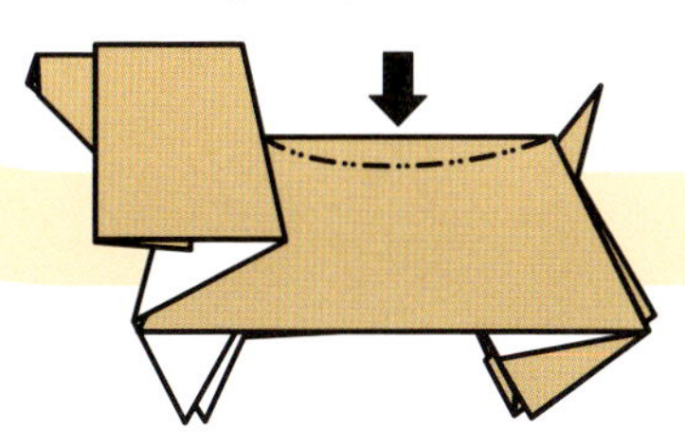

できあがり

★★★

着物の箸袋

【→P.39】

Point

女性の着物に見立てた箸袋です。お祝いの食事の席に添えれば、華やかな雰囲気になりますよ。

▶**用意する紙**

[本体] 25×12cmの紙(和紙や包装紙など)を2枚(外側と内側)

[帯] 4×10cmの紙を1枚

▶**完成サイズ** 19.5×7.5cm

※写真ではリバーシブルの紙を使い、襟元には外側と同じ紙をのりづけして仕上げています。

本体

1 2枚のうち、外側の紙を下にして重ね、折りすじをつける

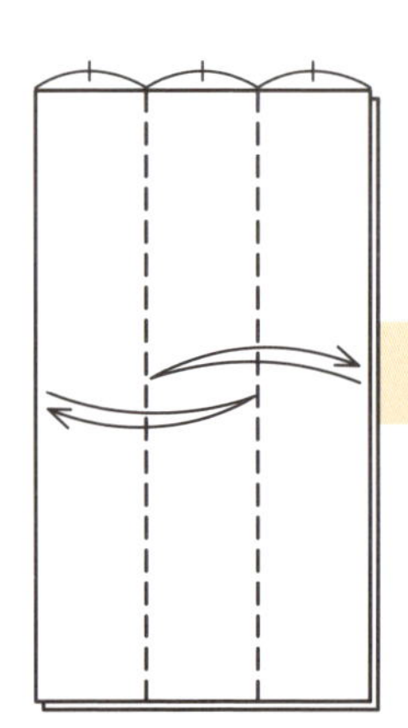

2 折りすじに合わせて折る

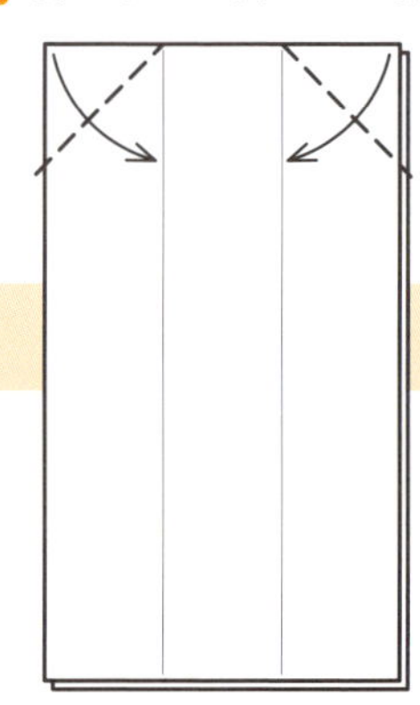

3 中の1枚を引き出して重なりを外す

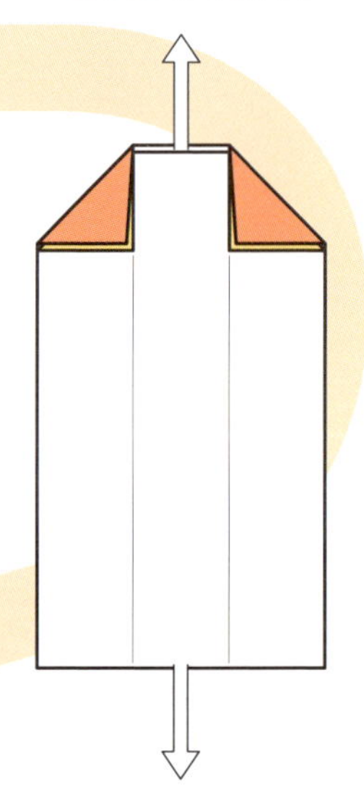

4 内側の紙を裏返し、2mmほど上にずらしてもう1枚に重ねる

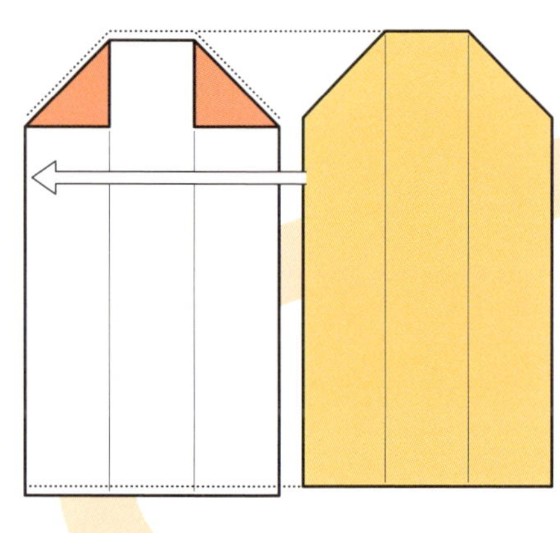

5 左側を折りもどす

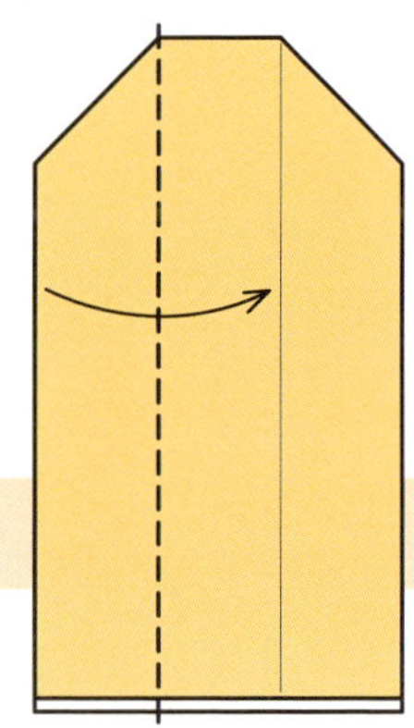

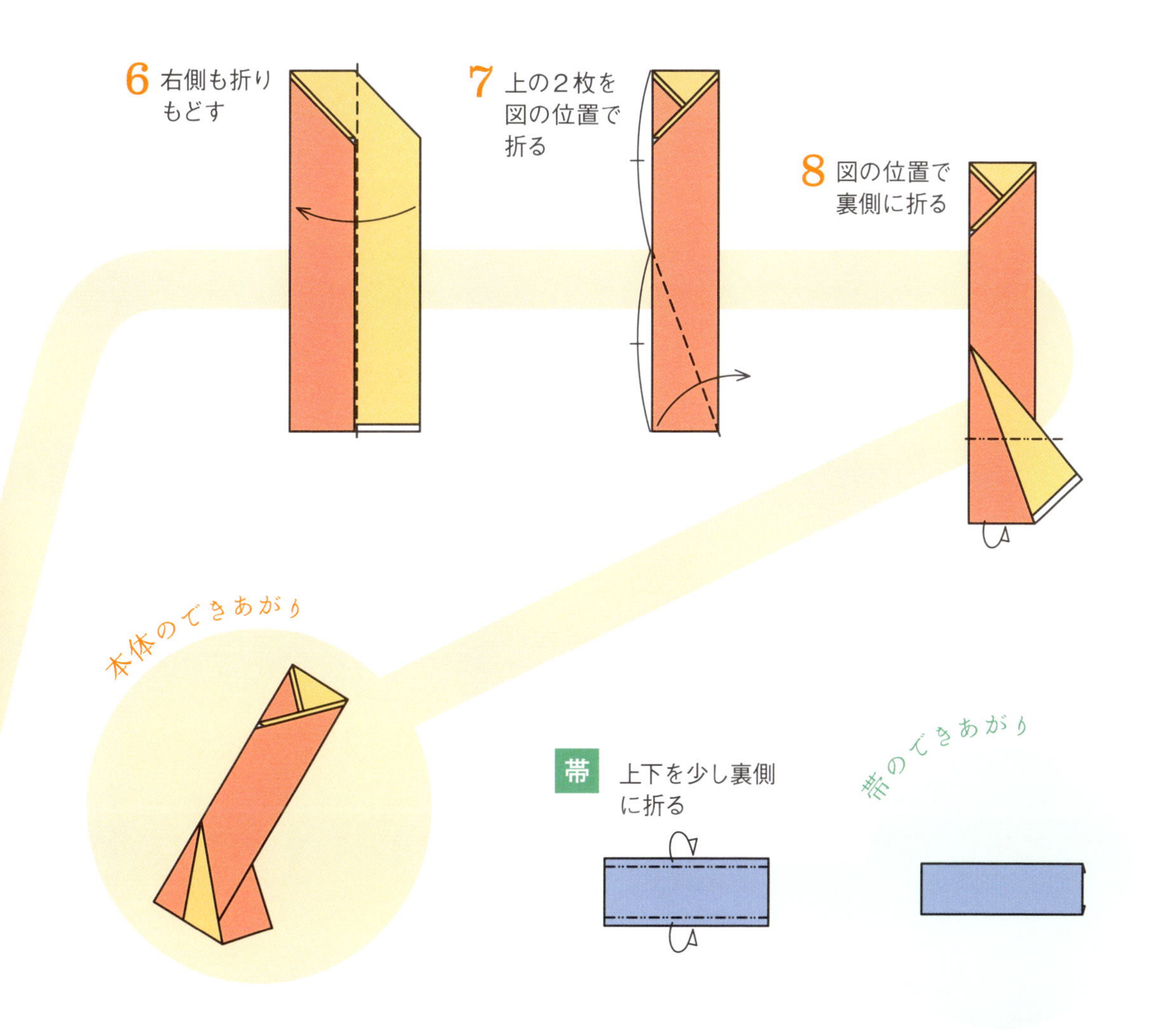
6 右側も折りもどす
7 上の２枚を図の位置で折る
8 図の位置で裏側に折る
本体のできあがり
帯 上下を少し裏側に折る
帯のできあがり

組み合わせ方

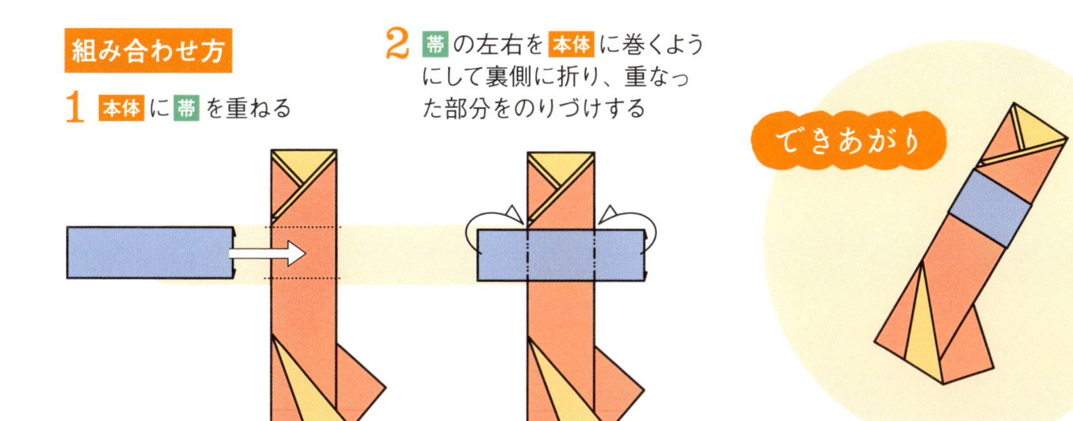
1 本体に帯を重ねる
2 帯の左右を本体に巻くようにして裏側に折り、重なった部分をのりづけする
できあがり

★★★

葉書ファイル 【→P.40】

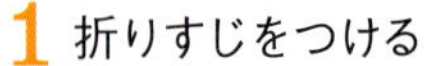

Point

大切な葉書や手紙の収納など、種類別に色をかえてどうぞ。リバーシブルの紙で折ると、開いたときも楽しめます。

▶**用紙する紙**
A3 サイズ（29.7×42cm）の紙（和紙や包装紙など）を1枚

▶**完成サイズ**　17.5×15.5cm（閉じた場合）

1 折りすじをつける

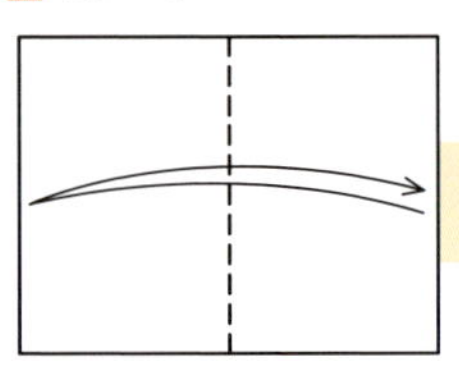

2 少しだけ折りすじをつける

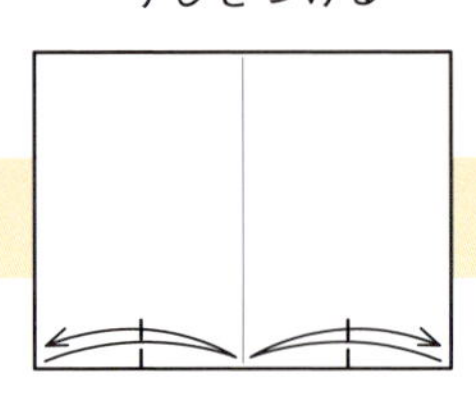

3 折りすじをつける

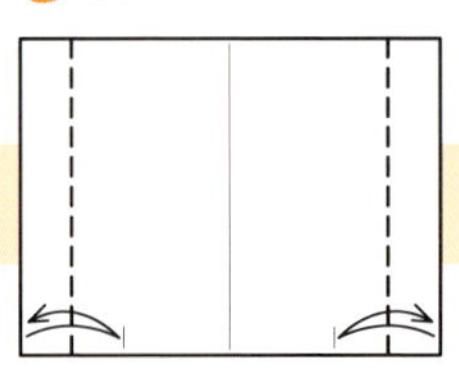

4 少しだけ折りすじをつける

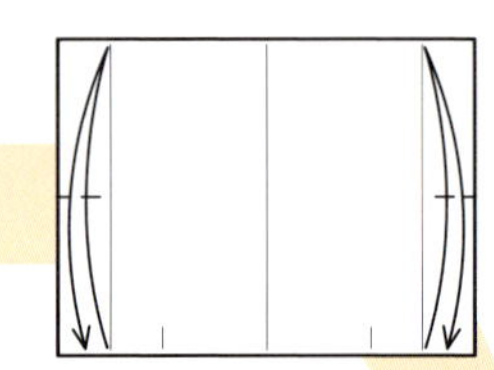

5 折りすじをつける

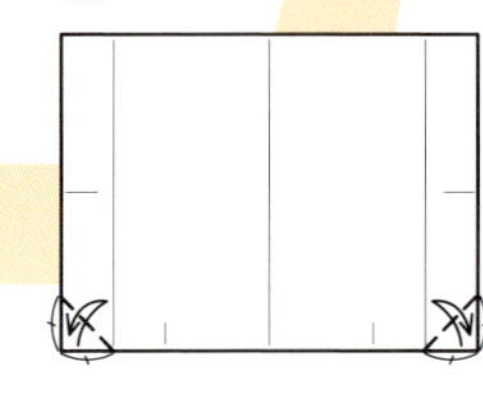

6 図の位置で折る

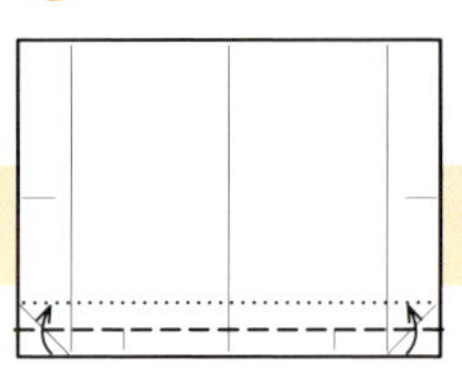

7 折りすじをつける

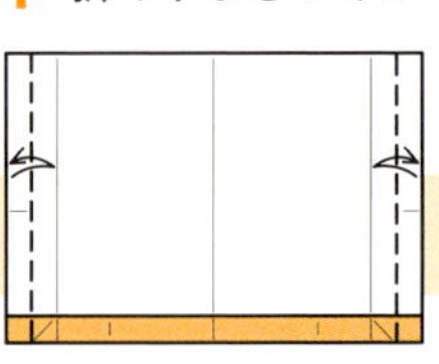

8 4でつけた折りすじに合わせて折る

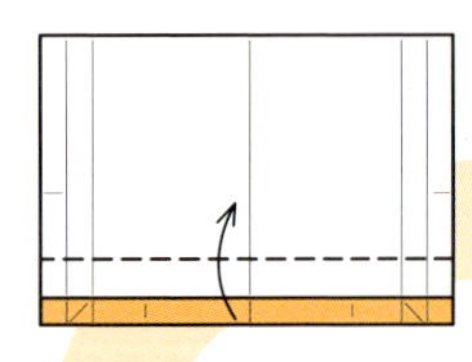

9 ○が重なるように折る

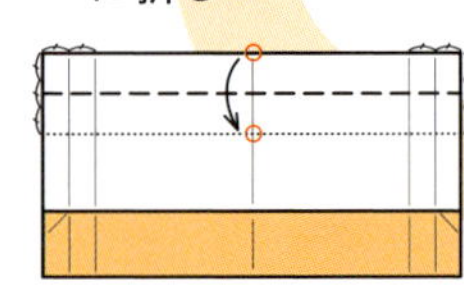

10 2回巻くように折ってのりづけする

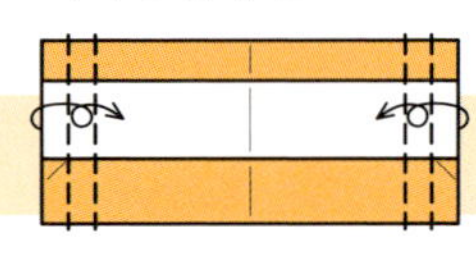

11 図の位置に切り込みを入れる

12 内側に折り込む

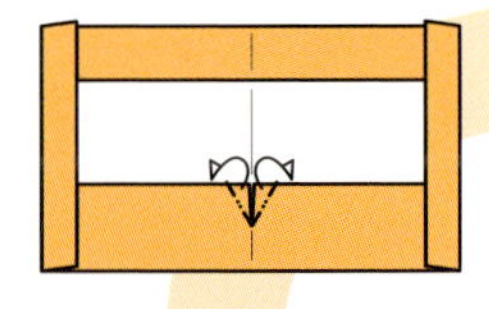

13 半分に折る

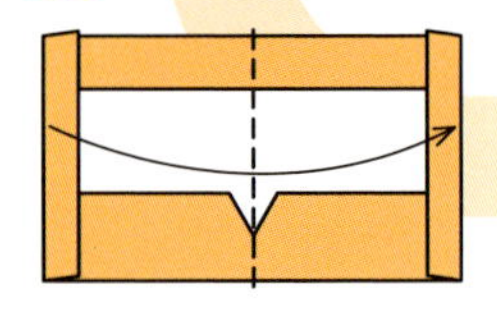

できあがり

アレンジ

★★★

カードケース

▶**用紙する紙**
23×30cmの紙（色画用紙など）を1枚

▶**完成サイズ** 13×11cm（閉じた場合）

Point

カードや写真を入れてプレゼントに。入れるものに合わせて紙をかえてみてください。

★★★

ネコの印鑑ケース【→P.40】

作者：青木良

Point

かわいいネコを印鑑ケースにしました。印鑑のサイズはよく使う、10〜11mmタイプのものが入るようにしています。

▶**用意する紙**
15×15cmの紙を1枚

▶**完成サイズ**　3×9cm

※ざぶとん基本形［→P.17］から始めます。

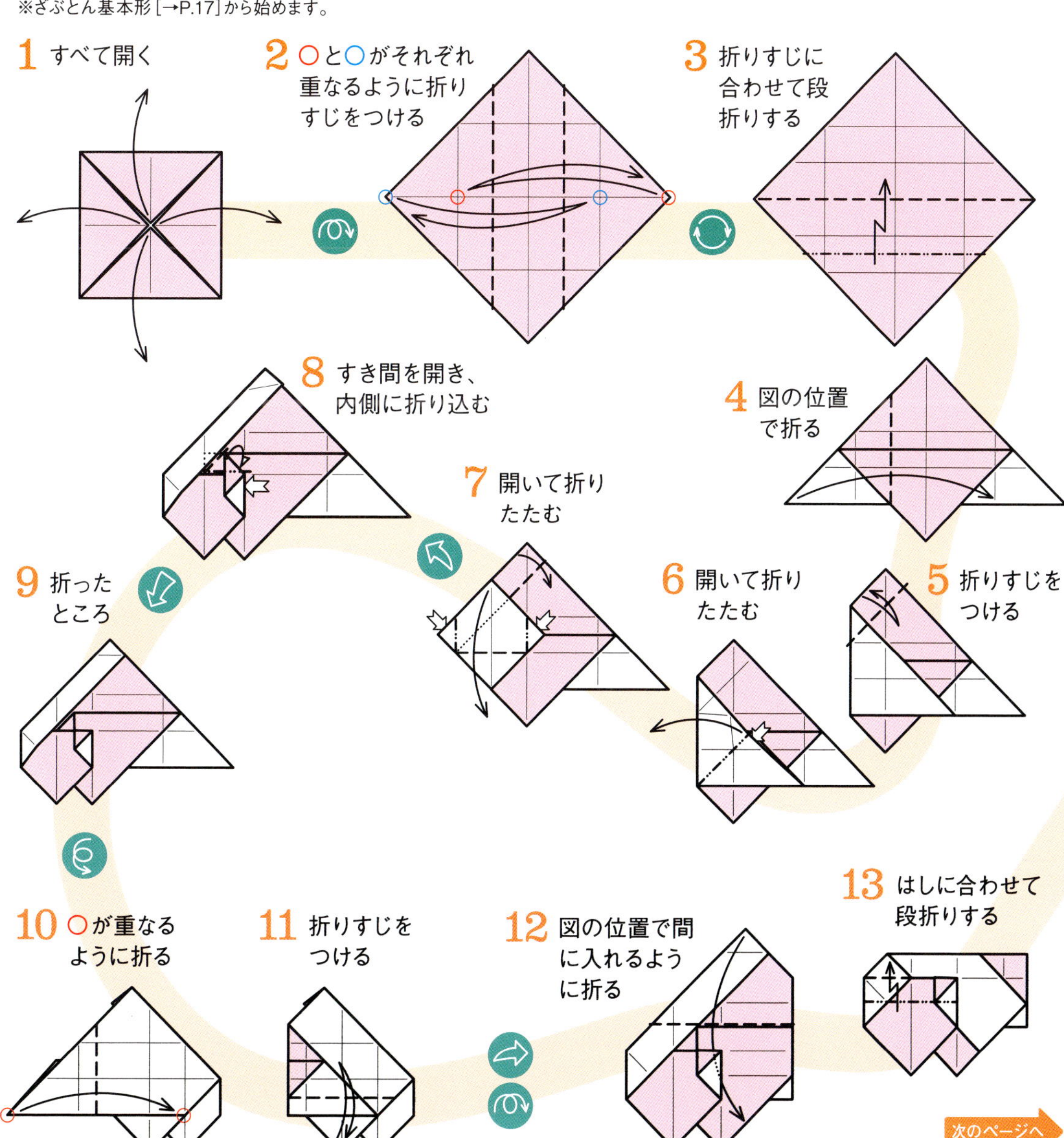

次のページへ

14 図の位置で上の2枚を内側に折る

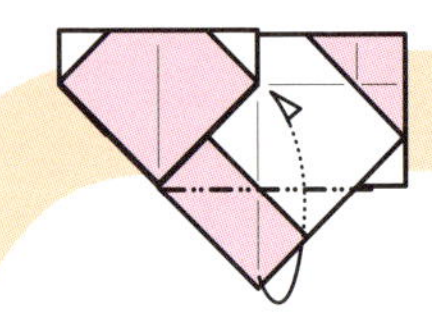

15 さらに上の紙を内側に折り込む

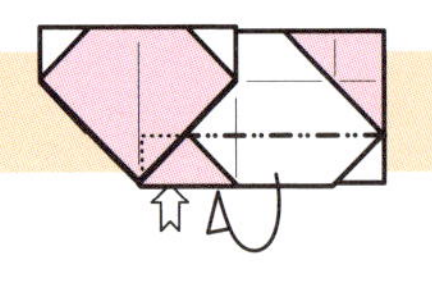

16 上の１枚を図の位置で折る

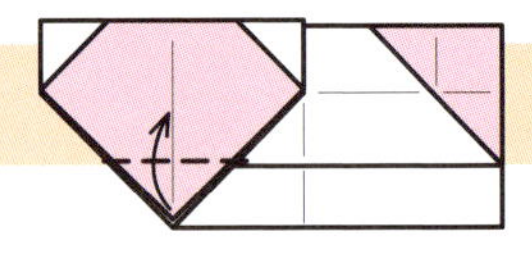

17 角を折る

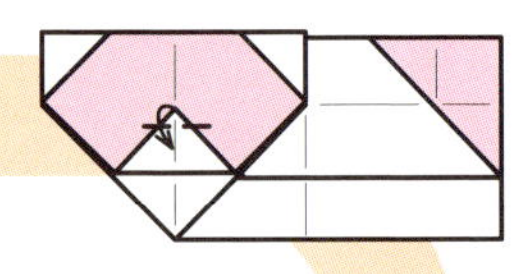

18 折ったところ

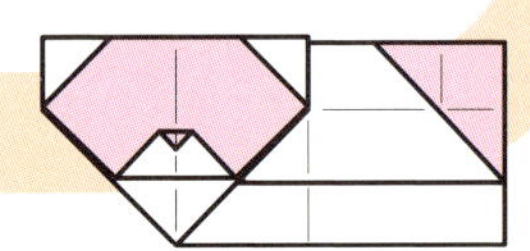

19 折りすじに合わせて折り、左側のすき間に差し込む

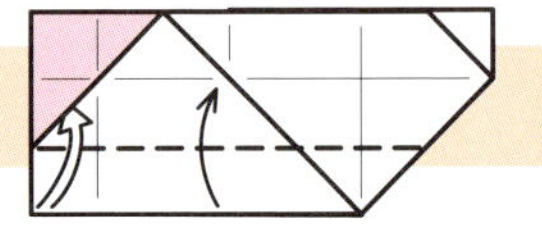

20 折ったところ

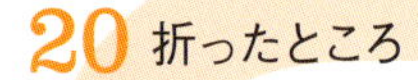

21 上の１枚を開く

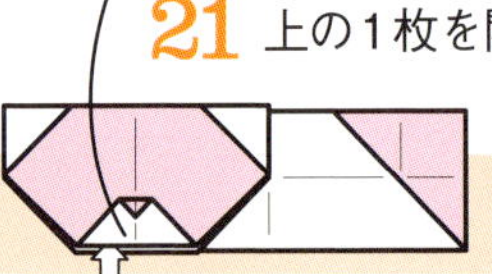

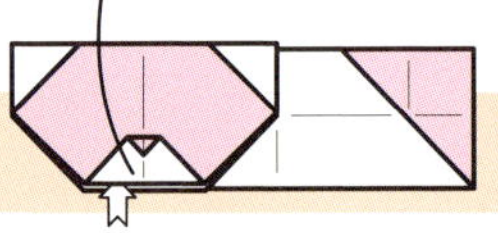

22 図の位置で裏側に折る

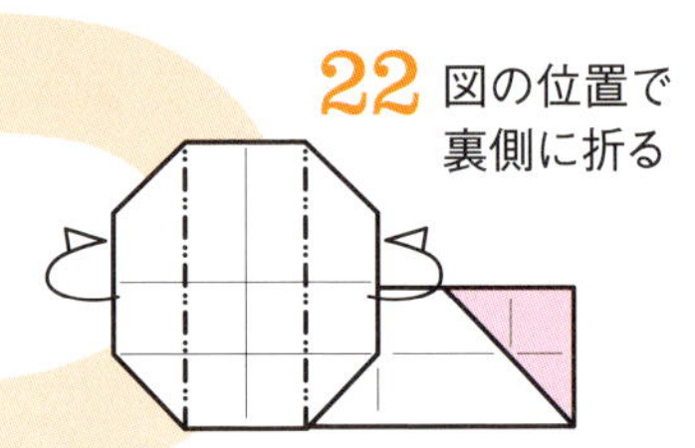

23 左右を少し折りながら後ろの紙を引き出し、半分に折る

24 上の１枚の角を少し内側に折る

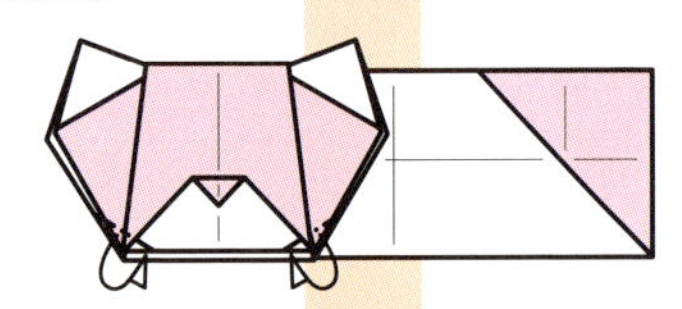

できあがり

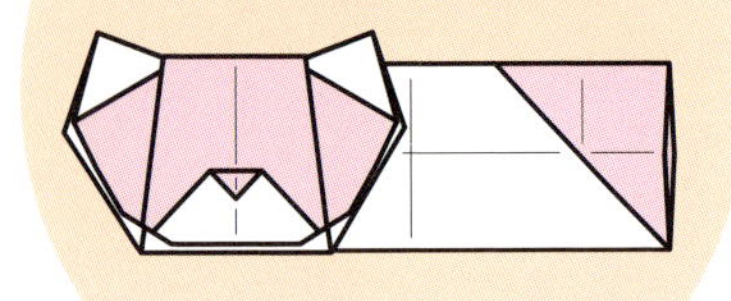

アレンジ

★★★

犬の印鑑ケース 【→P.40】

※ネコの印鑑ケースの20を裏返したところから始めます。

▶**用意する紙**
15×15cmの紙を１枚

▶**完成サイズ** 3×9cm

Point
顔の折り方を変えるだけで、犬の印鑑ケースにもなります。印鑑を使い分けるときにとても便利です。

図の位置で折る

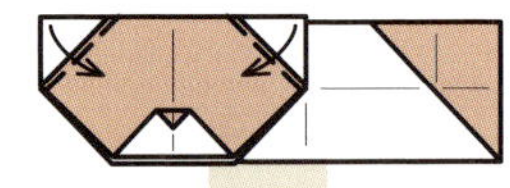

できあがり

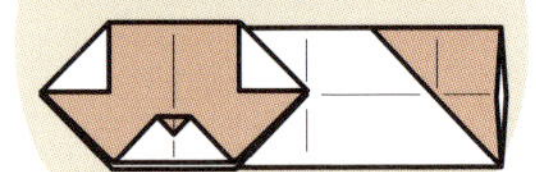

★★★

自転車の置物 【→P.41】

Point

今にも動きだしそうな自転車の置物です。自転車の本体は1枚の紙を切り出し、組み合わせることで作れます。

▶用意する紙
[本体] 24×24cmの紙（タント）を1枚
[タイヤ] 9×24cmの紙を2枚

▶完成サイズ 15×20×10cm

●本体のパーツを8個と タイヤ を作って組み合わせます。

本体の紙を図のように切り、各パーツを作る

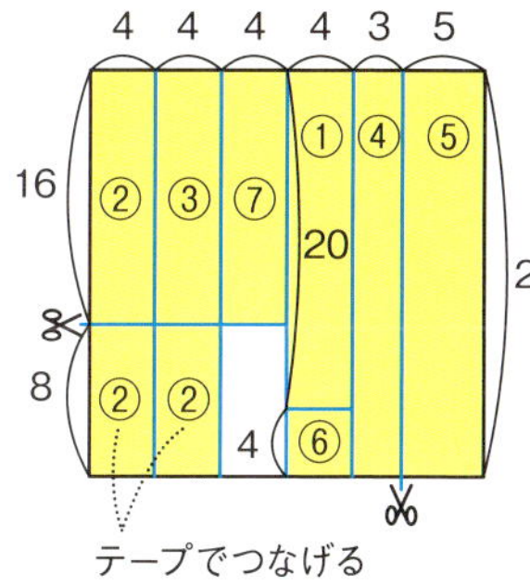

①フレームA 20×4cm
②フレームB 16×4cmを2枚
※1枚は、8×4cmの紙2枚をテープでつなげる
③ハンドル 16×4cm
④フレームC 24×3cm
⑤フレーム・ペダル 24×5cm
⑥部品 4×4cm
⑦スタンド 16×4cm

フレームA

※①の紙を使います。

1 折りすじをつける

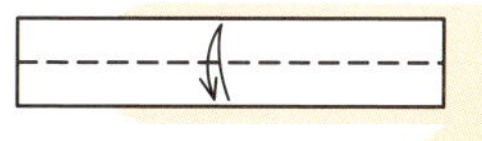

2 真ん中に合わせて折る

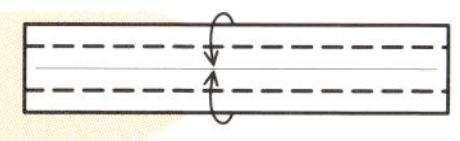

3 半分に折る

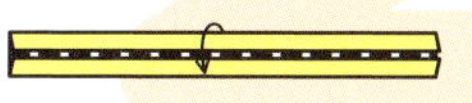

4 半分に折る

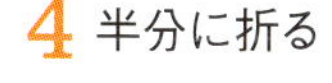

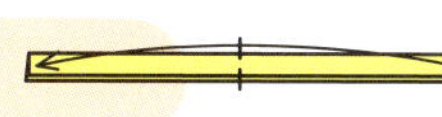

5 図の位置で折る。反対側も同様にする

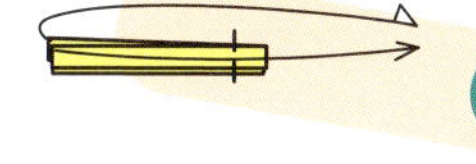

6 上の1枚の上下を押しながら折る。反対側も同様にする

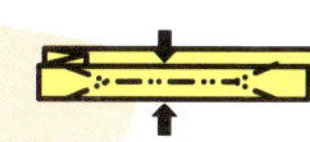

7 上の1枚をずらすように折る

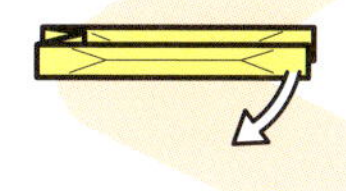

フレームAのできあがり

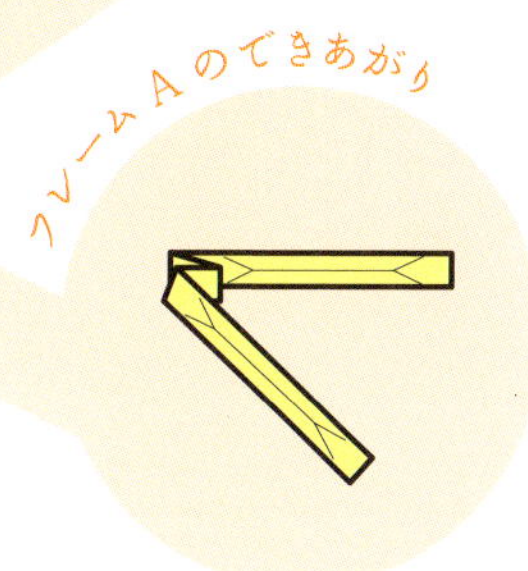

フレームB

※②の紙を使い、フレームAの3まで折ったところから始めます。

1 半分に折る

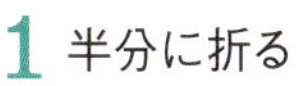

2 上の1枚の上下を押しながら折る。反対側も同様にする

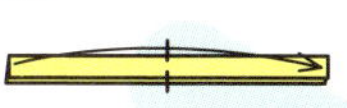

フレームBのできあがり

同じものを2個作る

ハンドル

※③の紙を使い、フレームAの2まで折ったところから始めます。

1 折りすじをつける

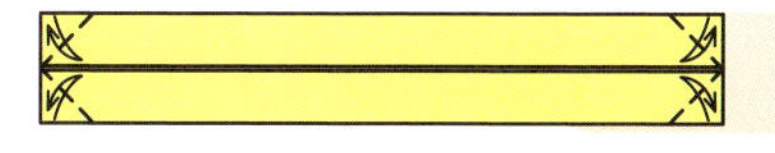

2 中わり折りする

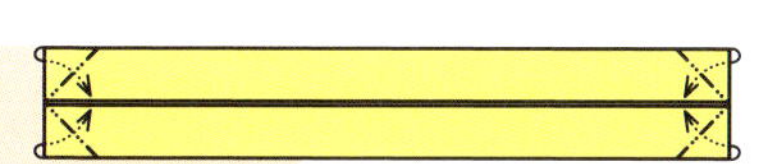

次のページへ

3 開いて折りたたむ

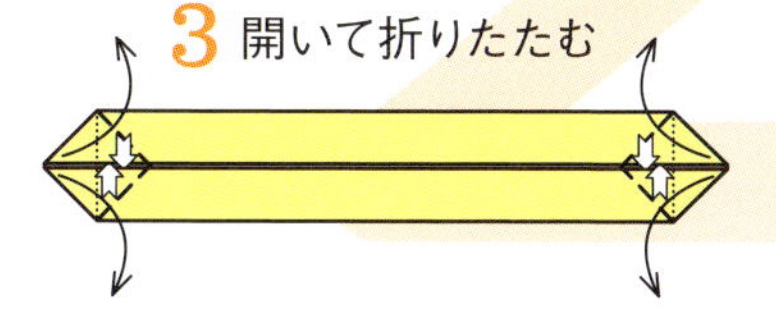

4 図の位置で折る

5 図の位置で折る

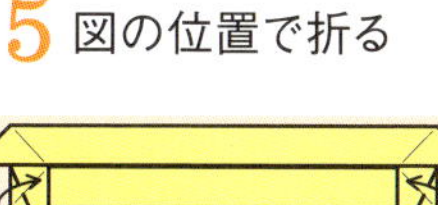

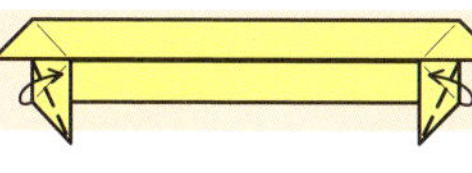

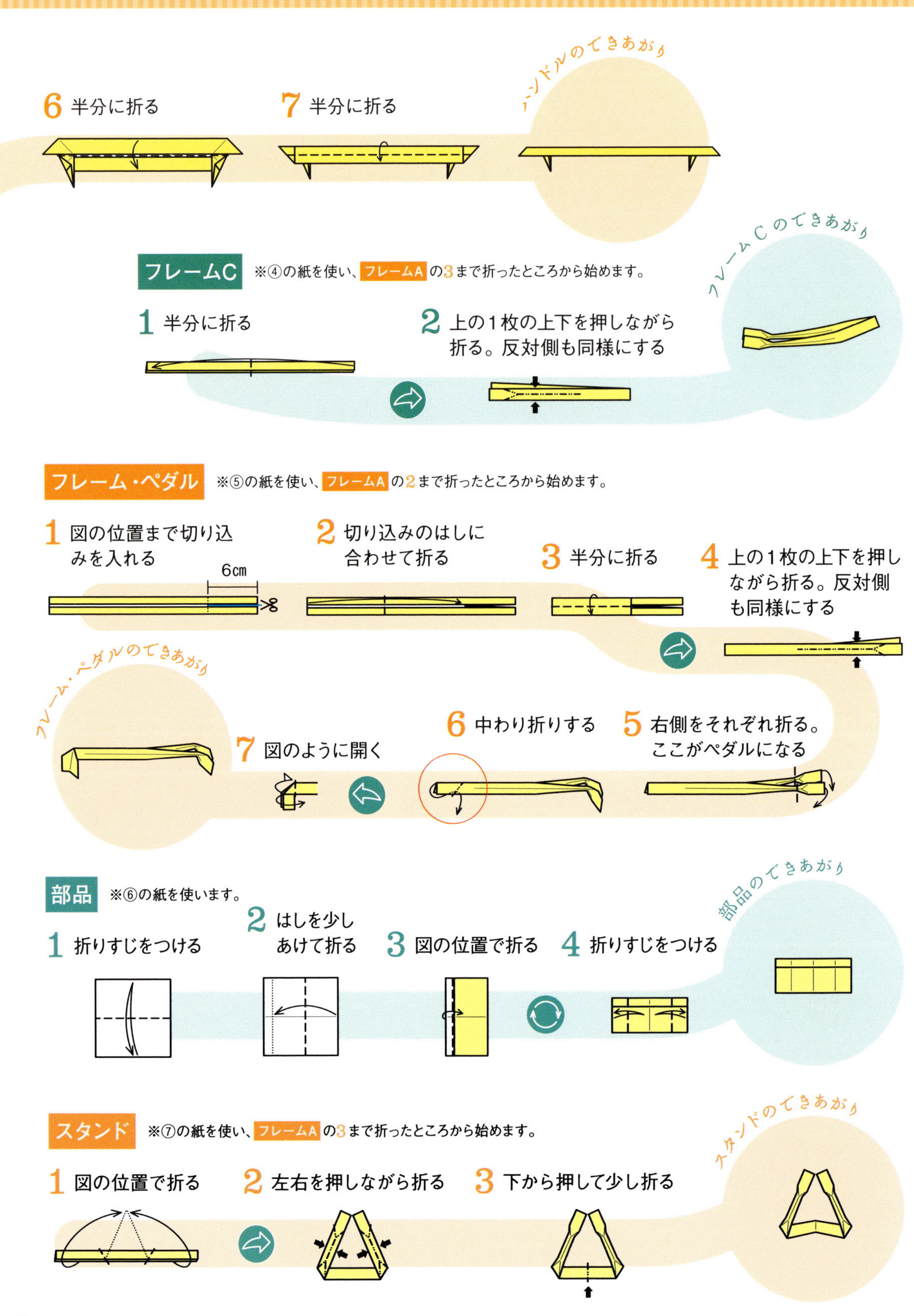
6 半分に折る
7 半分に折る
ハンドルのできあがり
フレームC
※④の紙を使い、フレームAの3まで折ったところから始めます。
1 半分に折る
2 上の1枚の上下を押しながら折る。反対側も同様にする
フレームCのできあがり
フレーム・ペダル
※⑤の紙を使い、フレームAの2まで折ったところから始めます。
1 図の位置まで切り込みを入れる
6cm
2 切り込みのはしに合わせて折る
3 半分に折る
4 上の1枚の上下を押しながら折る。反対側も同様にする
5 右側をそれぞれ折る。ここがペダルになる
6 中わり折りする
7 図のように開く
フレーム・ペダルのできあがり
部品
※⑥の紙を使います。
1 折りすじをつける
2 はしを少しあけて折る
3 図の位置で折る
4 折りすじをつける
部品のできあがり
スタンド
※⑦の紙を使い、フレームAの3まで折ったところから始めます。
1 図の位置で折る
2 左右を押しながら折る
3 下から押して少し折る
スタンドのできあがり

タイヤ

1 半分に折る

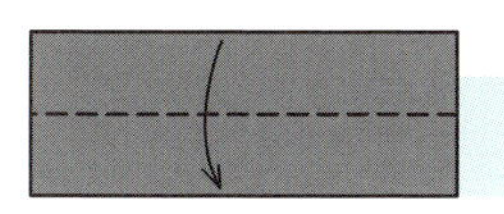

2 上の1枚の下の部分を少し折る。反対側も同様にする

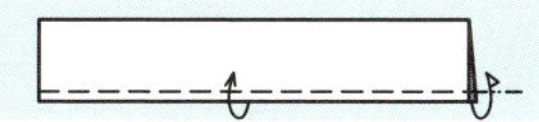

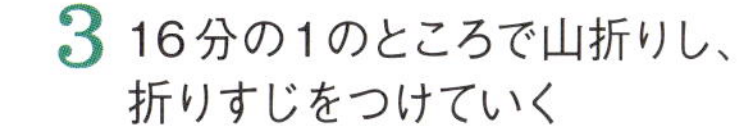

3 16分の1のところで山折りし、折りすじをつけていく

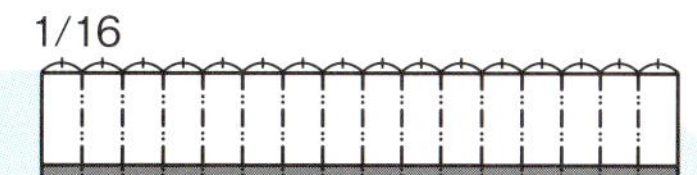

4 はしから順に、円になるよう調整しながら段折りしていく

5 段折りしているところ。最後は×の部分を接着剤で貼る

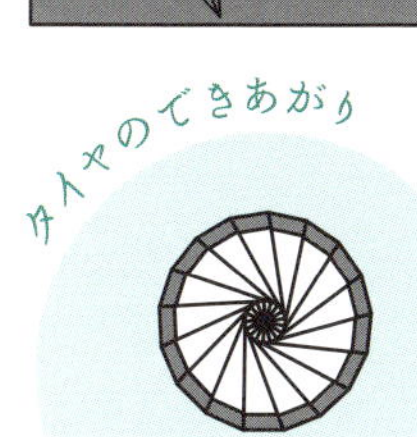

組み合わせ方

1 フレームC で ハンドル の真ん中をはさみ、接着剤で貼る

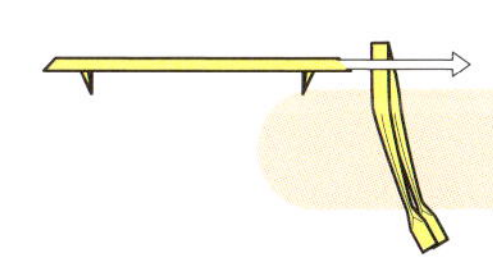

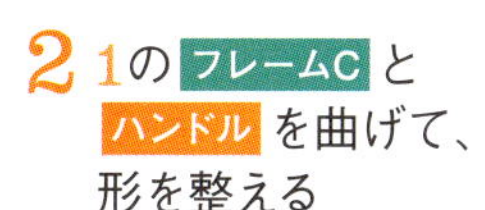

2 1の フレームC と ハンドル を曲げて、形を整える

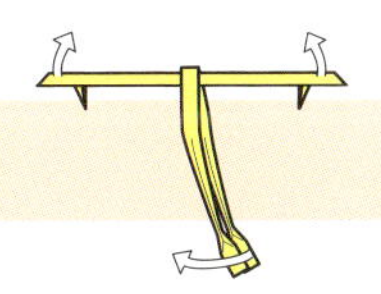

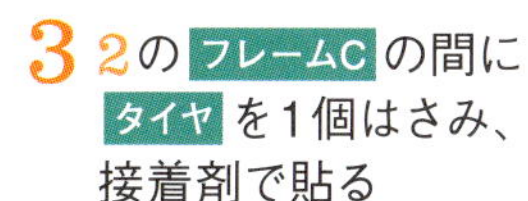

3 2の フレームC の間に タイヤ を1個はさみ、接着剤で貼る

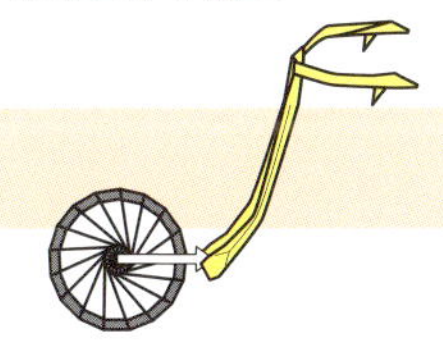

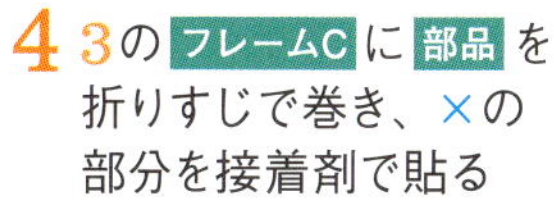

4 3の フレームC に 部品 を折りすじで巻き、×の部分を接着剤で貼る

5 4の 部品 を フレームA に差し込み、接着剤で貼る

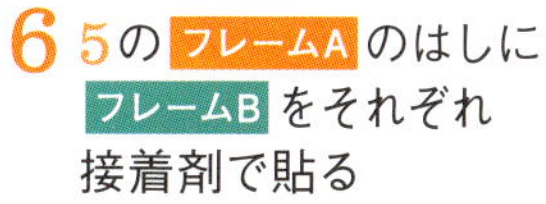

6 5の フレームA のはしに フレームB をそれぞれ接着剤で貼る

7 6の フレームB に タイヤ を1個はさみ、接着剤で貼る

8 7の タイヤ の真ん中に合わせて スタンド を接着剤で貼る

9 A を フレーム・ペダル の切り込みを入れた部分ではさみ、接着剤で貼り、上は B に貼る

10 9の フレーム・ペダル の先を裏側だけ上に折る

できあがり

★★★

フォトスタンド 【→P.41、78】

【→P.41、78】

Point

飾りたい写真の幅に合わせて折れるフォトスタンドです。写真より8cm大きい正方形の紙を用意してください。

▶**用意する紙**

21×21cmの紙を1枚（L判［8.9×12.7cm］の写真を飾る場合）

▶**完成サイズ**

5×13×5cm

※かんのん基本形［→P.17］から始めます。そのとき、紙の表面を上にして折り始めます。

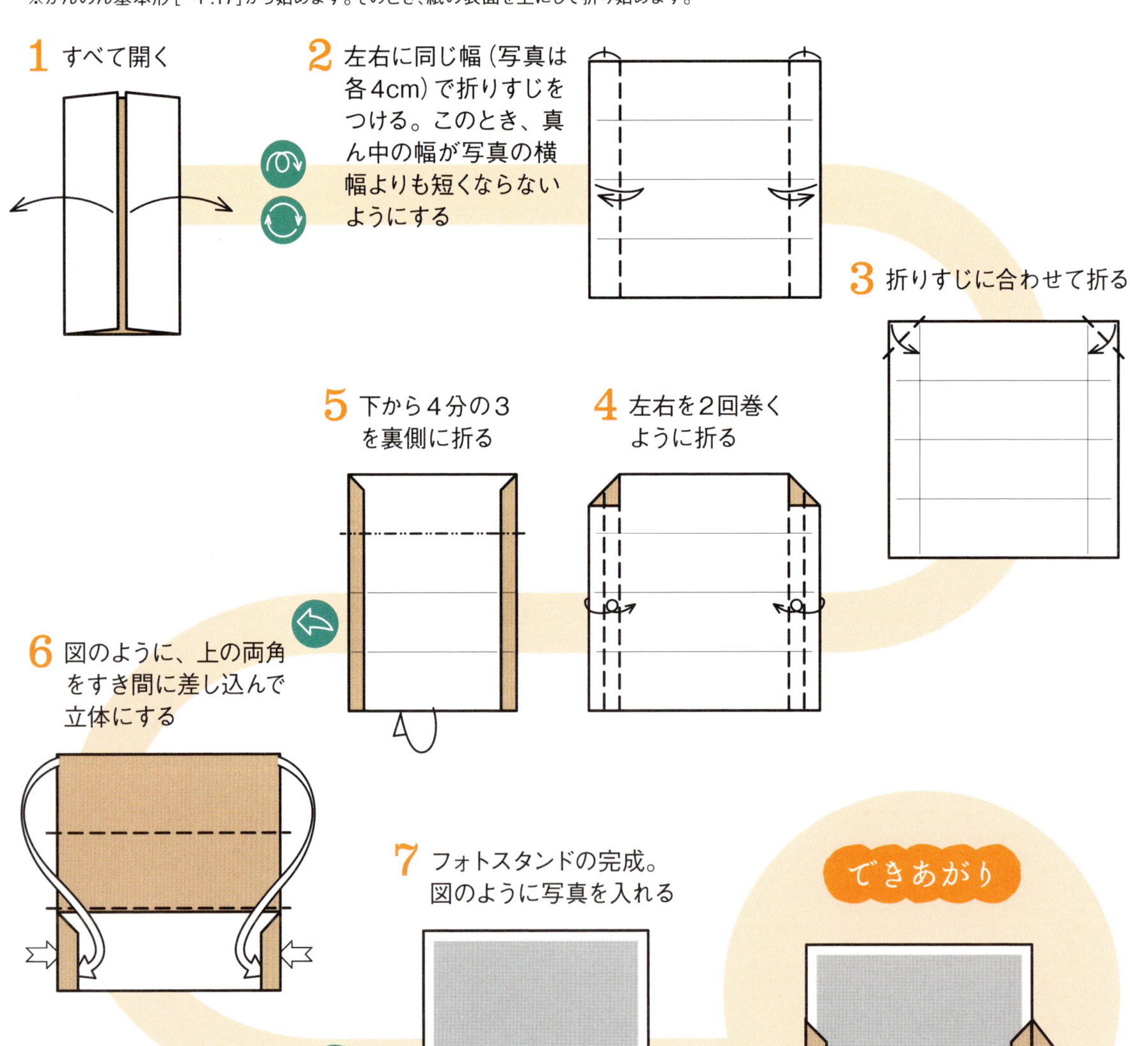

★★★

しきりケース

【→P.4、41】

作者：青木良

Point
ものを分けて置いておく際に便利なケースです。リバーシブルの紙がおすすめ。1で表を向けた面が内側になります。

▶**用意する紙**
24×24cmの紙を1枚

▶**完成サイズ**　4×13×9cm（取っ手を含む）

1 折りすじをつける

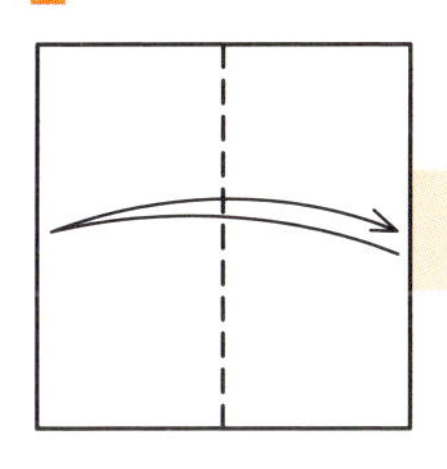

2 ○が重なるように少し折りすじをつける。右の角がずれないようにする

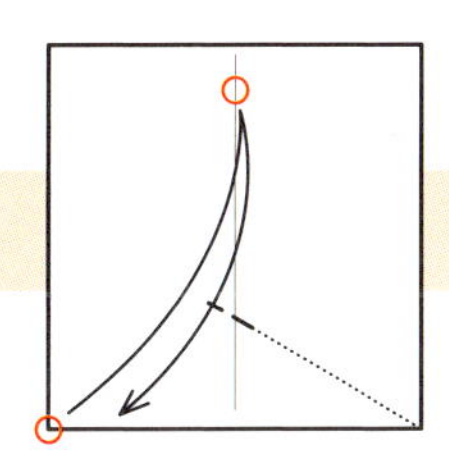

3 ○が重なるように少し折りすじをつける

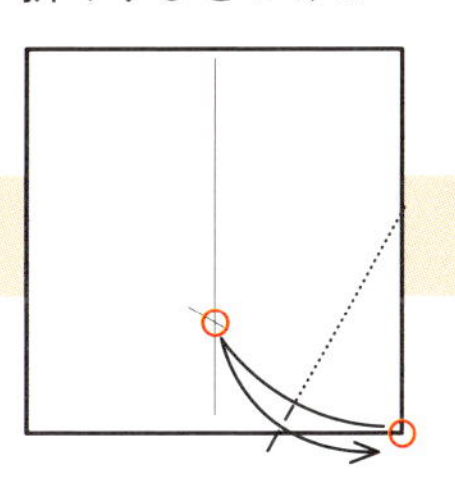

4 ○が重なるように折る

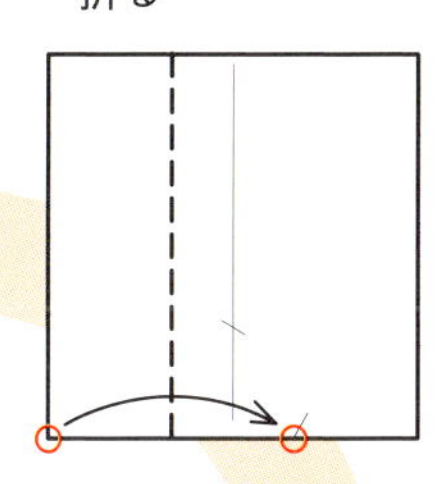

5 上の1枚をはしに合わせて折る

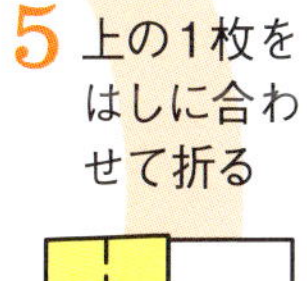

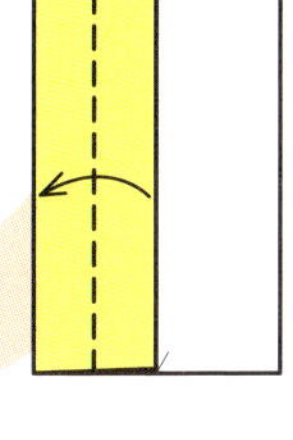

6 はしに合わせて折る

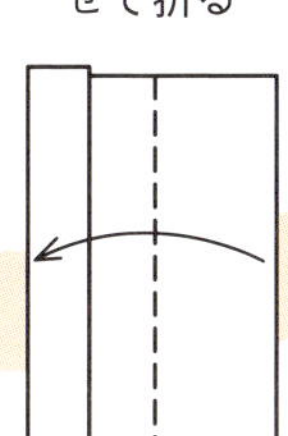

7 上の1枚をはしに合わせて折る

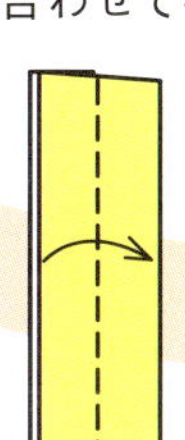

8 すべて開く

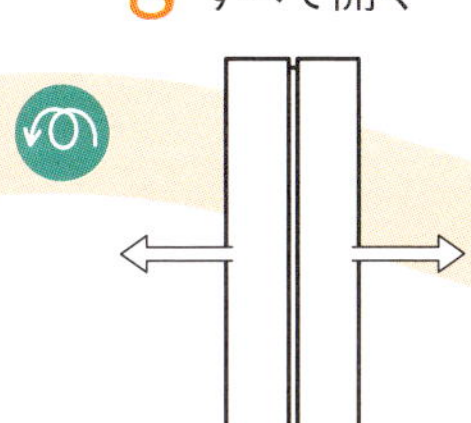

9 角を折る

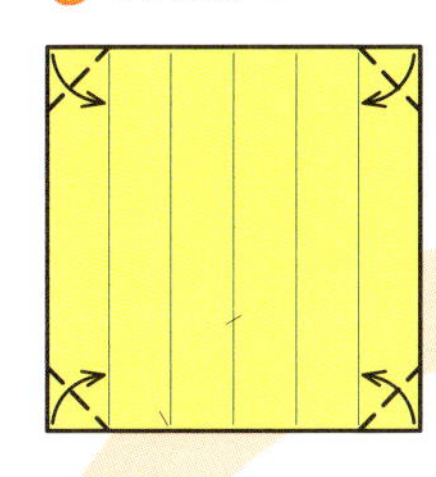

10 折ったところ

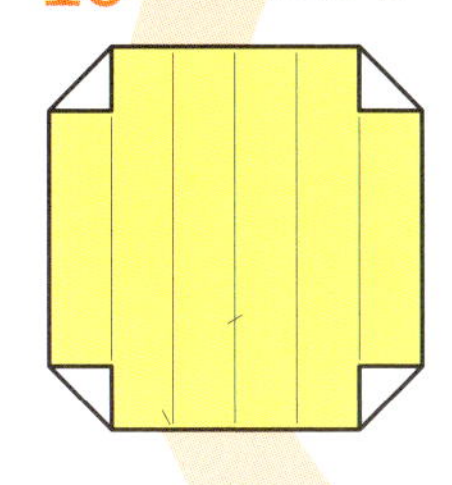

11 図の位置で折る

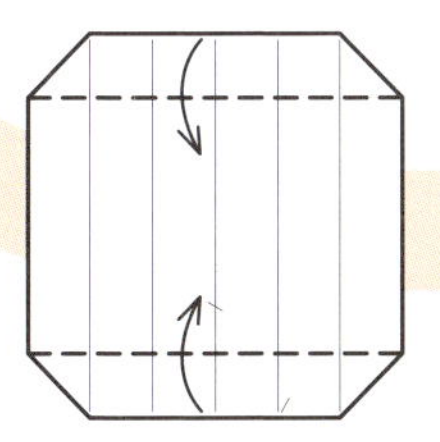

12 折りすじをつける

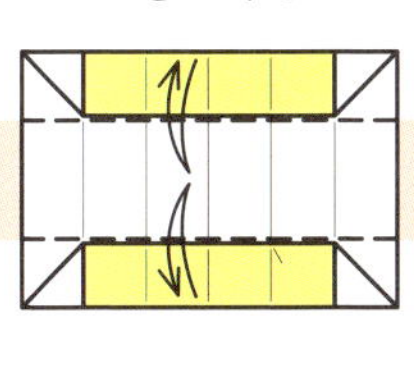

13 角以外を開く

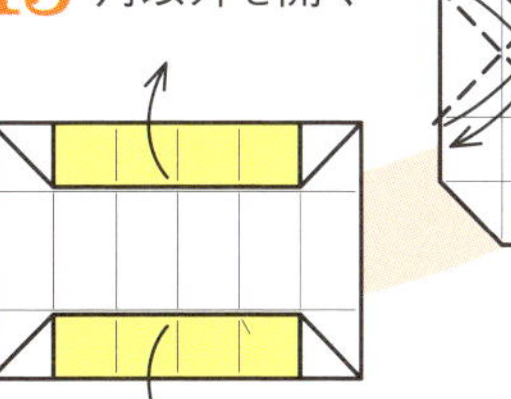

14 折りすじをつける

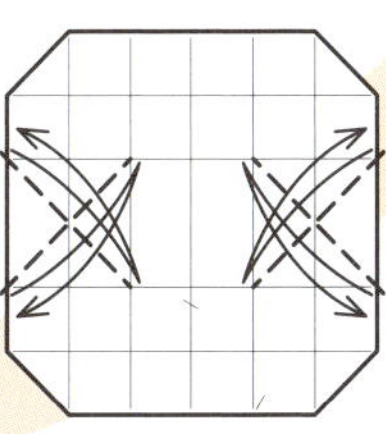

次のページへ

15 裏側へ半分に折る

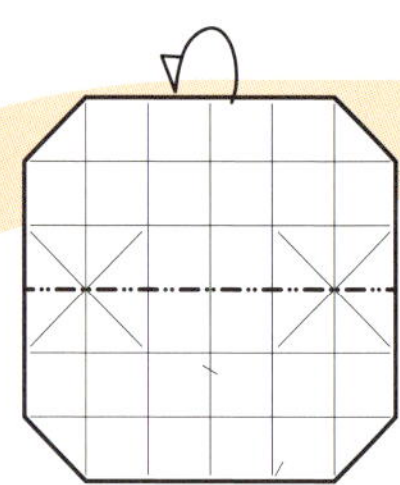

16 開いて折りたたむ

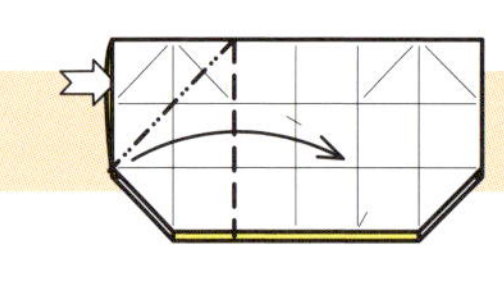

17 折ったところ

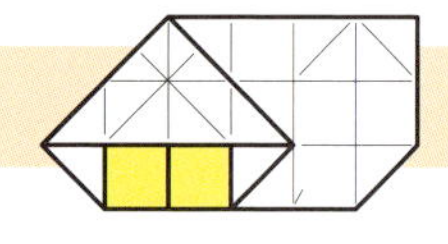

18 開いて折りたたむ

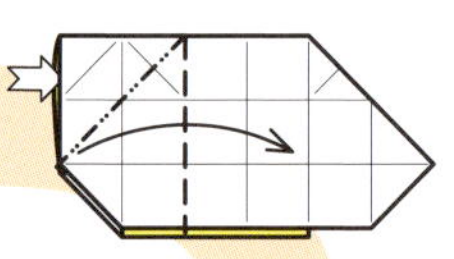

19 角以外を開く

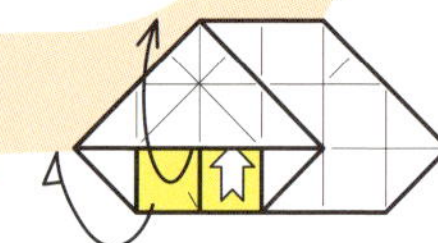

難

20 ①を折りながら、②と③を折る。上下を立てるように折って立体に整える。反対側も同様にする

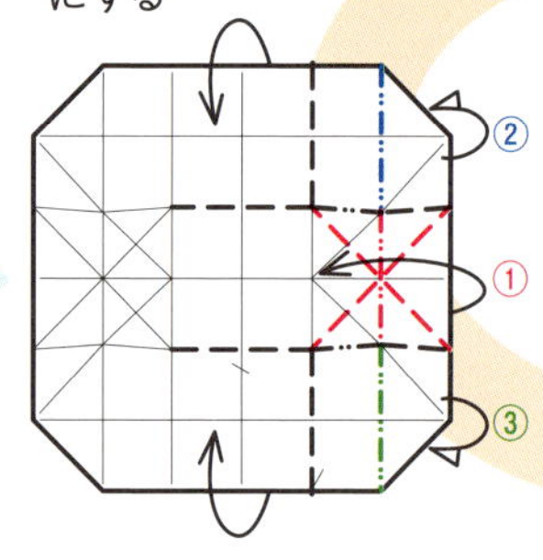

①は折りすじで引き寄せるように折る

②と③を折りながら立体にする。ここが側面になる

21 底の真ん中を山折りしながら倒す

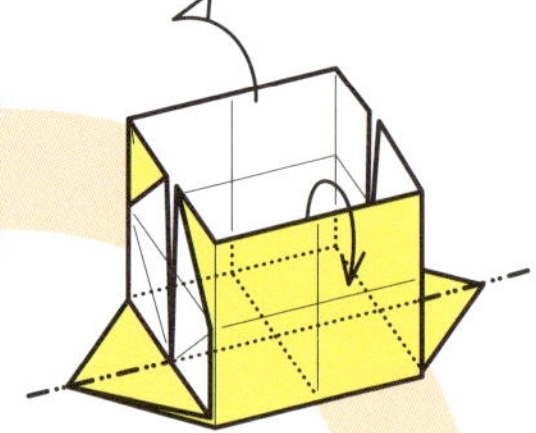

22 折ったところ

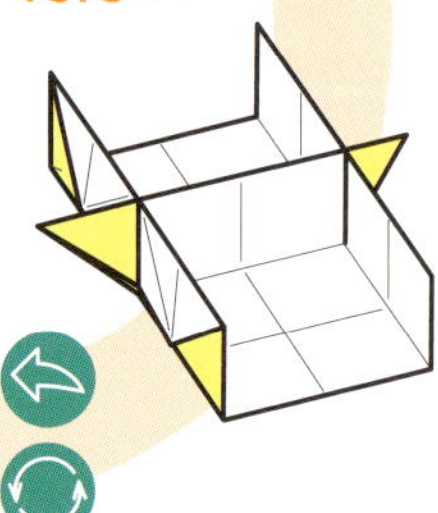

23 上の1枚を引き上げて、折りすじで折りたたむ。反対側も同様にする。飛びだした部分が取っ手になる

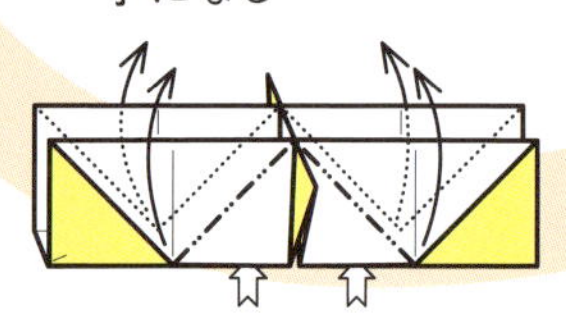

24 取っ手の下を開いて折りたたむ。反対側も同様にする

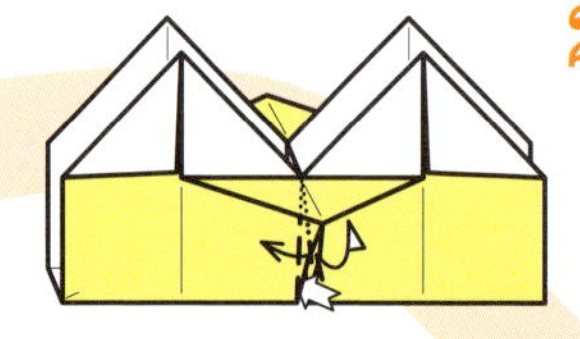

25 折りすじをつけ、取っ手を立体的にする。反対側も同様にする

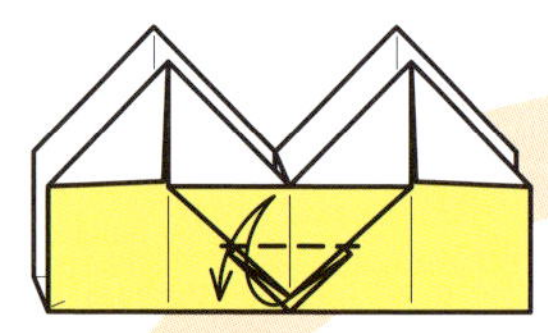

26 ○の角を内側に折りたたむように折り、立体にする

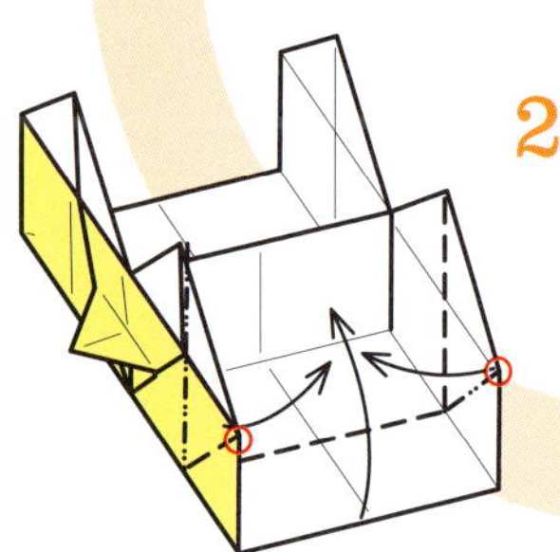

27 角をかぶせるように折る

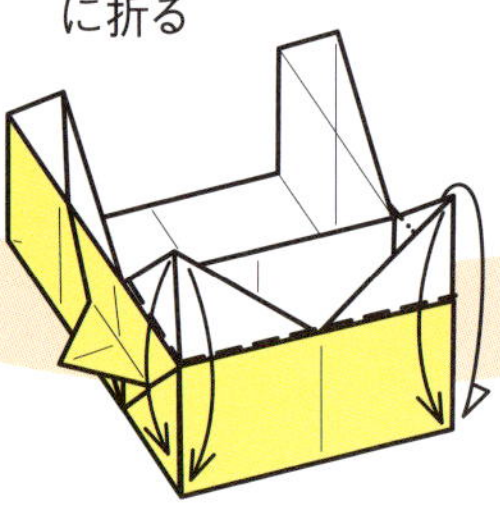

28 折ったところ。反対側も26〜27と同様にする

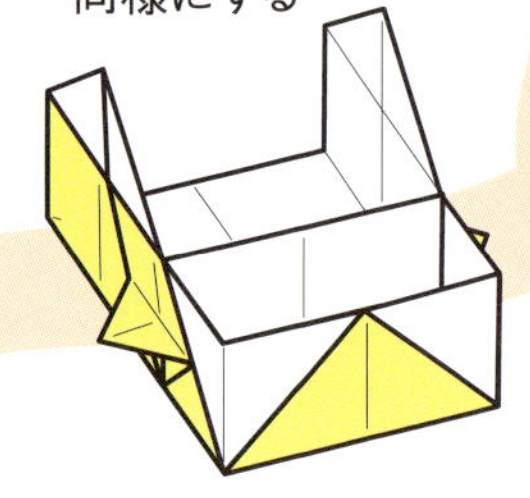

できあがり

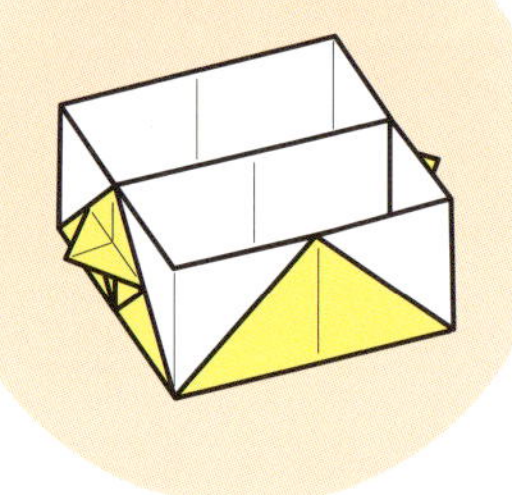

アレンジ

しきりケースに入れたもの

★★★

しきりケースにぴったりの引き出し 【→P.4】

作者：青木良

Point

しきりケース［→P.71］に入れて使います。1で表を向けた面が内側になります。

▶用意する紙 ［引き出しA］12×24cmの紙を1枚 ［引き出しB］12×12cmの紙を2枚

▶完成サイズ ［引き出しA］4×8×5cm ［引き出しB］4×4×5cm（1個分）

● 引き出しA を1個、引き出しB を2個作ります。

引き出しA

1 折りすじをつける

2 折りすじをつける

3 折りすじをつける

4 折りすじをつける

5 折りすじつける

6 折りすじをつける

7 角を折る

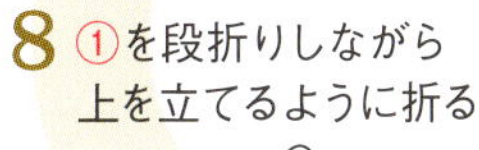

8 ①を段折りしながら上を立てるように折る

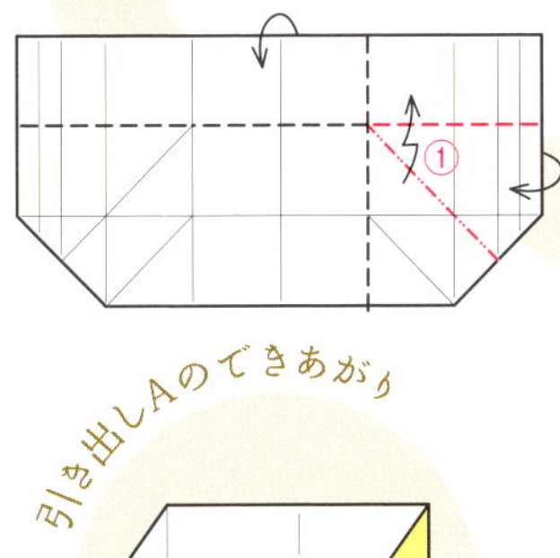

難

9 すき間を開き、○が○の内側になるよう折りたたみ、下を立てるように折る

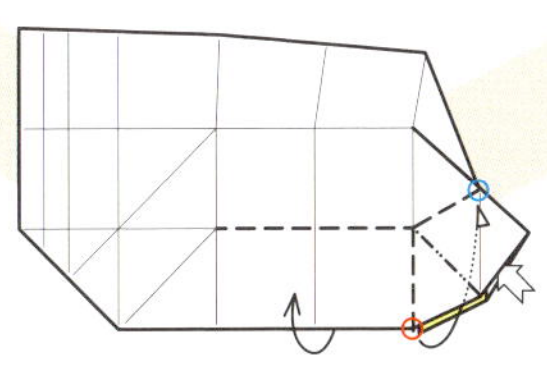

10 反対側も8～9と同様にする

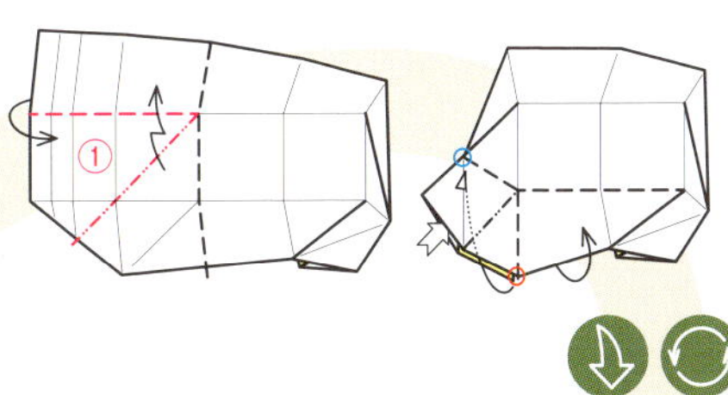

11 中わり折りする

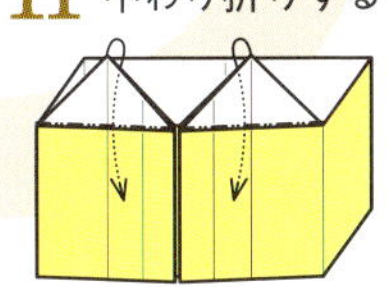

12 かぶせ折りする

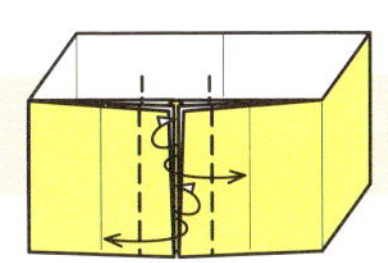

13 図の位置で折って立てる

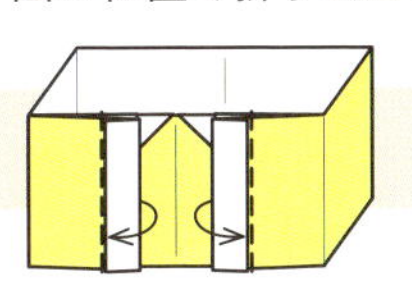

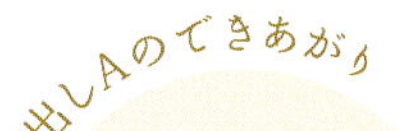

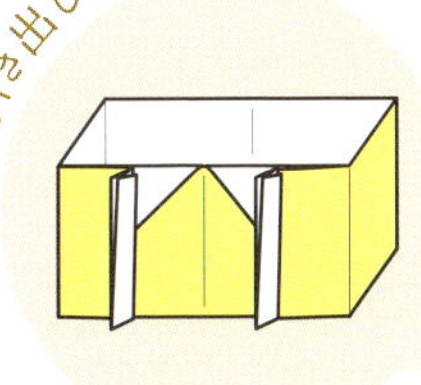

引き出しB

※しきりケース［→P.71］の4まで折ったところから始めます。

1 折りすじをつける

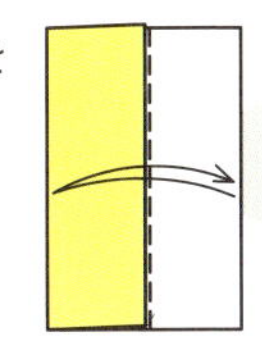

2 開く

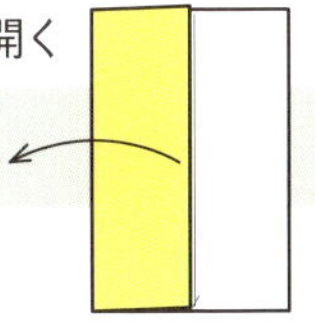

3 折りすじをつける

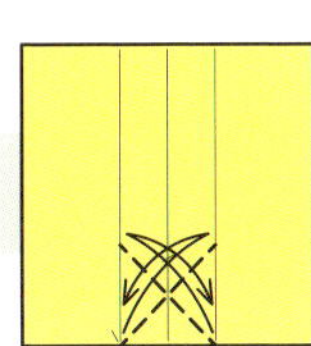

次のページへ

4 折りすじをつける

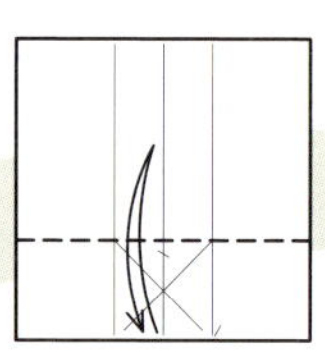

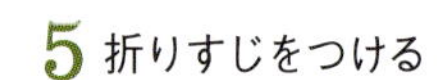

5 折りすじをつける

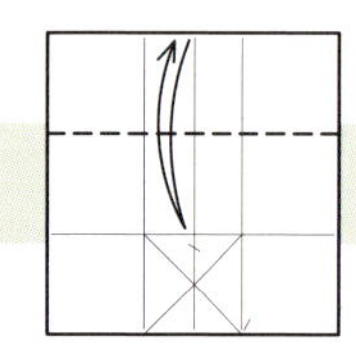

6 折りすじをつける

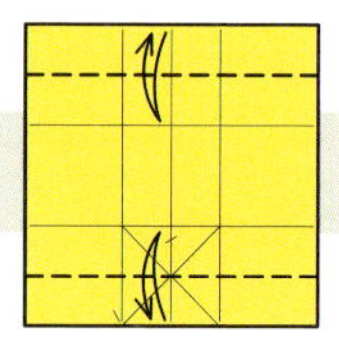

7 折りすじをつける

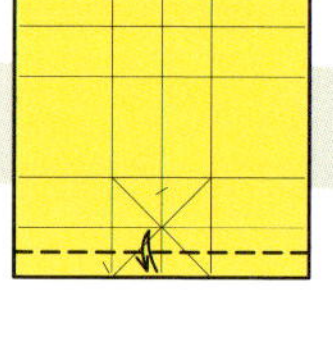

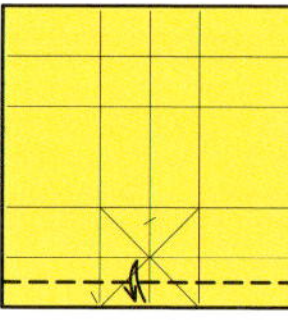

8 角を折る。下は裏側に折る

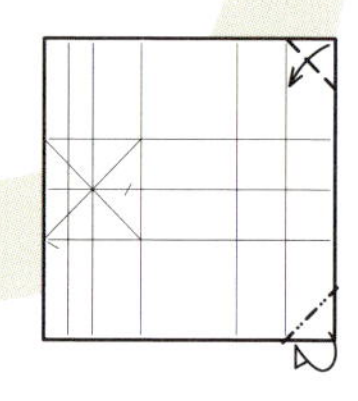

9 ①で一度山折りしてから折りすじで折って立体にし、10の形にする

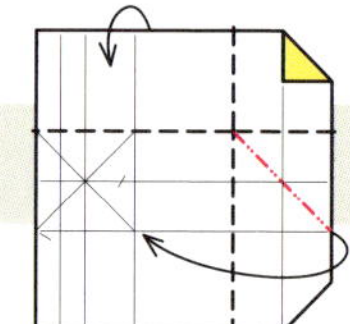

10 折りすじをつける

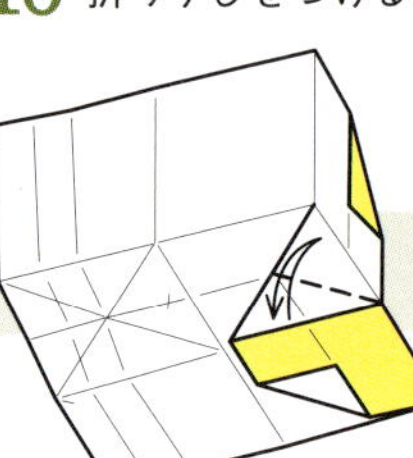

難

11-1 ①と②を押すようにしながら折りすじで折る。すき間（⇨）を広げ、○が重なるように③を折りたたむ。

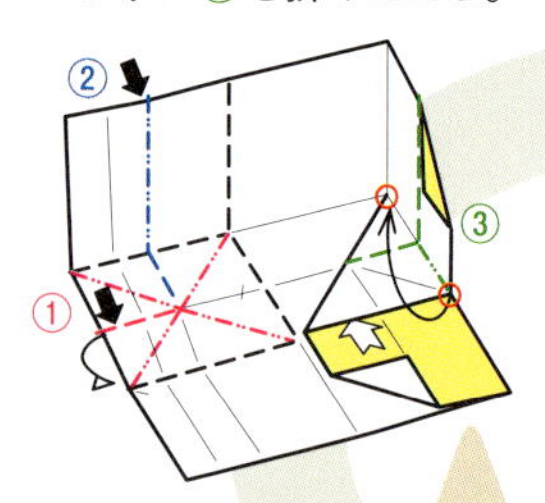

③を折っているところ。③が折りにくいようなら、①と②は一度折って開く

11-2 折ったところ。○が重なるように折る。右下の折った角を差し込んで、12の形にする

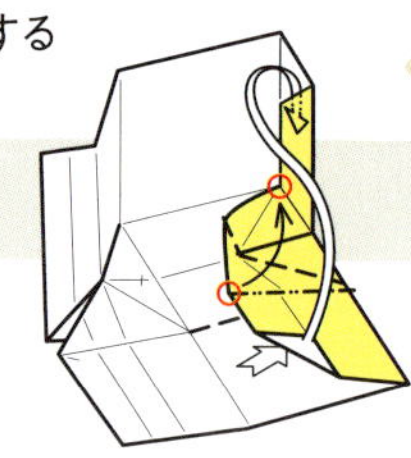

角を差し込んでいるところ

12 折りすじで内側に折る

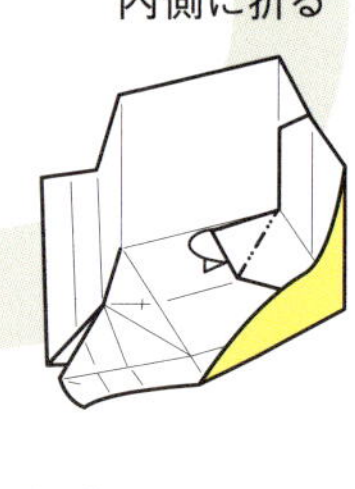

13 立体に整える

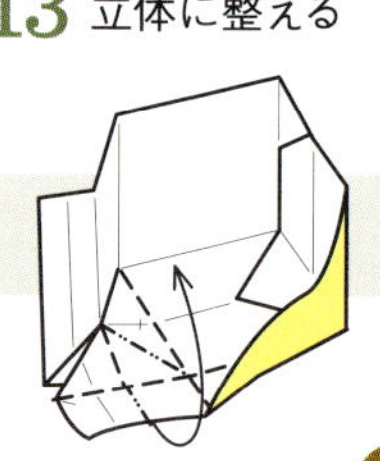

14 図の位置で折り、のりづけする

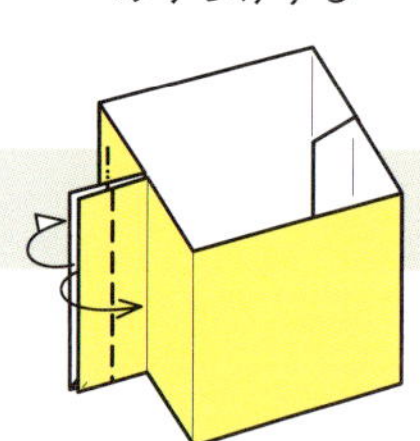

引き出しBのできあがり

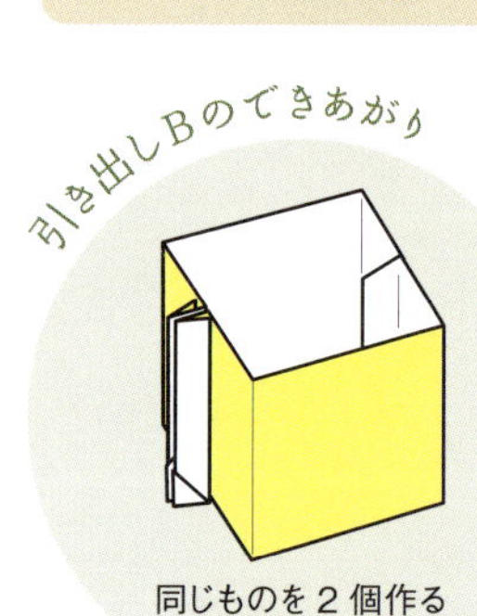

同じものを２個作る

組み合わせ方

引き出しAと引き出しBを縦に置いたしきりケース[→P.71]に入れる

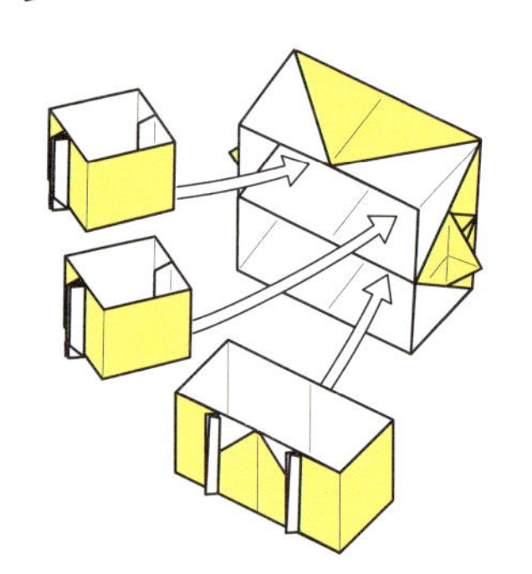

できあがり

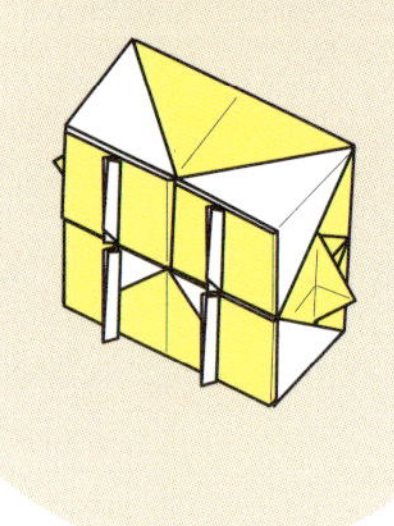

花のおりがみ

人気のバラやツバキなど、
プレゼントやインテリアにぴったりの花と、
花のアクセサリーを紹介します。
色とりどりの花が毎日を華やかにしてくれますよ。

受けとった人も笑顔になる

大切な人に贈るフラワーギフト

ギフトボックスの中に詰め込んだ美しいバラ。贈っても飾ってもすてきですね。

バラボックス
【→P.81】

カーネーションの一輪花束
【→P.84】

日ごろの感謝の気持ちを込め、カードをそえて贈ってみてはいかがでしょうか。

ガーベラの
フラワーケーキ
【→P.87】

華やかなガーベラで飾りつけたフラワーケーキは、記念日の贈り物に。

ユリのフラワー
アレンジメント
【→P.90】

上品なユリの花は、特別なお祝いにぴったりです。

空間がぐっと華やぐ

お部屋を彩る フラワーインテリア

カトレア
【→P.93】

紙ならではの味があるカトレア。花瓶に入れて飾ってみましょう。

フォトスタンド 【→2章 P.70】

ツバキのテーブルフラワー
【→P.96】

食卓に花の彩りがあると、家族やお客様との会話もはずむはず。

夏の花の代表、ヒマワリ。壁に飾るだけでお部屋の雰囲気ががらりと変わりますよ。

ヒマワリのフラワーフレーム 【→P.98】

ポインセチアの鉢植え 【→P.100】

クリスマスシーズンに欠かせないポインセチアを手作りしてみましょう。

キキョウの花で作ったリースは、シンプルですが、圧倒的な存在感があります。

キキョウのリース 【→P.102】

心が晴れやかになる
華やかで美しい
花のアクセサリー
身に着けるアクセサリー。手作りだからこそ、こだわりの一品ができます。
菜の花のかんざし
【→P.114】
花のキーホルダー
【→P.112】
ふうせんのピアス
【→P.111】
ニチニチソウのイヤリング
【→P.109】
クリスマスローズのコサージュ
【→P.106】

★★★

バラボックス

【→P.7、76】

Point
バラを箱に入れ、プレゼントしてはいかがですか。難しく見えますが、パーツの組み合わせなので、かんたんに作れます。

▶**用意する紙**　[花（1個分）] 15×15cmの紙を3枚

▶**材料**　10cmの18番の裸ワイヤーを1本、箱（写真は7×15×15cm）を1個

▶**完成サイズ**　3.5×7×7cm（花1個）

※写真は箱にバラを5個入れています。

● 花1 ～ 花3 を作って組み合わせます。

花1

※ざぶとん基本形［→P.17］から始めます。

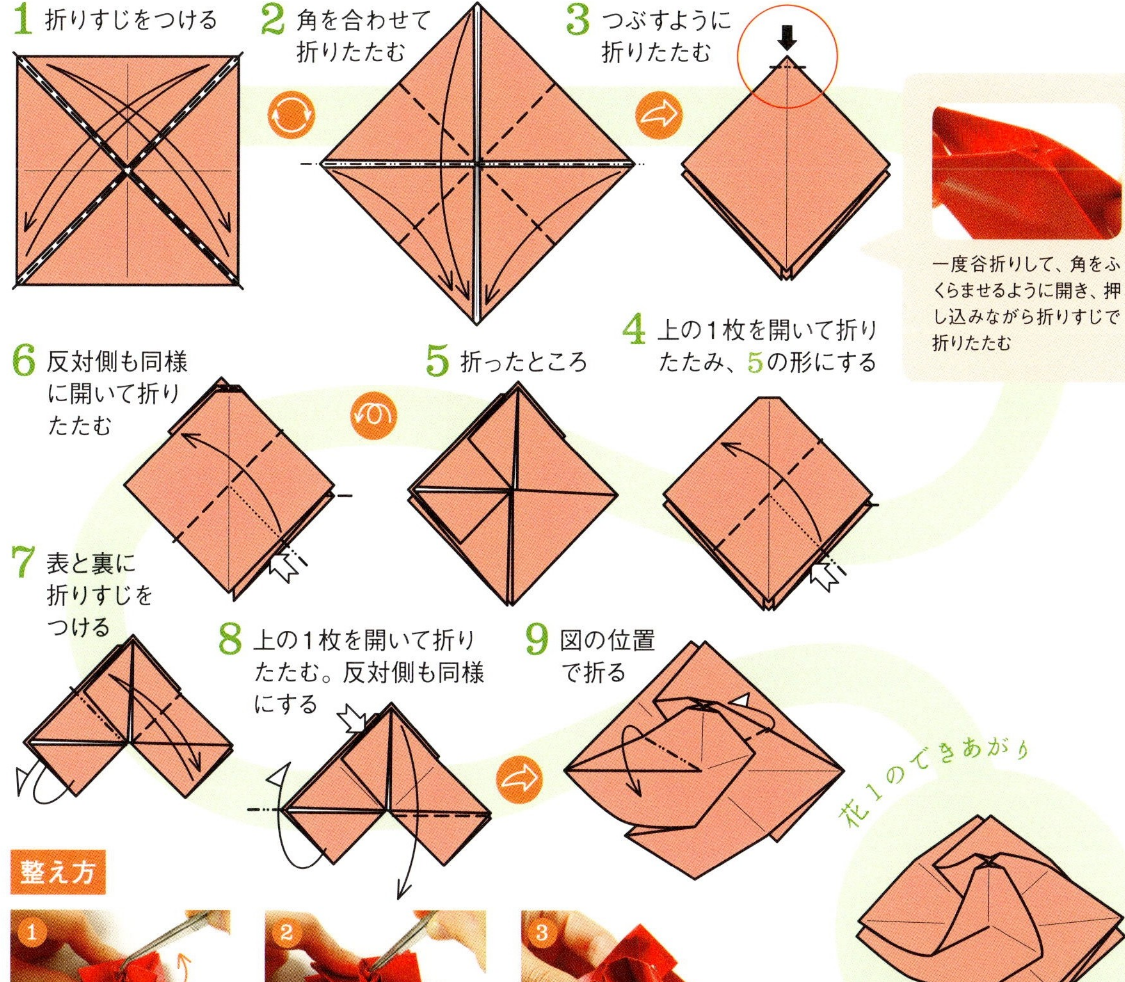

整え方

① 中心をピンセットでつまんでねじる

② つかむ位置を変えてさらにねじる

③ 花びらの角をそれぞれ丸める

次のページへ

花2 ※正方基本形［→P.17］から始めます。

1 折りすじをつける。反対側も同様にする

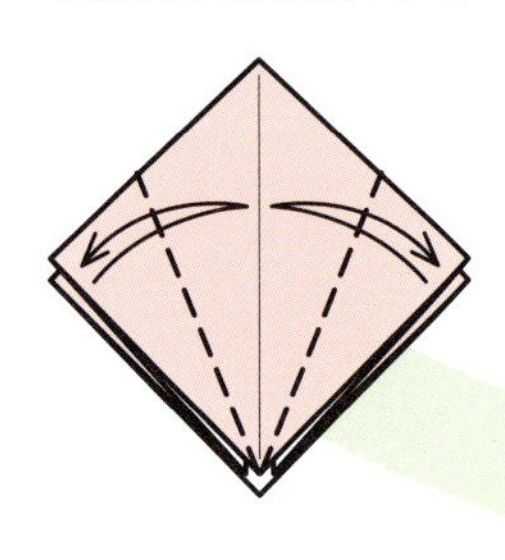

2 引き上げて折りたたむ。反対側も同様にする

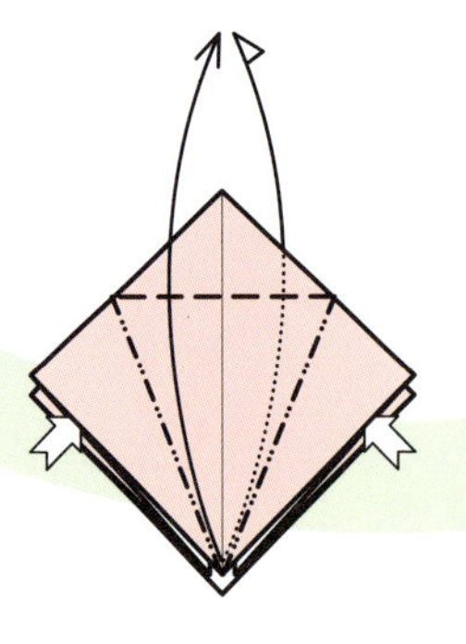

3 図の位置で折る。反対側も同様にする

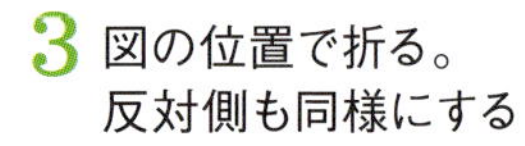

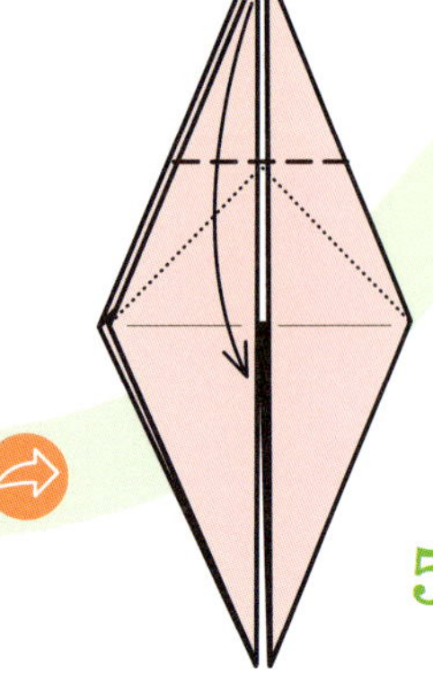

4 表と裏を1枚ずつめくる

5 図の位置で折る。反対側も同様にする

6 図の位置で折る。反対側も同様にする

7 真ん中に合わせて折る。反対側も同様にする

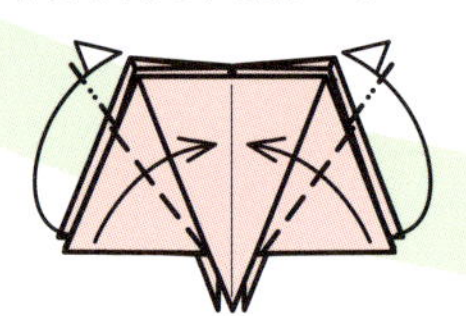

8 折った4か所を開く

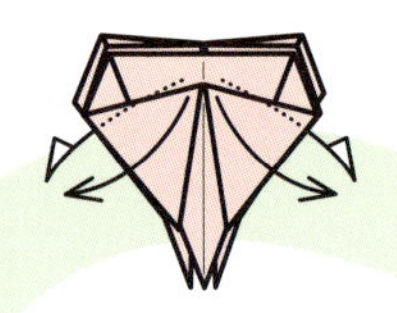

9 折りすじに合わせて巻くように折る。反対側も同様にする

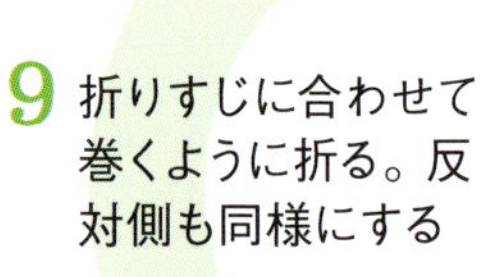

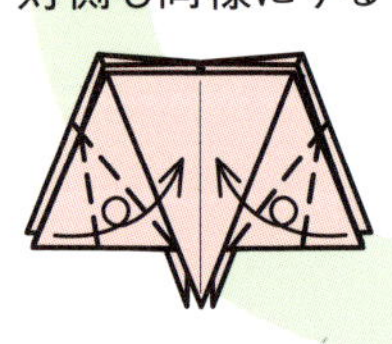

10 開いて中心をつぶすように折りたたむ

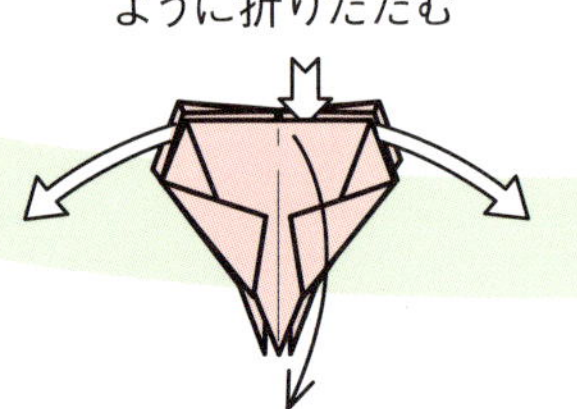

花2のできあがり

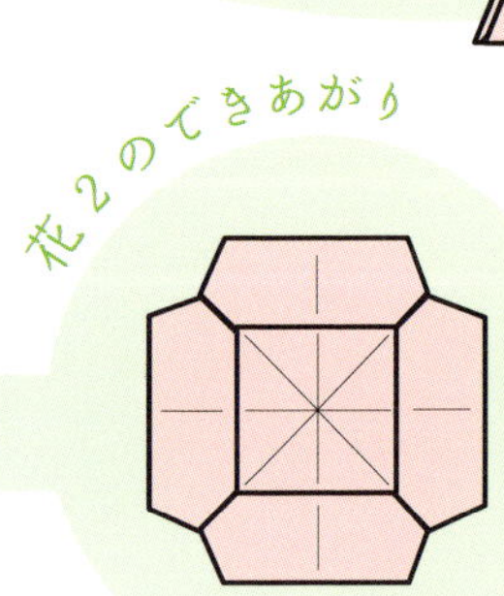

花1と同様にピンセットで花びらを丸める

花3 ※花2の2まで折ったところから始めます。

1 真ん中に合わせて折る。反対側も同様にする

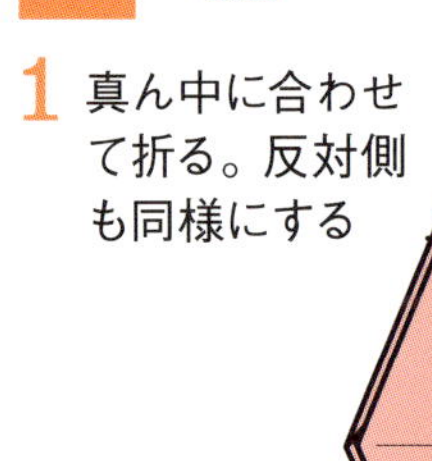

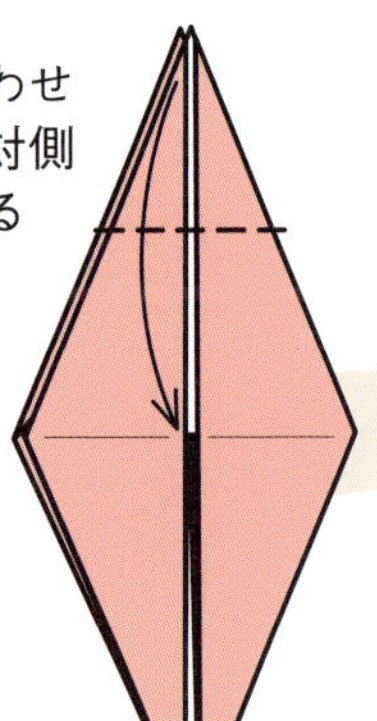

2 表と裏を1枚ずつめくる

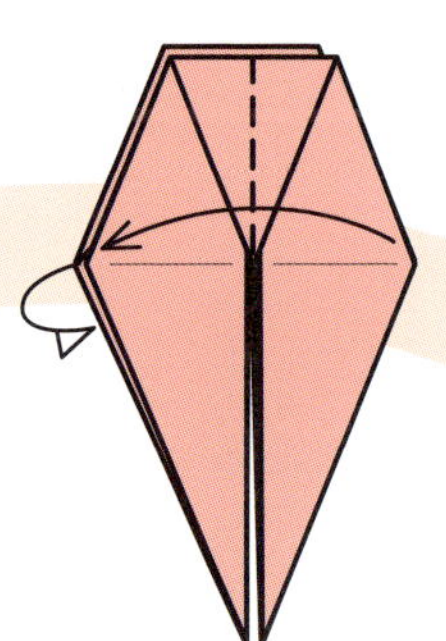

3 図の位置で折る。反対側も同様にする

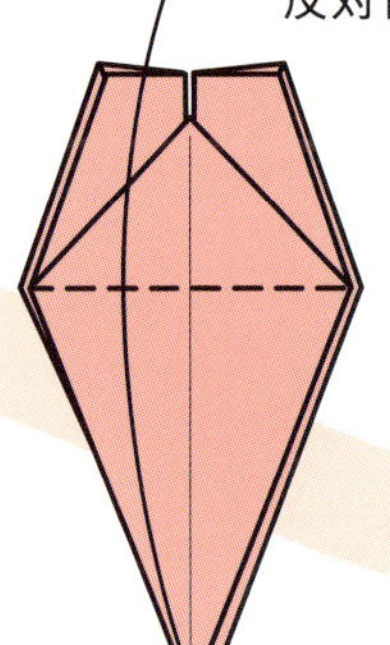

4 半分に折る。反対側も同様にする

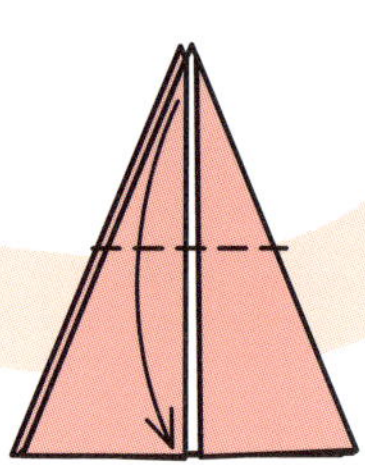

5 折りすじをつける。反対側も同様にする

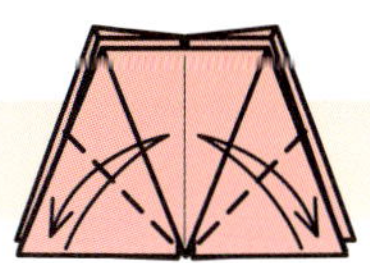

6 折りすじに合わせて折る。反対側も同様にする

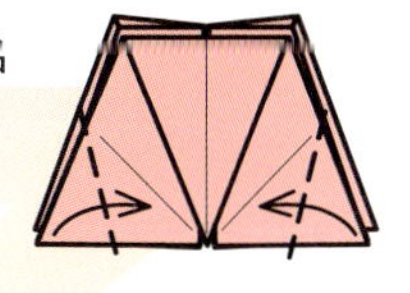

7 折りすじで折る。反対側も同様にする

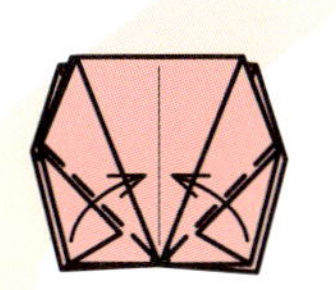

8 開いて中心をつぶすように折りたたむ

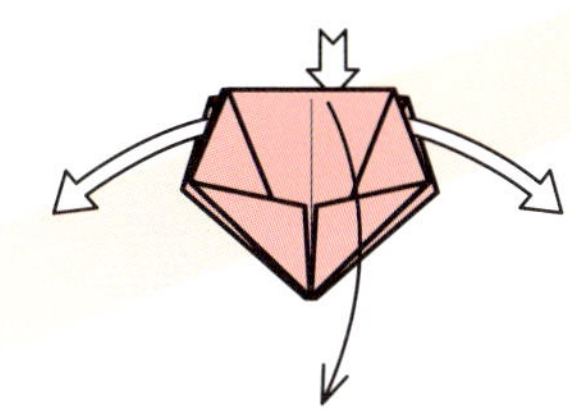

花3のできあがり

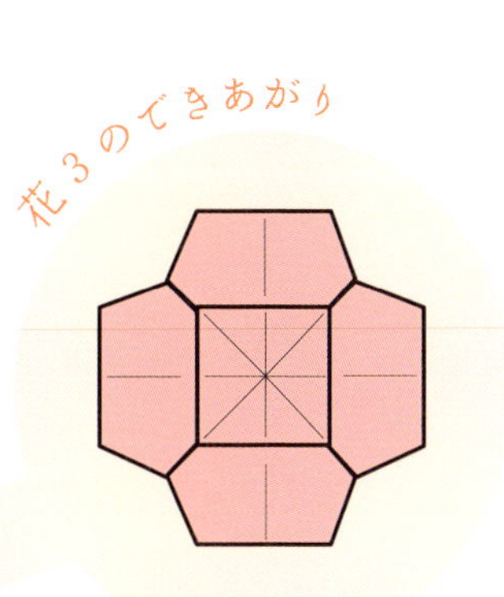

花1と同様にピンセットで花びらを丸める

組み合わせ方

1 花2、花3の中心に目打ちなどで穴を開ける

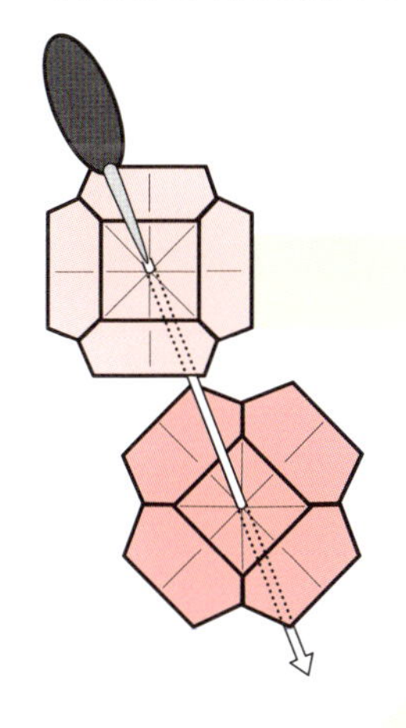

2 18番の裸ワイヤーに接着剤をつけて花3、花2の順に通して、花1の裏側の穴に差し込む

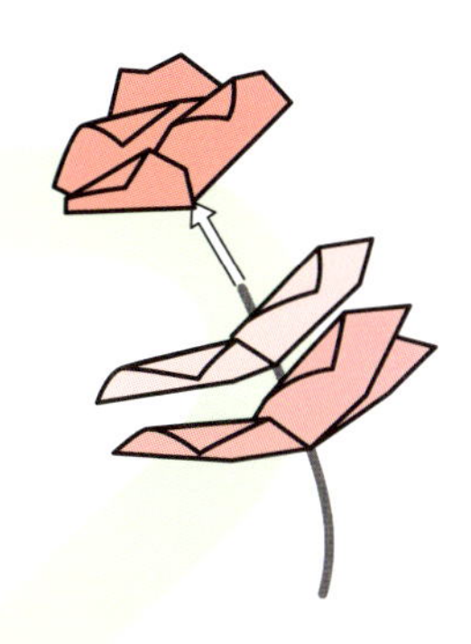

3 余ったワイヤーをペンチで曲げる。それぞれの花の花びらをずらすようにして形を整える

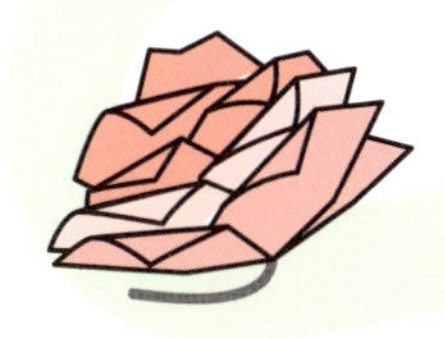

できあがり

使い道はいろいろ！

茎をつけたり、花束にしたりといろいろ楽しめます。なお、茎や葉のつけ方はP.116で紹介しています。

★★★

カーネーションの一輪花束 【→P.76】

Point

日ごろの感謝の気持ちを込めてプレゼントしてみてください。両面同じ色の和紙で折るのがおすすめです。

▶**用意する紙**　[花] 15×15cmの紙を2枚　[ガク] 3.75×3.75cm（15cm四方のおりがみの16分の1）の紙を1枚　[葉] 10×6cmの紙を1枚

▶**材料**　15cmの26番のワイヤーを6本（葉）、30cmの18番のワイヤーを1本（茎）、フローラルテープ

▶**完成サイズ**　33×8×厚さ8cm

● 花 と ガク を1個ずつと、葉 を6本作って組み合わせます。

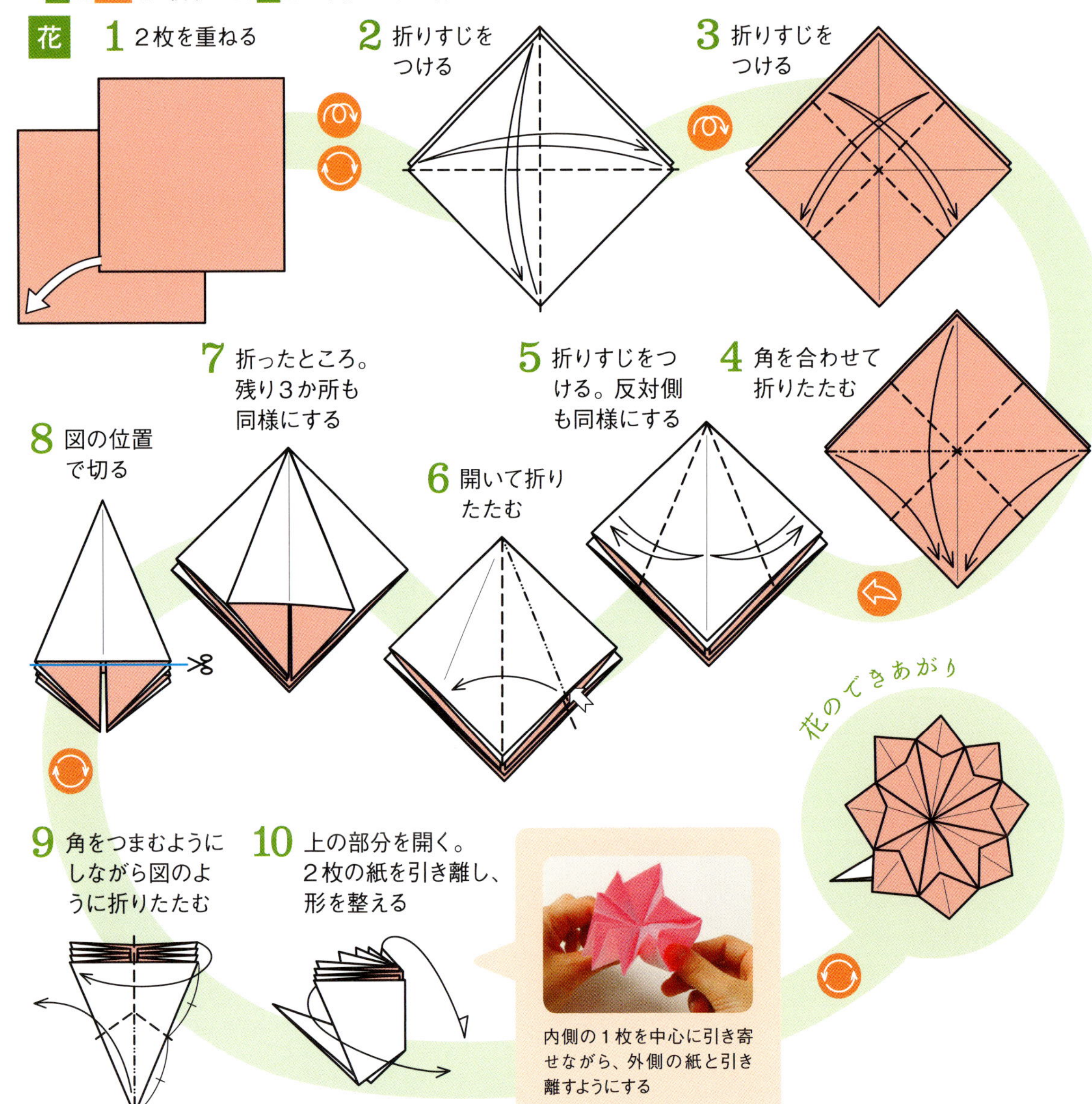

ガク

※正方基本形［→P.17］から始めます。

1 真ん中に合わせて折る。反対側も同様にする

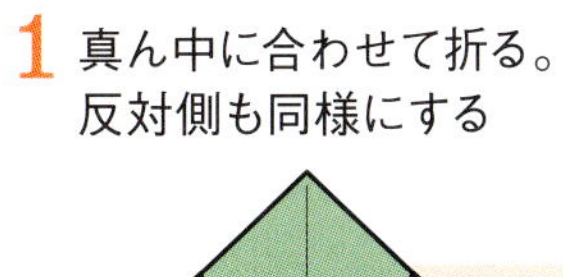

2 折りすじをつけて、すべて開く

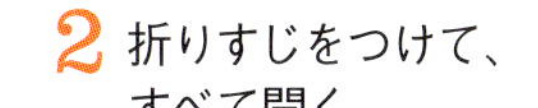

3 図の位置で切り込みを入れる

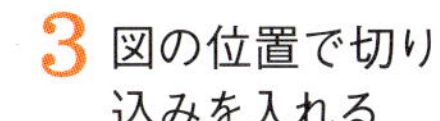

4 真ん中に合わせて折る

5 角を合わせて折りたたむ

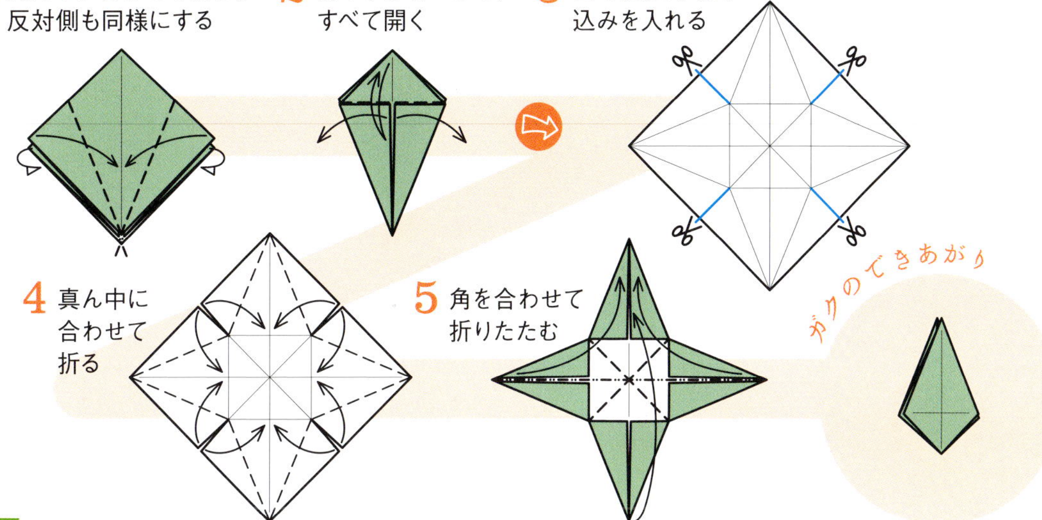

ガクのできあがり

葉

1 折りすじをつける

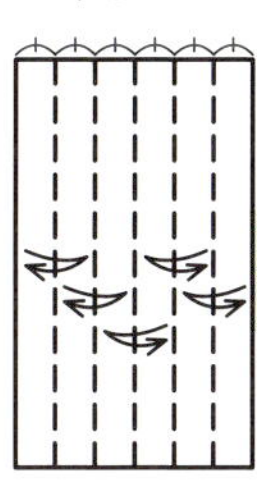

2 26番のワイヤー6本をのせて半分に折り、接着剤で貼る

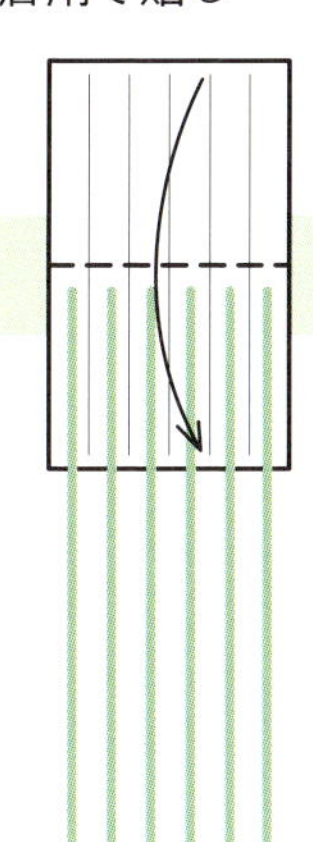

3 6分の1の位置で切る

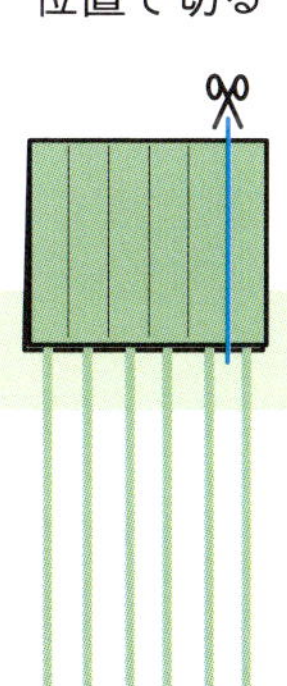

4 葉の形に切る

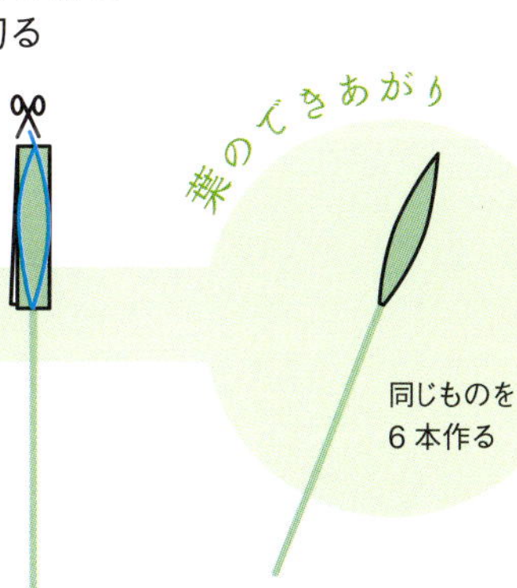

葉のできあがり

同じものを6本作る

組み合わせ方

1 花 の裏側に18番のワイヤーをはさみ、接着剤で貼る。ガク の先を少し切る

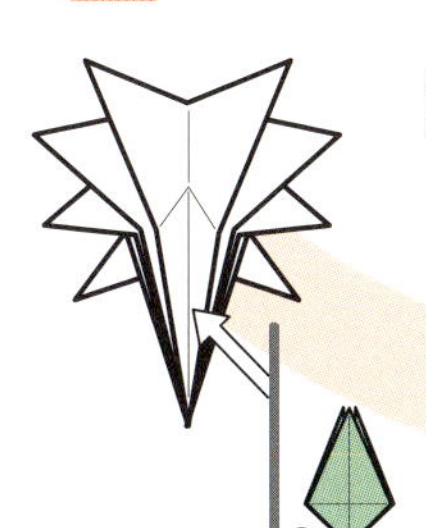

2 ワイヤーに ガク を差し込み、形を整えて接着剤で貼る

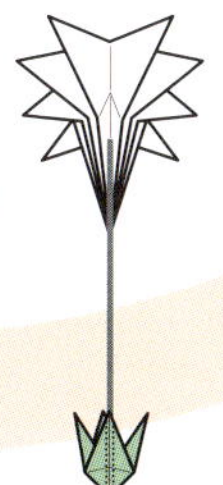

3 根もとからフローラルテープを巻きながら、葉 を好みの位置にとめていく［→P.118 7、12〜13］

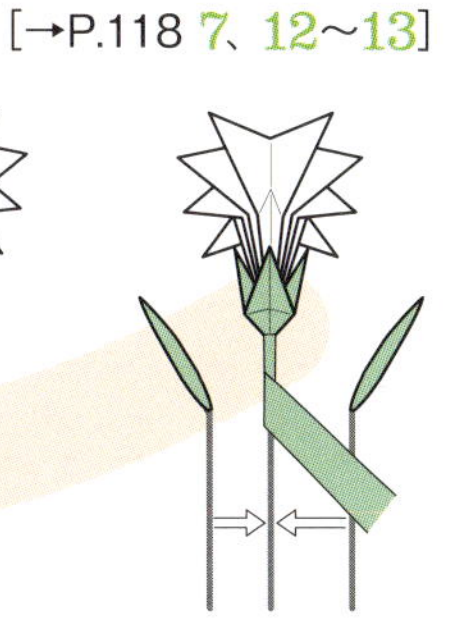

できあがり

カーネーション［→P.84］
を飾ったもの

★☆☆

一輪挿しの花瓶

Point

おりがみで作った花に茎や葉をつけて花瓶に挿してみてはいかがでしょうか。中にビー玉などを入れると倒れにくくなります。

▶用意する紙

25×25cmの紙（和紙や包装紙など）を1枚

▶完成サイズ

9.5×6×6cm

1 折りすじをつける

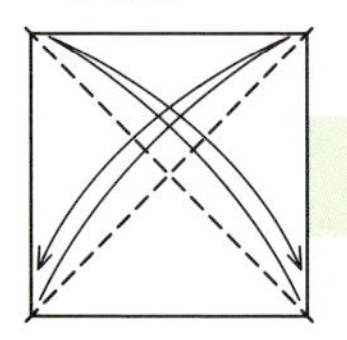

2 折りすじをつける

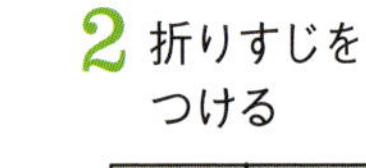

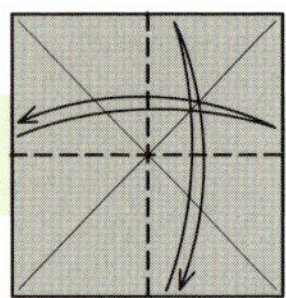

3 図のように折りたたむ

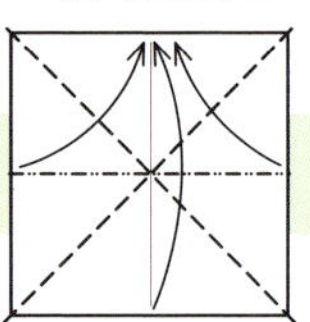

4 少しだけ折りすじをつける

5 折りすじに合わせて折る

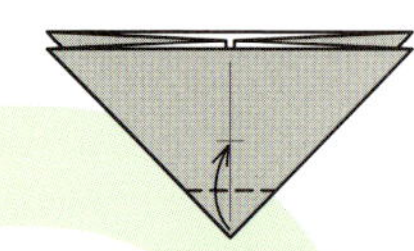

6 折りすじをつける。反対側も同様にする

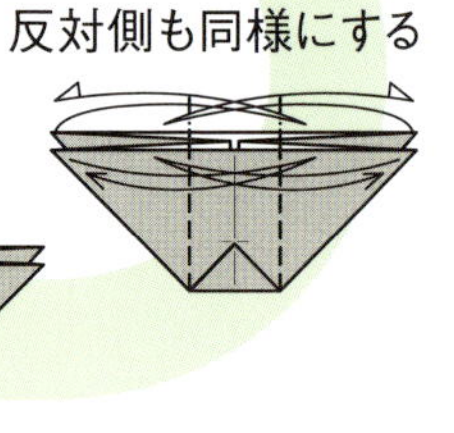

7 開く

8 左右それぞれを表と裏に折る

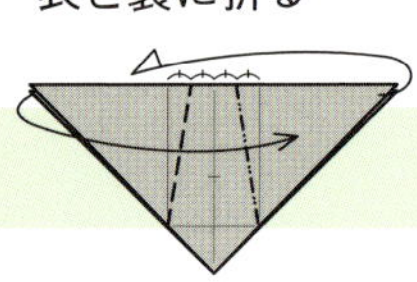

9 上の1枚をはしに合わせて折る

10 折ったところ

11 上の1枚をはしに合わせて折る

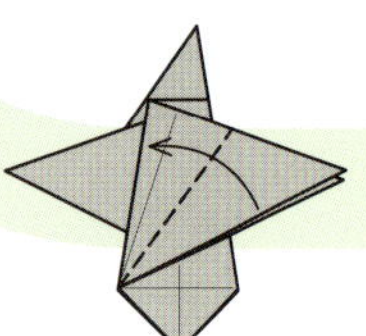

12 上の1枚をめくる

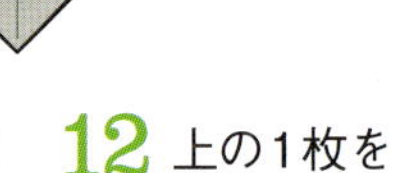

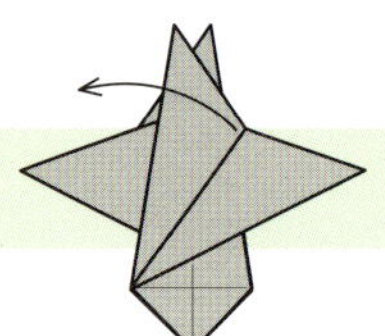

13 図の位置で折る

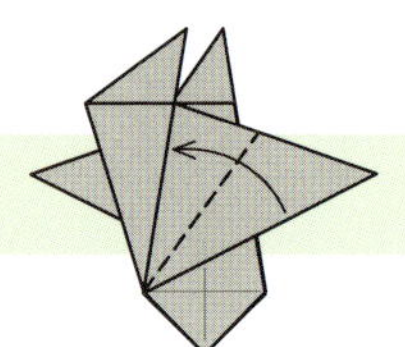

14 左右それぞれを表と裏に折る

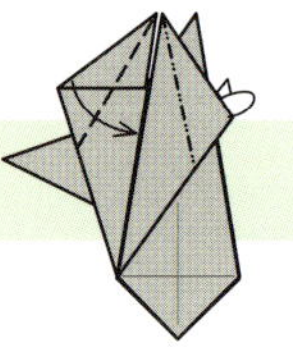

15 折ったところ

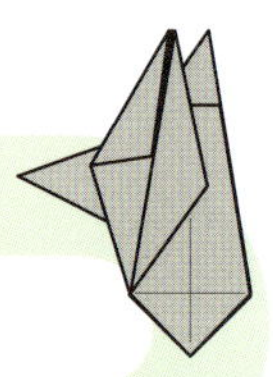

16 反対側も12～15と同様にする

17 図の位置で内側に折り、接着剤で貼る

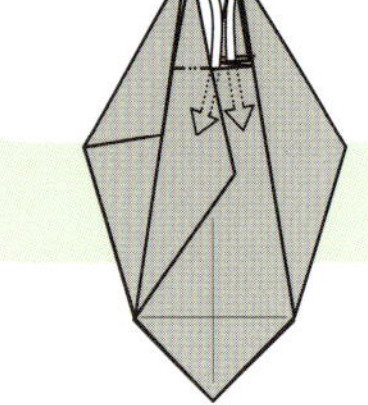

18 上を開きながら、底を押し込むように広げる

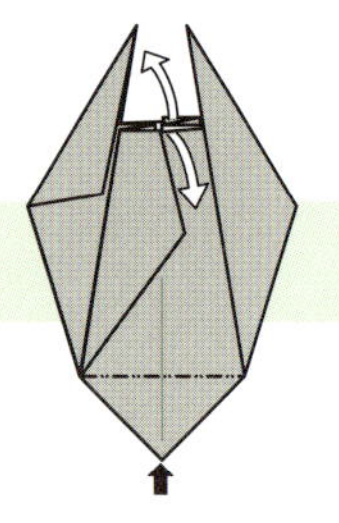

19 それぞれ倒すように折り、先は内側に折って接着剤で貼る

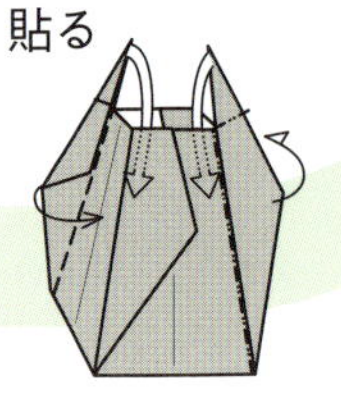

できあがり

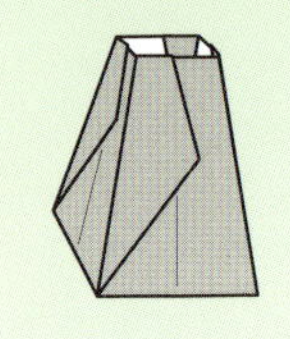

★★★

ガーベラのフラワーケーキ

【→P.77】

Point

ケーキ箱に入れれば、受け取る方の思い出に残る贈り物になります。最初は大きめの紙を使ってコツをつかみましょう。

▶**用意する紙**　[花（1個分）] 6×6cmの紙を5枚
[花芯（1個分）] 6×6cmの紙を1枚

▶**材料**　丸型の箱（写真は直径17cm×高さ7.5cm）、お好みの飾り（ビーズやリボンなど）

▶**完成サイズ**　8×8cm（花1個）
※写真は花を14個使っています。

● 花 と 花芯 を作って組み合わせます。

花

1 折りすじをつける

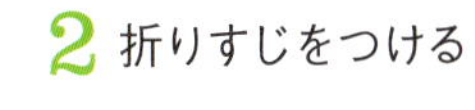

2 折りすじをつける

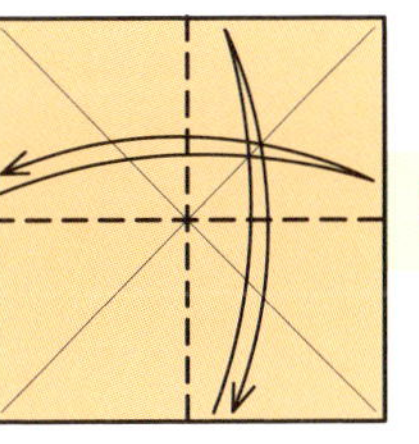

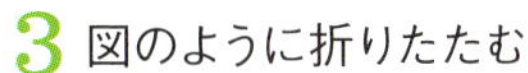

3 図のように折りたたむ

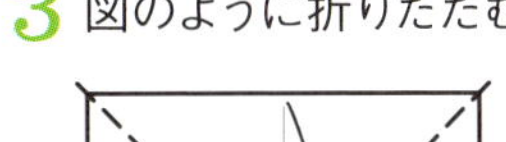

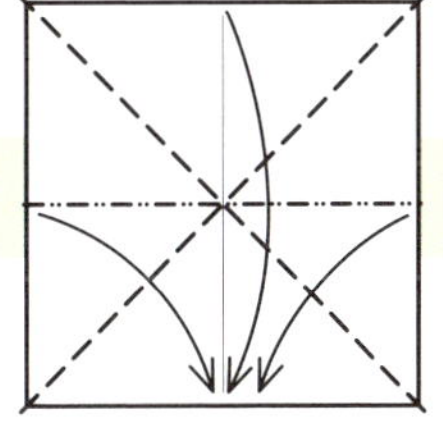

4 上の1枚を図の位置で右側から折る

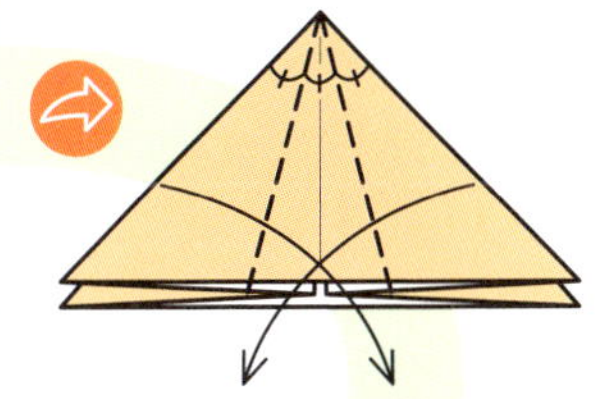

5 真ん中より少しずらして折る

6 それぞれのはしに合わせて折りすじをつける

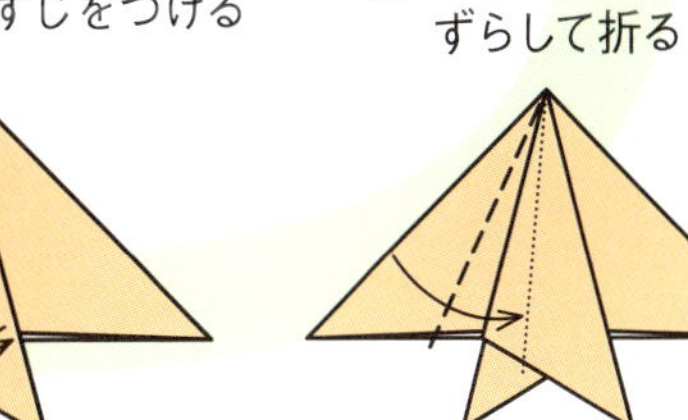

7 開いて折りたたむ

8 ○が重なるように折りすじをつける

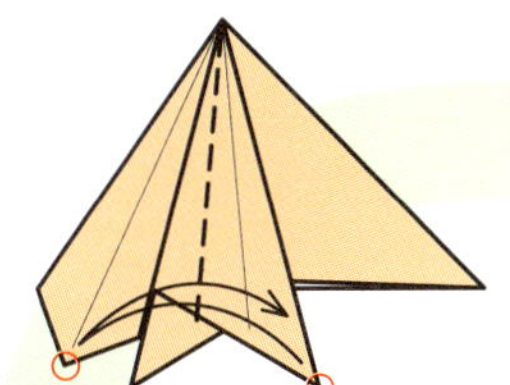

9 開いて折りたたむ

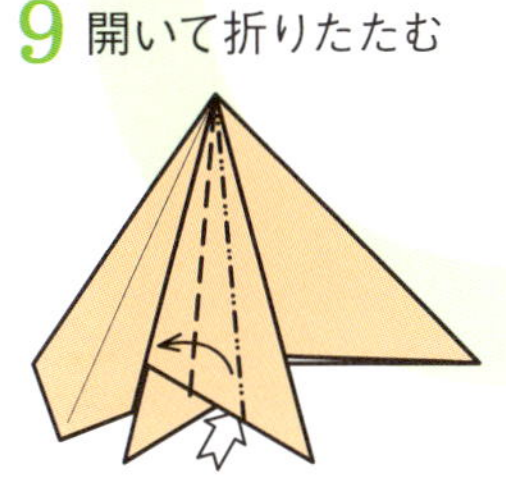

10 内側の1枚を引き出して折る

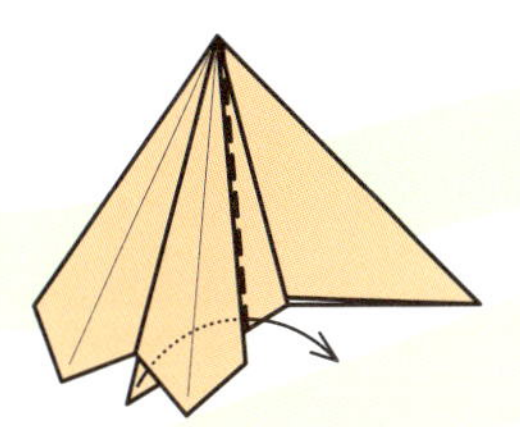

11 折りすじをつける

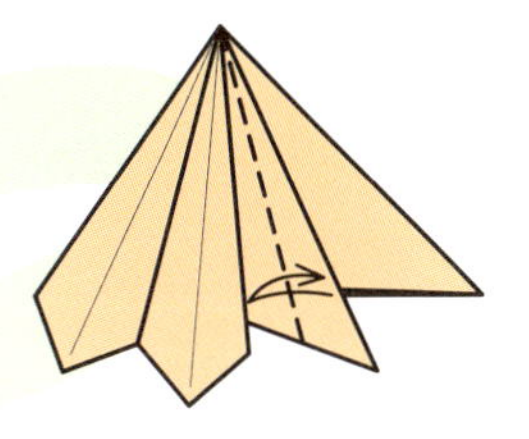

12 開いて折りたたむ

13 上の1枚を開く

14 後ろを引き出しながら上の1枚を折る

15 折ったところ

次のページへ

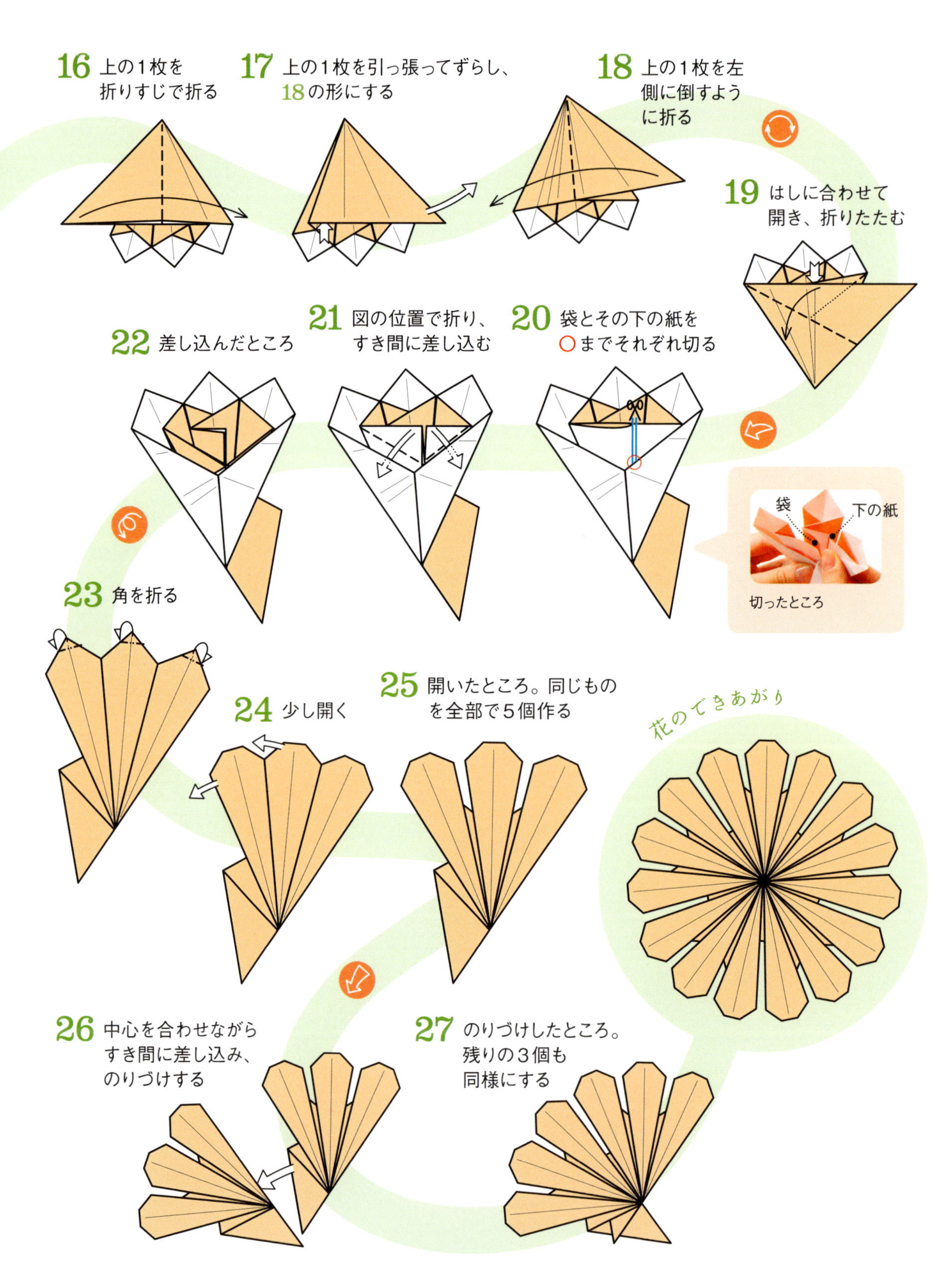

16 上の1枚を
折りすじで折る
17 上の1枚を引っ張ってずらし、
18の形にする
18 上の1枚を左
側に倒すよう
に折る
19 はしに合わせて
開き、折りたたむ
20 袋とその下の紙を
○までそれぞれ切る
21 図の位置で折り、
すき間に差し込む
22 差し込んだところ
袋
下の紙
切ったところ
23 角を折る
24 少し開く
25 開いたところ。同じもの
を全部で5個作る
花のできあがり
26 中心を合わせながら
すき間に差し込み、
のりづけする
27 のりづけしたところ。
残りの3個も
同様にする

花芯

1 折りすじをつける

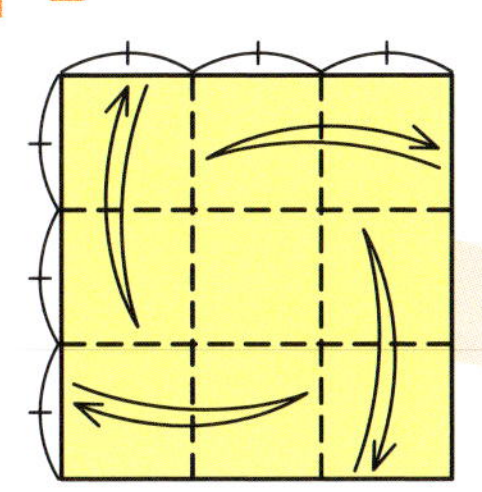

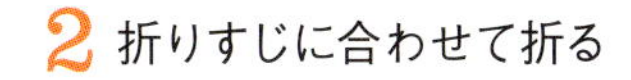
2 折りすじに合わせて折る

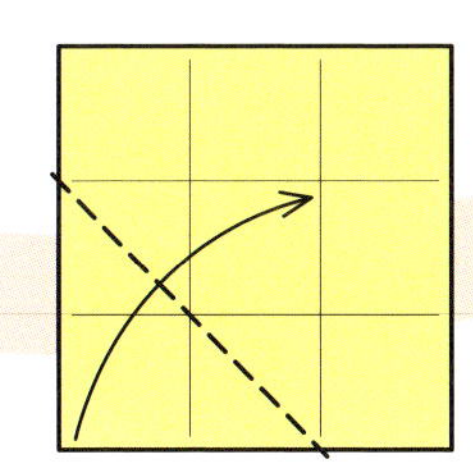

3 はしから3～4mmの位置で折る

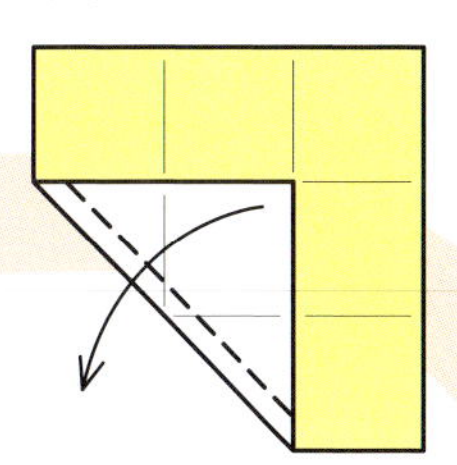

4 右側もだいたい同じ幅で段折りする

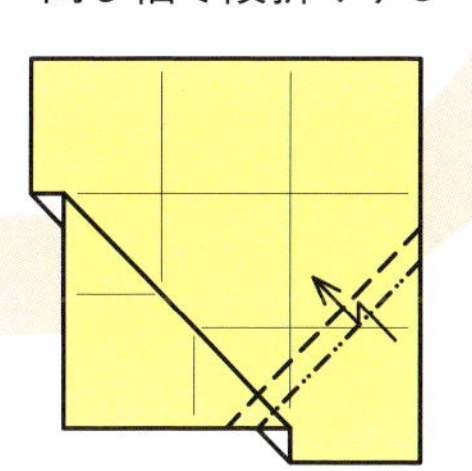

5 左側を1段折ったら同様に右側も1段折り、それを交互に折って全部で4段作る

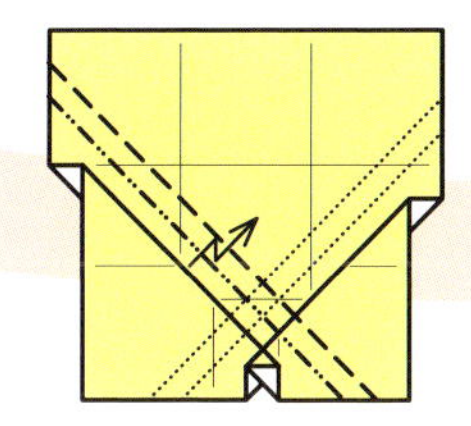

6 図の位置で裏側に折る

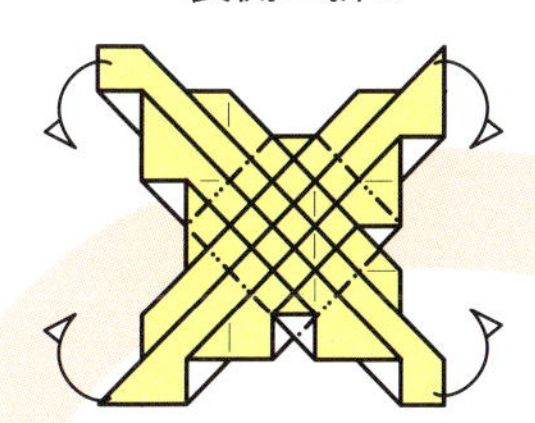

7 角を折る

花芯のできあがり

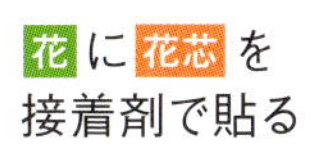
組み合わせ方

花に花芯を接着剤で貼る

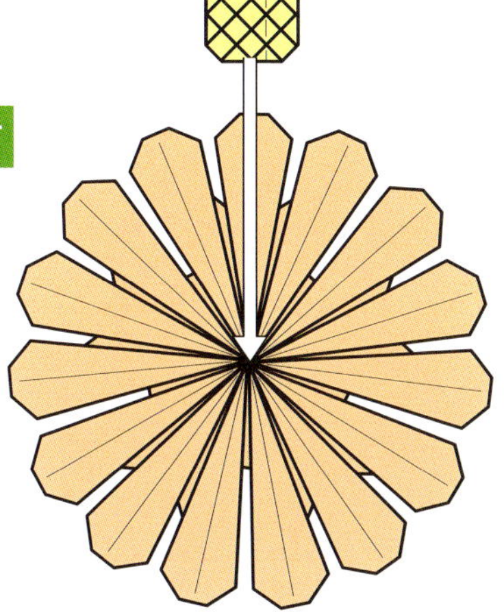

できあがり

箱にガーベラ、好みでレース、パールビーズなどを飾りつける

★★★

ユリのフラワーアレンジメント

【→P.7、77】

Point

台や机の上に置けるように底が平らになっています。贈り物としても、飾るものとしても最適です。

▶**用意する紙** [花] 15×15cmの紙を20枚（花1個につき2枚使用） [葉] 6×12cmの紙を5枚

▶**材料** 15cmの26番のワイヤーを5本（葉）、15cmの18番のワイヤーを10本（花芯）、ペップを60本（粒は片つき、直径約2.5mm、花芯）、15cmの26番ワイヤーを3本、直径13cmの厚紙（円形）を2枚、フローラルテープ

▶**完成サイズ** 直径18×高さ10cm

● 花 を10個と 葉 を5本作って組み合わせます。

花

1 折りすじをつける

2 ○が重なるように折りすじをつける

3 ○が重なるように折りすじをつける

4 折りすじに合わせて三角に切りとる

5 半分に折る

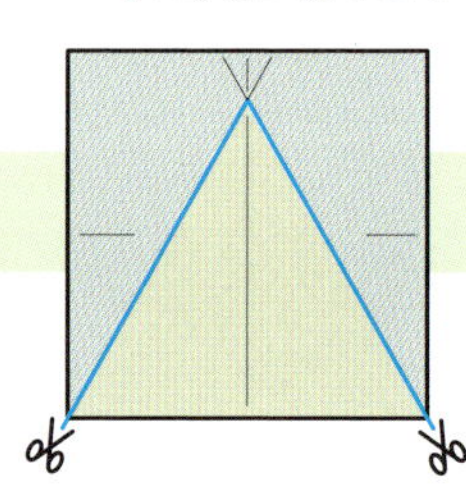

6 はしに合わせて折る

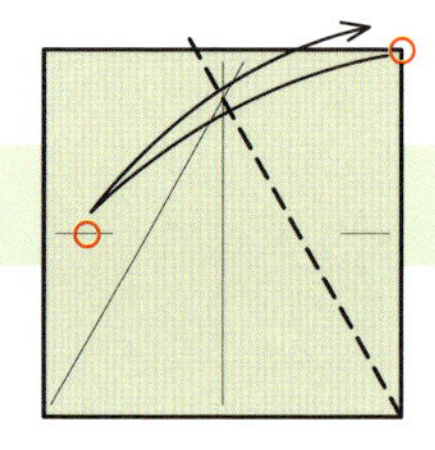

7 折ったところ

8 開いて折りたたむ

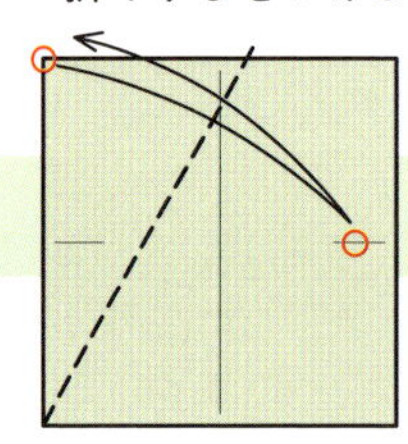

9 真ん中に合わせて折る

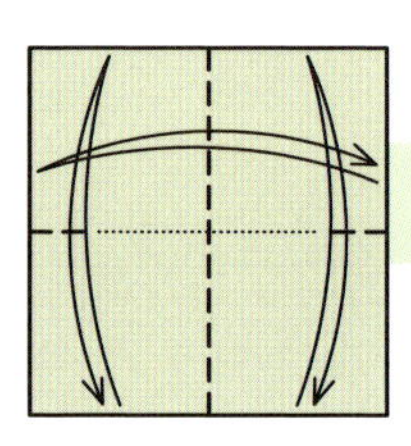

10 真ん中に合わせて折る

11 開く

12 残りの2か所も9〜11と同様にする

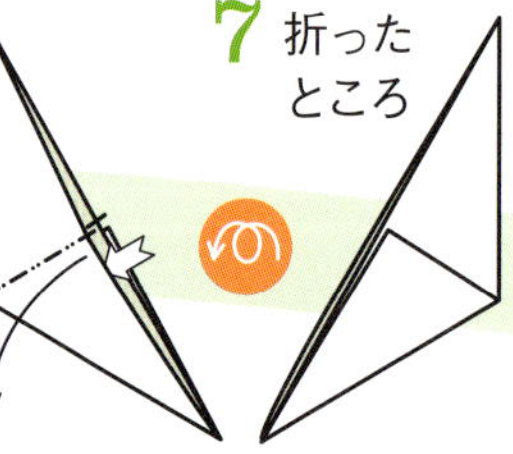

13 開いて折りたたむ

14 表と裏を1枚ずつめくる

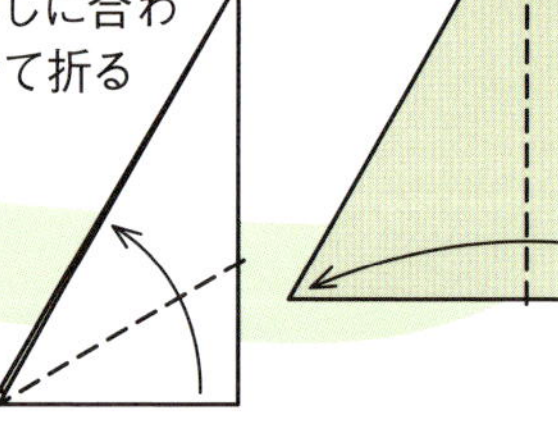

15 開いて折りたたむ

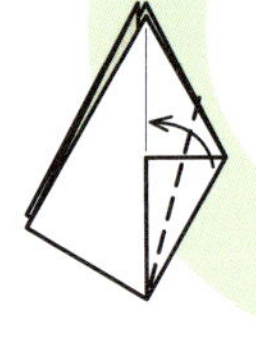

16 表と裏を1枚ずつめくる

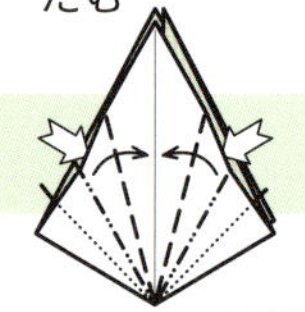

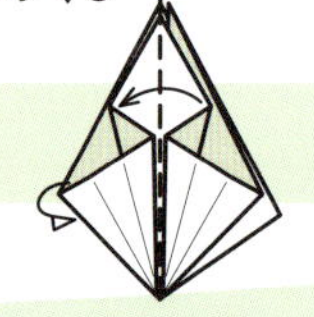

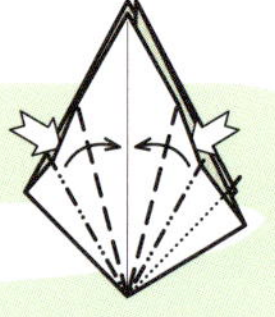

17 開いて折りたたむ

18 折ったところ。同じものを全部で2個作る

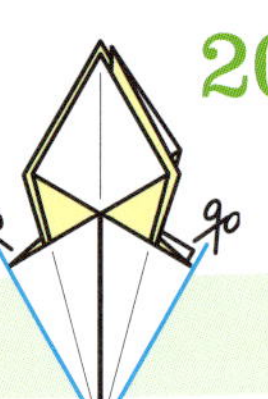

19 18のうち1個を袋の部分で切り離し、3個にわける

20 真ん中に合わせて折る

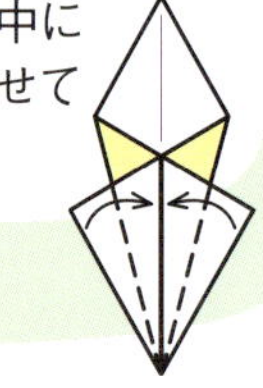

21 折ったところ。残り2個も同様にする

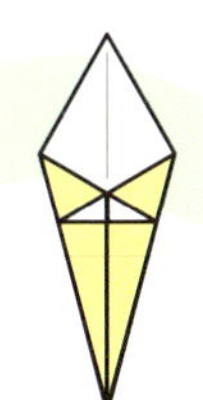

22 残った18の中を開き、21を3個差し込み、接着剤で貼る

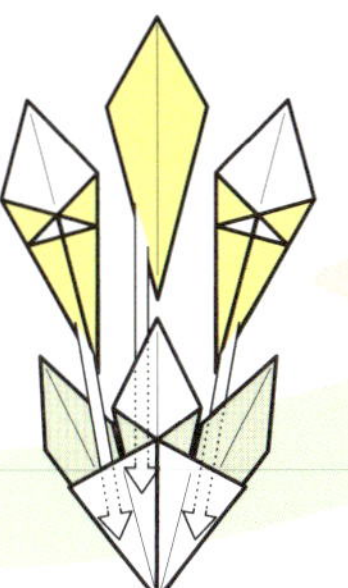

花びらのすき間をうめるように差し込む

花のできあがり

同じものを10個作る

葉

1 折りすじをつける

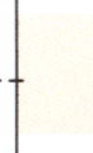

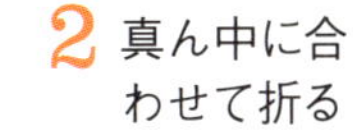

2 真ん中に合わせて折る

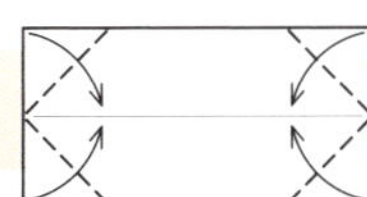

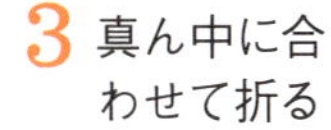

3 真ん中に合わせて折る

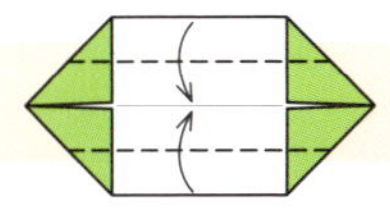

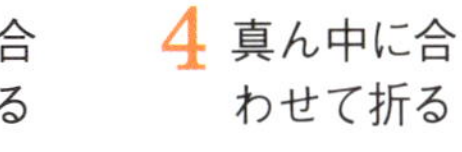

4 真ん中に合わせて折る

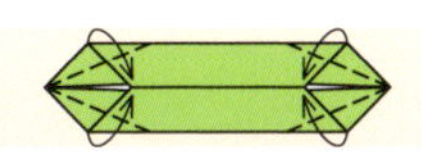

5 折ったところ

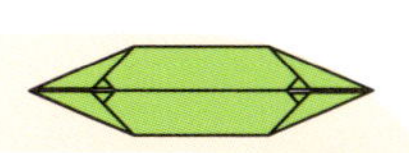

6 接着剤をつけた26番のワイヤーを真ん中に貼る

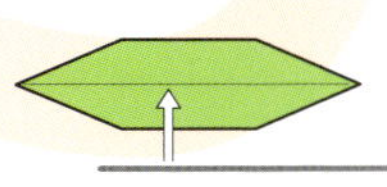

7 半分に折る

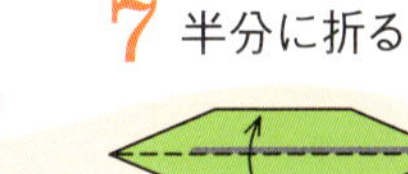

8 上の1枚を図の位置で折る

葉のできあがり

同じものを5本作る

組み合わせ方

1 18番のワイヤーの先をペンチで丸めるように曲げる

2 丸めた部分を起こす

3 フローラルテープを巻きつけていく

4 フローラルテープを全体に巻いたもの（めしべ）

5 ペップを6本添えてフローラルテープでまとめながら巻く。ペップが白い場合は、茶色のペンで色をつけてもよい［→P.108 6］

6 まとめたもの（花芯）。同じものを全部で10本作る

7 花の先をほんの少し切る。広がるので切りすぎないようにする

8 6の花芯を差し込み、接着剤でとめる

9 フローラルテープを巻きつけて固定する

10 花びらの先を目打ちなどを使ってカールさせる

11 すべてカールさせたもの。同じものを全部で10個作る

12 11の花を3個、26番のワイヤーで束ねる

次のページへ

葉 5本を添えて別の26番のワイヤーで根もとを束ねる

全体のバランスを見ながら、残りの花7個を添える

26番のワイヤーで根もとをしっかりと束ねる

円形の厚紙のうち、1枚の中心に直径2cmくらいの穴を開ける

穴に15で作った束の先を差し込む

長いワイヤーをニッパーで切る

19

差し込んだ先をペンチで曲げる

穴を開けていない厚紙を19に重ねて接着剤で貼る

できあがり

アレンジ

ユリのくす玉

Point

2のときに、ワイヤーにひもをからめて、吊るせるようにしてもいいですね。

▶**材料**　ユリを12個（花 を作り、P.91 1〜11まで終えたもの）、15cmの26番のワイヤーを3本

▶**完成サイズ**　直径13cm

● ユリを12個作って組み合わせます。

1 ユリ6個のワイヤー部分を26番のワイヤーで束ねる。同じものを全部で2個作る

2 26番のワイヤーで2個をまとめ、余ったワイヤーをニッパーで切り、丸く形を整える

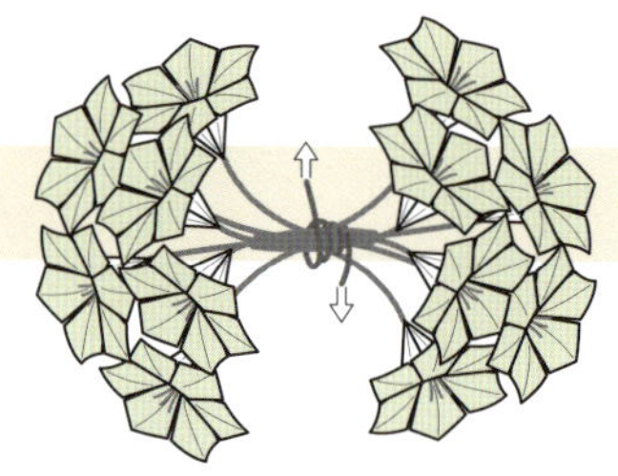

できあがり

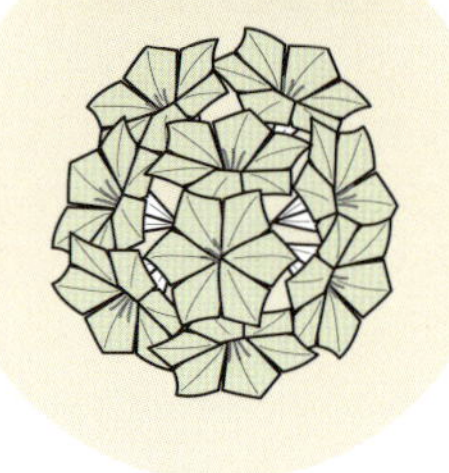

★★★

カトレア 【→P.78】

Point
豪華なカトレアの花を、折りやすくかんたんにしました。一輪挿しでも束にして生けても、空間がパッと明るくなりますよ。

▶**用意する紙**　[花] 15×15cmの紙を1枚
[葉] 15×7.5cmの紙を3枚

▶**材料**　15cmの26番のワイヤーを3本(葉)、35cmの18番のワイヤーを1本(茎)、フローラルテープ

▶**完成サイズ**　35×9×厚さ5cm

● 花 を1個と 葉 を3本作って組み合わせます。

花

※正方基本形[→P.17]から始めます。

1 折りすじをつける

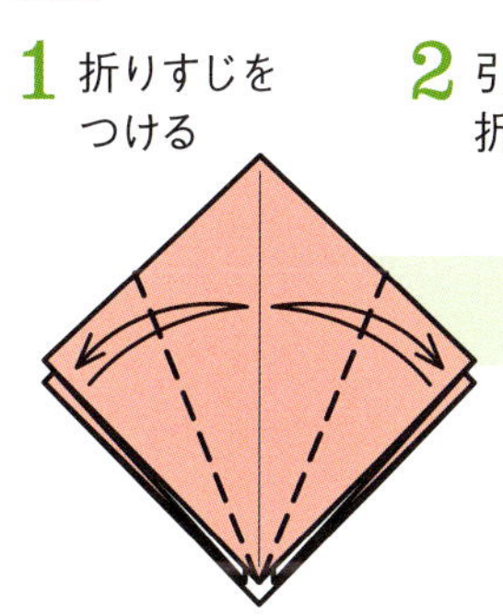

2 引き上げて折りたたむ

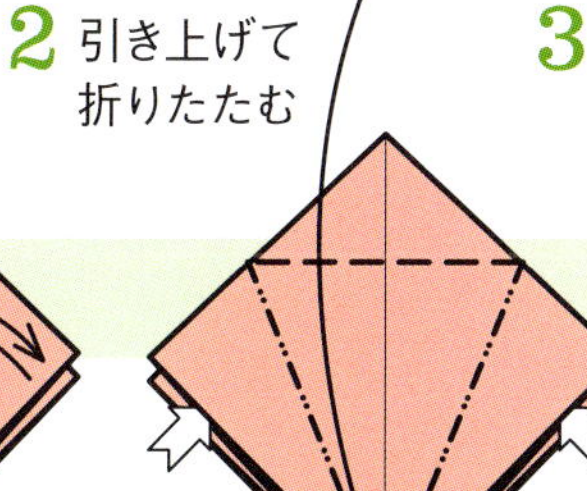

3 半分に折る

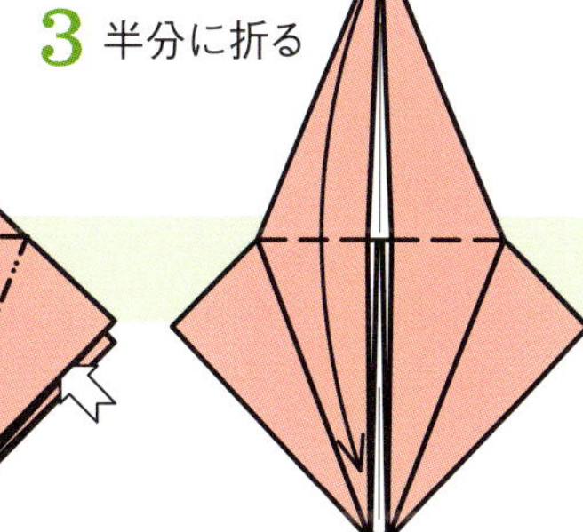

4 折りすじをつける

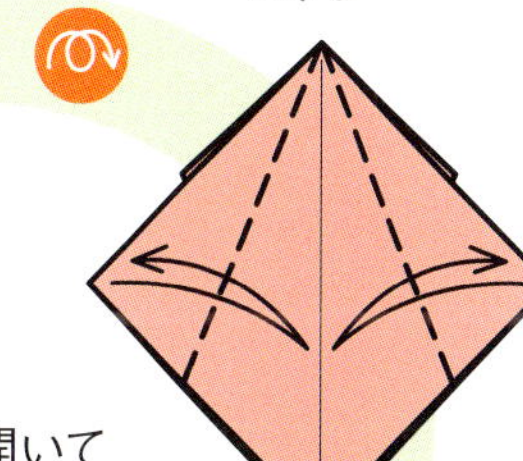

5 開いて折りたたむ

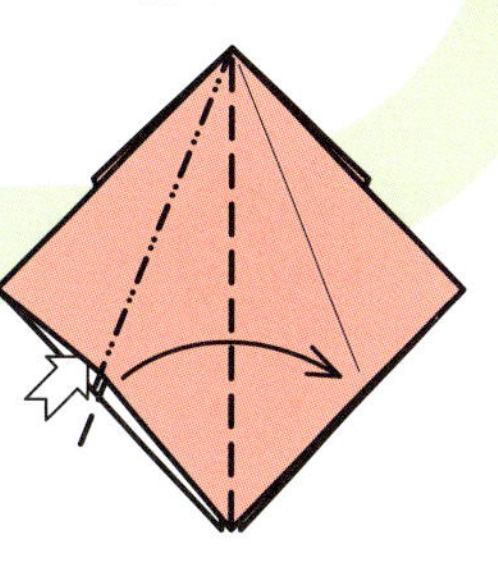

6 上の1枚を半分に折る

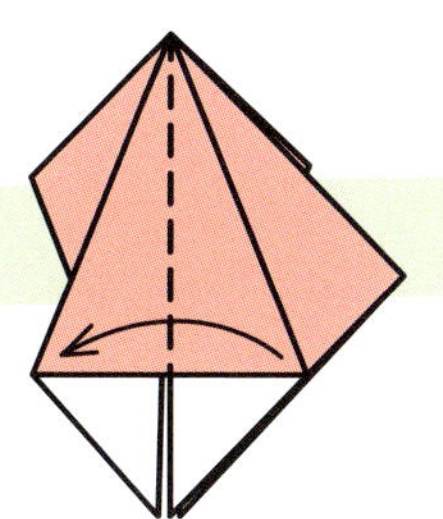

7 開いて折りたたむ

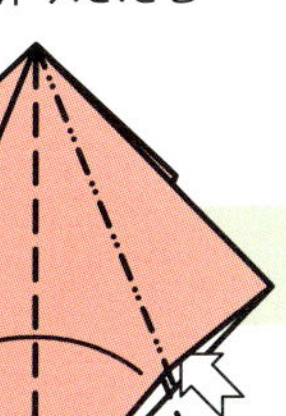

8 上の1枚を半分に折る

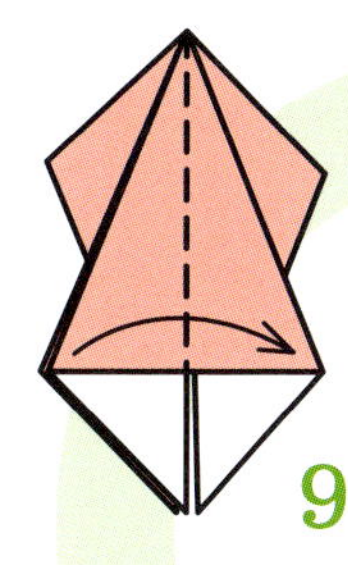

9 上の1枚を内側に折る。このとき、中にある紙の手前で折る

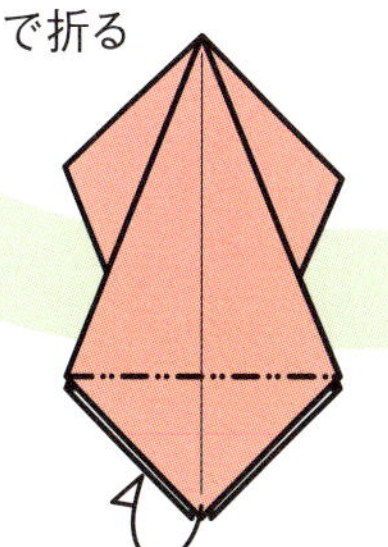

10 左右を裏側に折る

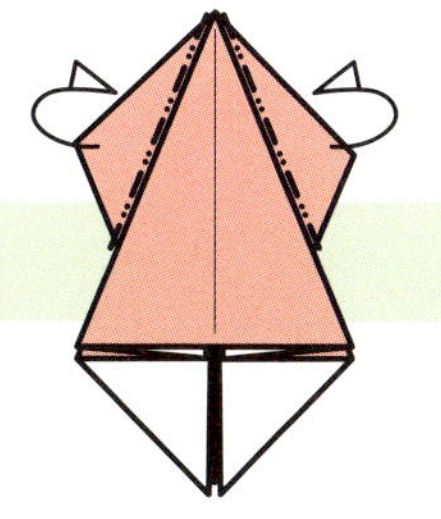

11 上の2枚を開き、折りたたむ

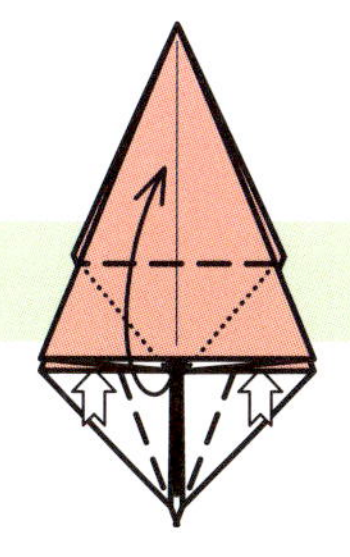

12 上の1枚を図の位置で折る

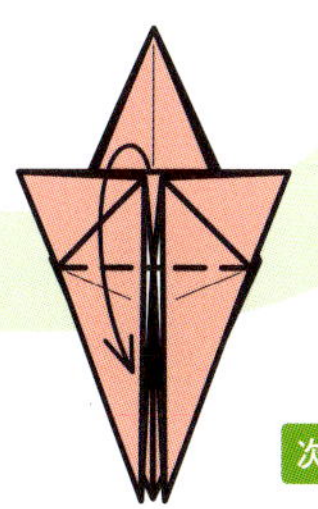

次のページへ

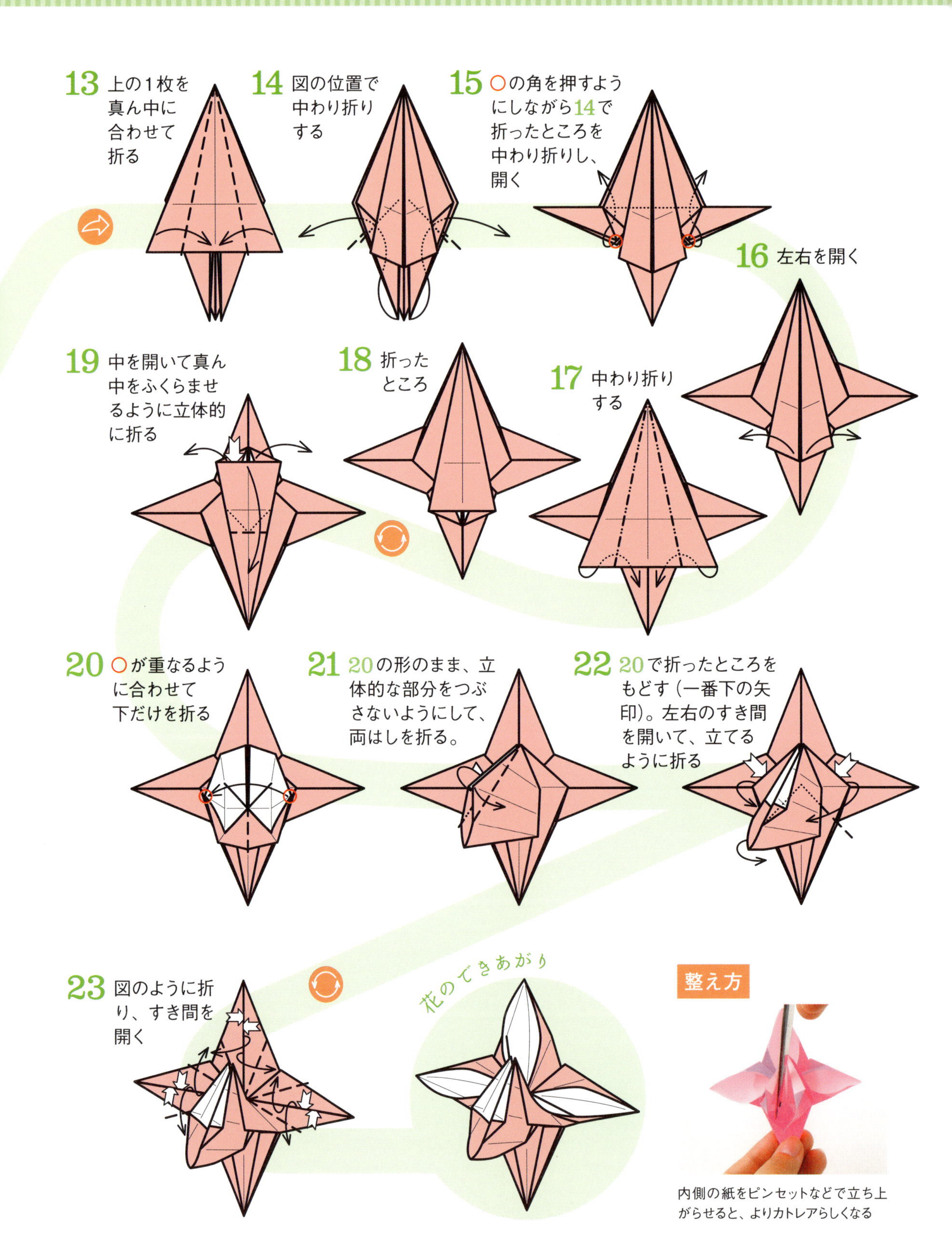

内側の紙をピンセットなどで立ち上がらせると、よりカトレアらしくなる

葉

1 折りすじをつける

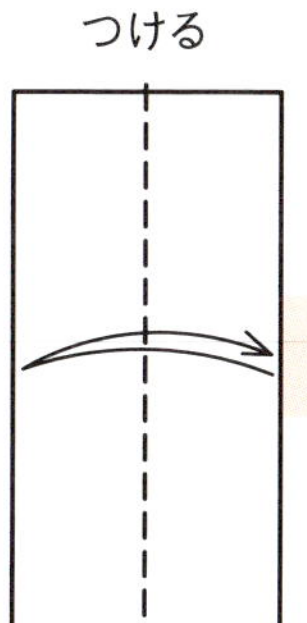

2 真ん中に合わせて折る

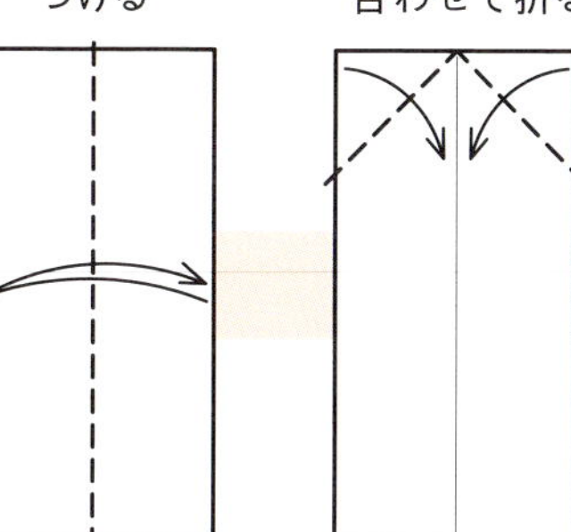

3 真ん中に合わせて折る

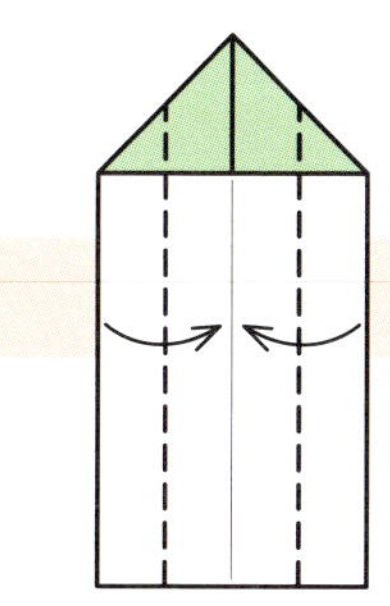

4 ○が重なるように折る

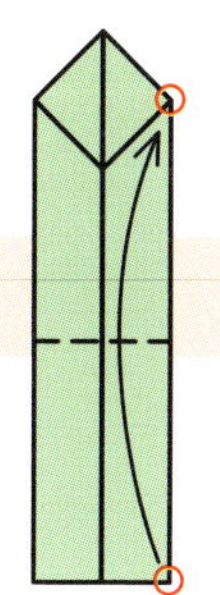

5 上の1枚を図の位置で折る

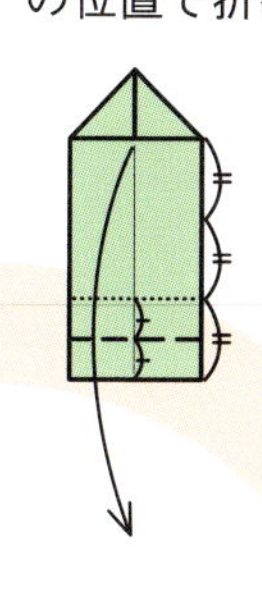

6 開いて折りたたむ

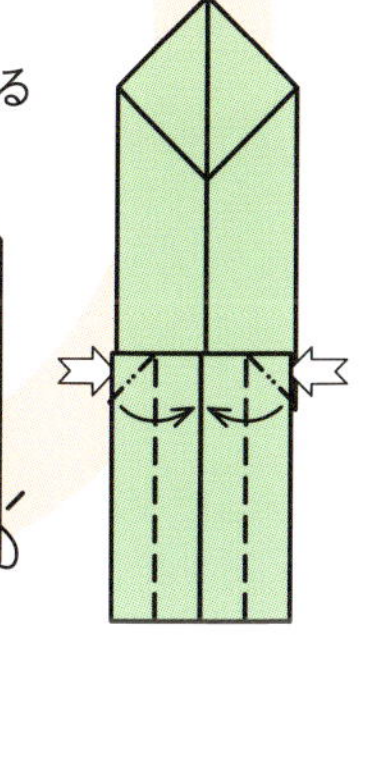

7 角を折る

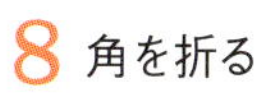

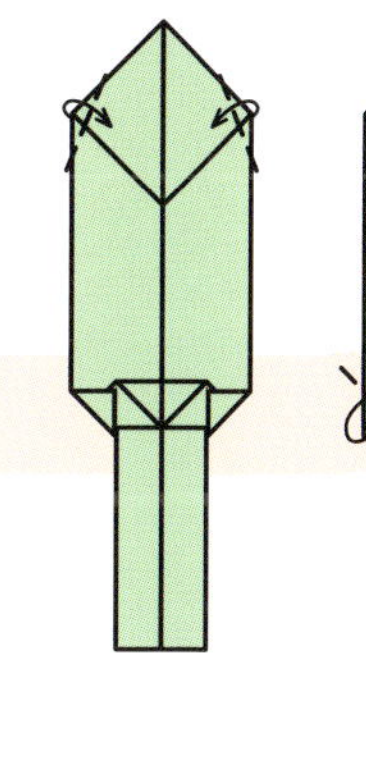

8 角を折る

9 26番のワイヤーを真ん中に置く

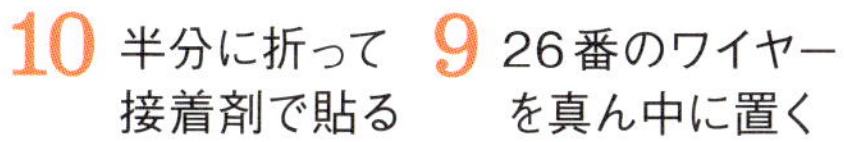

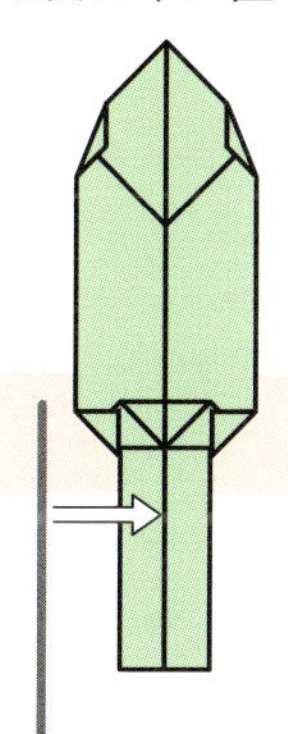

10 半分に折って接着剤で貼る

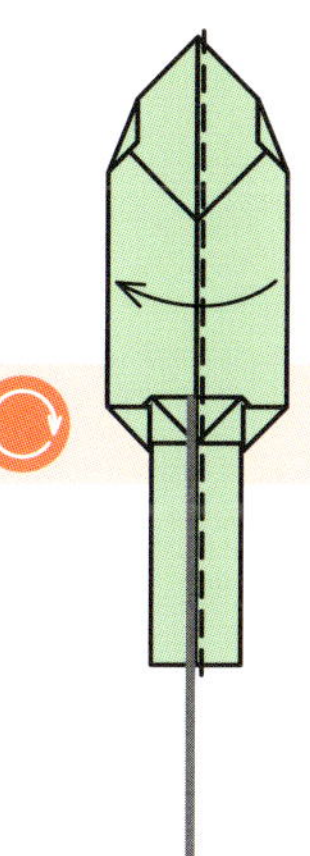

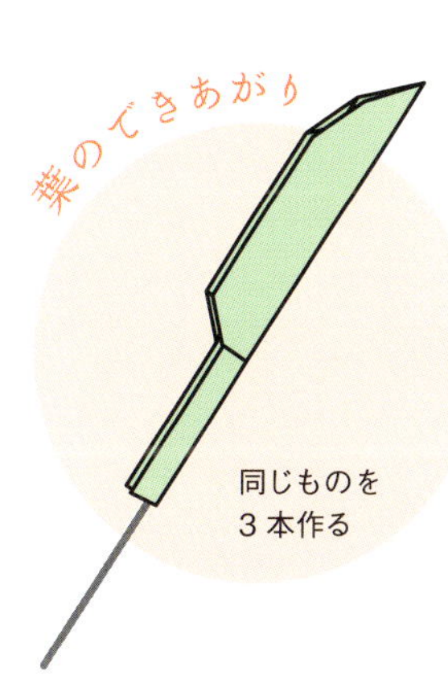

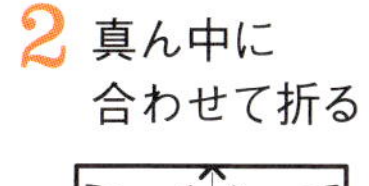

組み合わせ方

1 花の裏側の紙を開き、接着剤をつけた18番のワイヤーを貼って紙を閉じる

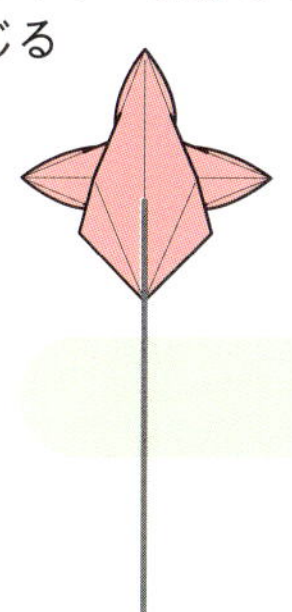

2 根もとからフローラルテープを巻きながら、葉を好みの位置にとめていく
[→P.118 7、12～13]

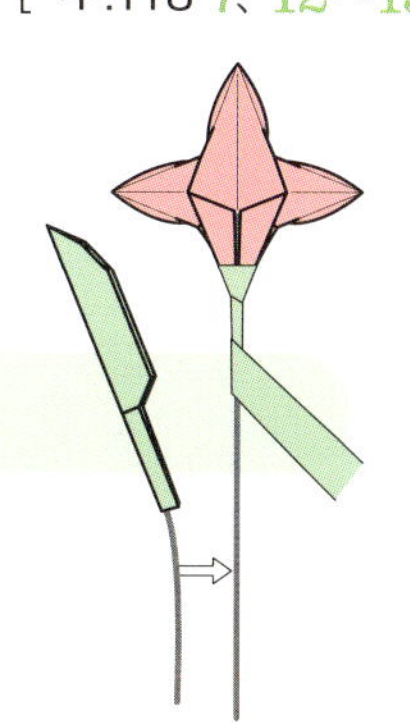

できあがり

★★★

ツバキのテーブルフラワー

【→P.78】

Point

テーブルに飾るといつもよりちょっとすてきな食卓に。花の開き方で印象が変わります。お好みの数を飾りましょう。

▶**用意する紙**　[花（1個分）] 15×15cmの紙を1枚（花びら）、5×5cmの紙を1枚（花芯）
[葉（1枚分）] 7.5×7.5cmの紙を1枚

▶**材料**　台（写真は8×18×1cm）を1個

▶**完成サイズ**　2.5×6.5×6.5cm（花1個）

※写真は花を2個と葉を3枚、台に置いています。

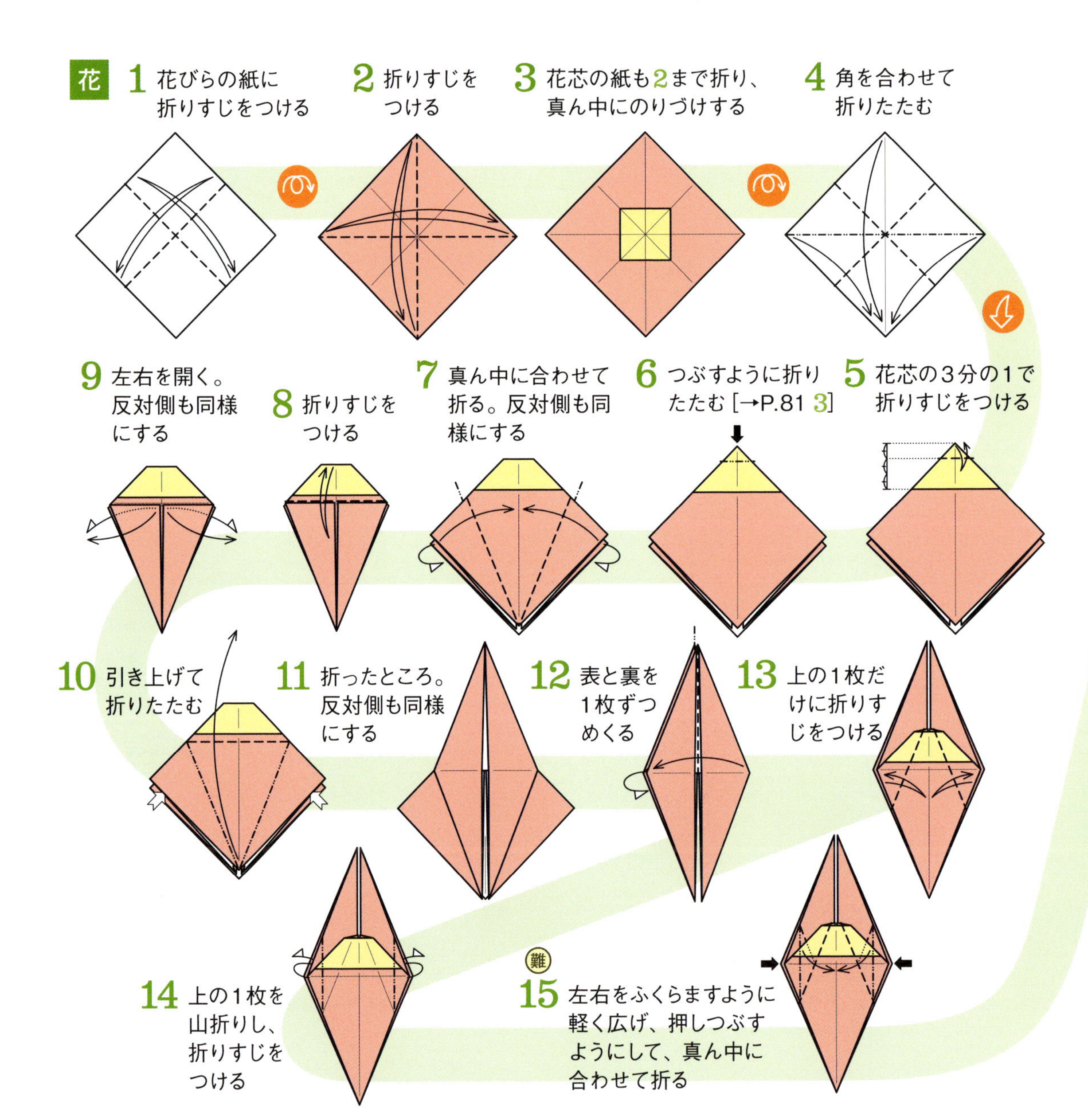

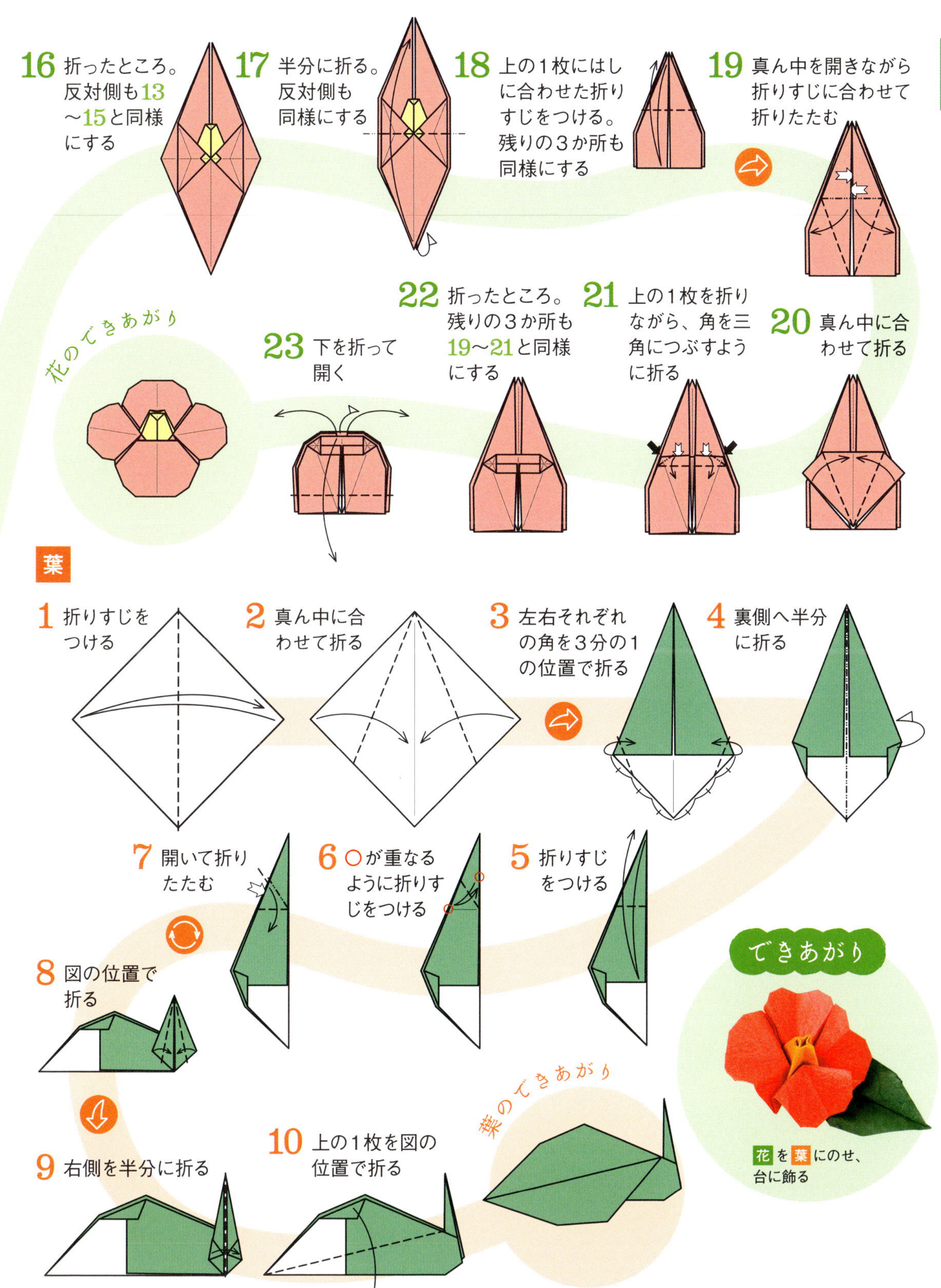
16 折ったところ。反対側も13～15と同様にする
17 半分に折る。反対側も同様にする
18 上の1枚にはしに合わせた折りすじをつける。残りの3か所も同様にする
19 真ん中を開きながら折りすじに合わせて折りたたむ
20 真ん中に合わせて折る
21 上の1枚を折りながら、角を三角につぶすように折る
22 折ったところ。残りの3か所も19～21と同様にする
23 下を折って開く
花のできあがり
葉
1 折りすじをつける
2 真ん中に合わせて折る
3 左右それぞれの角を3分の1の位置で折る
4 裏側へ半分に折る
5 折りすじをつける
6 ○が重なるように折りすじをつける
7 開いて折りたたむ
8 図の位置で折る
9 右側を半分に折る
10 上の1枚を図の位置で折る
葉のできあがり
できあがり
花を葉にのせ、台に飾る

★★★

ヒマワリのフラワーフレーム

【→P.79】

Point

場所をとらない壁飾りは空間を広く、きれいに見せる効果があります。花は両面同じ色の紙を使うとよいでしょう。

▶**用意する紙**　[花] 7.5×7.5cmの紙を8枚　[種] 7.5×7.5cmの紙を1枚　[葉] 10×10cmの紙を1枚

▶**材料**　フレーム（写真は22×25.5cm）を1個

▶**完成サイズ**　14×14cm（花のみ）

● 花 1個と 種 1個、葉を作って組み合わせます。

花

※正方基本形 [→P.17] から始めます。

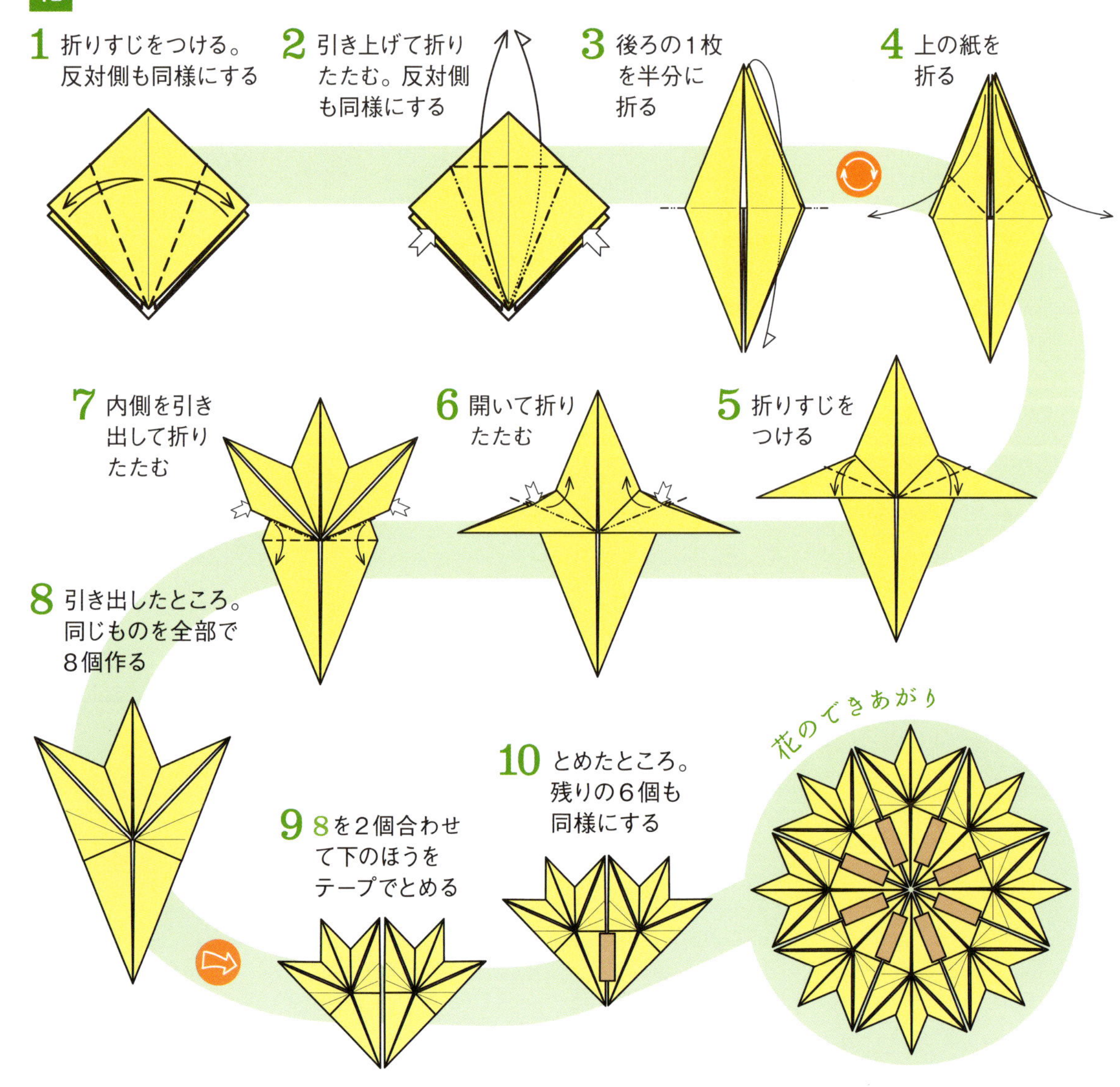

種 ※正方基本形［→P.17］から始めます。

1 真ん中に合わせて折る。反対側も同様にする

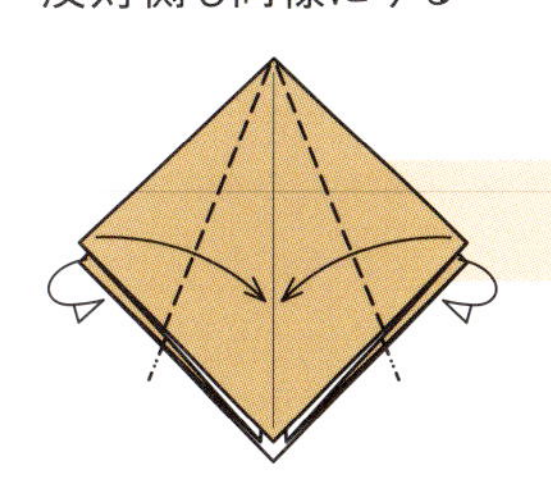

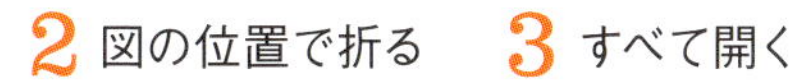

2 図の位置で折る

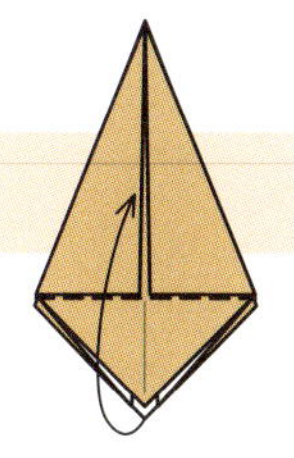

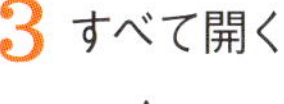

3 すべて開く

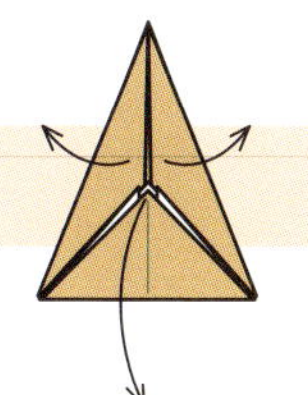

4 折りすじで角を折る

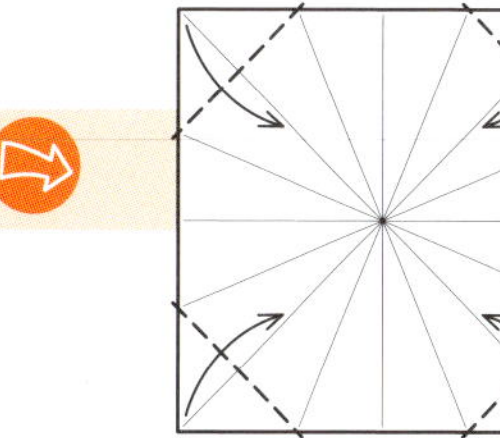

5 はしを少し折る

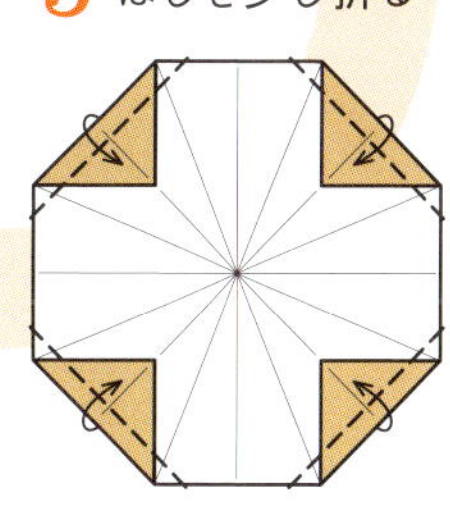

6 5と同じ幅くらいで折る

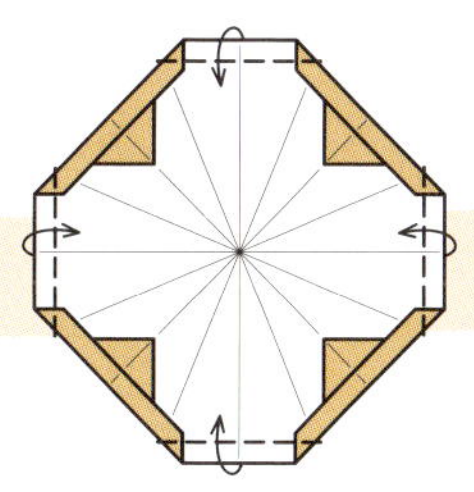

7 折ったところ

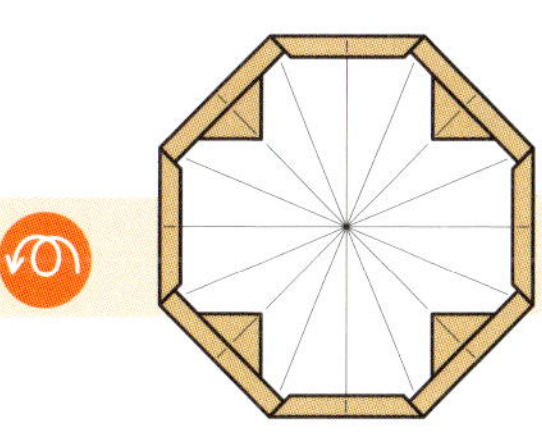

種のできあがり

組み合わせ方

1 花に種を接着剤で貼る

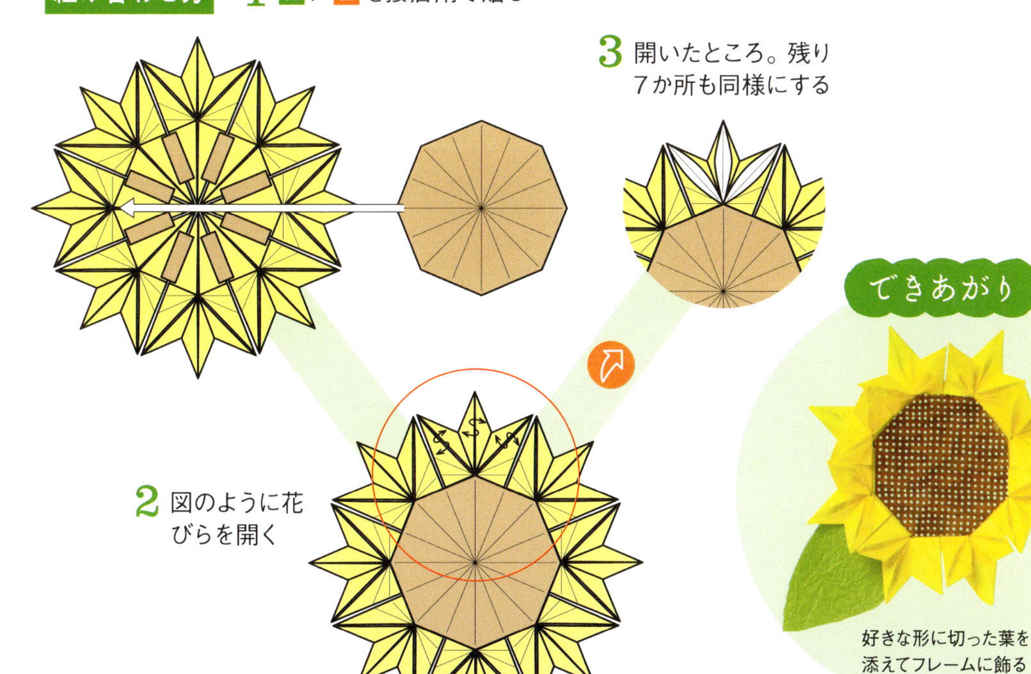

2 図のように花びらを開く

3 開いたところ。残り7か所も同様にする

できあがり

好きな形に切った葉を添えてフレームに飾る

※写真では花に両面同じ色の紙を使用しています。

★★★

ポインセチアの鉢植え

【→P.79、125】

Point
葉と葉の間隔はあきすぎないように、全体を見ながらまとめていきましょう。紙は両面同じ色がおすすめです。

▶**用意する紙**　［赤い葉］3×3cmの紙を4枚（小）、4×4cmの紙を4枚（中）、5×5cmの紙を5枚（大）［緑の葉］6×6cmの紙を5枚（小）、7×7cmの紙を5枚（大）

▶**材料**　赤い実のペップを3本（粒は片つき、直径約5mm）、30cmの18番のワイヤーを1本（茎）、15cmの24番のワイヤーを23本（葉）、フローラルテープ、植木鉢（写真は3.5号）、紙粘土

▶**完成サイズ**　直径16×高さ16cm

● 赤い葉と緑の葉 を23枚作って組み合わせます。

赤い葉と緑の葉

1 半分に折る

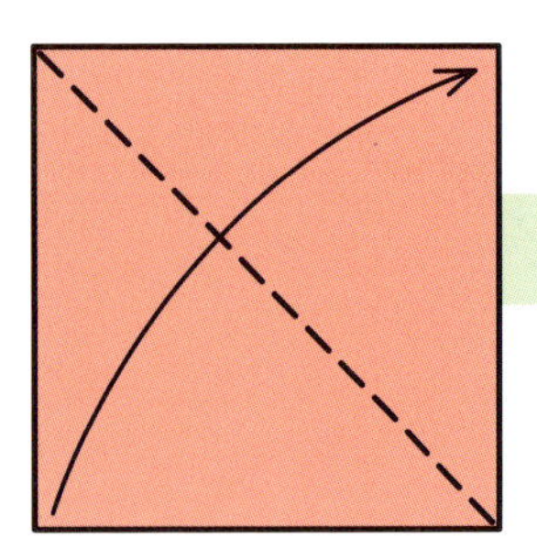

2 折りすじをつける

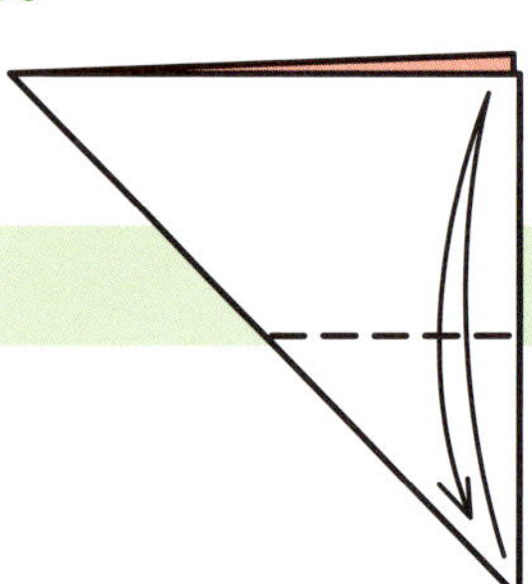

3 折りすじをつける

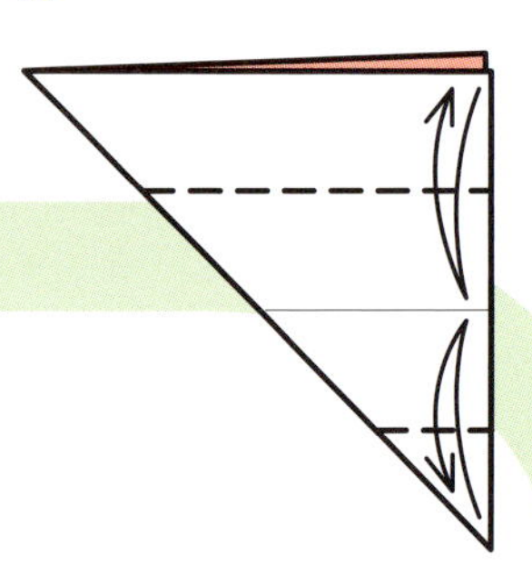

4 ○が重なるように山折りし、折りすじをつける

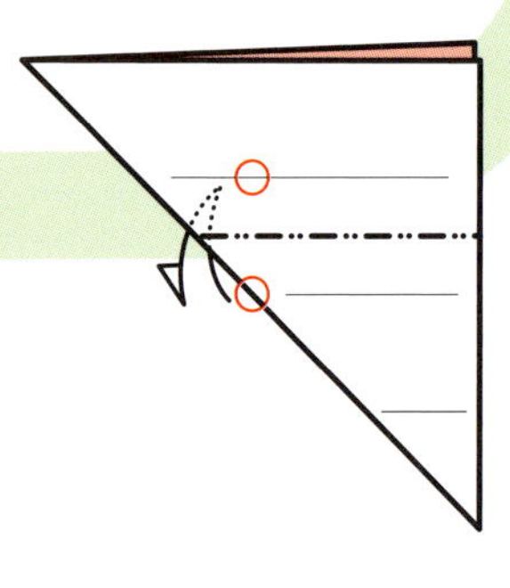

5 折りすじに合わせて折る。反対側も同様にする。

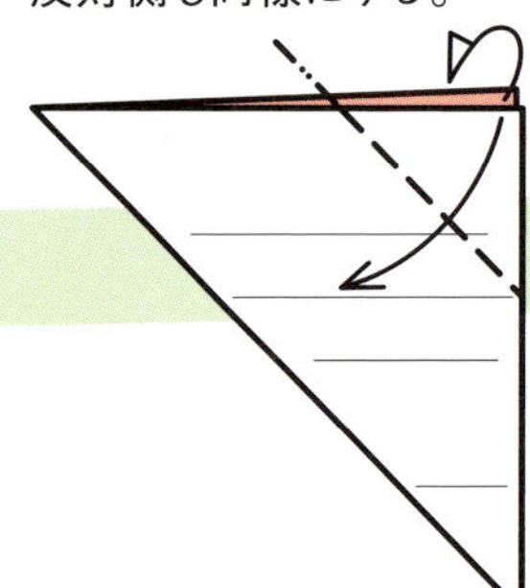

6 段折りする

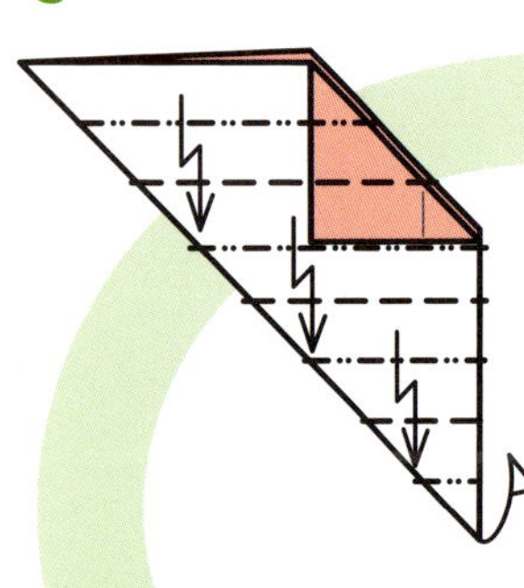

7 上下を開く

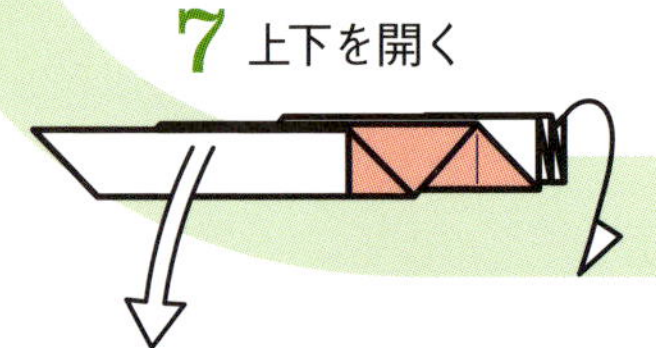

8 上の1枚の角を折る。反対側も同様にする

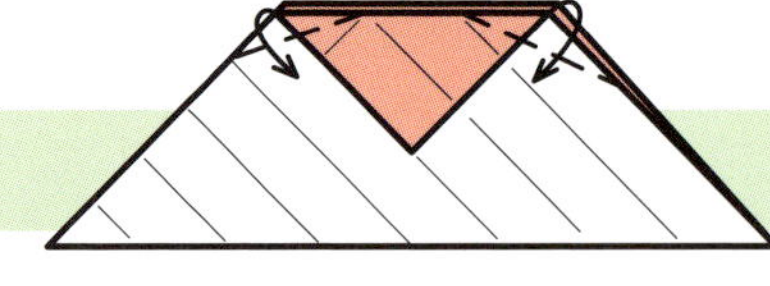

9 斜めに折る

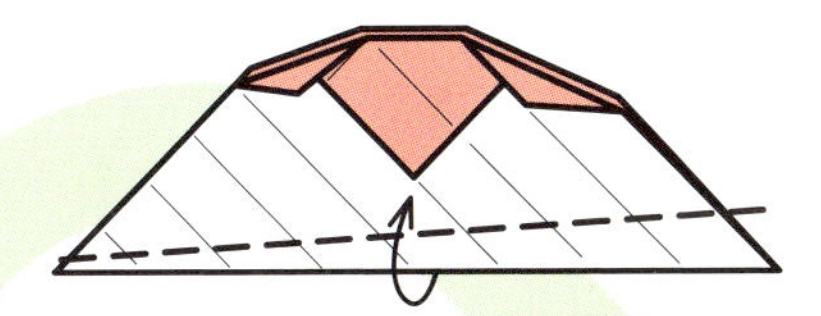

10 上の1枚を開く

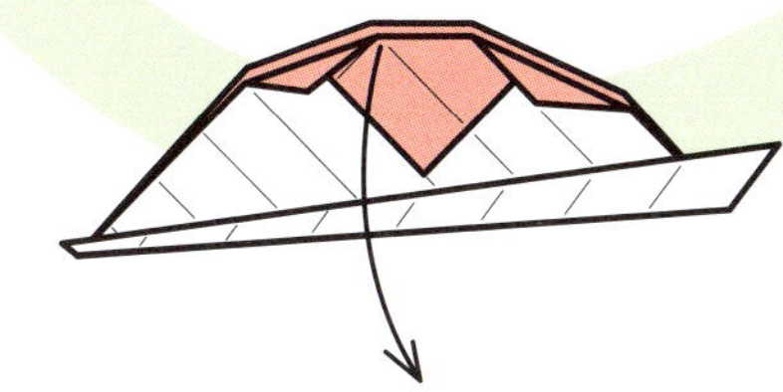

赤い葉と緑の葉のできあがり

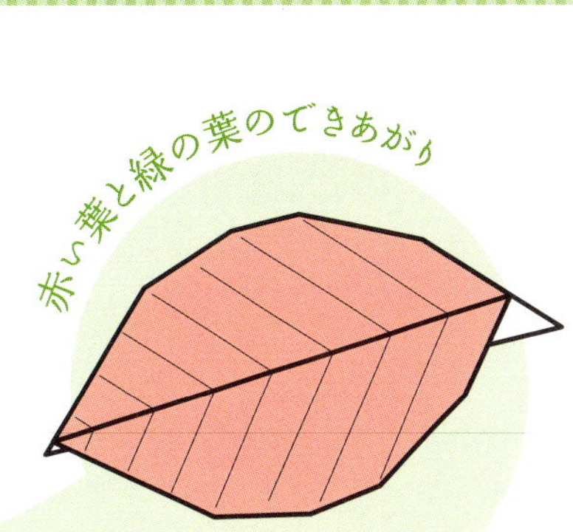

同じものを赤い葉13枚（小、中を各4枚、大を5枚）、緑の葉10枚（小、大を各5枚）作る

組み合わせ方

1 ペップの粒から下を約3cm残してニッパーで切る

2 粒の先を少し残してフローラルテープを下まで巻く

3 巻いたもの。同じものを全部で3本作る

4 18番のワイヤーに3を添えて、フローラルテープでワイヤーの先まで巻いていく

5 巻いたもの

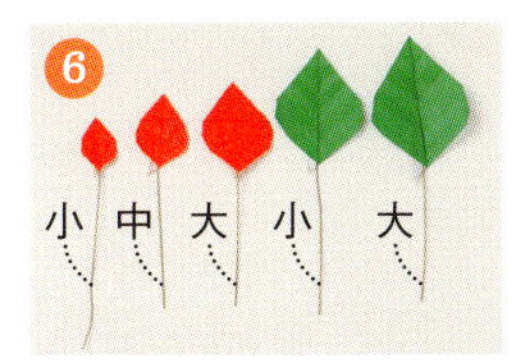

6 全部の葉に24番のワイヤーをつける［→P.117 1〜2］

7 5に赤い葉（小）を添えて根もとからフローラルテープで巻く

8 少し間をあけて残りの赤い葉を中→大、つづいて緑の葉を小→大ととめていく。各大きさの葉が上の葉と葉の間から見えるようにする

9 植木鉢の高さに合わせ、余分なワイヤーをニッパーで切る

10 切ったもの

11 植木鉢に紙粘土をつめる

12 10を11の中心にさす

できあがり

★★★

キキョウのリース

【→P.4、79】

Point

秋にぴったりのリースです。リースのデザインや大きさはお好みで変えてみましょう。紙は両面同じ色ものがおすすめです。

▶**用意する紙**　[花] 7.5×7.5cmの紙を12枚　[つぼみ] 3×3cmの紙を7枚（つぼみ大）、2×2cmの紙を17枚（つぼみ小5枚、ガク12枚）　[葉] 6×6cmの紙を10枚（大）、4×4cmの紙を36枚（小）

▶**材料**　15cmの26番のワイヤーを118本（花60本、ガク12本、葉46本）、30cmの26番ワイヤーを4本、フローラルテープ

▶**完成サイズ**　直径24cm

● 花 を12個、つぼみ を12個、葉を46本作って組み合わせます。

花

1 折りすじをつける

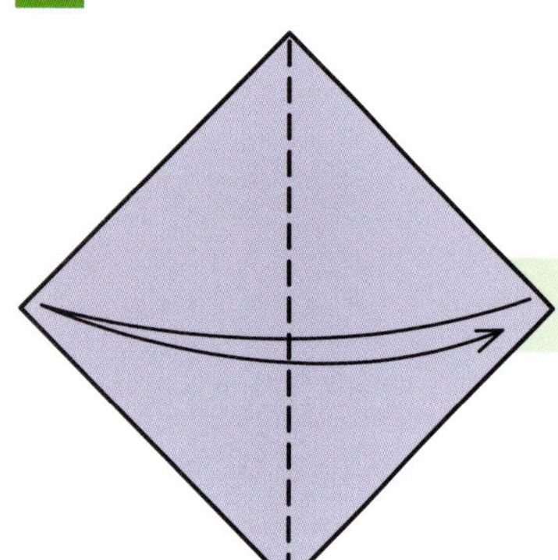

2 真ん中で折る

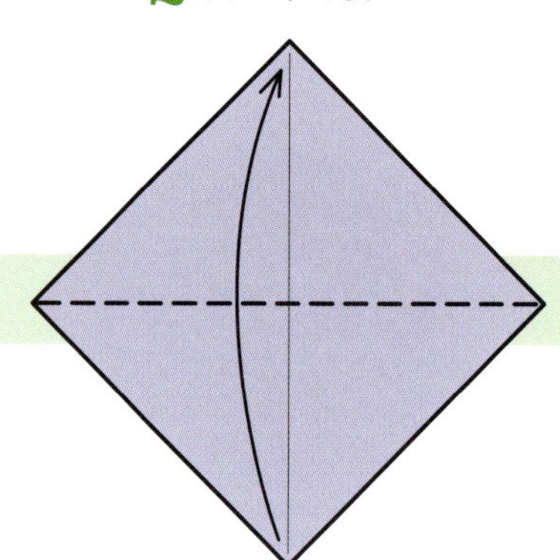

3 上の1枚に少しだけ折りすじをつける

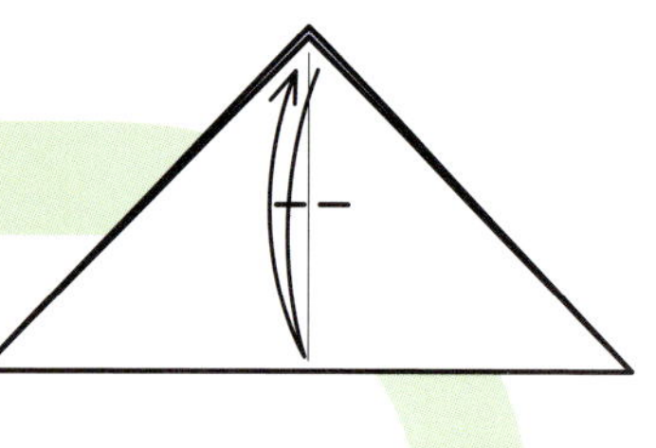

4 ○が重なるように折る

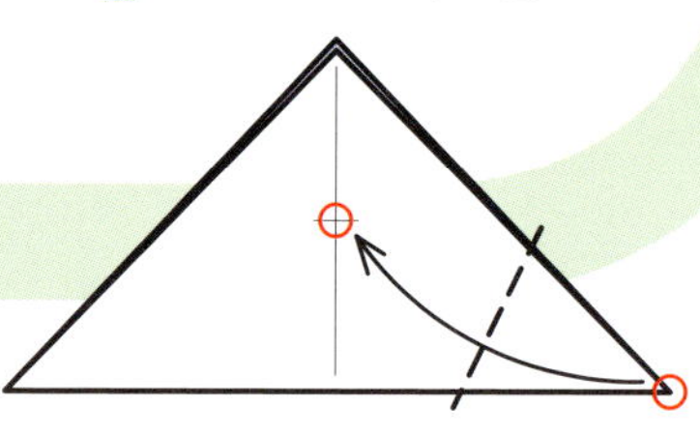

5 ○が重なるように折る

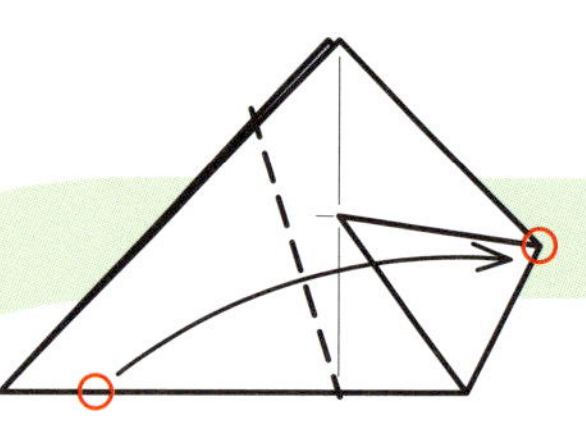

6 はしに合わせて折る

7 右側を開く

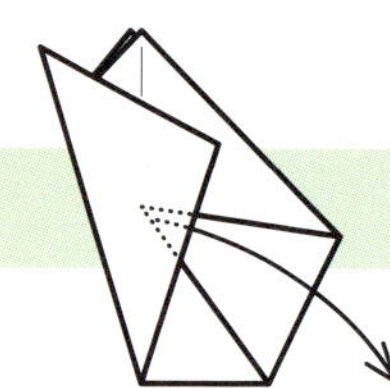

8 図の位置で裏側に折る

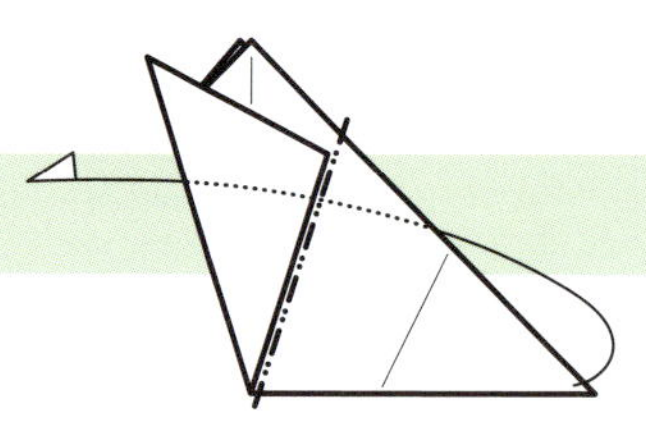

9 はしに合わせて折る

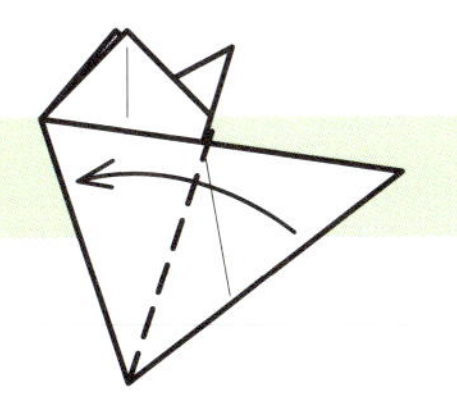

10 図の位置で切る

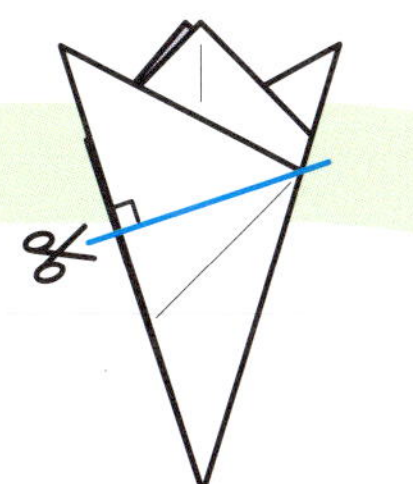

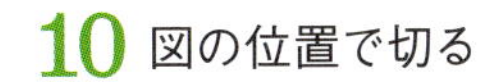

11 すべて開く

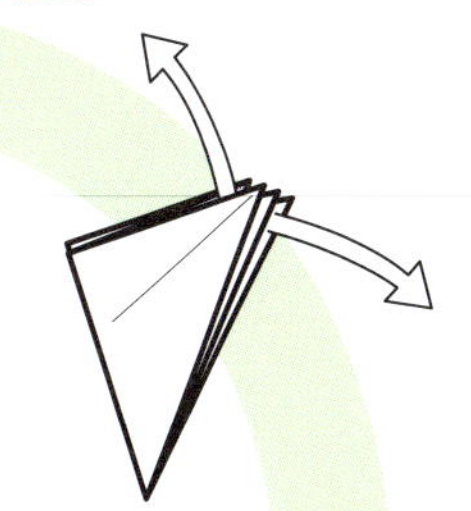

12 開いたところ

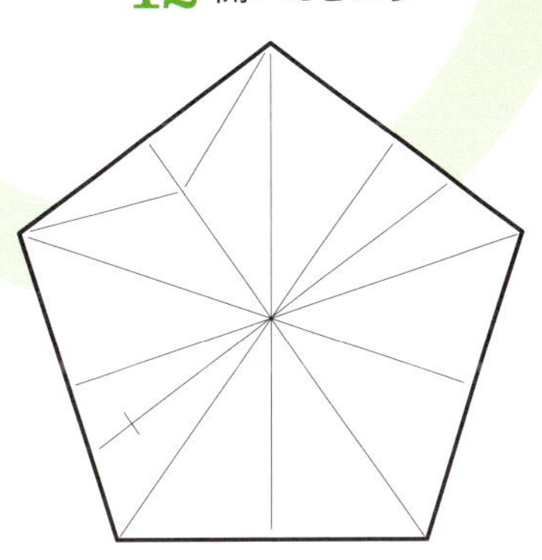

13 折りすじに合わせて段折りする。このとき中心はへこませず、山型になるようにする

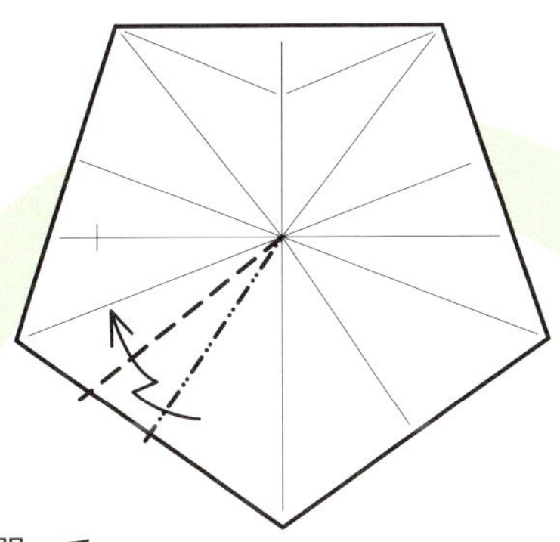

14 図の位置で開いて折りたたむ

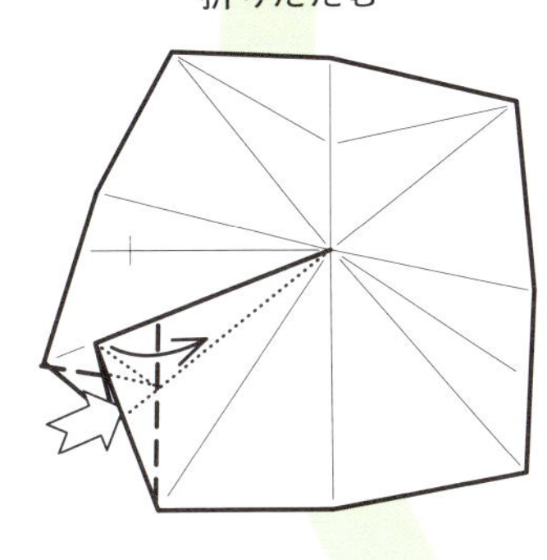

15 残りの４か所も同様にし、立体的にしていく

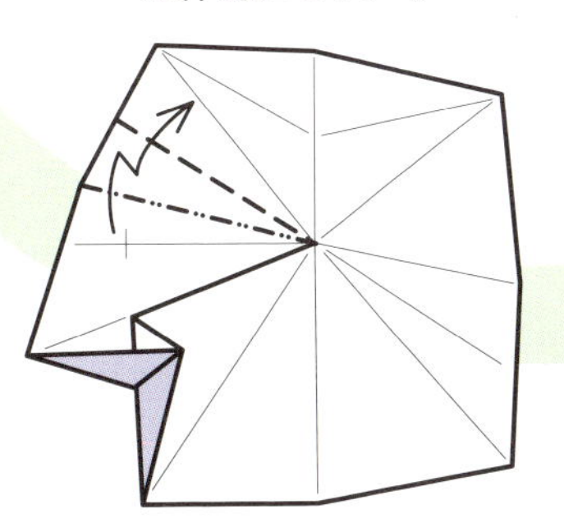

16 折ったところ。花の内側が紙の表面になる

次のページへ

17 15cmの26番のワイヤー5本をまとめ、先を残してフローラルテープで束ねる。残した部分が花芯になる

18 16の中心に目打ちなどで穴を開け、17を通して接着剤でとめる。花の形を整える

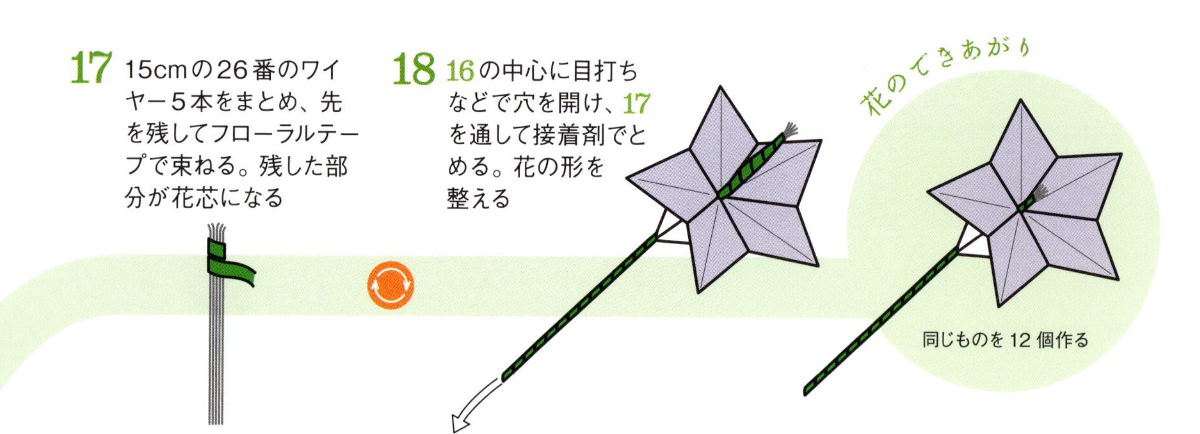

つぼみ

※正方基本形 [→P.17] から始めます。

1 真ん中に合わせて折る。反対側も同様にする

2 折りすじをつけて、すべて開く

3 図の位置で切り込みを入れる

4 図の位置で折る

5 角を合わせるように折る

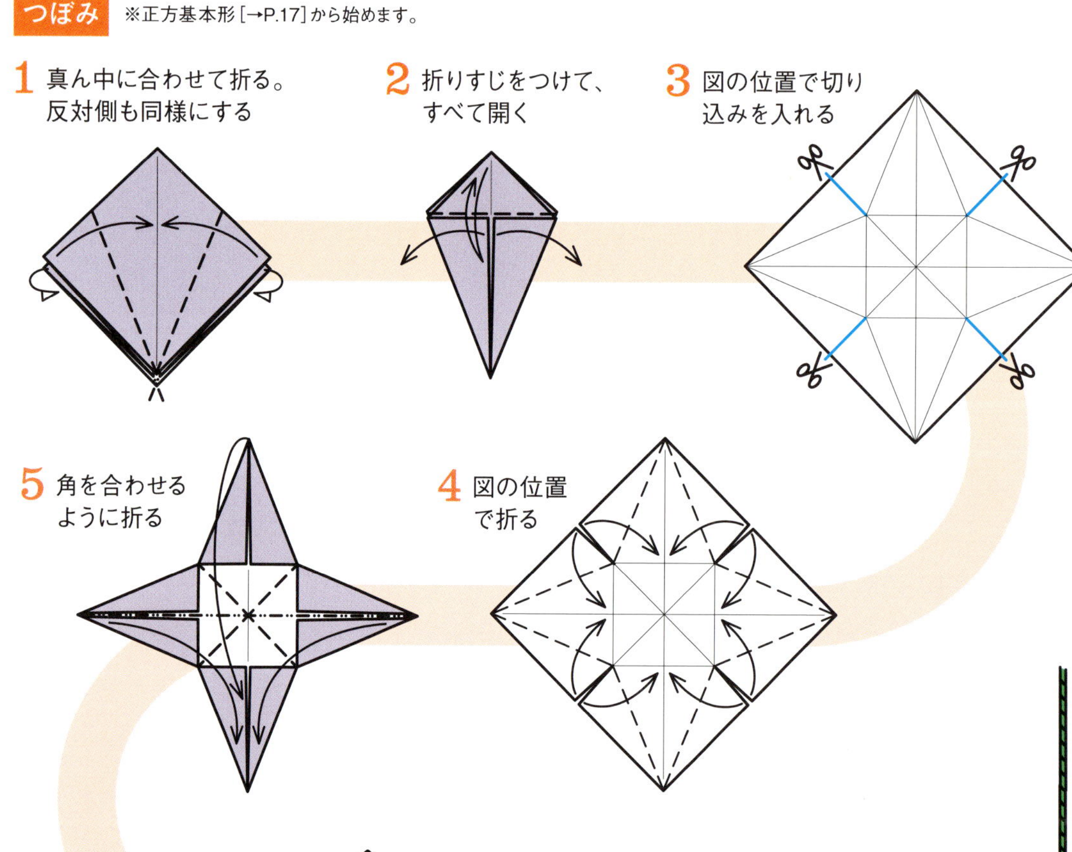

6 折ったもの。同じものを24個作る（つぼみ大を7個、つぼみ小を5個、ガクを12個）

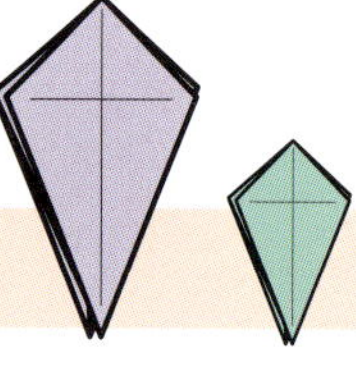

7 15cmの26番のワイヤー1本に 花 の17と同じ色のフローラルテープを巻く。6のガクに目打ちなどで穴を開け、そのワイヤーを通して接着剤でとめる

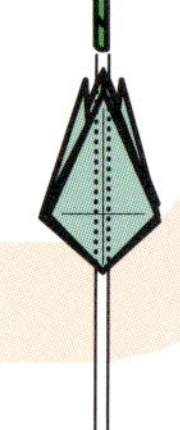

8 6のつぼみ大とつぼみ小の角をそれぞれ7のガクに差し込み、接着剤で貼る

9 図のように指で押してふくらませる

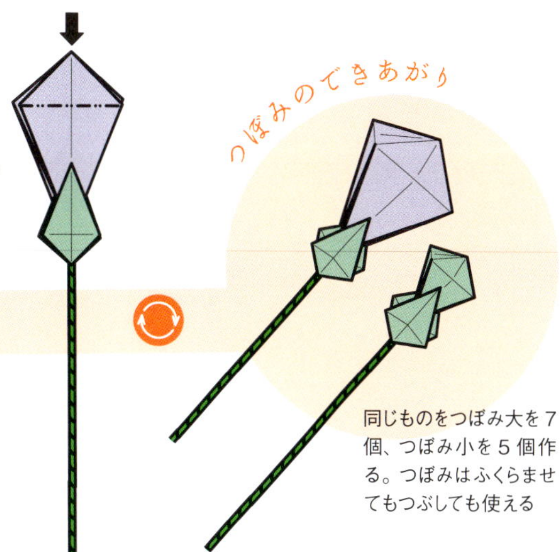

つぼみのできあがり

同じものをつぼみ大を7個、つぼみ小を5個作る。つぼみはふくらませてもつぶしても使える

組み合わせ方

1 葉の紙を半分に折って、好みの葉の形に切る。できた2枚の葉で15cmの26番のワイヤーをはさみ、接着剤で貼る。同じものを全部で大10本、小36本作る

2 花4個とつぼみ（大）1個、1の葉2本を残し、それ以外をフローラルテープで組み合わせていく。P.118 12〜13のようにワイヤー同士をテープで束ね、半円形にする。同じものを全部で2個作る

3 2の上のワイヤー同士をねじってとめる

4 3の下を30cmの26番のワイヤーでとめる。このとき、ワイヤーの先は余らせておく

5 4の花と花の間と同じくらいの長さになるよう、残りの花やつぼみと葉をフローラルテープで組み合わせる

6 4に5をのせて4で余らせたワイヤーでとめる

7 ワイヤーの先は正面から見えない位置に巻きつける

8 30cmの26番のワイヤーを3本つなげて長くし、リース全体にからめるように巻く

9 巻いているところ。最後は正面から見えない位置に巻きつける

できあがり

★★☆

クリスマスローズのコサージュ

【→P.5、80】

Point

胸元に華やかさをプラスするコサージュ。両面同じ色の紙を使い、好みの大きさで作ってください。

▶**用意する紙**　[花] 7.5×7.5cmの紙を3枚（大）、5×5cmの紙を2枚（小）　[葉] 5×10cmの紙を3枚

▶**材料**　ペップを38本（粒は両つき、直径約1.5mm、花）、30cmの26番のワイヤーを5本（花）、20cmの26番のワイヤーを3本（葉）、10cmの30番のワイヤーを1本、ブローチ用のピンを1個、フローラルテープ

▶**完成サイズ**　20×8×厚さ5cm

● 花 を5個と葉を3本作って組み合わせます。

花

1 折りすじをつける

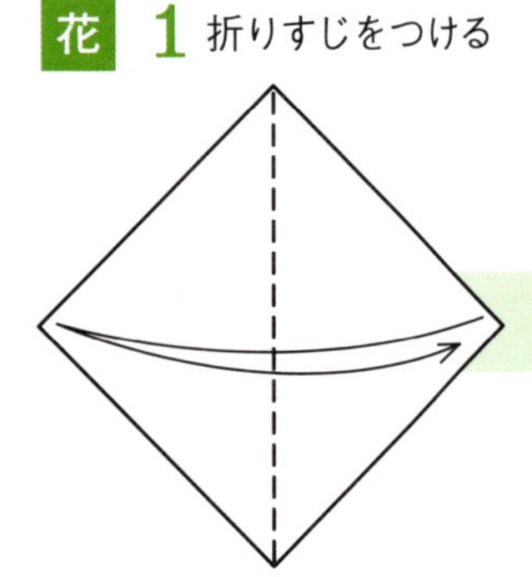

2 真ん中で折る

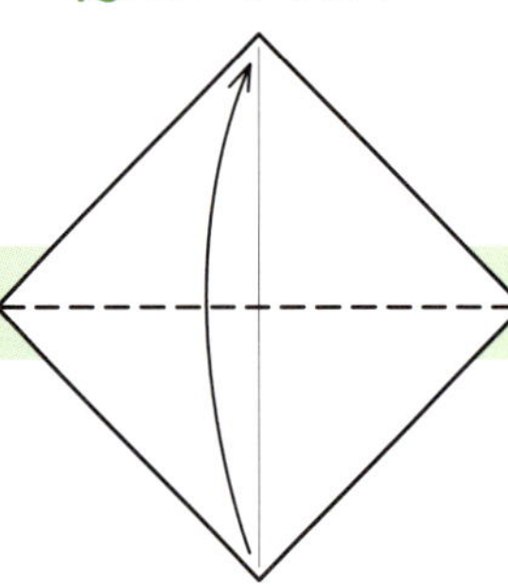

3 上の1枚に少しだけ折りすじをつける

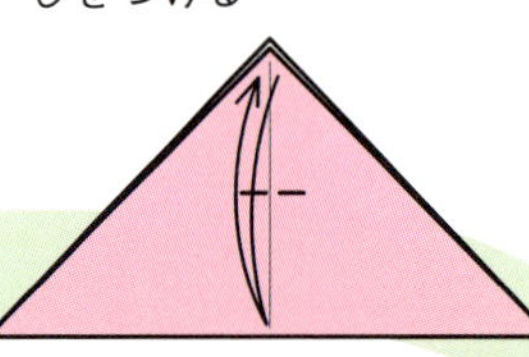

4 ○が重なるように折る

5 ○が重なるように折る

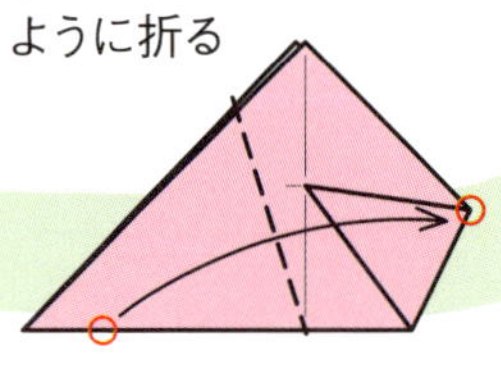

6 はしに合わせて折る

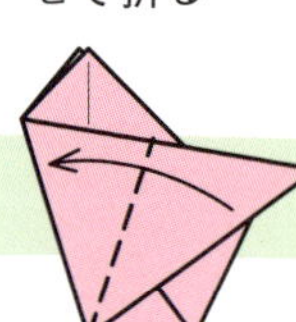

7 右側を開く

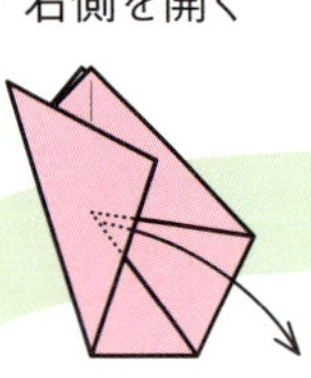

8 図の位置で裏側に折る

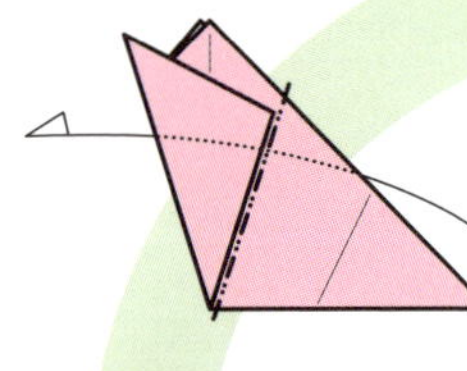

9 はしに合わせて折る

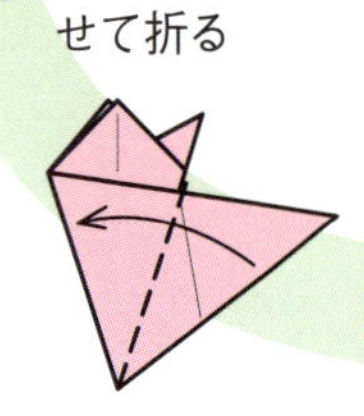

10 図の位置で切る

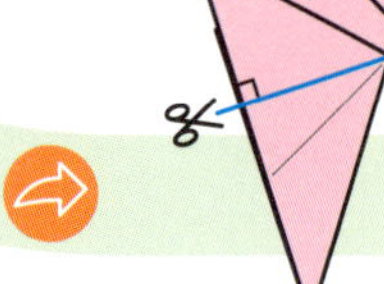

11 すべて開く

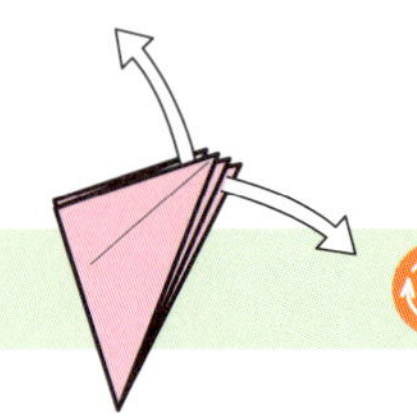

12 開いたところ

13 図のように角を合わせて折りたたむ

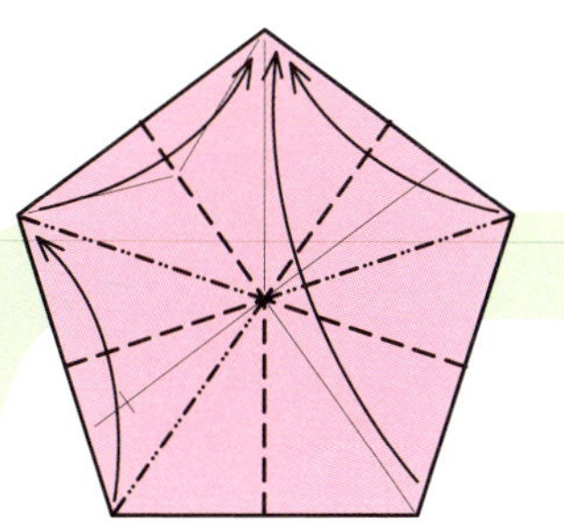

14 左右それぞれを真ん中に合わせて表と裏に折る

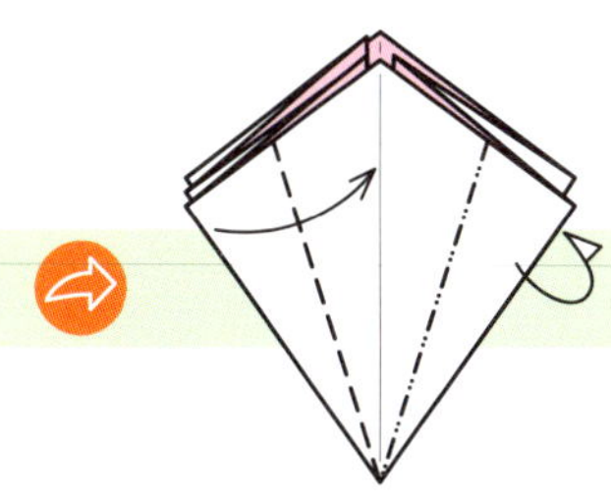

15 折ったところ。残りの3か所も同様にする

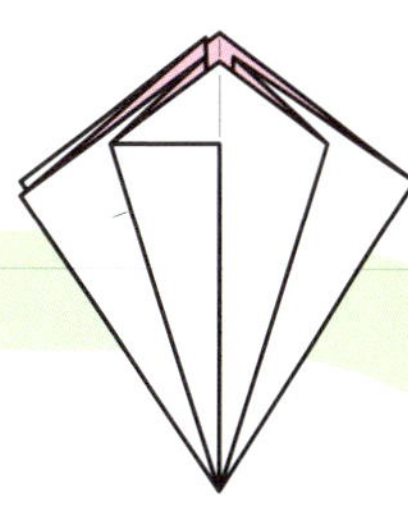

16 すべて開く

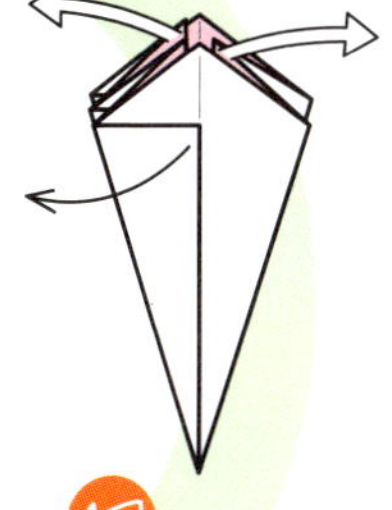

17 折りすじに合わせて段折りする。このとき、中心をへこませるようにする

18 図の位置で開いて折りたたむ

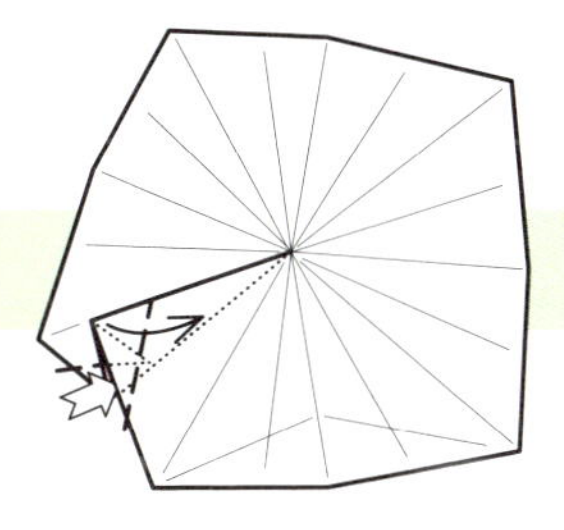

19 折ったところ。残りの4か所も同様にし、立体的にしていく

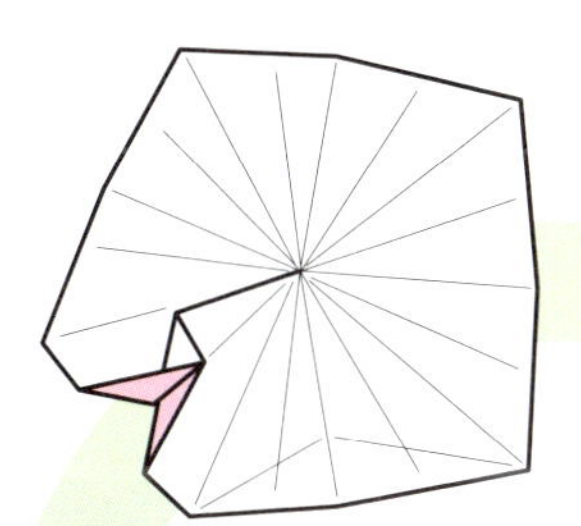

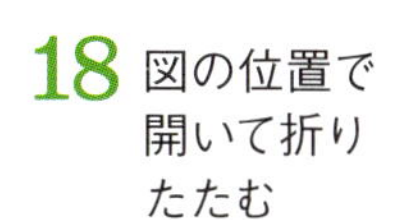

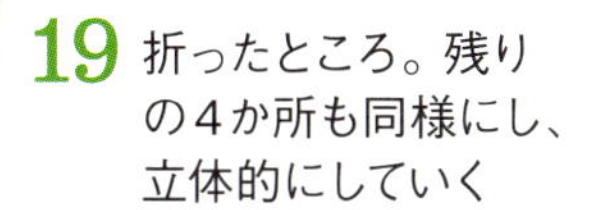

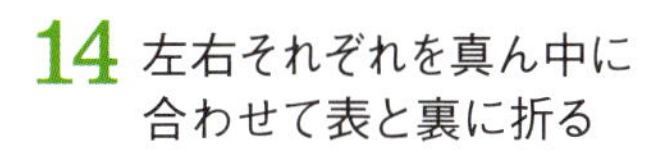

20 角を折る

21 折ったところ。花の内側が紙の裏面になる

花のできあがり

同じものを大3個、小2個作る

22 先をつまんでねじる

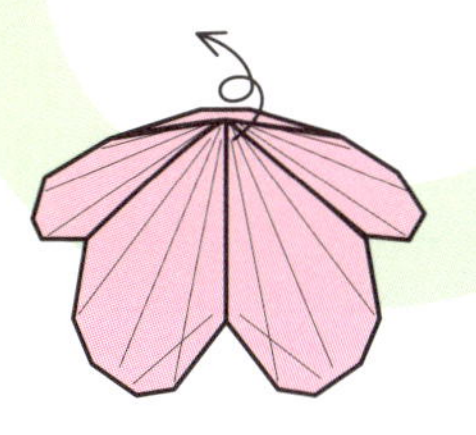

先をつまんでねじる

ねじったところ。丸みが出て、花らしくなる

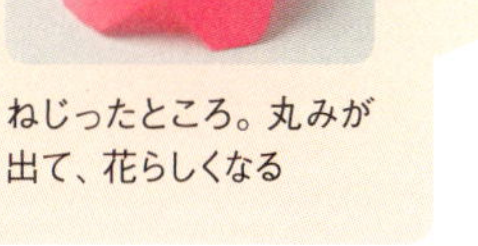

次のページへ

組み合わせ方

1. ペップ 10 本を半分に折る

2. 1で折ったところから 1cm ほどの位置から 30cm の 26 番のワイヤーを巻いていく

3. 巻いたところ。同じものを全部で 3 個（大の花用）と、ペップ 4 本で同様にして全部で 2 個（小の花用）作る

4. 巻きつけたワイヤーを隠すようにフローラルテープをワイヤーの先まで巻く

5. 巻いたところ

6. ペップの先に茶色のペンで色をつける

7. 目打ちなどで 花 の中心に穴を開ける

8. 穴に接着剤をつける

9. 6のペップを通す

10. 通したところ。同じものを大 3 個、小 2 個作る

11. 葉の紙を半分に折り、好みの葉の形に切る。できた 2 枚の葉で 20cm の 26 番のワイヤーをはさみ、接着剤で貼る。同じものを全部で 3 本作る

12. 花と葉を束ねて持ち、好みの形になるようにバランスを整える

13. フローラルテープでワイヤーの根もとを束ねる

14. 10cm の 30 番のワイヤーでブローチ用のピンを巻きつけてとめる

15. 14のワイヤーを隠すようにフローラルテープを少し巻く

16. 余分なワイヤーを切り、形を整える

できあがり

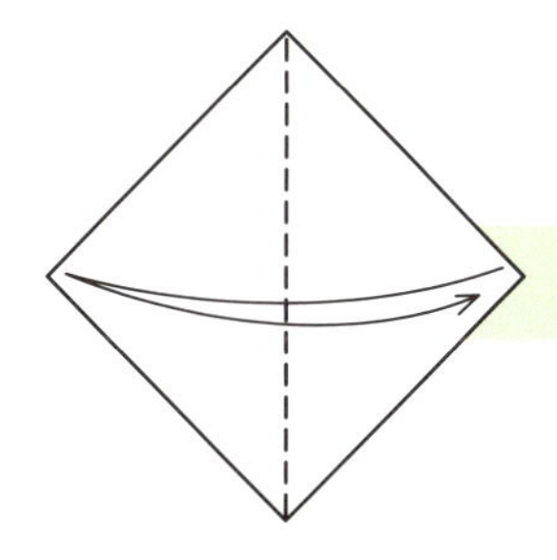

★★★

ニチニチソウのイヤリング

【→P.5、80】

Point
小さな花で作る、耳元でゆれるイヤリング。仕上げにマニキュアやレジン液で固めるのもおすすめです。

▶**用意する紙**　5×5cmの紙を4枚

▶**材料**　9ピンを2本、丸カンを2個、カンつきネジバネ（イヤリング金具）を2個

▶**完成サイズ**　3×3cm（花のみ）

1 折りすじをつける

2 真ん中で折る

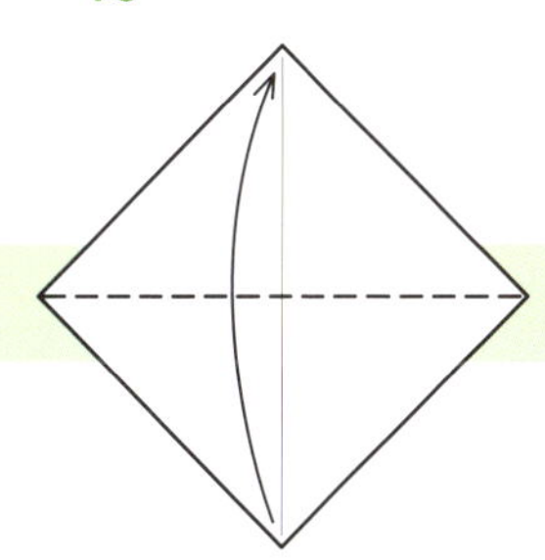

3 少しだけ折りすじをつける

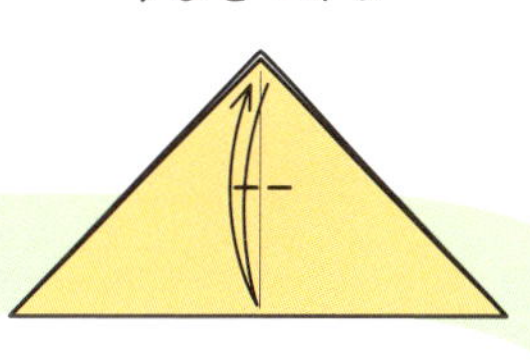

4 ○が重なるように折る

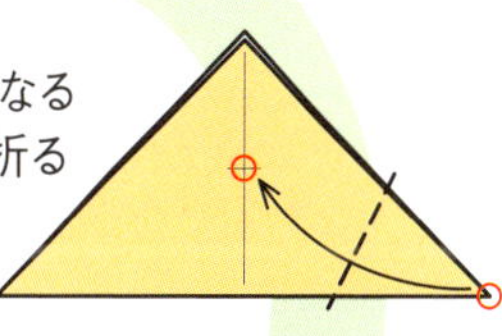

5 ○が重なるように折る

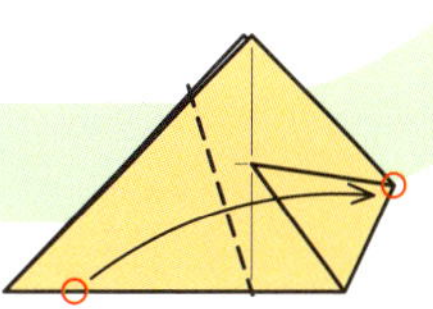

6 はしに合わせて折る

7 右側を開く

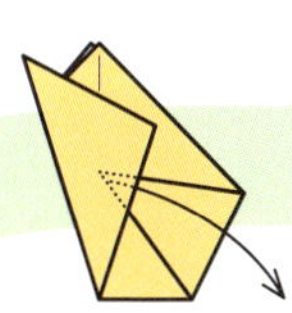

8 図の位置で裏側に折る

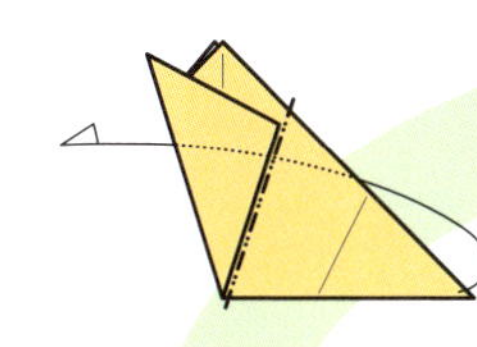

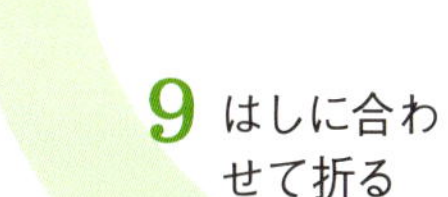

9 はしに合わせて折る

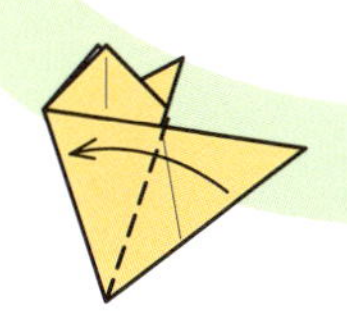

10 図の位置で切る

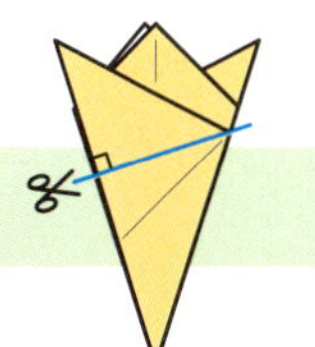

11 すべて開く

12 開いたところ

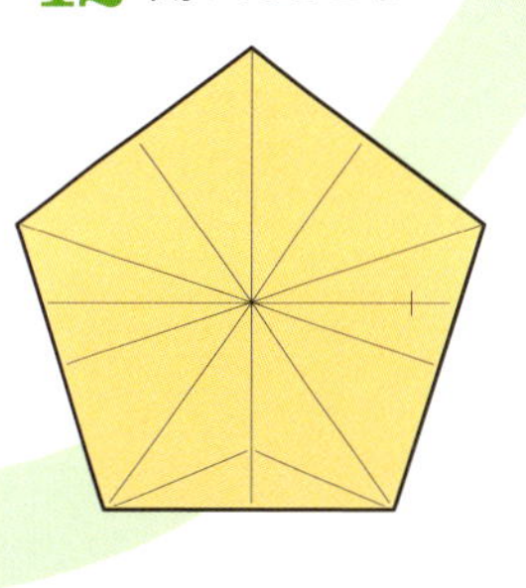

次のページへ

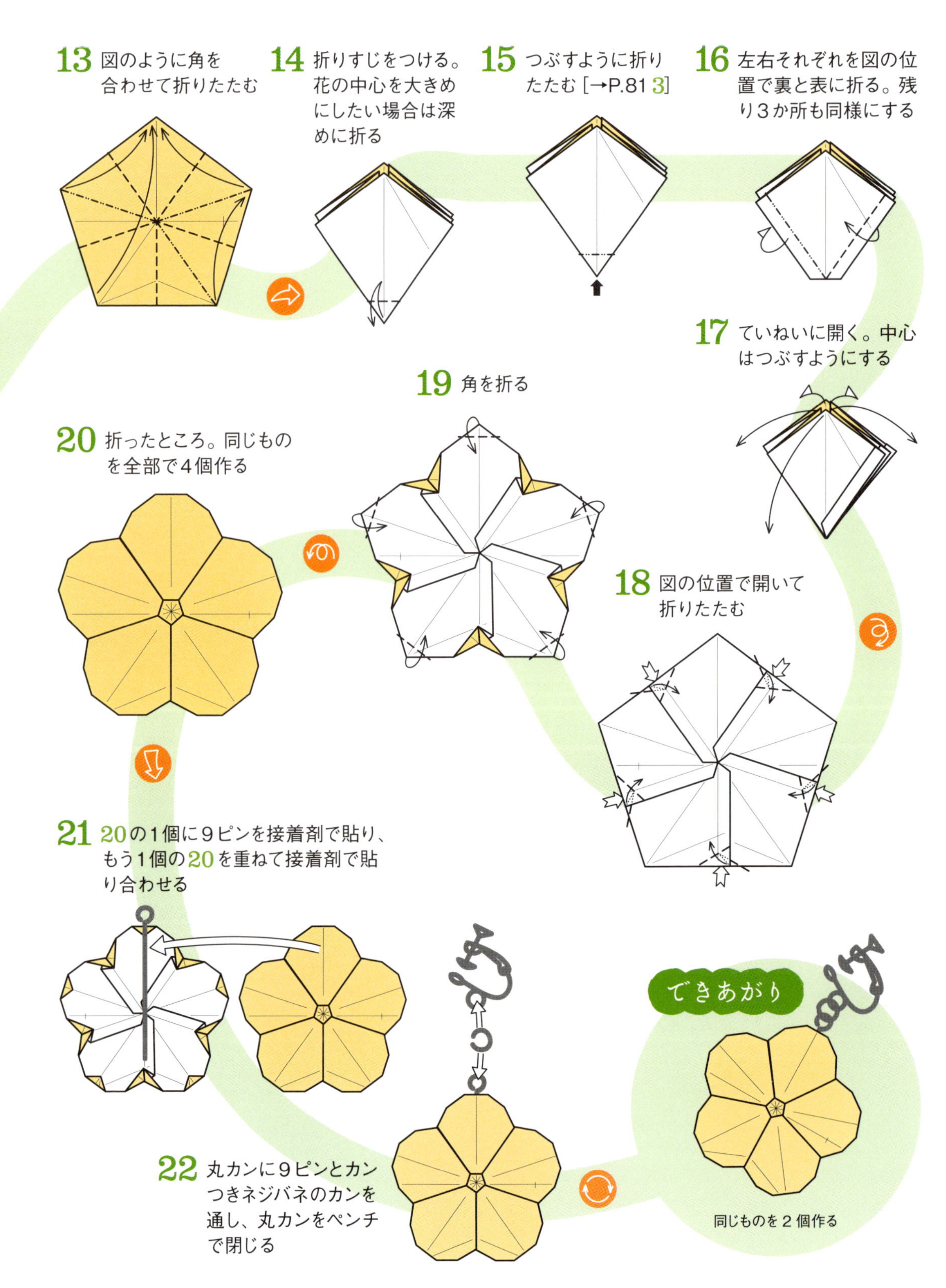
13 図のように角を合わせて折りたたむ
14 折りすじをつける。花の中心を大きめにしたい場合は深めに折る
15 つぶすように折りたたむ [→P.81 3]
16 左右それぞれを図の位置で裏と表に折る。残り3か所も同様にする
17 ていねいに開く。中心はつぶすようにする
18 図の位置で開いて折りたたむ
19 角を折る
20 折ったところ。同じものを全部で4個作る
21 20の1個に9ピンを接着剤で貼り、もう1個の20を重ねて接着剤で貼り合わせる
22 丸カンに9ピンとカンつきネジバネのカンを通し、丸カンをペンチで閉じる
できあがり
同じものを2個作る

アレンジ

★★★

ふうせんのピアス

【→P.7、80】

伝承作品

Point
伝承の風船をピアスにしました。細かな作業にはピンセットを、ふくらますときにはつまようじや針などを使うとよいでしょう。

▶**用意する紙**　5×5cmの紙を2枚

▶**材料**　9ピンを2本、ビーズを6個、丸カンを2個、釣針ピアスを2個

▶**完成サイズ**　1×1×1cm（風船のみ）

1 半分に折る

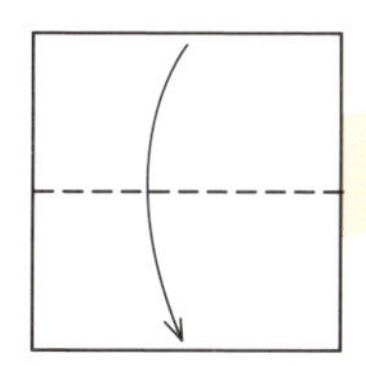

2 半分に折る

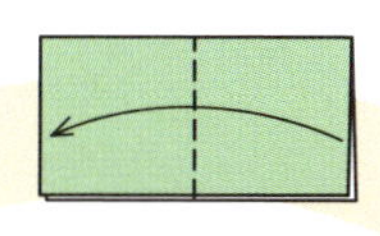

3 図のように開いて折る

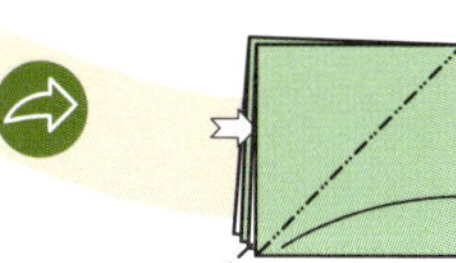

4 折ったところ。反対側も同様にする

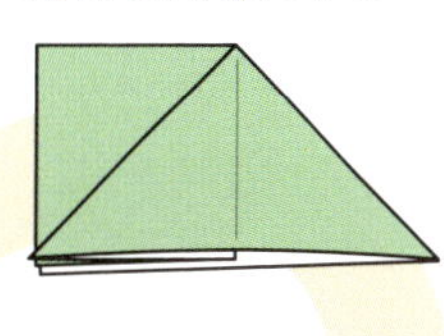

5 真ん中に合わせて折る

6 折ったところ。反対側も同様にする

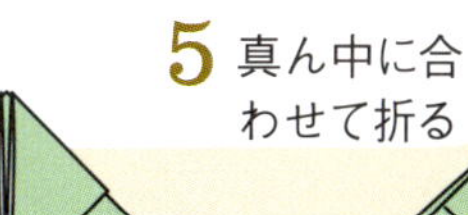

7 真ん中に合わせて折る。反対側も同様にする

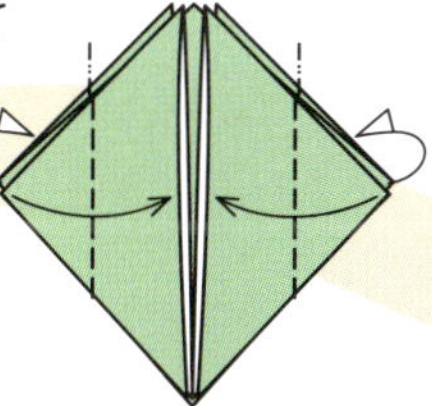

8 図の位置で折る

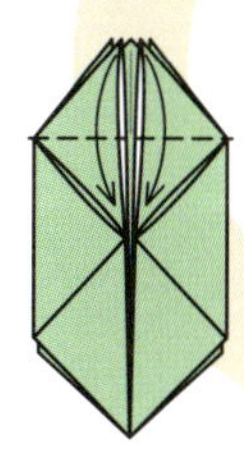

9 角を内側に差し込む

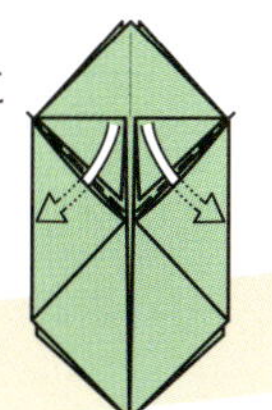

10 差し込んだところ。反対側も8〜9と同様にする

11 ふくらます

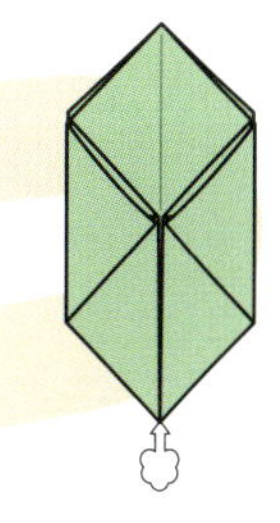

12 9ピンで穴を開けて差し込み、接着剤でとめる

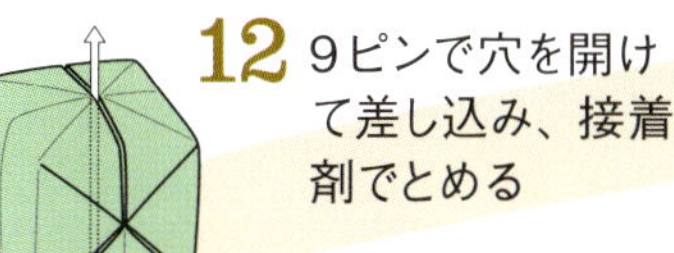

13 9ピンにビーズを3個通し、先をペンチで丸める

14 9ピンに丸カンを通し、釣針ピアスをつなげ、ペンチでカンを閉じる

できあがり

同じものを2個作る

★★★

花のキーホルダー

【→P.5、6、80】

Point

タントなど、かための紙で折りましょう。上からマニキュアを塗ると、形も崩れにくくなり、つやも出てかわいく仕上がります。

▶**用意する紙**　7.5×7.5cmの紙を1枚（花）、3×3cmの紙（葉）を2枚

▶**材料**　3cmの26番のワイヤーを1本、カニカンつきストラップを1個

▶**完成サイズ**　3.5×3.5cm（花のみ）

●**花を1個と 葉 を2枚を作って組み合わせます。**

※正方基本形［→P.17］から始めます。

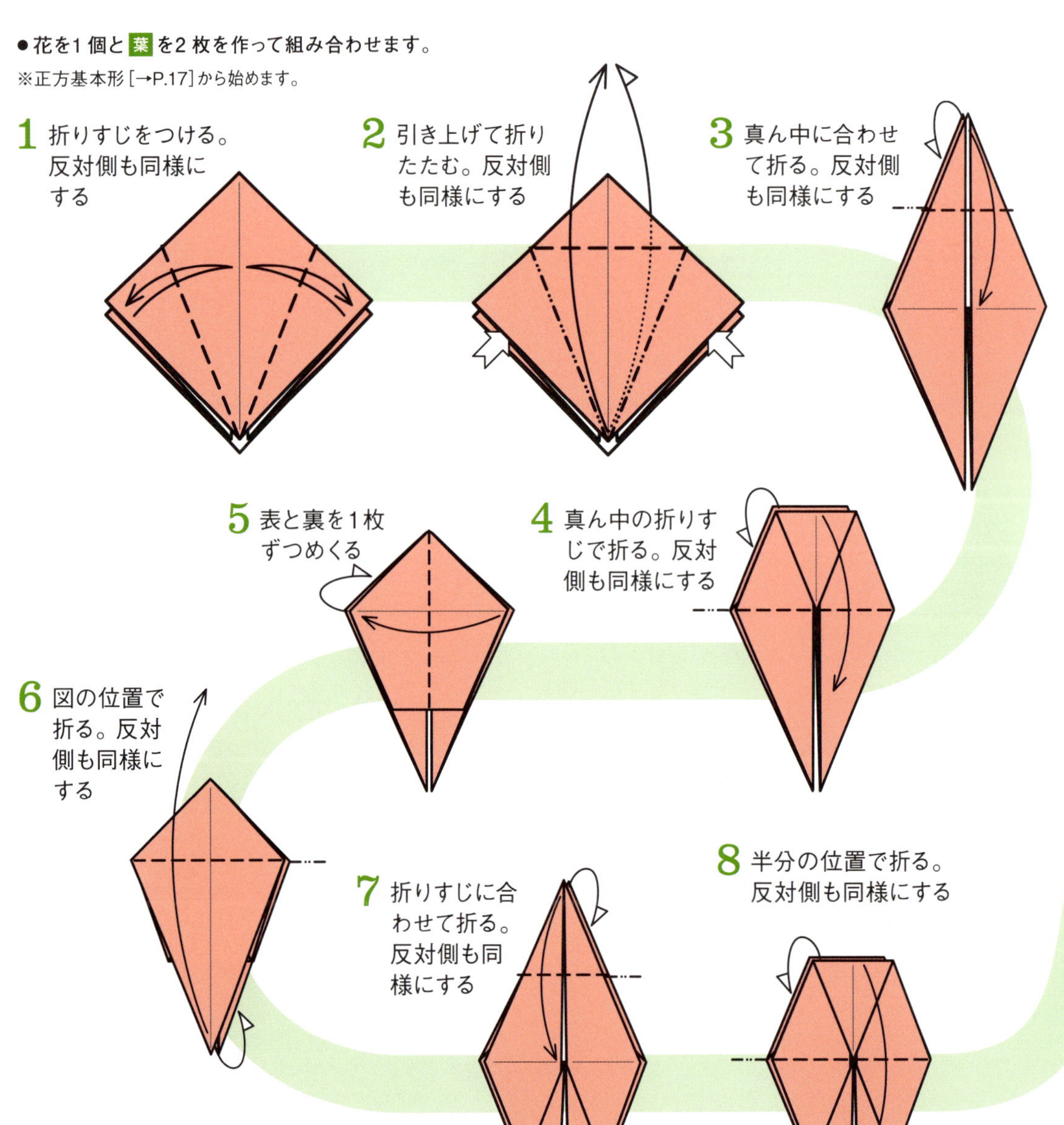

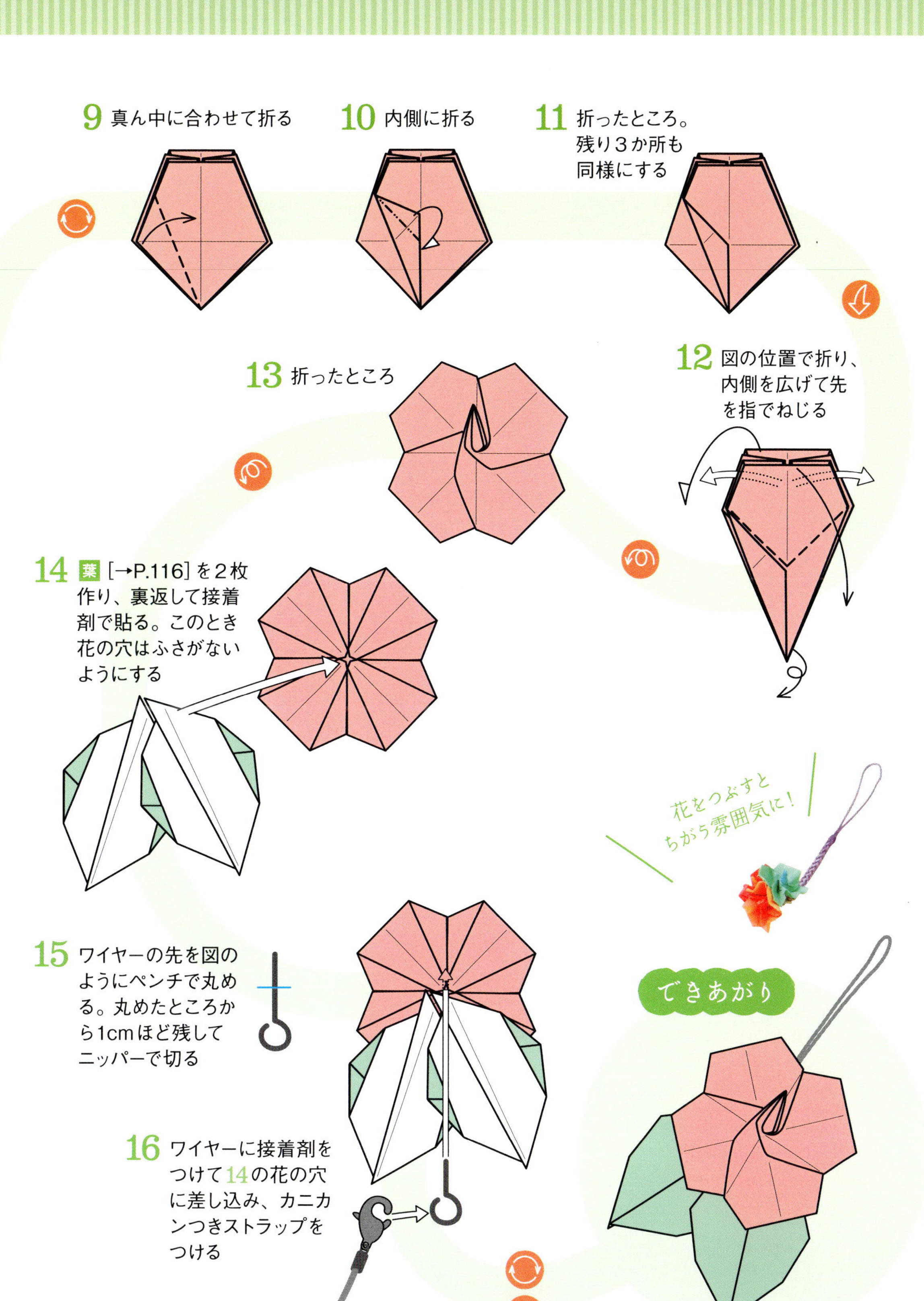
9 真ん中に合わせて折る
10 内側に折る
11 折ったところ。残り3か所も同様にする
12 図の位置で折り、内側を広げて先を指でねじる
13 折ったところ
14 葉［→P.116］を2枚作り、裏返して接着剤で貼る。このとき花の穴はふさがないようにする
花をつぶすとちがう雰囲気に！
15 ワイヤーの先を図のようにペンチで丸める。丸めたところから1cmほど残してニッパーで切る
できあがり
16 ワイヤーに接着剤をつけて14の花の穴に差し込み、カニカンつきストラップをつける

★★★

菜の花のかんざし

【→P.80】

Point

2種類の花を組み合わせて作るかんざしです。同じ黄色でも、濃さや色のちがうものと組み合わせると、より立体感が出ます。

▶**用意する紙**　[花1][花2]5×5cmの紙を合わせて20枚　[葉]3×3cmの紙を5枚

▶**材料**　ペップを10～30本(粒は両つき、直径約2mm、花)、15cmの24番のワイヤーを12本(花)、15cmのひもを2本、5cmの26番のワイヤーを2本、15cmの26番のワイヤーを5本(葉)、15cmの30番のワイヤーを1本、フローラルテープ、かんざしを1個

▶**完成サイズ**　15×5.5×5.5cm

● 花1 を9個、花2 を11個、葉 を5本作って組み合わせます。

花1

※正方基本形[→P.17]から始めます。

1 折りすじをつける。反対側も同様にする

2 引き上げて折りたたむ。反対側も同様にする

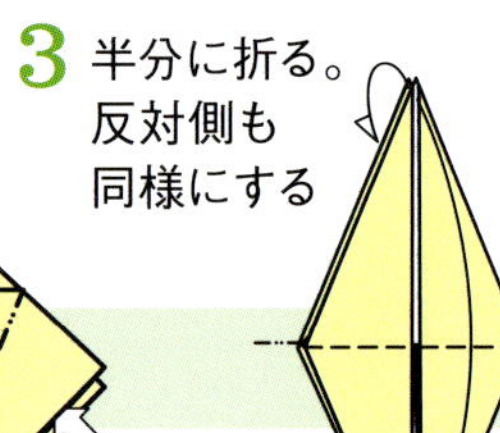

3 半分に折る。反対側も同様にする

4 上の1枚を半分の位置で折る

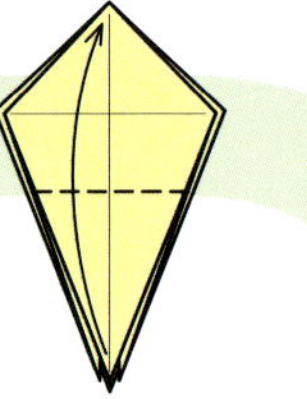

5 折ったところ。残り3か所も同様にする

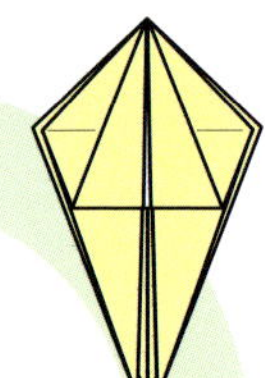

花1のできあがり

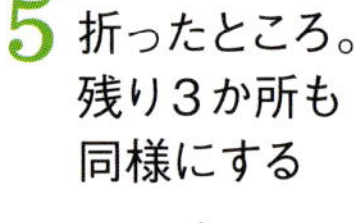

同じものを9個作る

花2

※ 花1 の3まで折ったところから始めます。

1 上の1枚を半分の位置で折る

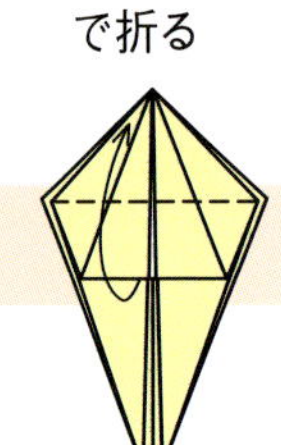

2 図の位置で折る

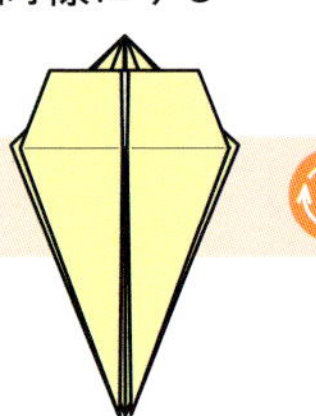

3 折ったところ。残り3か所も同様にする

花2のできあがり

同じものを11個作る

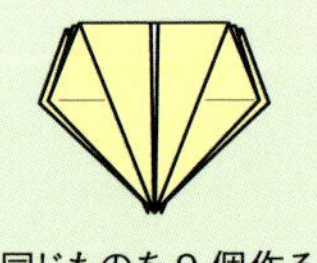

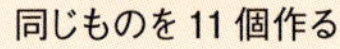

花の組み合わせ方

1 ペップを半分に折り、花1、花2 それぞれの高さより少し長くなるように切る

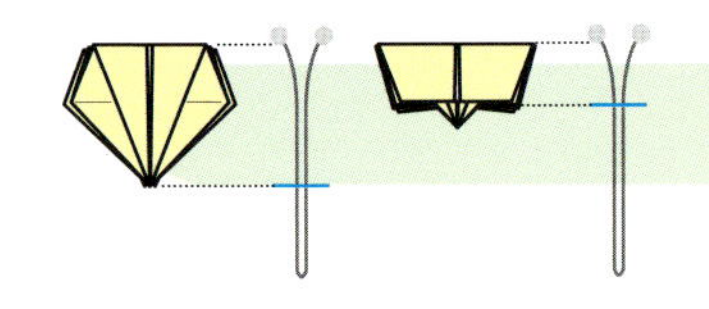

2 花1、花2 の中心に目打ちなどで穴を開け、15cmの24番のワイヤーを差し込み、接着剤でとめる

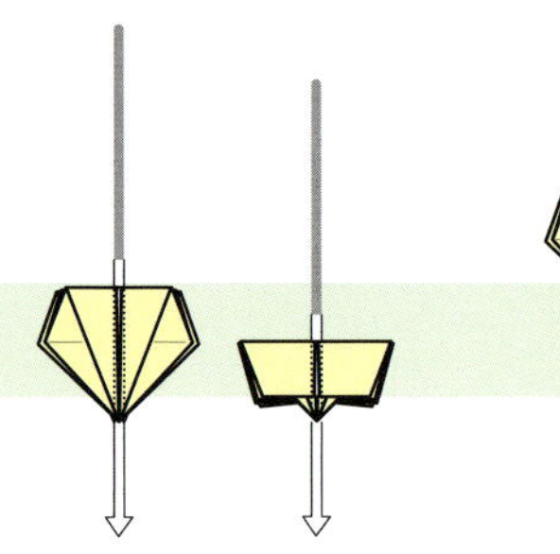

3 2に1を1～3本ずつ差し込み、接着剤でとめる

花のできあがり

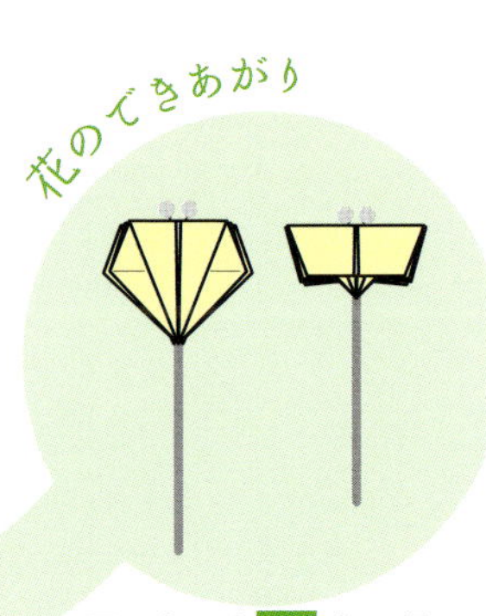

同じものを 花1 を9個、花2 を3個作る。花2 の残り8個はワイヤーをつけずに、ペップのみをつける

組み合わせ方

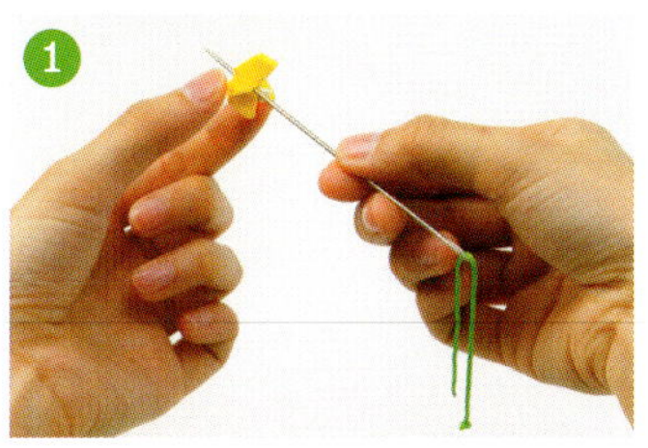

1 まず、4の飾りを作る。毛糸やミシン用など、穴の広い針にひもを通し、花2のワイヤーをつけていない3個をつなげていく。このとき、ペップが下を向くようにする

2 花の位置を調整し、接着剤でそれぞれとめる

3 ひもの先に5cmの26番のワイヤーを添えてフローラルテープで巻く

4 余分なワイヤーとひもを切る。残りのワイヤーをつけていない花2 5個も同様にする

5 葉 [→P.116] に15cmの26番のワイヤーを接着剤で貼ったものを全部で5本作る [→P.117 1〜2]。ワイヤーをつけた花1と花2といっしょに、バランスを整えながらフローラルテープで束ねる。最後に写真のように根もとを曲げる

6 5のはしに4の先のワイヤーをフローラルテープでとめる

4のワイヤーを隠しすぎないように、はしをとめる

7 15cmの30番のワイヤーにフローラルテープを巻く

8 かんざしに6を添えて7のワイヤーで巻いてとめる。ワイヤーの先は少し長めにとっておく。このとき、6でつけた4のワイヤーは巻きとめないようにする

9 かんざしのはしまでとめたら、折り返して、さらに巻いてとめる

10 最後に8で残したワイヤーと合わせてねじりとめる

11 正面から見えない位置で曲げる

できあがり

4のワイヤーをかんざしから浮かせるようにすると、歩いたときに動きが出る

葉・茎の作り方と組み合わせ方

カーネーション［→P.84］やカトレア［→P.93］などと組み合わせられる葉や茎のつけ方の基本です。茎はワイヤーを利用して作ります。使う花によってワイヤーの太さや葉っぱの形や数、ガクの有無などを変えてアレンジしてみてください。

※ここではバラボックス［→P.81］のバラを使って紹介しています。

▶**用意する紙**　［葉］5×5cmの紙を２枚（大）、3×3cmの紙を４枚（中）、2×2cmの紙を２枚（小）　［ガク］7.5×7.5cmの紙を１枚

▶**材料**　バラを１個（バラボックス［→P.81］）、15cmの26番のワイヤーを８本（葉）、30cmの18番のワイヤーを１本（茎）、ティッシュを１枚（茎）、フローラルテープ

▶**完成サイズ**　30×7×厚さ3.5cm

●バラを１個と 葉 を８枚、ガク を１個作って組み合わせます。

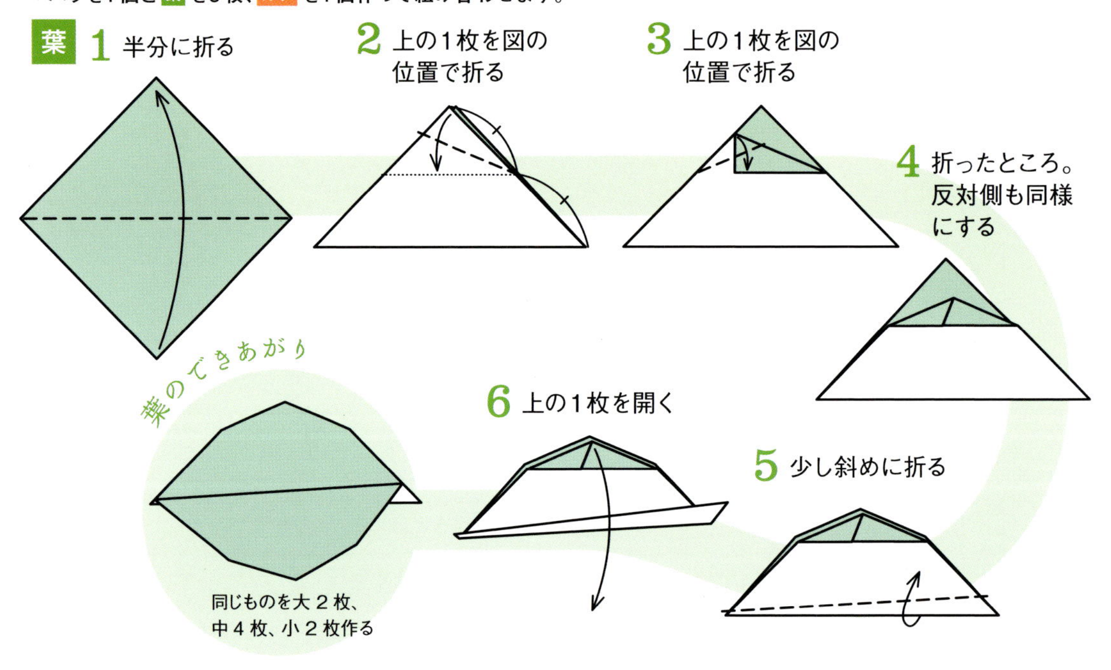

ガク　※正方基本形［→P.17］から始めます。

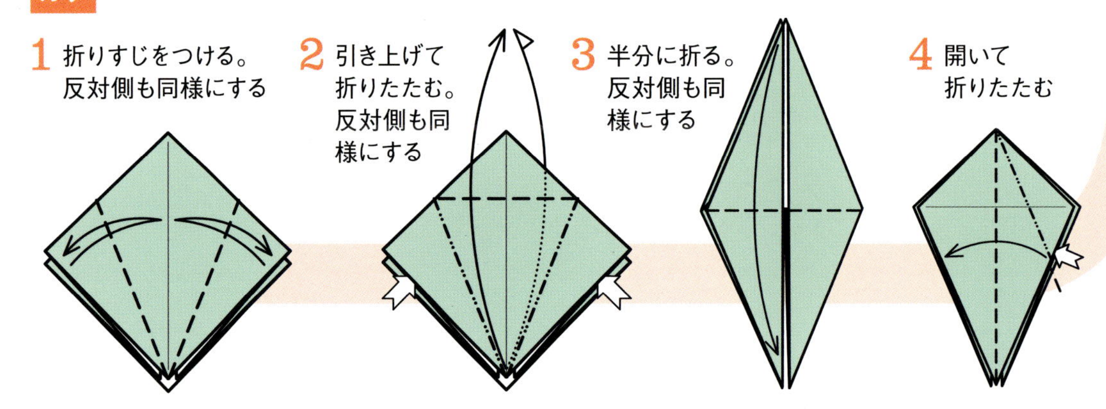

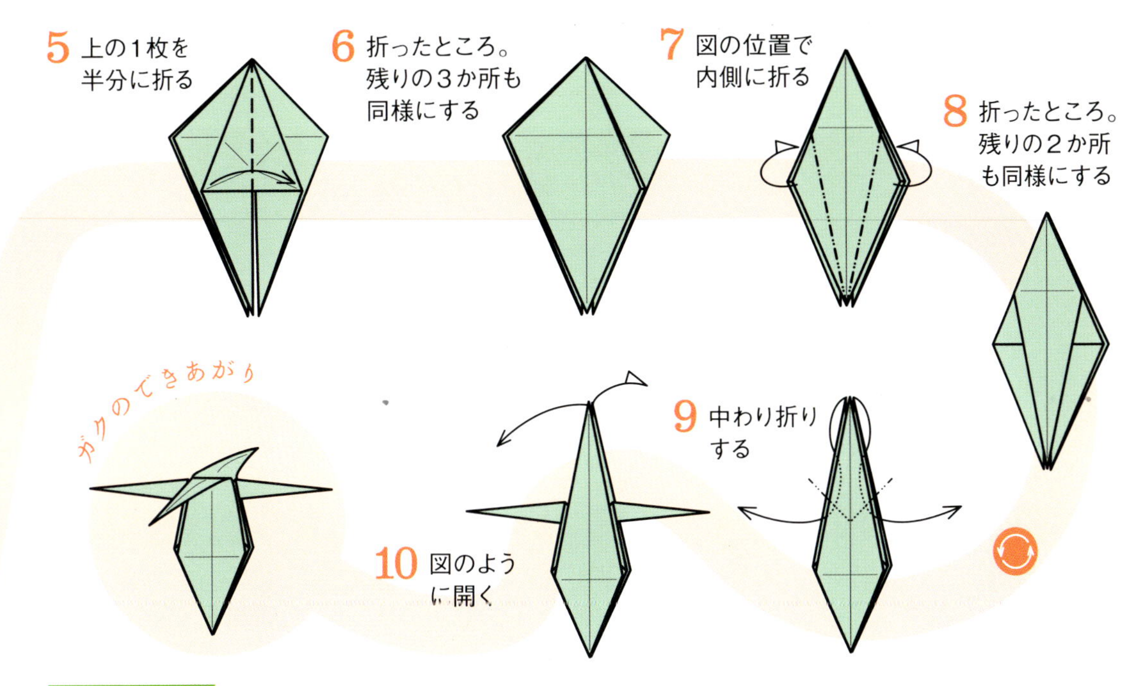

組み合わせ方

1 26番のワイヤーに接着剤をつけ、葉の重なった部分に差し込んで貼る

2 ワイヤーをつけたもの。同じものを全部で8本作る

3 3本を好みの形でフローラルテープで束ね、ワイヤーの下までテープを巻いていく

4 巻いたもの。同様に残りの5本の葉を1本にまとめる

5 バラのワイヤーと18番のワイヤーをフローラルテープでとめ、3分の1にさいたティッシュを巻いて茎を太くする

次のページへ

6 巻いたもの

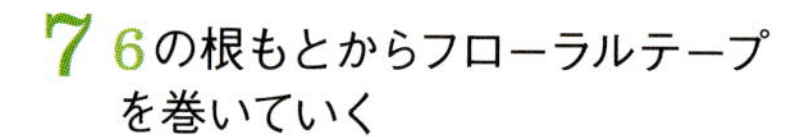

7 6の根もとからフローラルテープを巻いていく

8 下まで巻いたもの

9 ガクの先を少し切る

10 8の下からガクを通す

11 ガクの形を整え、接着剤でとめる

12 4の3枚の葉を茎の好みの位置にフローラルテープでとめる

13 間隔をあけて、5枚の葉も同様にとめ、茎の下までフローラルテープを巻く

できあがり

季節のおりがみ

お正月からクリスマスまで、
12 か月の季節をテーマにしたおりがみです。
玄関やお部屋に飾って楽しめる作品に、
ぜひチャレンジしてみてください。

一年の幸福を祈り新年を祝う

干支飾り

干支の置物は開運や福を招くと言われています。ぜひ玄関やお部屋に飾って新年を祝ってください。

屏風（びょうぶ）【→P.156】

寅（とら）【→P.131】

午（うま）【→P.141】

戌（いぬ）【→P.151】

亥（い）【→P.153】

子（ね）【→P.126】

卯（う）【→P.134】

辰（たつ）【→P.136】
酉（とり）【→P.149】
申（さる）【→P.146】
座布団【→P.157】
巳（み）【→P.139】
未（ひつじ）【→P.144】
丑（うし）【→P.129】

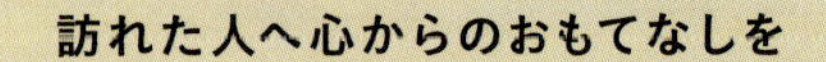

訪れた人へ心からのおもてなしを

12か月の玄関飾り

1月

つりぶね【→P.158】

正月のおごそかな雰囲気にピッタリな連鶴。金や赤などの色を使い、豪華に仕上げましょう。

壁に飾れば、キュートで華やかな空間を演出できます。

2月

ハートのリース
【→P.161】

3月

めびな・おびな
【→P.163】

かわいい手作りのおひな様が、お部屋に春の訪れを告げてくれます。

4月 サクラの置物
【→P.166】

器にのせ、玄関や食卓に置いて、春の雰囲気をたっぷりと楽しんでみてください。

5月

こいのぼりの置物 【→P.169】

屏風(びょうぶ) 【→P.156】

兜(かぶと) 【→P.167】

パッと目を引く置物を手作りして、端午の節句をお祝いしましょう。

6月

アジサイの色紙飾り 【→P.172】

雨季を象徴するアジサイ。美しい色紙を壁に飾れば、暮らしのゆとりを感じられます。

7月

七夕に、願い事を書いた短冊と一緒に飾ってみませんか。

星 【→P.176】

織姫・彦星 【→P.174】

8月

花火のうちわ飾り 【→P.178】

アサガオのうちわ飾り 【→P.180】

家にあるうちわに、花火やアサガオを貼れば、ぐっと夏らしくなりますよ。

9月

コスモスの玄関飾り 【→P.182】

ドアや壁などに吊るして、季節感たっぷりの玄関を演出してみましょう。

飾るだけで気分はハロウィン！　パーティの飾りとしてもおすすめです。

秋の風物詩をギュッと詰め込みました。

大人のクリスマスにふさわしい、温かみのあるリースを作ってみませんか。

★★★

子（ね）【→P.120】

Point

十二支すべてを飾るときは、4分の1（7.5×7.5cm）の大きさの紙を使うと、大きさのバランスがとれます。

▶**用意する紙**
15×15cmの紙を2枚

▶**完成サイズ**　5.5×13×3cm

● 頭・前足 と 後ろ足 を作って組み合わせます。

頭・前足

※正方基本形［→P.17］から始めます。

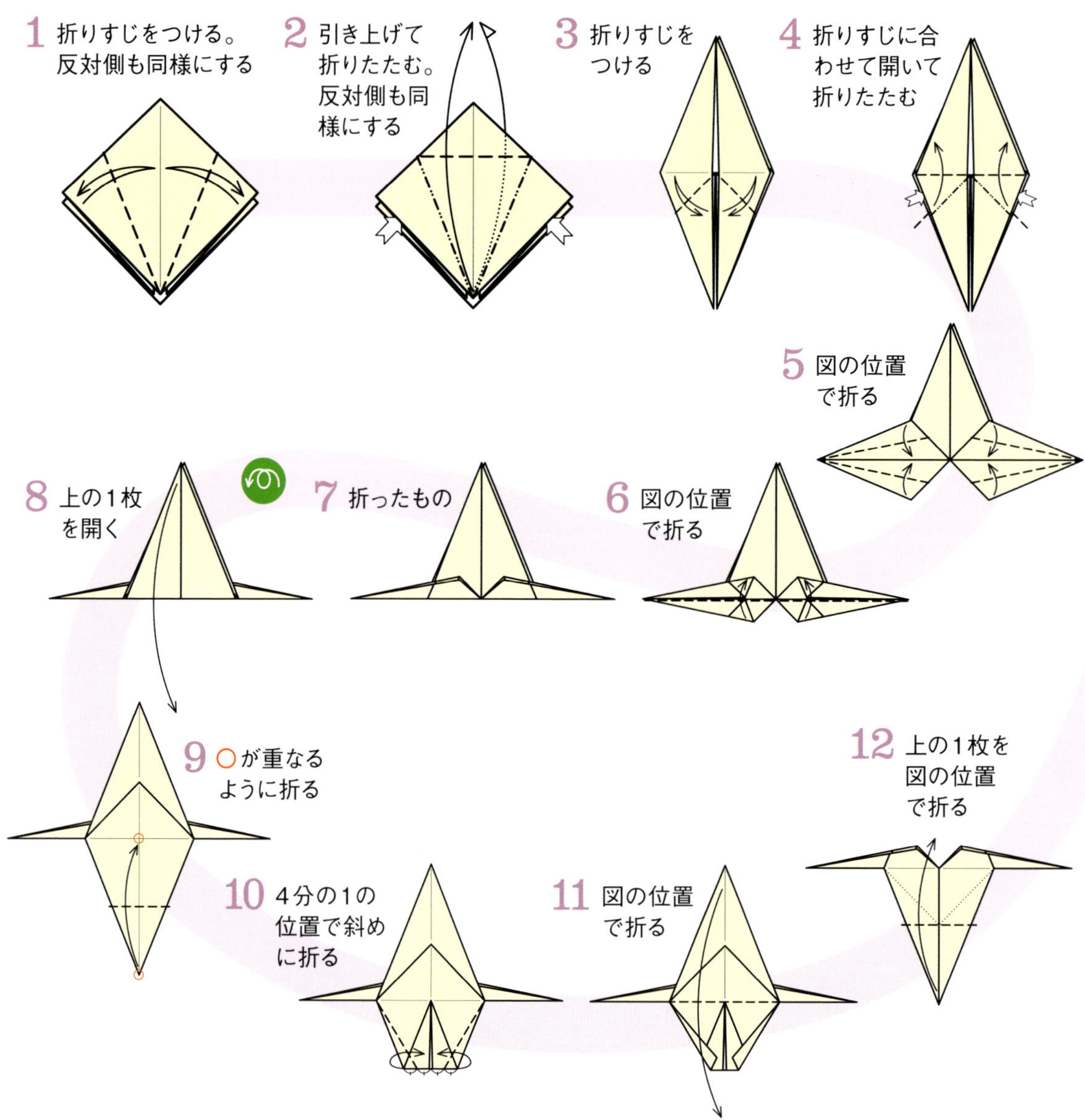

13 裏側へ半分に折る

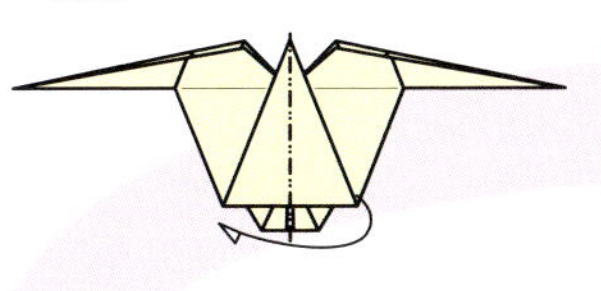

14 上の１枚に折りすじをつける

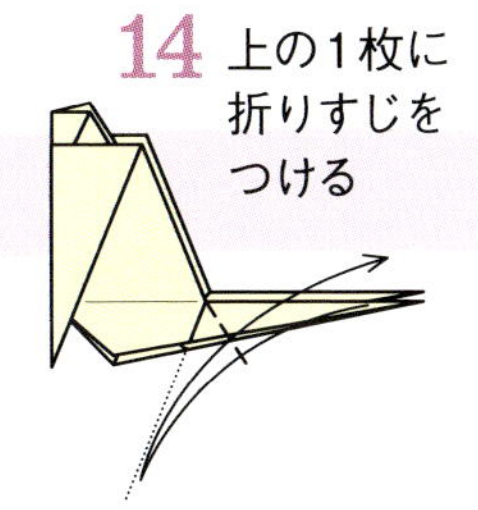

15 上の１枚を中わり折りする

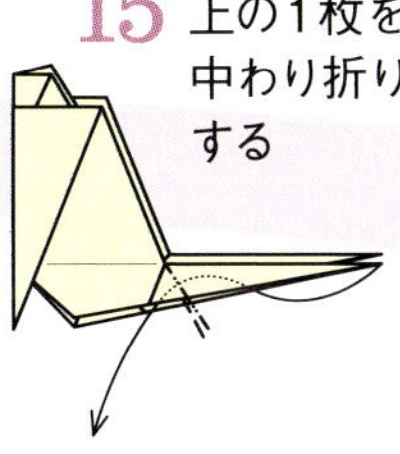

16 折りすじをつける

17 中わり折りする

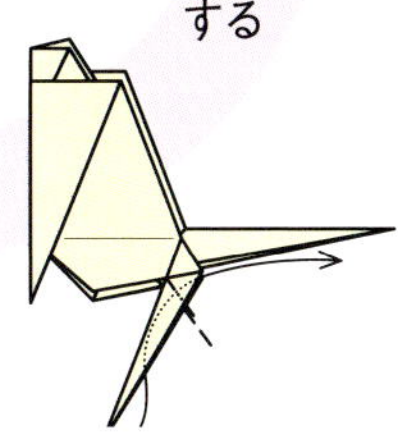

18 さらに中わり折りする

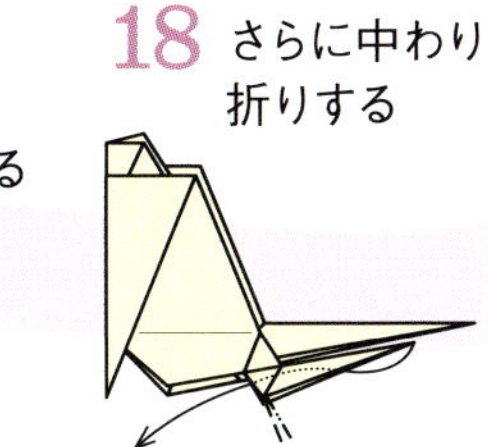

19 折ったところ。反対側も14～18と同様にする

20 図のように角を引き出して折る

21 図の位置で折る

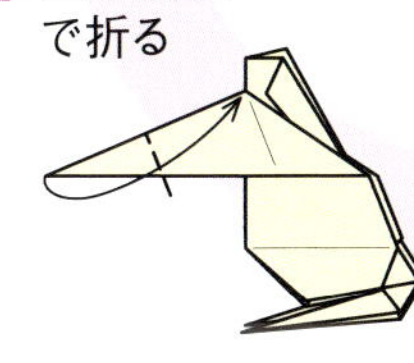

22 図の位置で折る

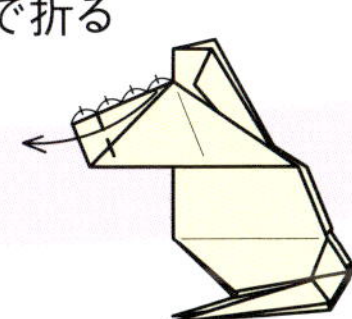

23 開く

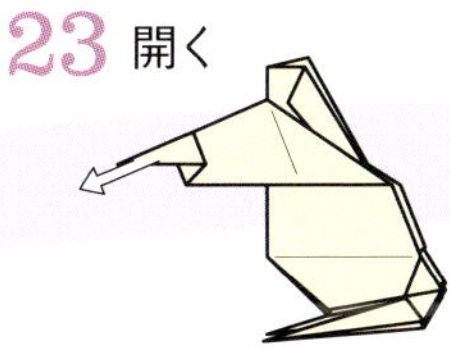

24 折りすじに合わせて内側に段折りする

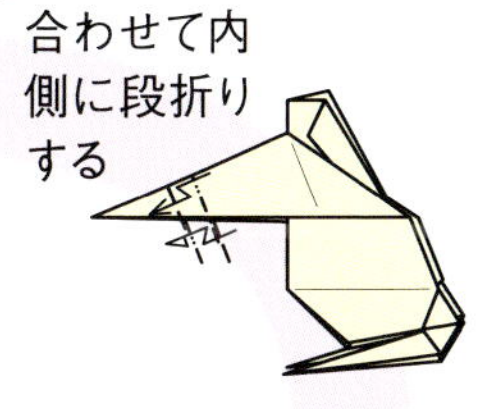

25 ○の位置まで切り込みを入れる

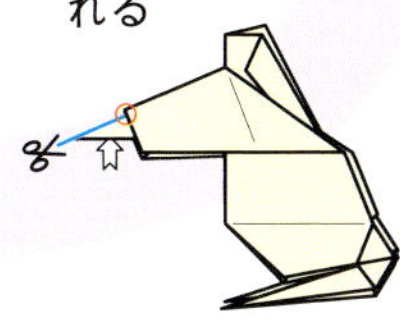

26 図の位置で折る。反対側も同様にする

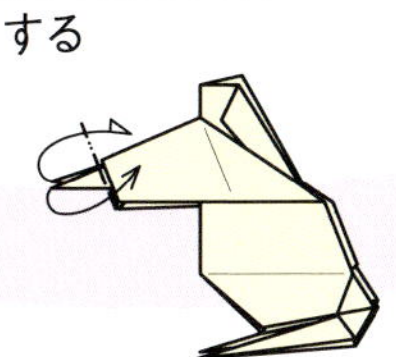

27 中わり折りする

頭・前足のできあがり

後ろ足

※頭・前足の2まで折ったところから始めます。

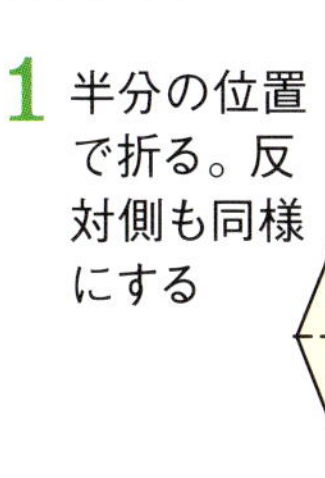

1 半分の位置で折る。反対側も同様にする

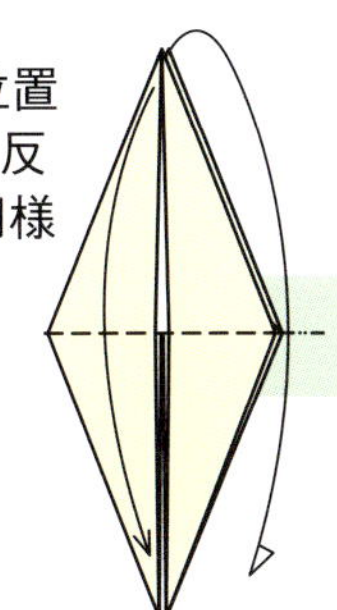

2 折りすじに合わせて折る

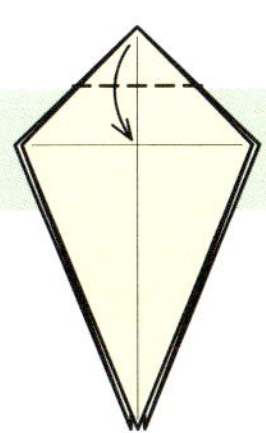

3 上の１枚を折りもどす

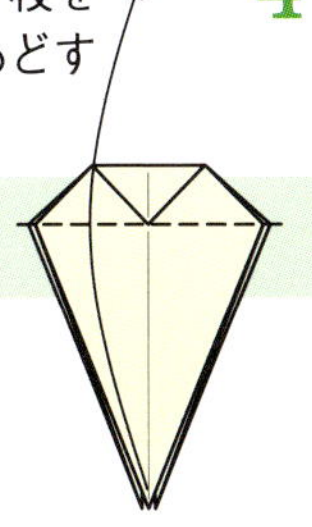

4 図の位置で折る

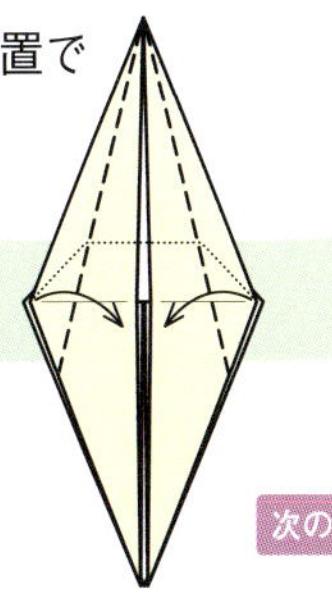

次のページへ

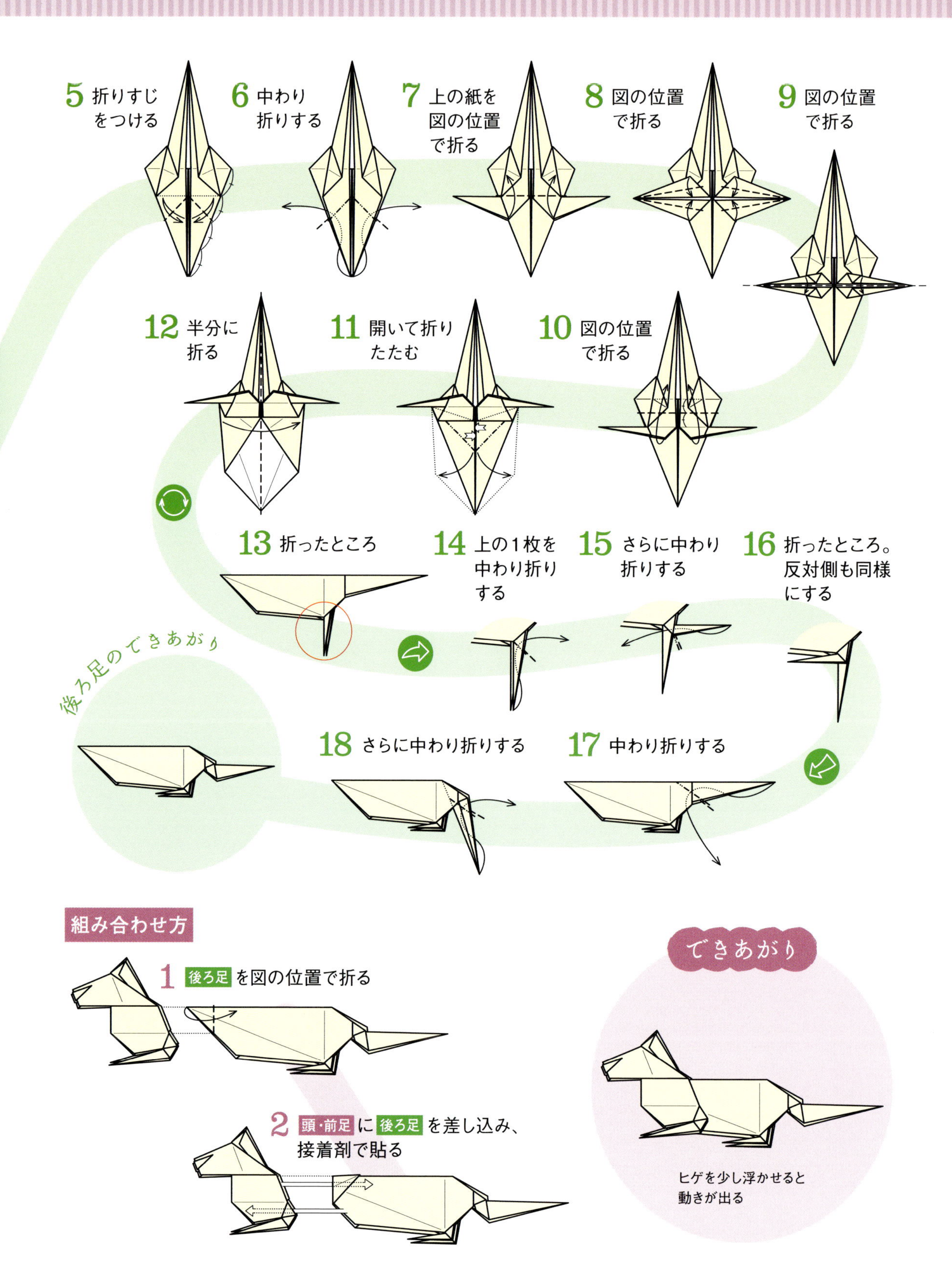
5 折りすじをつける
6 中わり折りする
7 上の紙を図の位置で折る
8 図の位置で折る
9 図の位置で折る
12 半分に折る
11 開いて折りたたむ
10 図の位置で折る
13 折ったところ
14 上の1枚を中わり折りする
15 さらに中わり折りする
16 折ったところ。反対側も同様にする
後ろ足のできあがり
18 さらに中わり折りする
17 中わり折りする
組み合わせ方
1 後ろ足を図の位置で折る
2 頭・前足に後ろ足を差し込み、接着剤で貼る
できあがり
ヒゲを少し浮かせると
動きが出る

★★★

丑（うし）【→P.121】

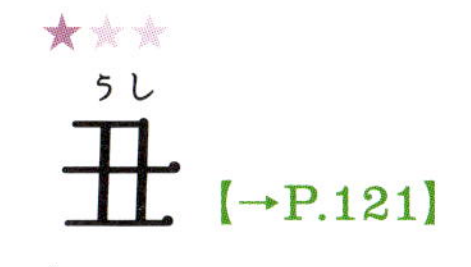

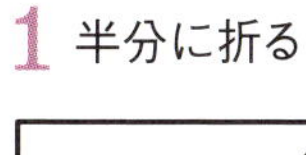

Point

ウシは豊作の象徴とされている動物です。角を折り込むので、紙は薄い和紙がおすすめです。

▶**用紙する紙**
15×15cmの紙を1枚

▶**完成サイズ**　3.5×9.5×1.5cm

1 半分に折る

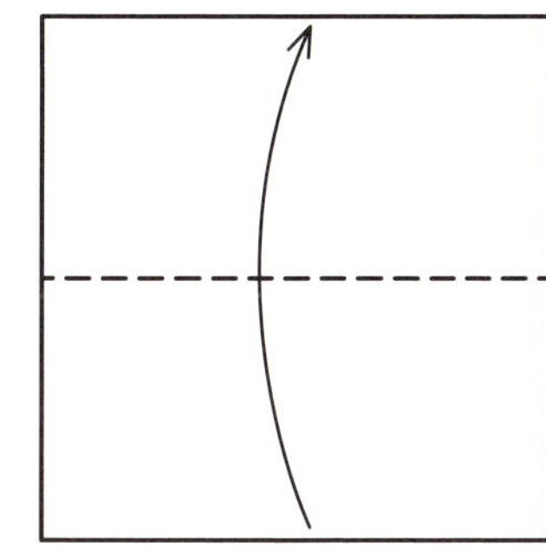

2 折りすじをつける

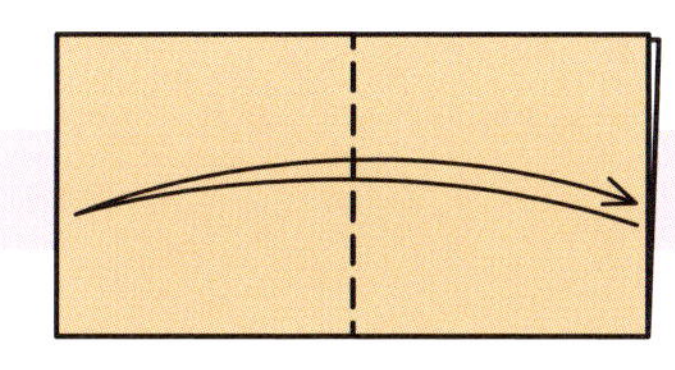

3 折りすじをつける

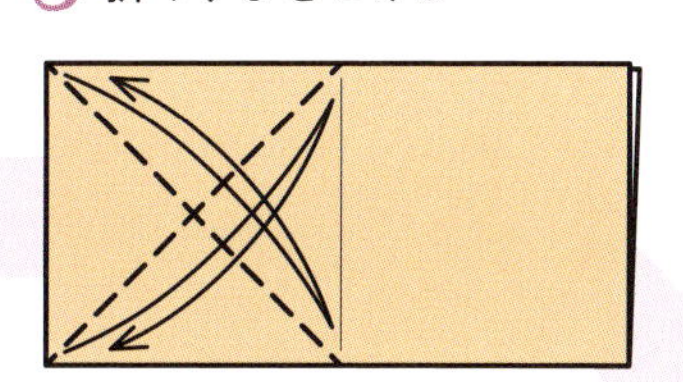

4 折りすじをつける

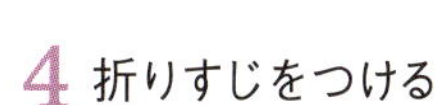

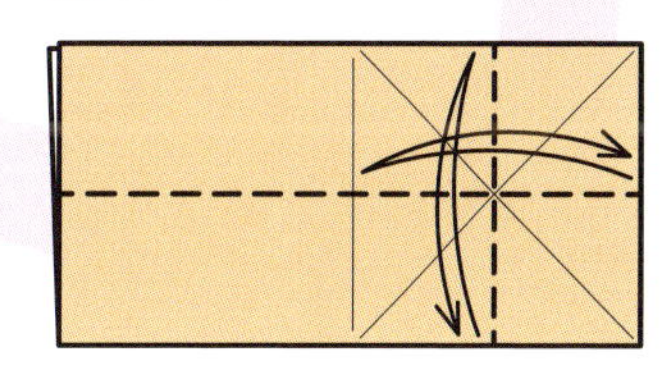

5 図のようにたたむ

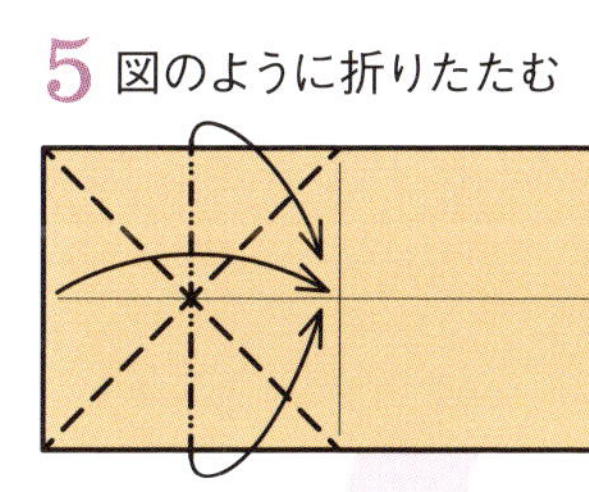

6 上の紙を図の位置で折る

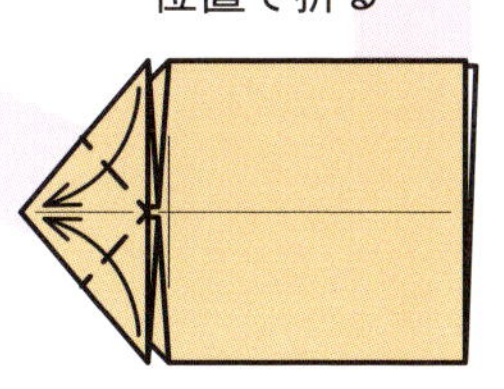

7 少しだけ折りすじをつける

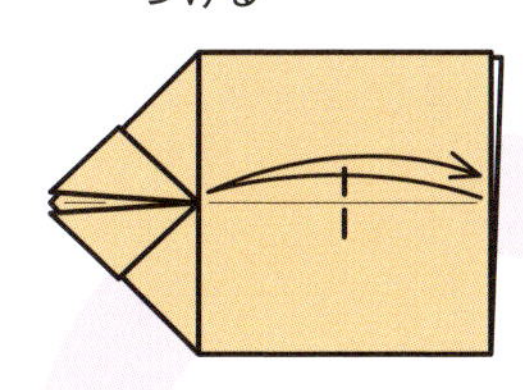

8 山折りし、折りすじをつける

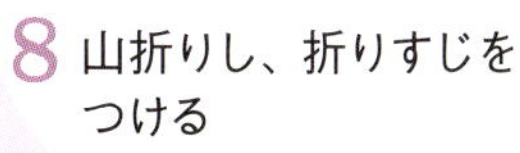

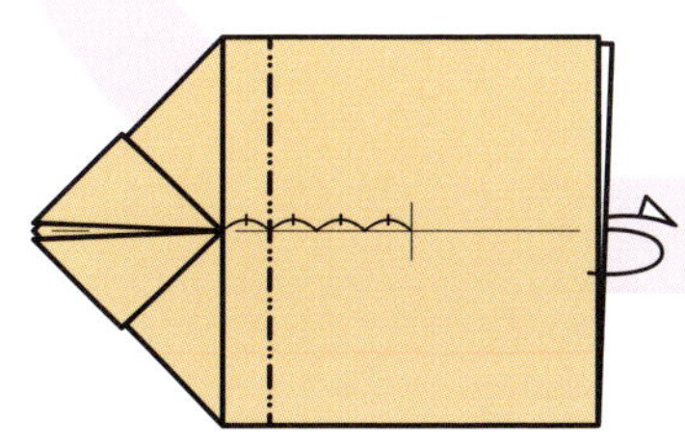

9 折りすじに合わせて段折りする

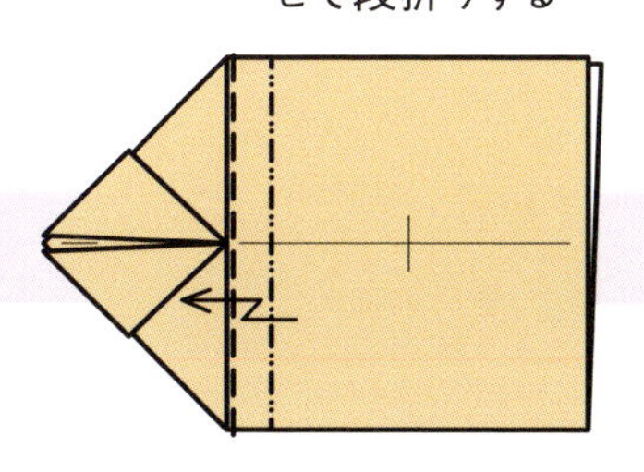

10 上の紙を図の位置で折る

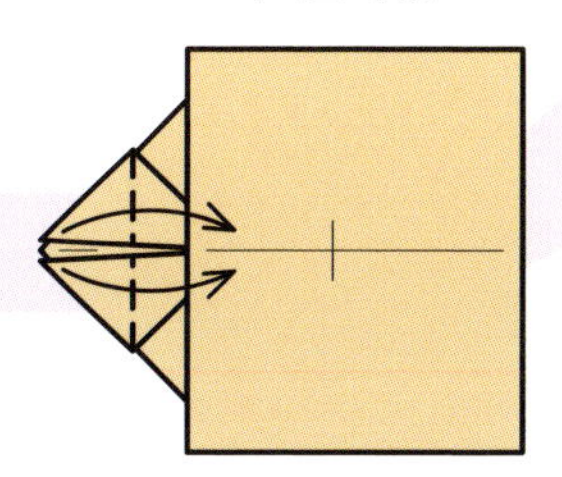

次のページへ

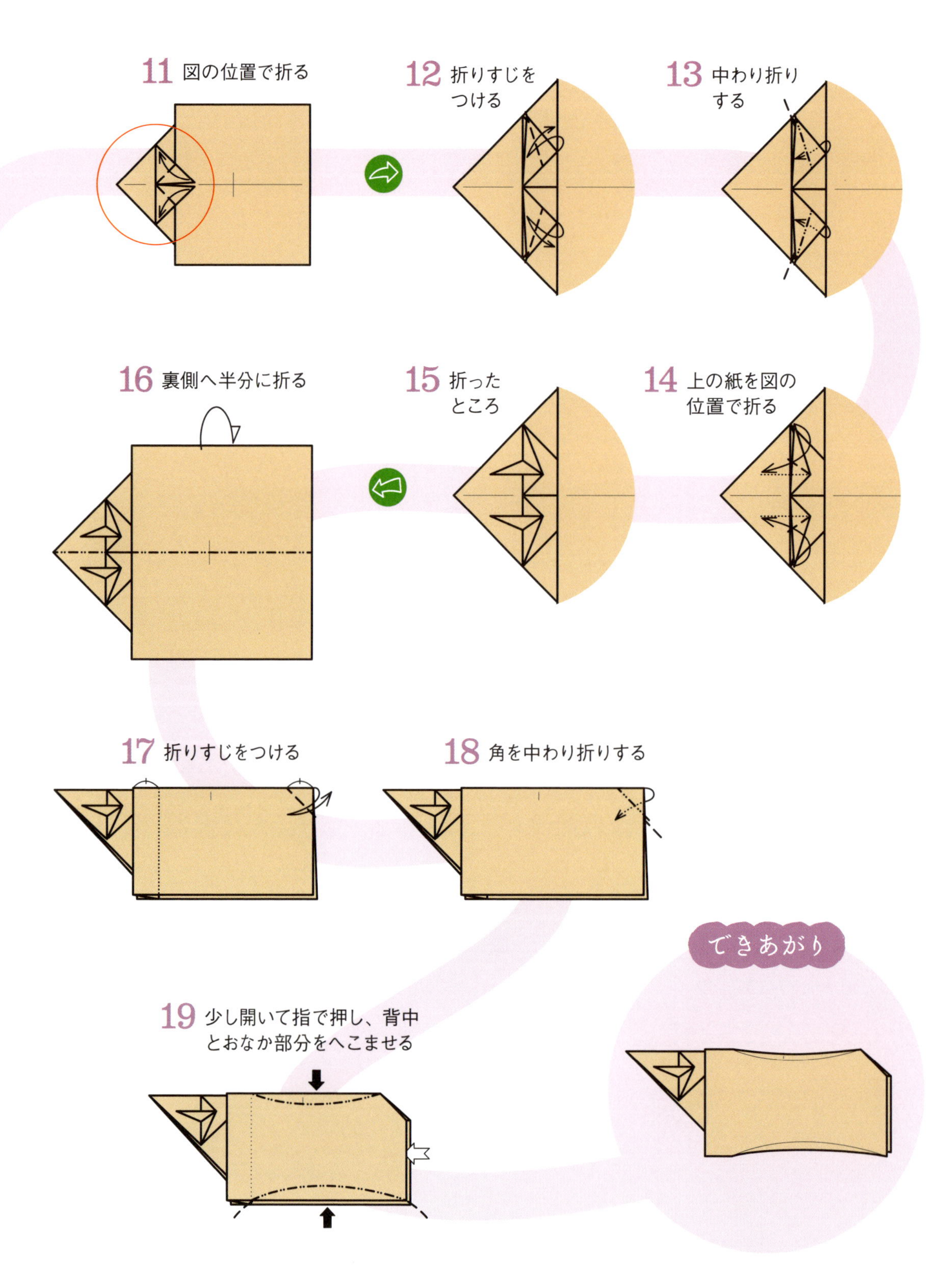
11 図の位置で折る
12 折りすじをつける
13 中わり折りする
14 上の紙を図の位置で折る
15 折ったところ
16 裏側へ半分に折る
17 折りすじをつける
18 角を中わり折りする
19 少し開いて指で押し、背中とおなか部分をへこませる
できあがり

寅（とら） 【→P.120】

Point
黒い和紙などで作った模様をのりづけすると、より一層トラらしさが出ます。魔除けとして玄関に置いてもいいですね。

▶**用紙する紙**
[頭]10×10cmの紙を１枚
[体]15×15cmの紙を１枚

▶**完成サイズ**　3.5×13×1.5cm

● 頭 と 体 を作って組み合わせます。

頭

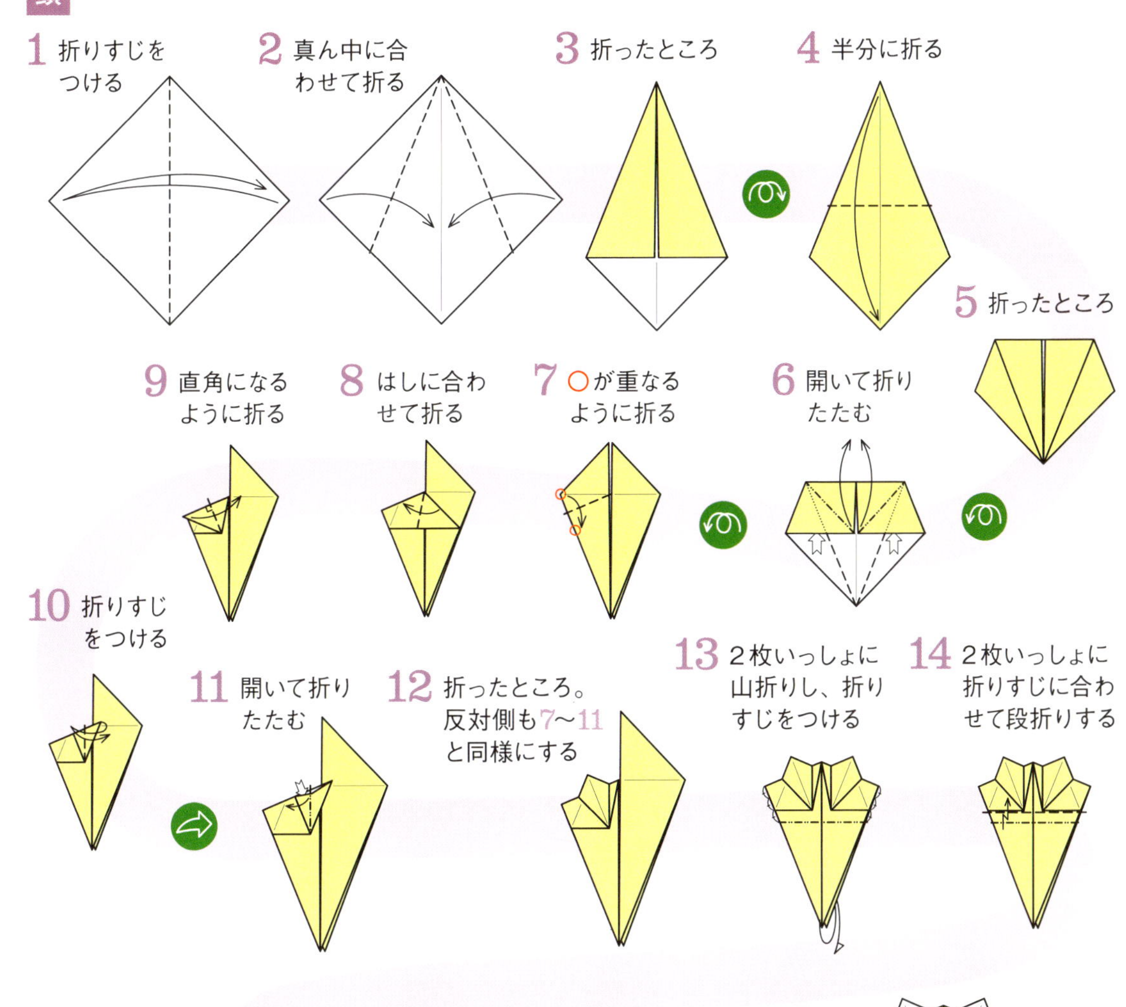

15 折ったところ

16 上の１枚を○が重なるように折る

17 図の位置で折る

次のページへ

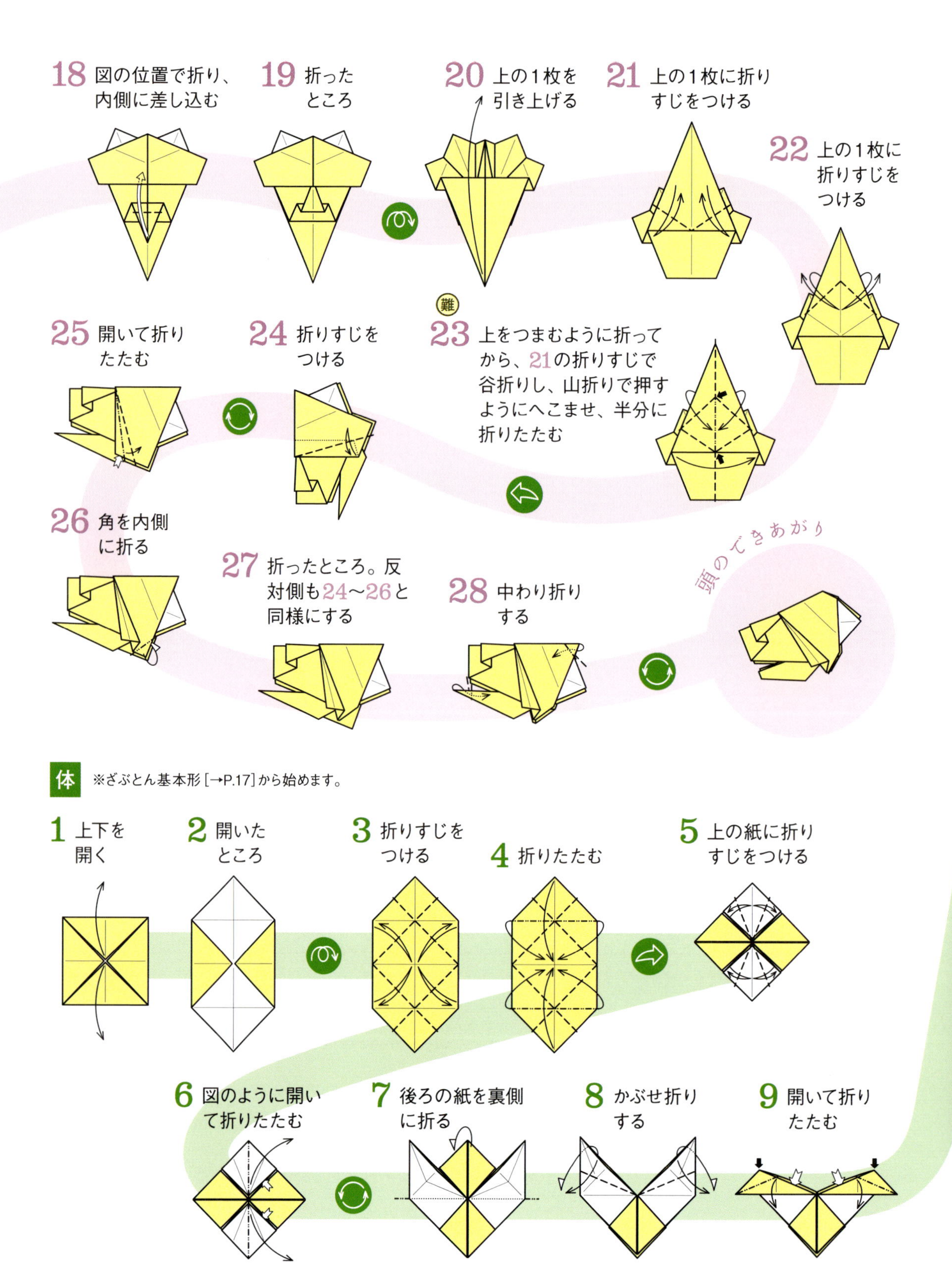
18 図の位置で折り、内側に差し込む
19 折ったところ
20 上の1枚を引き上げる
21 上の1枚に折りすじをつける
22 上の1枚に折りすじをつける
難
23 上をつまむように折ってから、21の折りすじで谷折りし、山折りで押すようにへこませ、半分に折りたたむ
24 折りすじをつける
25 開いて折りたたむ
26 角を内側に折る
27 折ったところ。反対側も24〜26と同様にする
28 中わり折りする
頭のできあがり
体
※ざぶとん基本形［→P.17］から始めます。
1 上下を開く
2 開いたところ
3 折りすじをつける
4 折りたたむ
5 上の紙に折りすじをつける
6 図のように開いて折りたたむ
7 後ろの紙を裏側に折る
8 かぶせ折りする
9 開いて折りたたむ

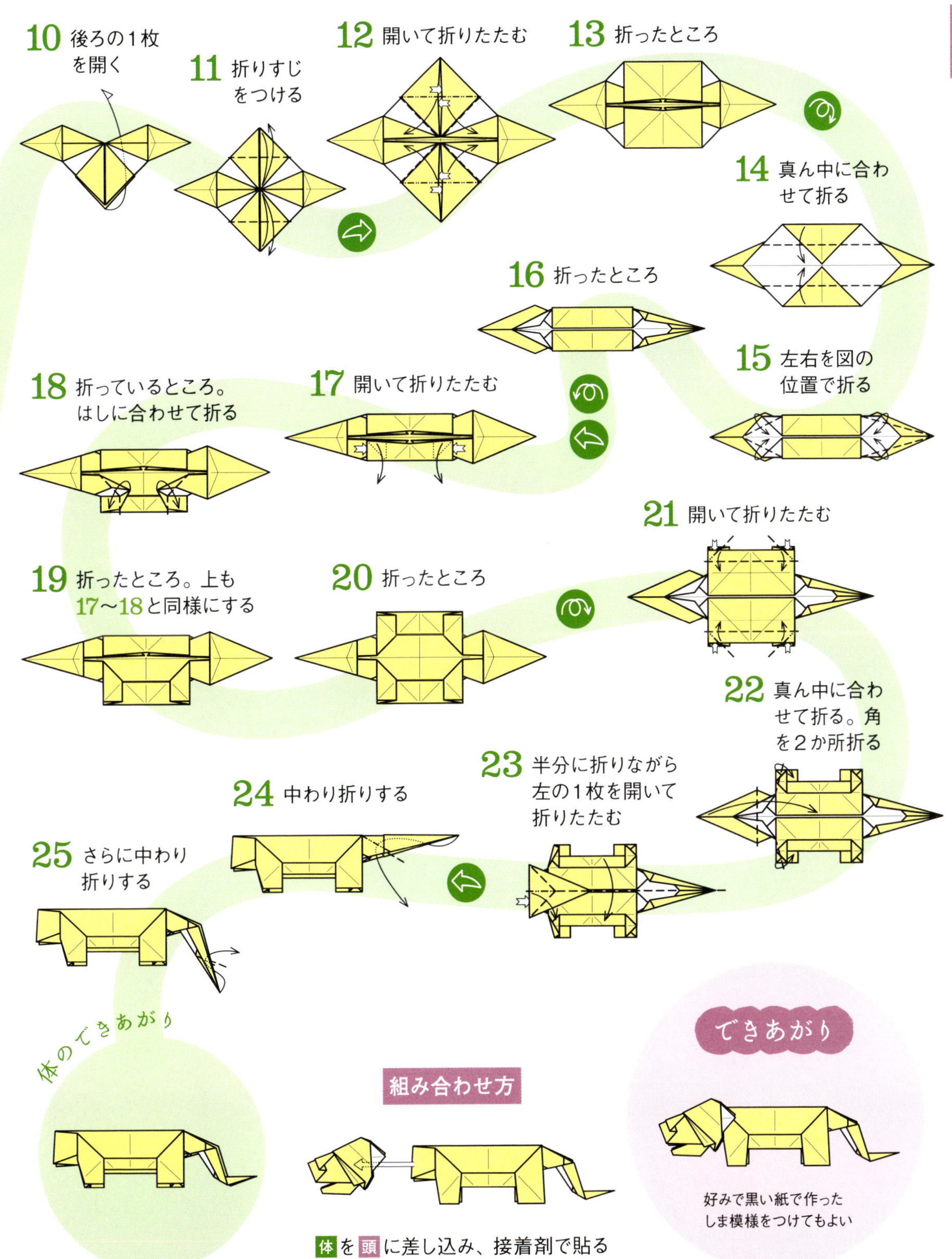
10 後ろの1枚を開く
11 折りすじをつける
12 開いて折りたたむ
13 折ったところ
14 真ん中に合わせて折る
15 左右を図の位置で折る
16 折ったところ
17 開いて折りたたむ
18 折っているところ。はしに合わせて折る
19 折ったところ。上も17～18と同様にする
20 折ったところ
21 開いて折りたたむ
22 真ん中に合わせて折る。角を2か所折る
23 半分に折りながら左の1枚を開いて折りたたむ
24 中わり折りする
25 さらに中わり折りする
体のできあがり
組み合わせ方
体を頭に差し込み、接着剤で貼る
できあがり
好みで黒い紙で作ったしま模様をつけてもよい

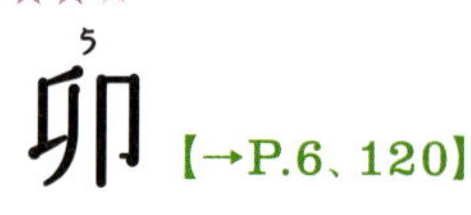

卯（う）

【→P.6、120】

Point

ウサギは、家内安全や飛躍をあらわすと言われています。折り始めに表に置いた色が耳の中の色になります。

▶**用紙する紙**
15×15cmの紙を1枚

▶**完成サイズ**　5.5×7.5×1.5cm

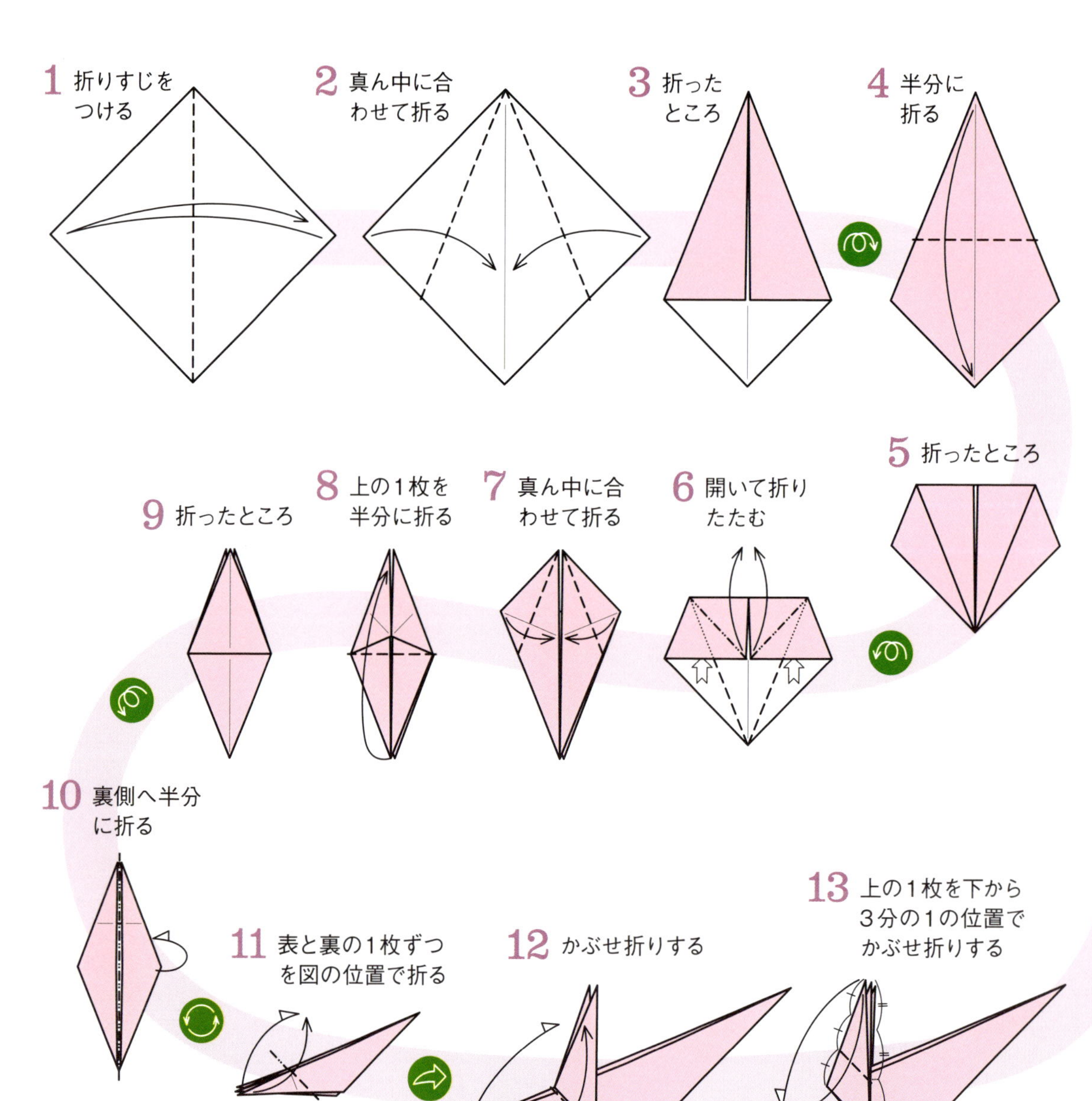

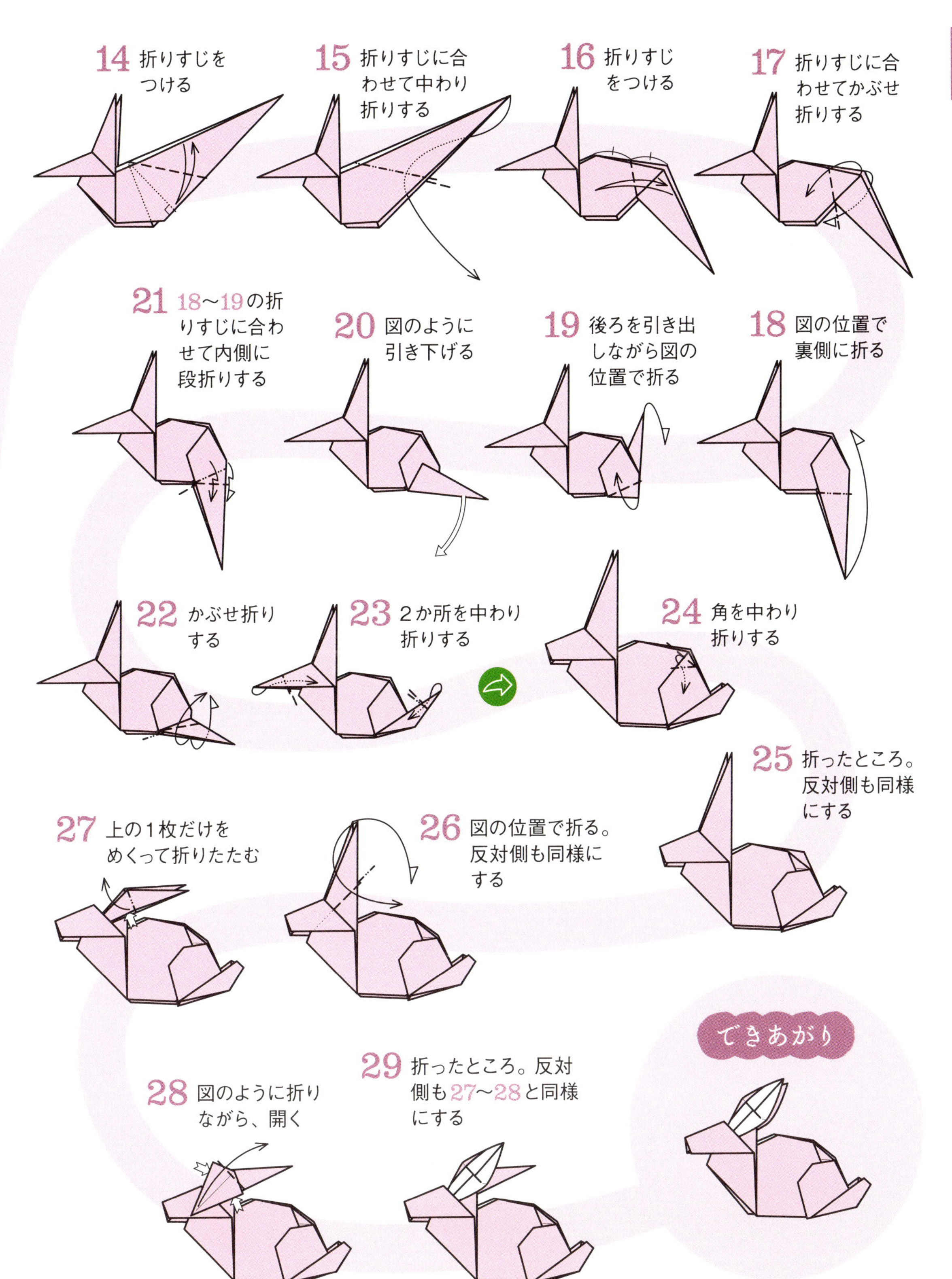
14 折りすじをつける
15 折りすじに合わせて中わり折りする
16 折りすじをつける
17 折りすじに合わせてかぶせ折りする
18 図の位置で裏側に折る
19 後ろを引き出しながら図の位置で折る
20 図のように引き下げる
21 18～19の折りすじに合わせて内側に段折りする
22 かぶせ折りする
23 2か所を中わり折りする
24 角を中わり折りする
25 折ったところ。反対側も同様にする
26 図の位置で折る。反対側も同様にする
27 上の1枚だけをめくって折りたたむ
28 図のように折りながら、開く
29 折ったところ。反対側も27～28と同様にする
できあがり

辰(たつ) 【→P.121】

Point

竜ではなく、タツノオトシゴを干支飾りにしました。飾るときはメモスタンドなどを使って立たせてもよいでしょう。

▶**用紙する紙**
15×15cmの紙を1枚

▶**完成サイズ**　10.5×5cm

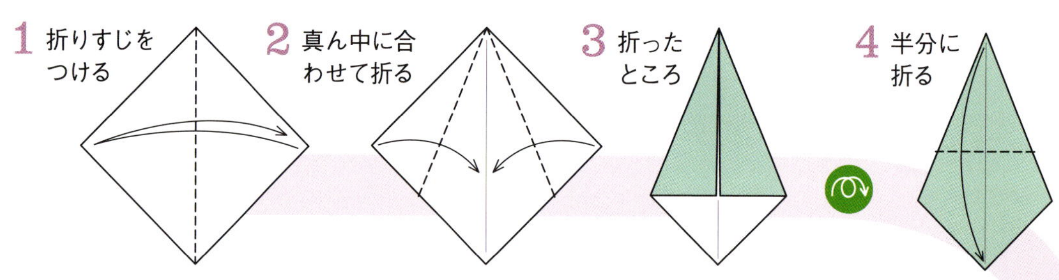

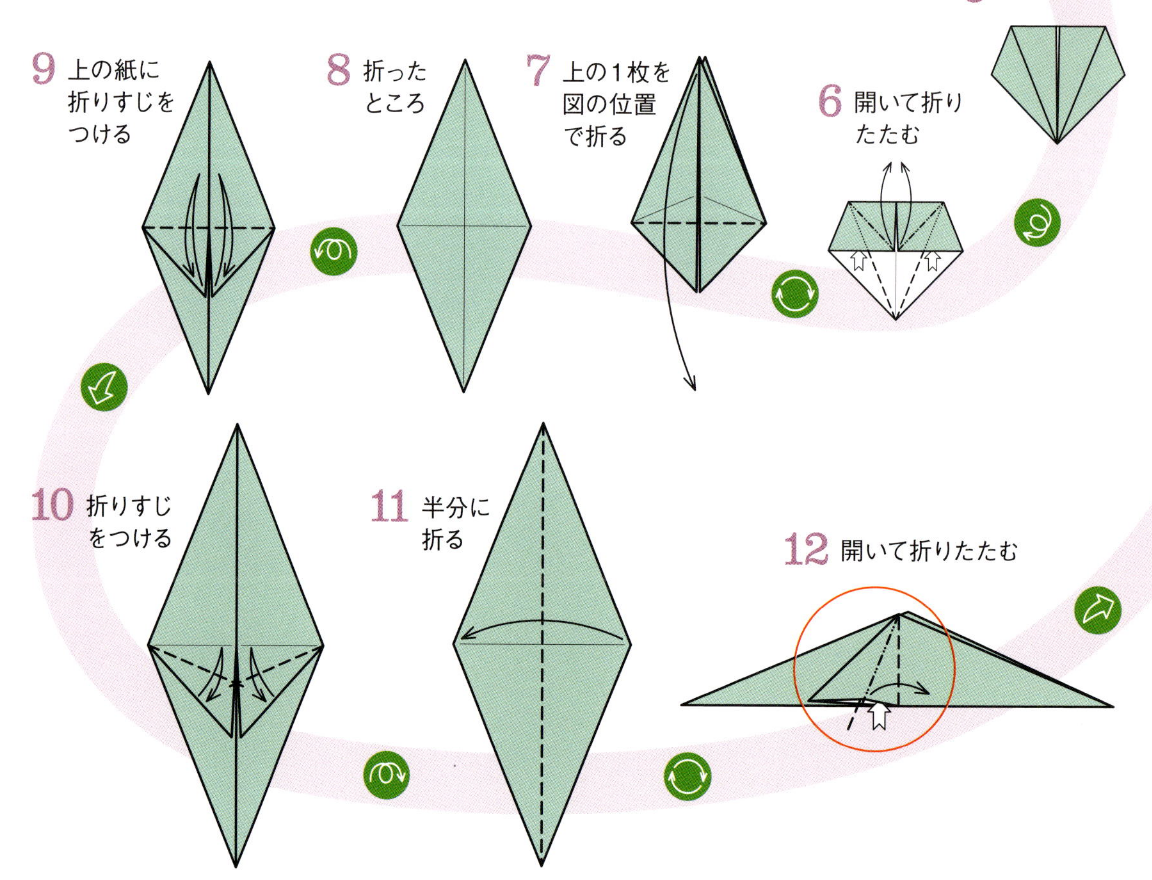

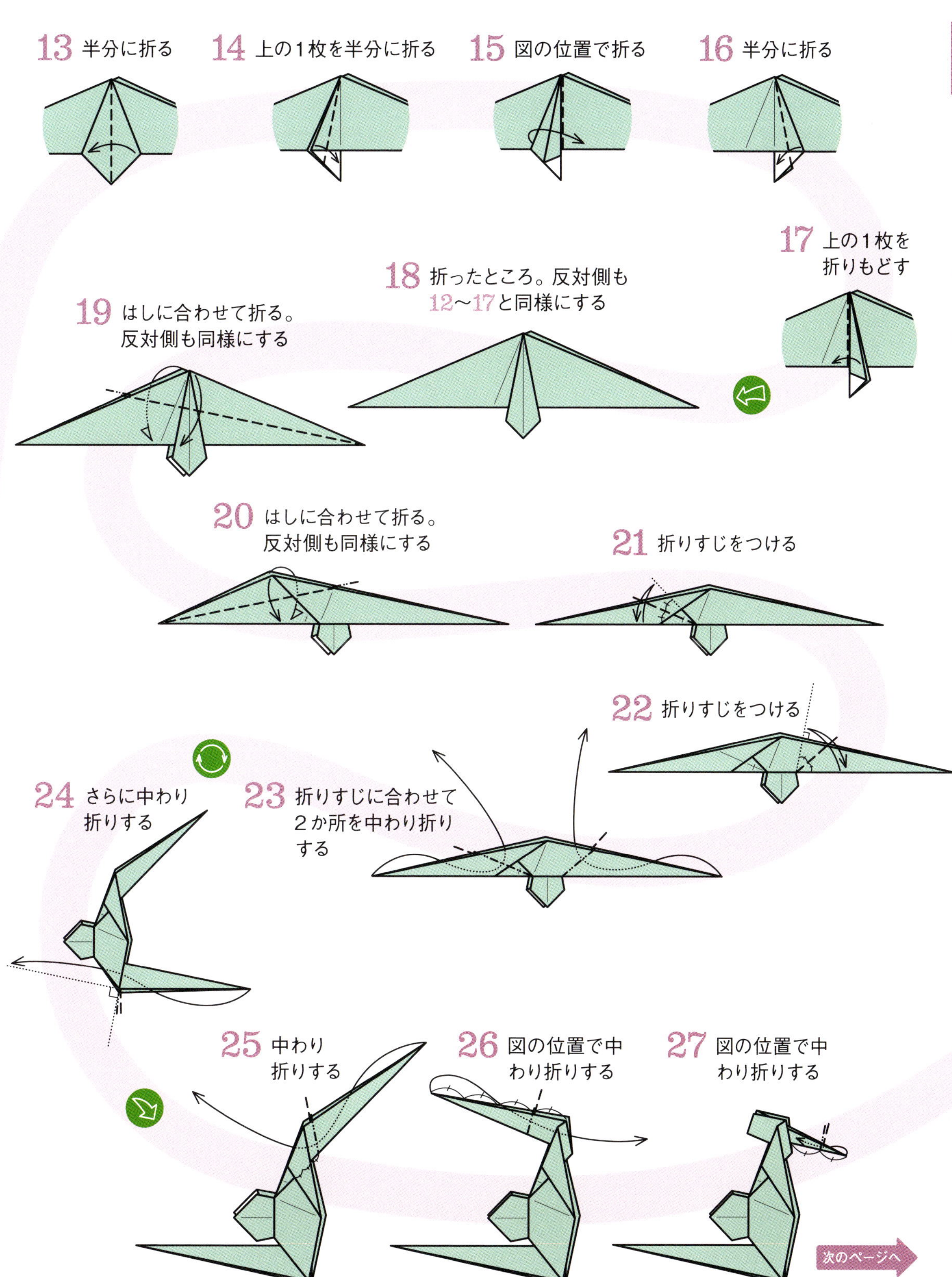
13 半分に折る
14 上の1枚を半分に折る
15 図の位置で折る
16 半分に折る
17 上の1枚を折りもどす
18 折ったところ。反対側も12〜17と同様にする
19 はしに合わせて折る。反対側も同様にする
20 はしに合わせて折る。反対側も同様にする
21 折りすじをつける
22 折りすじをつける
23 折りすじに合わせて2か所を中わり折りする
24 さらに中わり折りする
25 中わり折りする
26 図の位置で中わり折りする
27 図の位置で中わり折りする
次のページへ

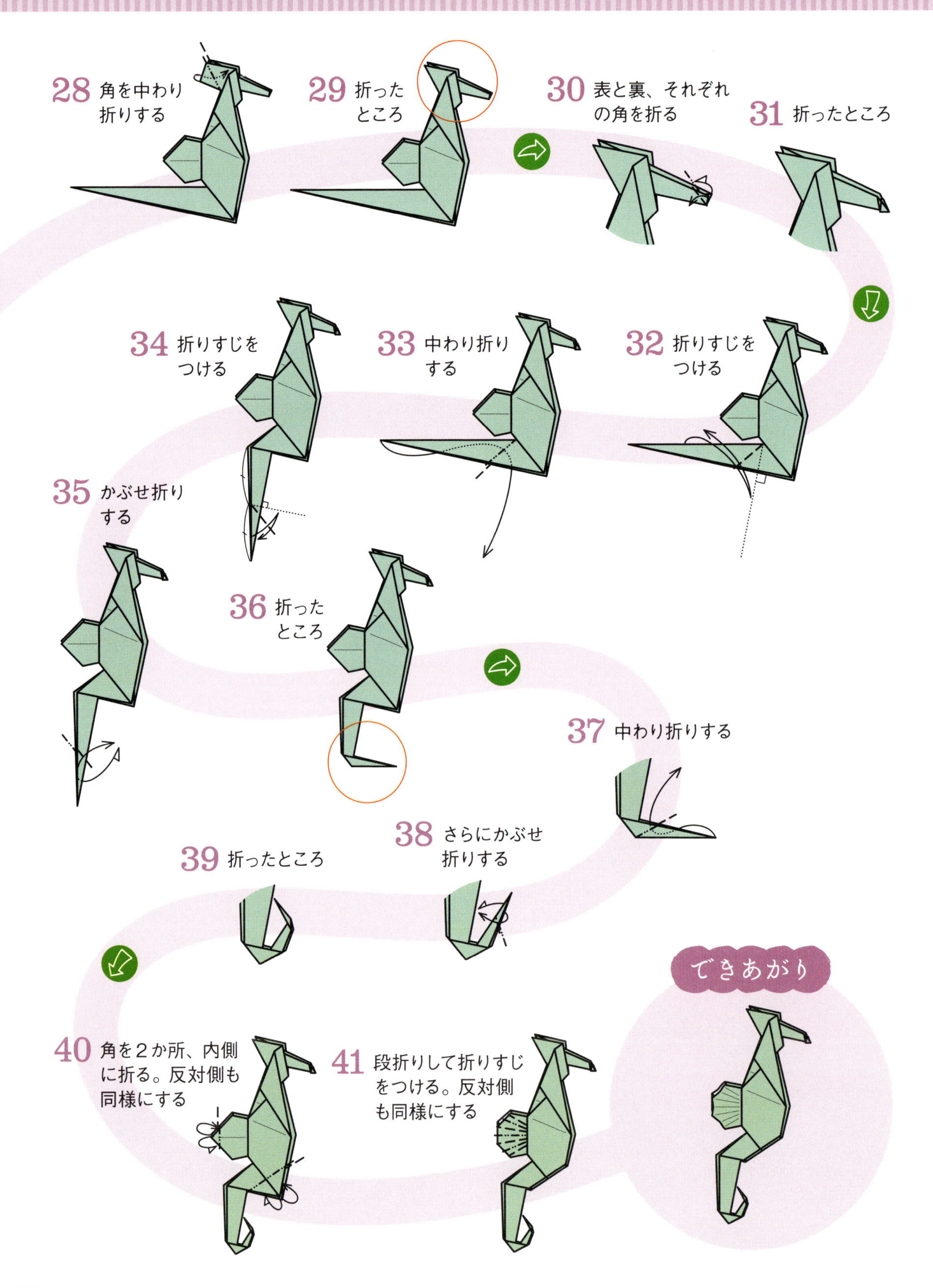
28 角を中わり折りする
29 折ったところ
30 表と裏、それぞれの角を折る
31 折ったところ
32 折りすじをつける
33 中わり折りする
34 折りすじをつける
35 かぶせ折りする
36 折ったところ
37 中わり折りする
38 さらにかぶせ折りする
39 折ったところ
40 角を2か所、内側に折る。反対側も同様にする
41 段折りして折りすじをつける。反対側も同様にする
できあがり

★★★

巳（み）【→P.121】

Point

ヘビは、復活と再生を象徴する動物です。金や銀の入った紙で折ると、新年にふさわしい飾りになります。

▶**用紙する紙**
15×15cmの紙を1枚

▶**完成サイズ**　6×13cm

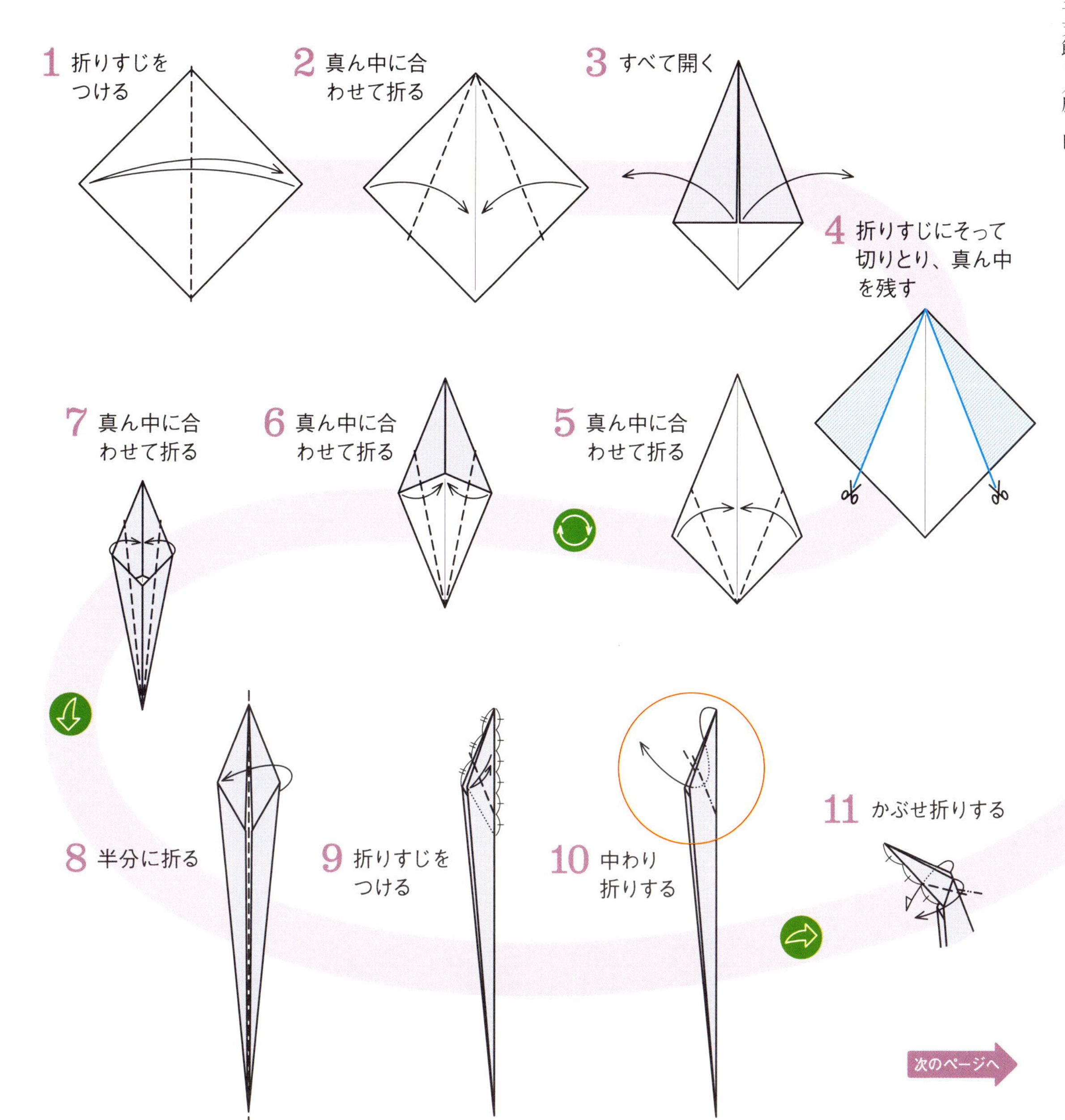

次のページへ

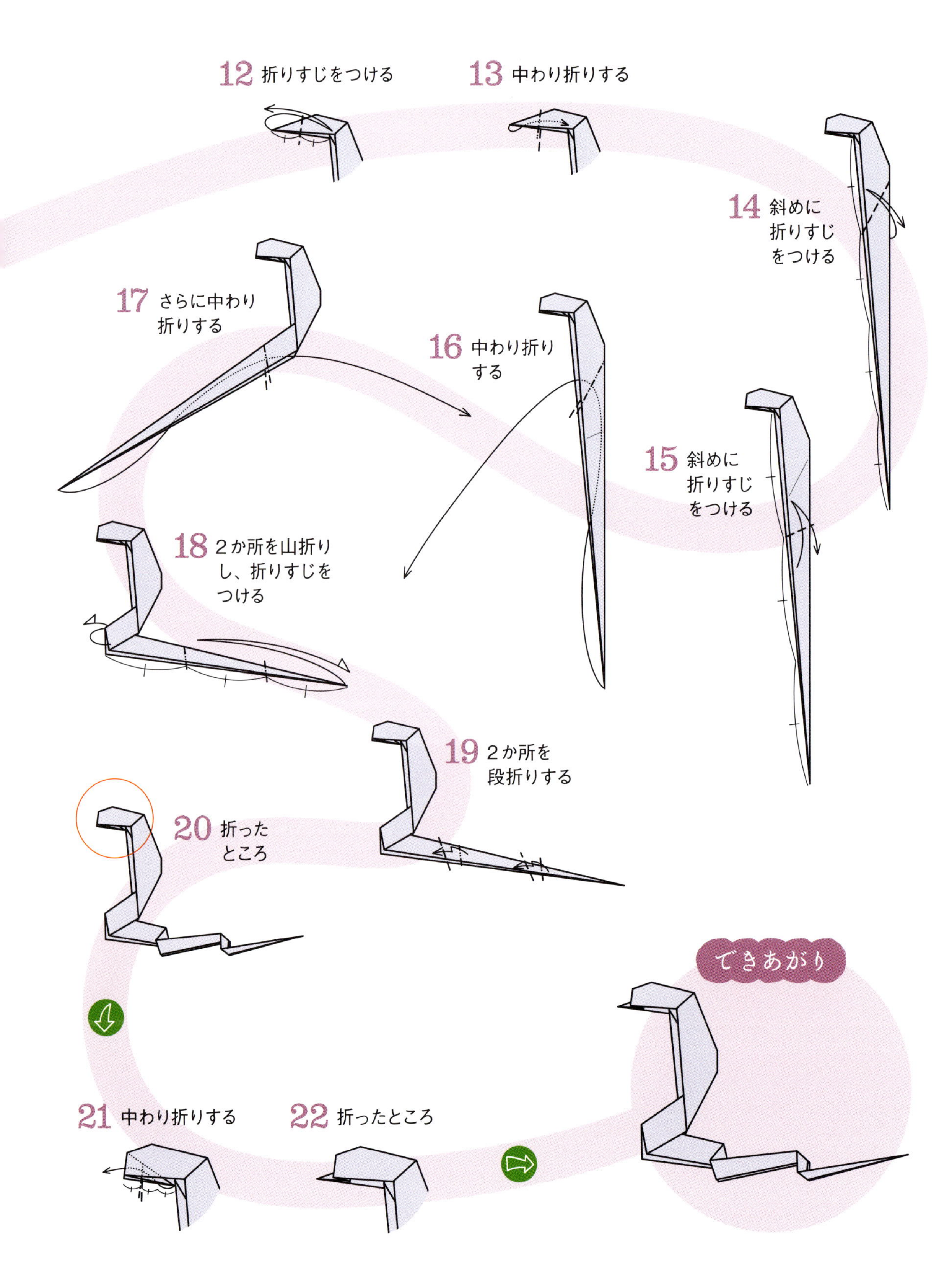
12 折りすじをつける
13 中わり折りする
14 斜めに折りすじをつける
15 斜めに折りすじをつける
16 中わり折りする
17 さらに中わり折りする
18 2か所を山折りし、折りすじをつける
19 2か所を段折りする
20 折ったところ
21 中わり折りする
22 折ったところ
できあがり

★★☆

午（うま） 【→P.120】

Point

ウマは「幸運が駆け込んでくる」と言われています。厚みのある紙で折ると立たせやすくなります。

▶**用紙する紙**
15×15cmの紙を2枚

▶**完成サイズ**　12×10cm

● 頭・前足 と 後ろ足 を作って組み合わせます。

頭・前足

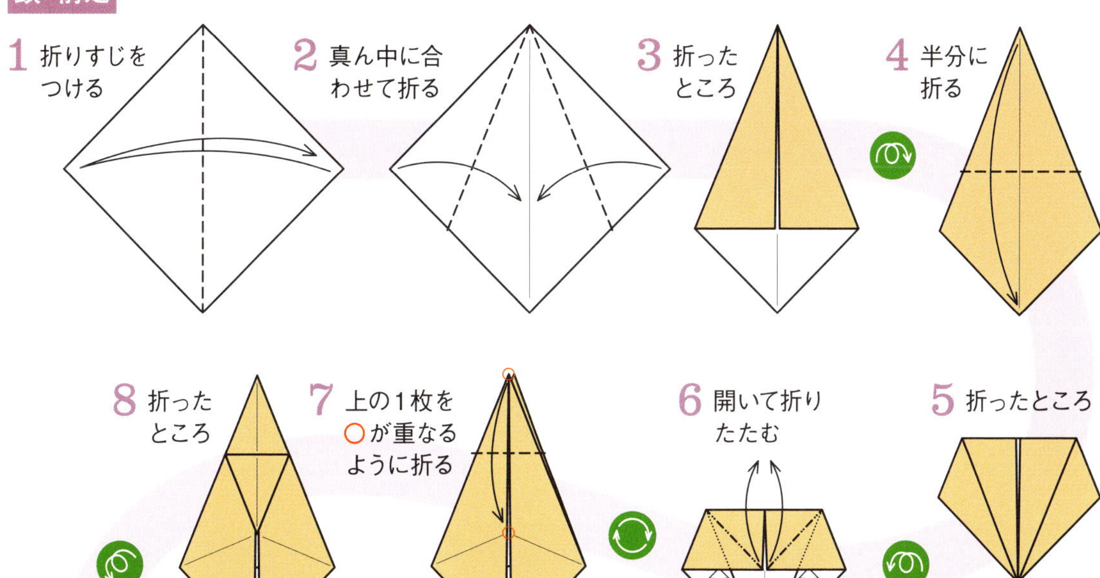

9 真ん中に合わせて折る

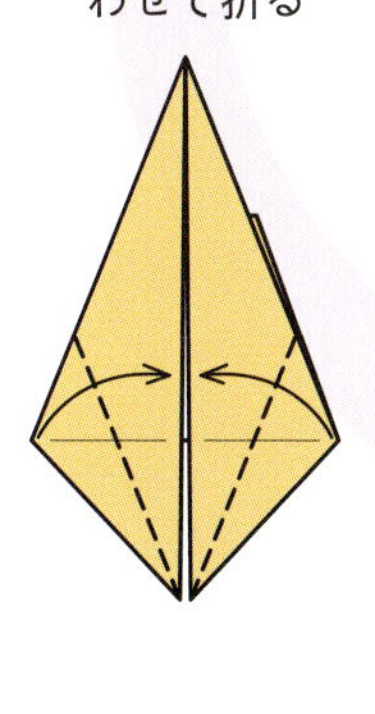

10 折りすじをつける

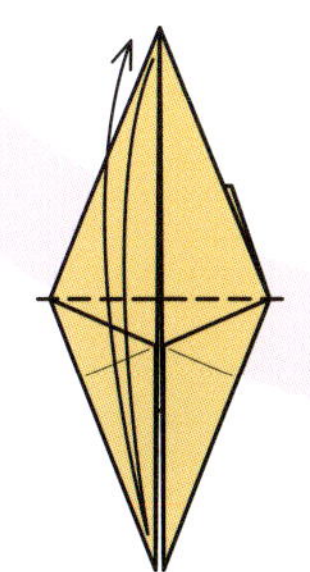

11 ○が重なるように折る

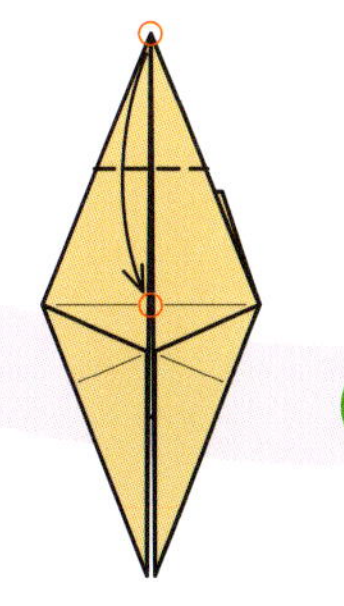

12 折ったところ

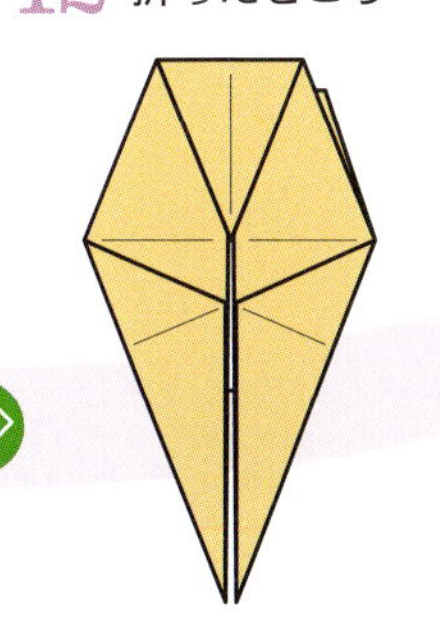

13 上の1枚を図の位置で折る

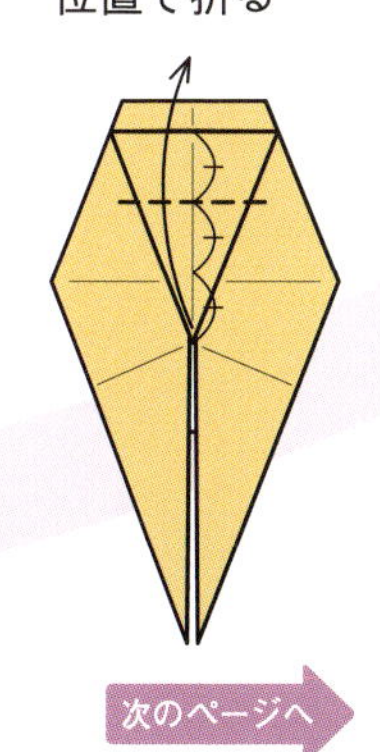

次のページへ

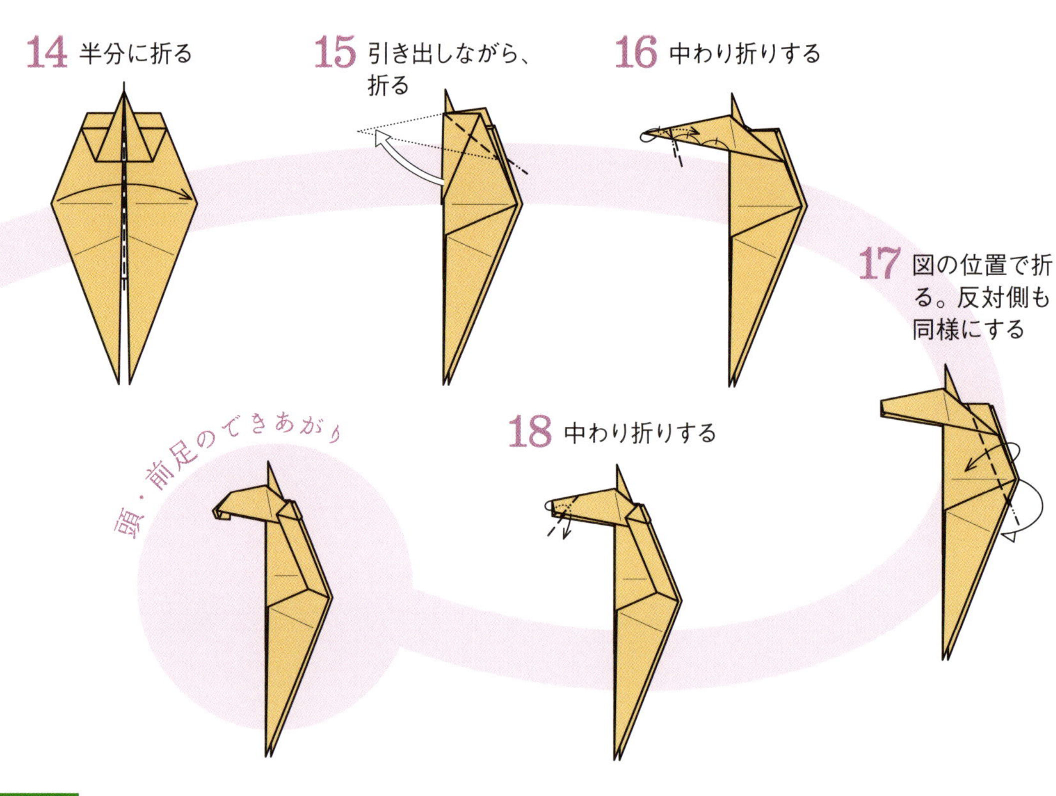
14 半分に折る
15 引き出しながら、折る
16 中わり折りする
17 図の位置で折る。反対側も同様にする
18 中わり折りする
頭・前足のできあがり

後ろ足

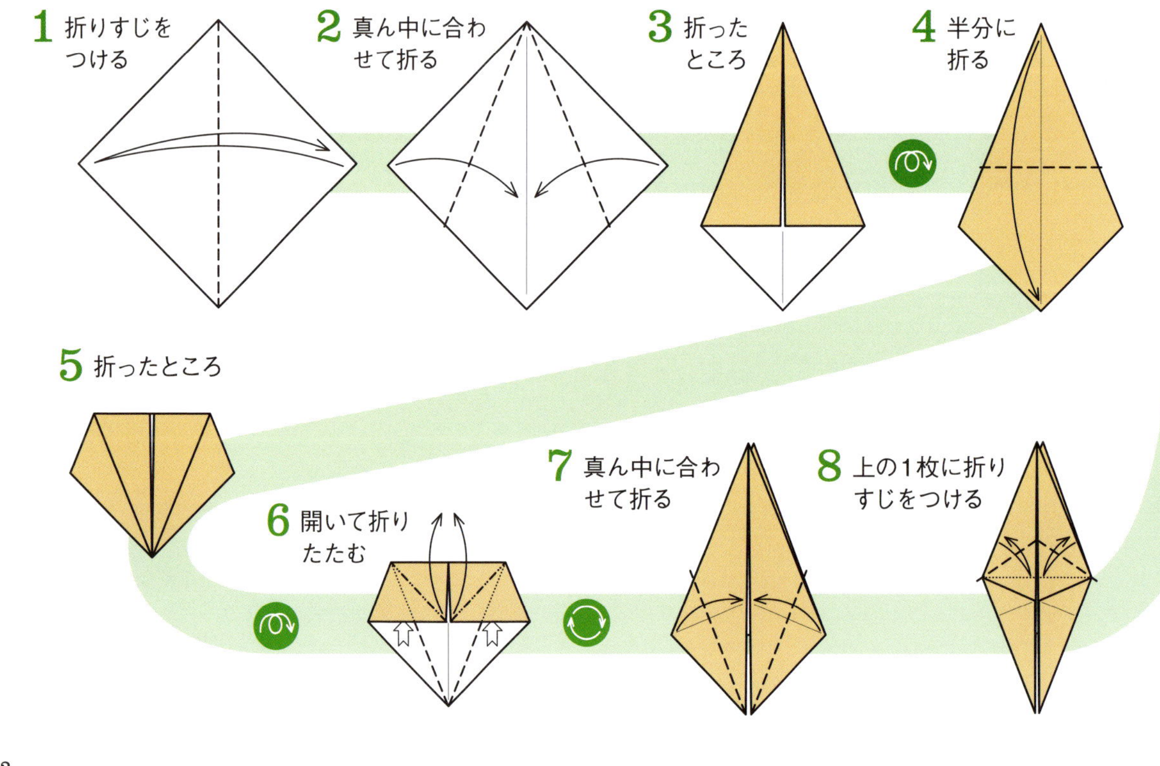
1 折りすじをつける
2 真ん中に合わせて折る
3 折ったところ
4 半分に折る
5 折ったところ
6 開いて折りたたむ
7 真ん中に合わせて折る
8 上の1枚に折りすじをつける

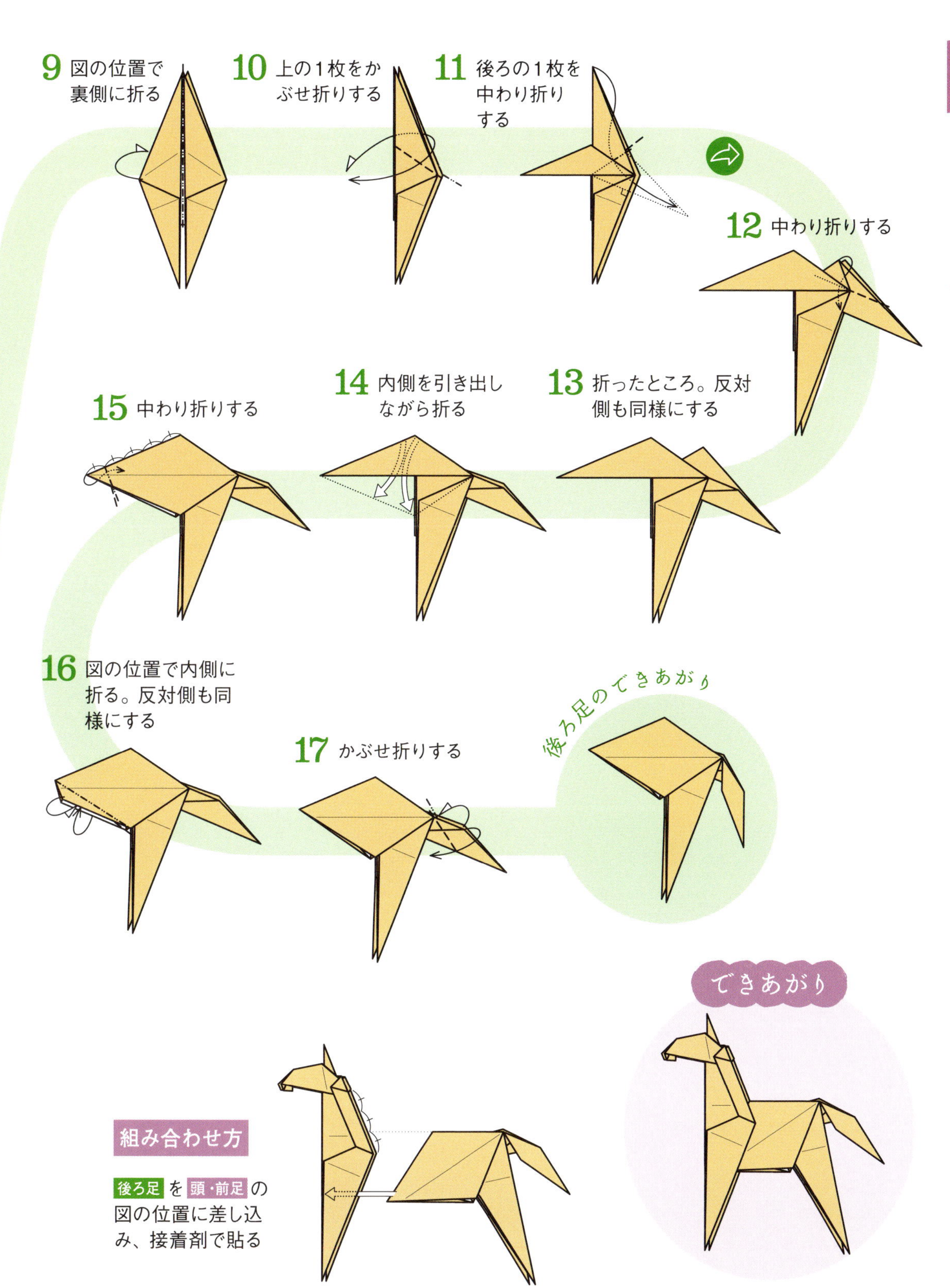
9 図の位置で裏側に折る
10 上の1枚をかぶせ折りする
11 後ろの1枚を中わり折りする
12 中わり折りする
13 折ったところ。反対側も同様にする
14 内側を引き出しながら折る
15 中わり折りする
16 図の位置で内側に折る。反対側も同様にする
17 かぶせ折りする
後ろ足のできあがり
できあがり
組み合わせ方
後ろ足を頭・前足の図の位置に差し込み、接着剤で貼る

Point

ヒツジは家族の安泰や平和を象徴しています。紙は表と裏の色にあまり差がないものを選ぶといいでしょう。

▶**用紙する紙**
7.5×15cmの紙を1枚

▶**完成サイズ**　5×8×1cm

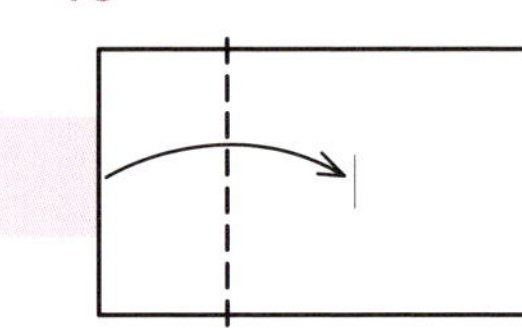

3 折りすじをつける

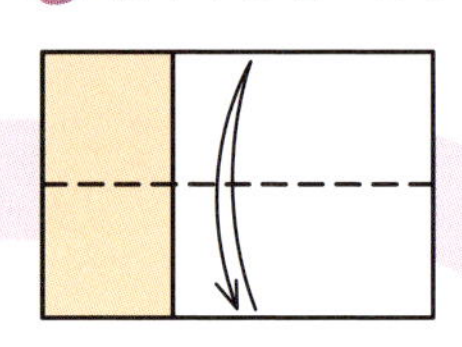

4 折りすじをつける

5 折りすじをつける

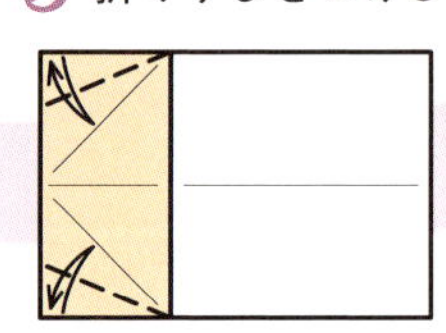

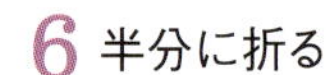

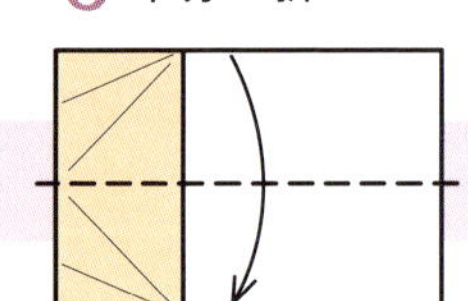

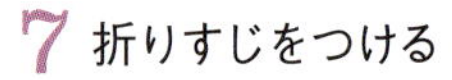

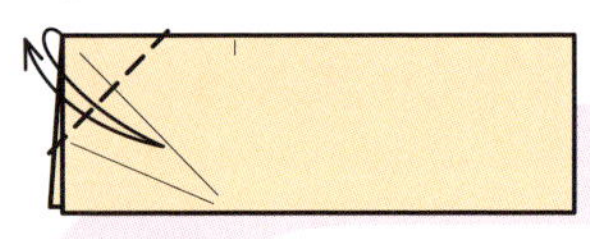

8 2枚いっしょに折りすじをつける

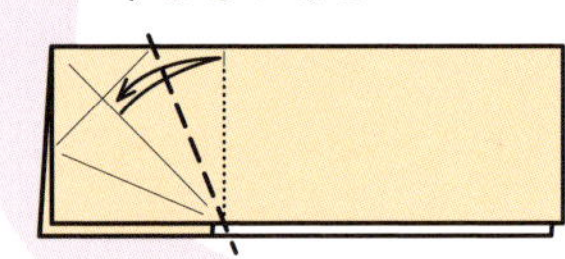

9 かぶせ折りする

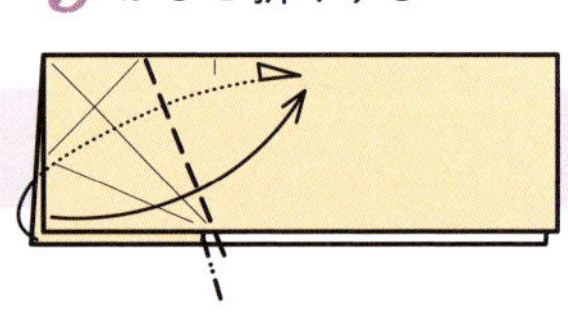

10 内側を引き出す

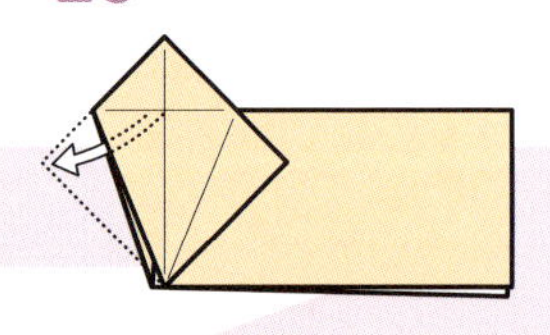

11 中わり折りする。反対側も同様にする

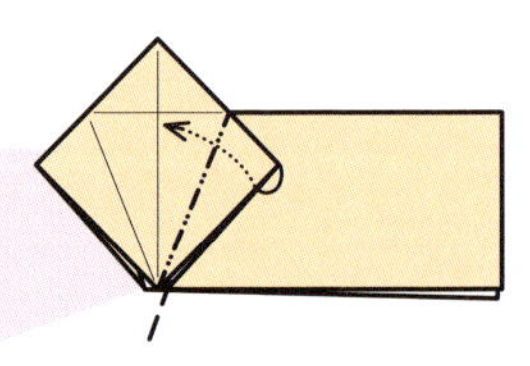

12 表と裏をそれぞれ引き上げながら左側をひっくり返すように折る

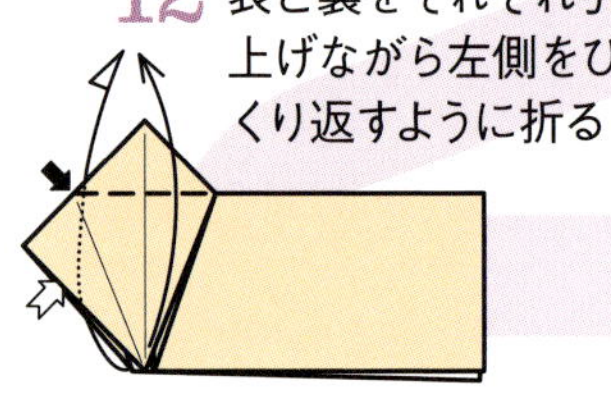

13 上の1枚を段折りする

14 図の位置で裏側に折りたたむ

15 開いて折りたたむ

16 折ったところ

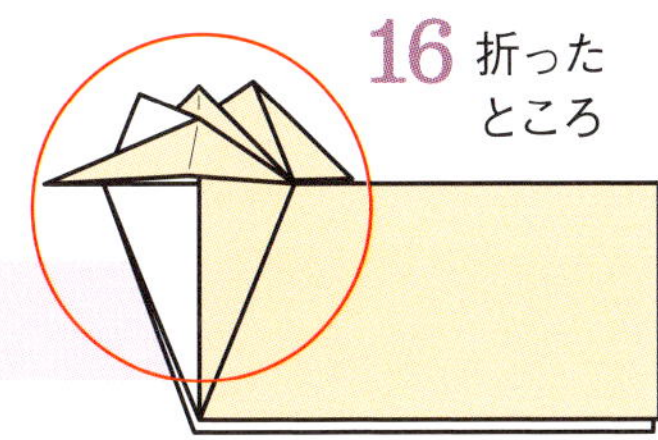

17 図の位置で折る

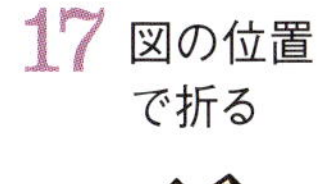

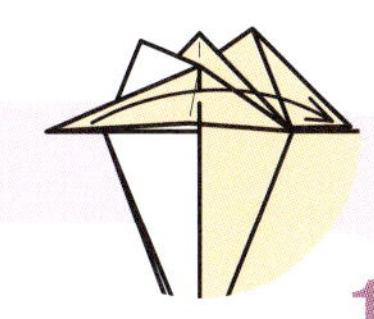

18 折りすじに合わせて折る

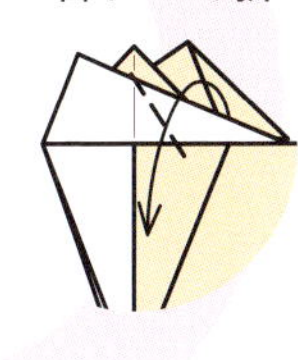

19 図の位置で折る

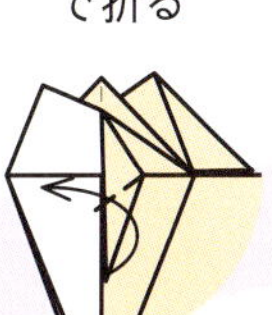

20 図の位置で裏側に折る

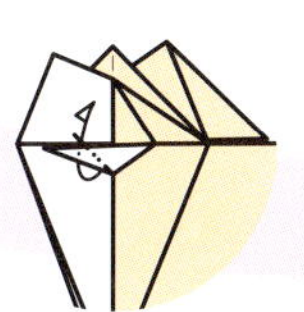

21 折ったところ。反対側も15～20と同様にする

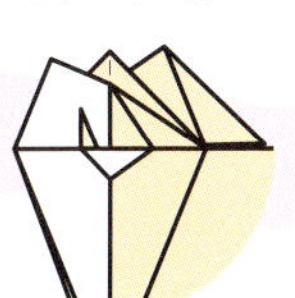

22 内側に段折りする。反対側も同様にする

23 上の1枚をはしに合わせて折る

24 図の位置で折る

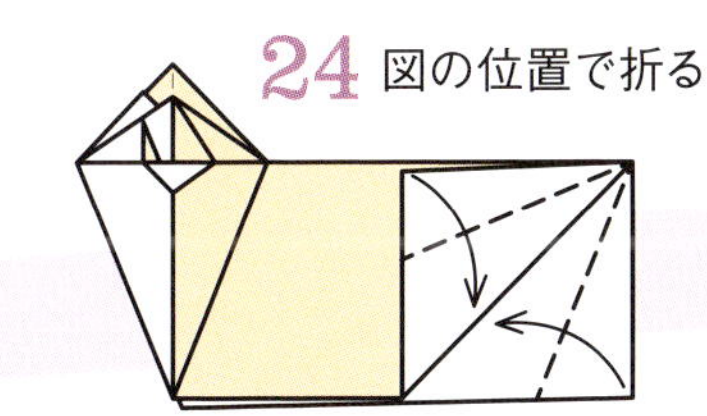

25 折りもどす

26 図の位置で折る

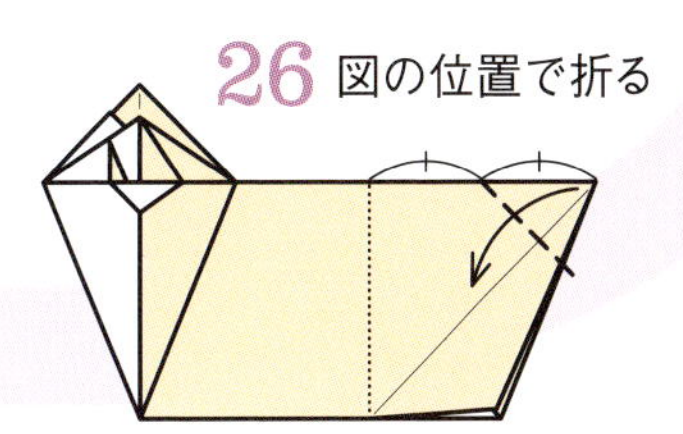

27 折ったところ

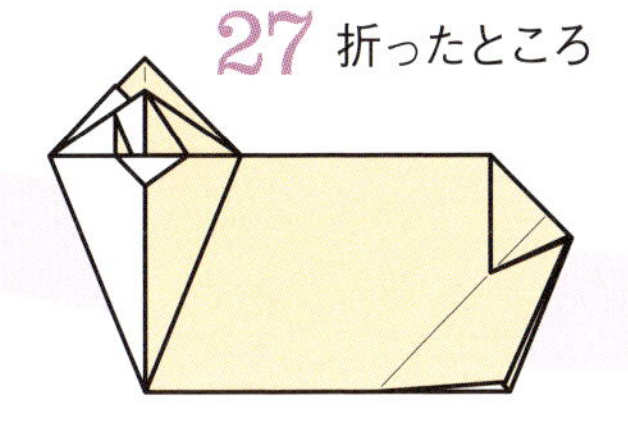

28 図の位置で折る

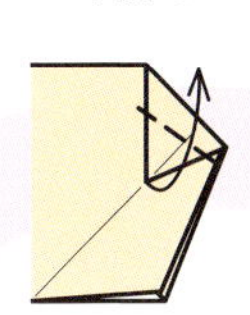

29 開く

30 折りすじに合わせて内側に段折りする

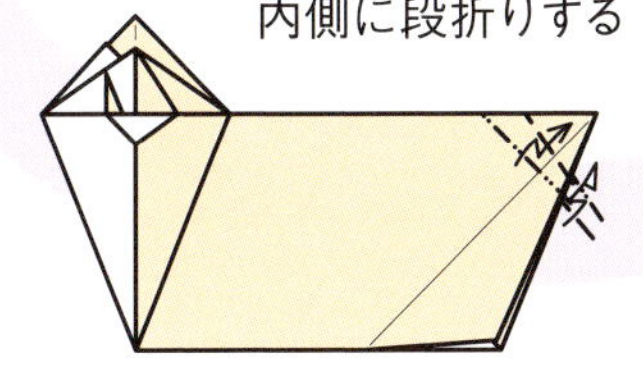

31 少し開いて指で押して背中とおなか部分をへこませる

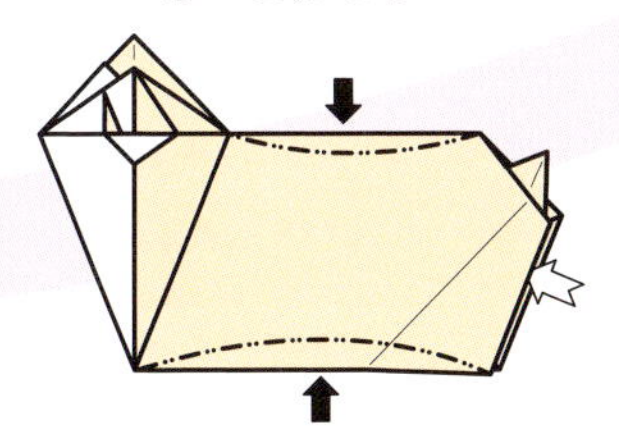

できあがり

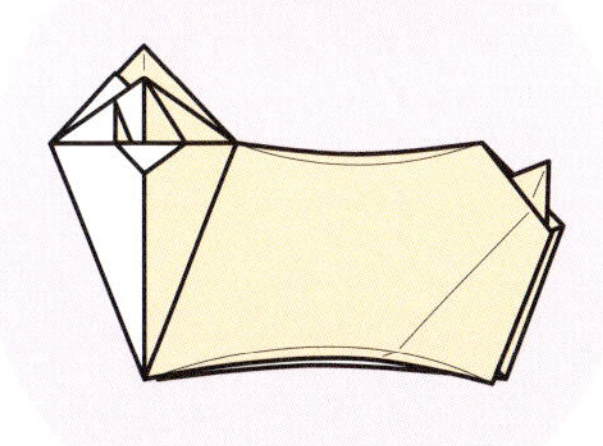

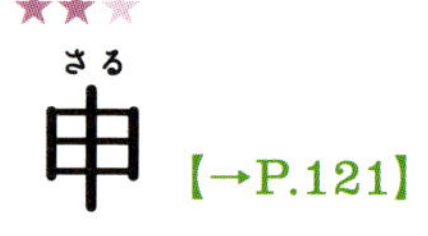

★★★ 申（さる）【→P.121】

Point

サルは、「病や厄が去る」と言われ、縁起のいい動物です。前足の折り方を変えると印象も変わります。

▶**用紙する紙**
15×15cmの紙を２枚

▶**完成サイズ**　8.5×10×1.5cm

● 頭・前足 と 後ろ足 を作って組み合わせます。

頭・前足

※正方基本形［→P.17］から始めます。

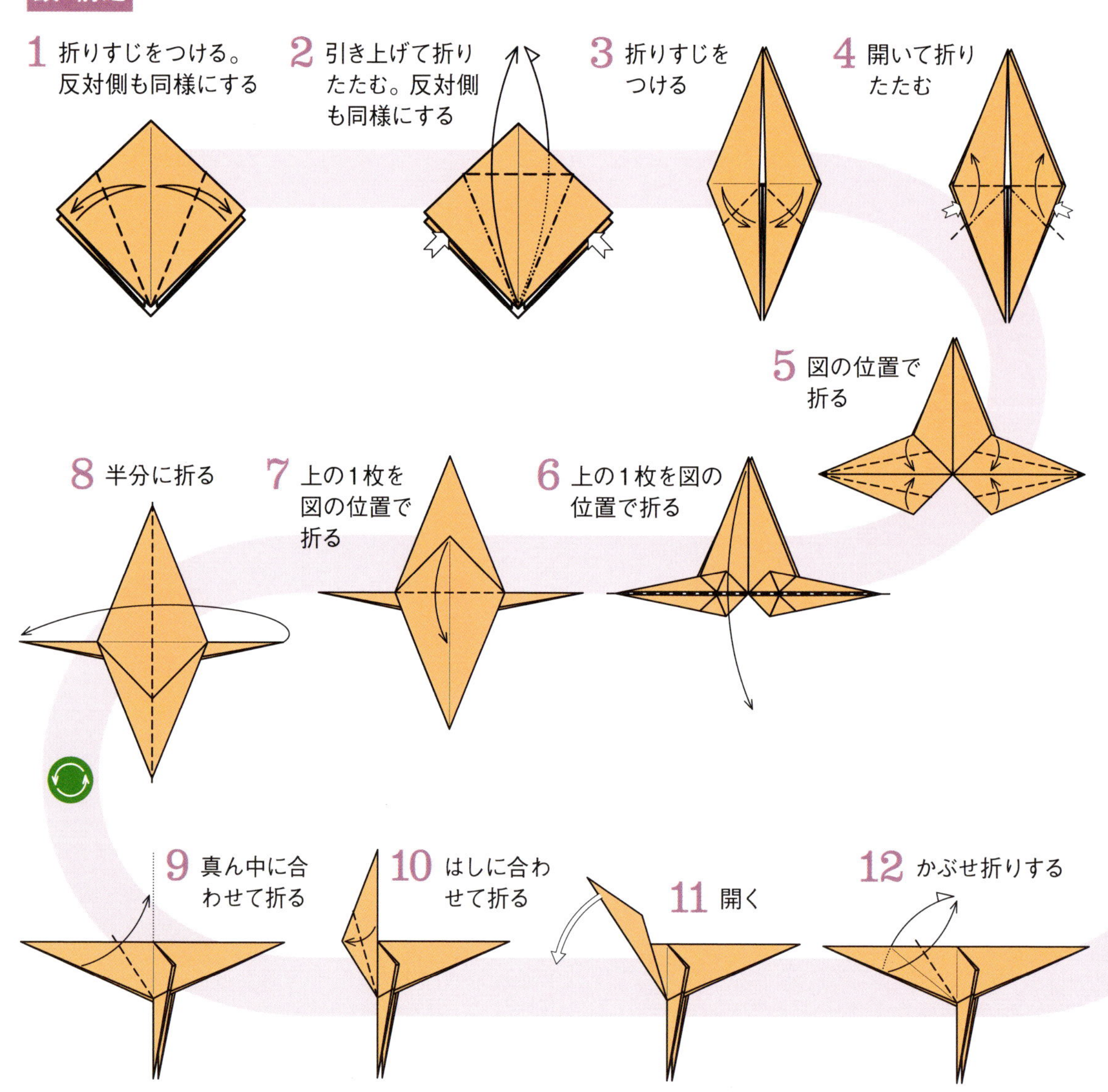

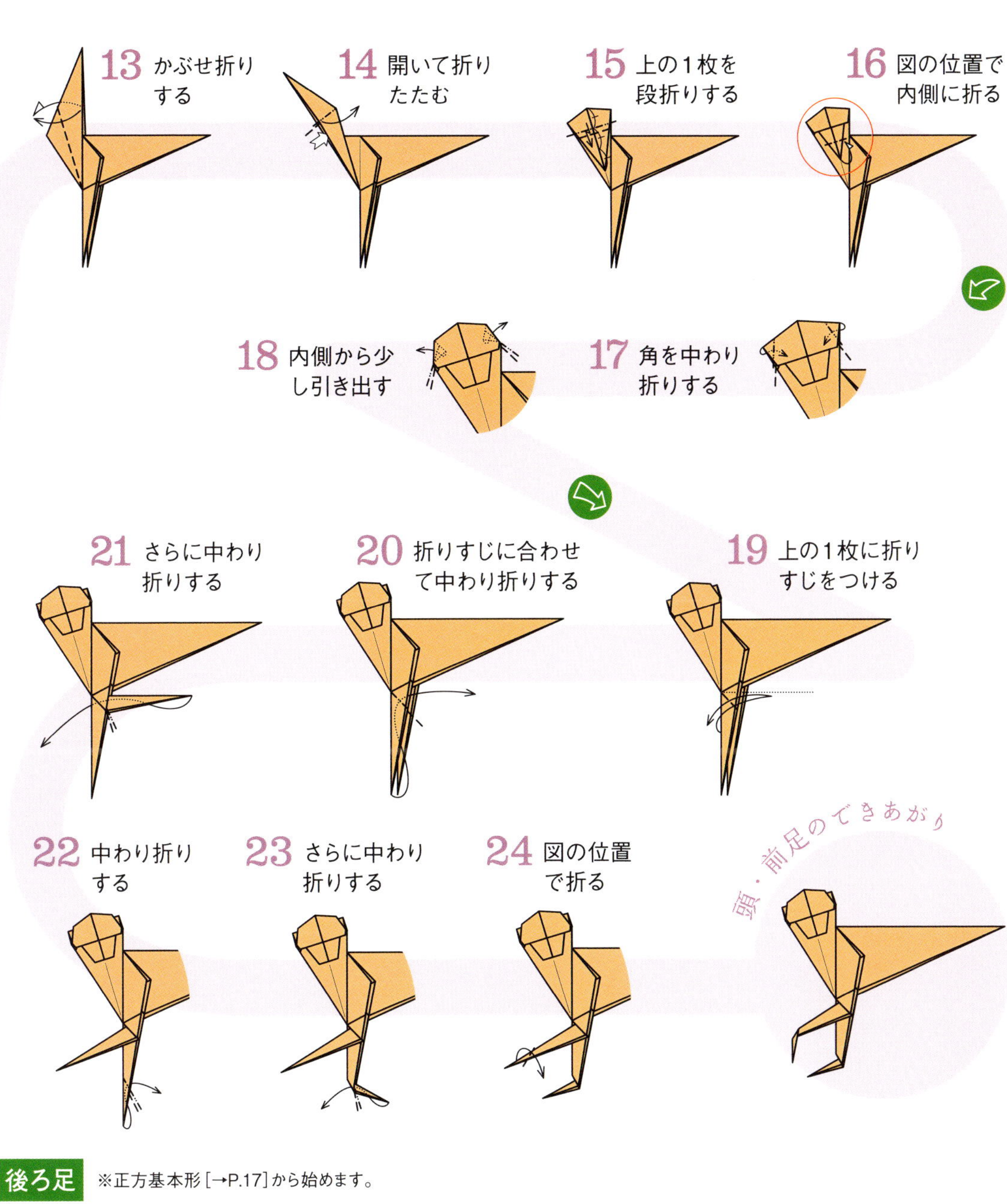

後ろ足

※正方基本形［→P.17］から始めます。

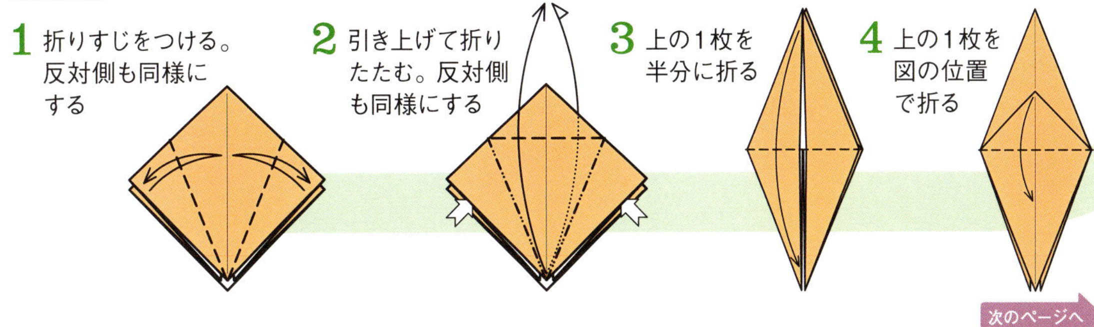

次のページへ

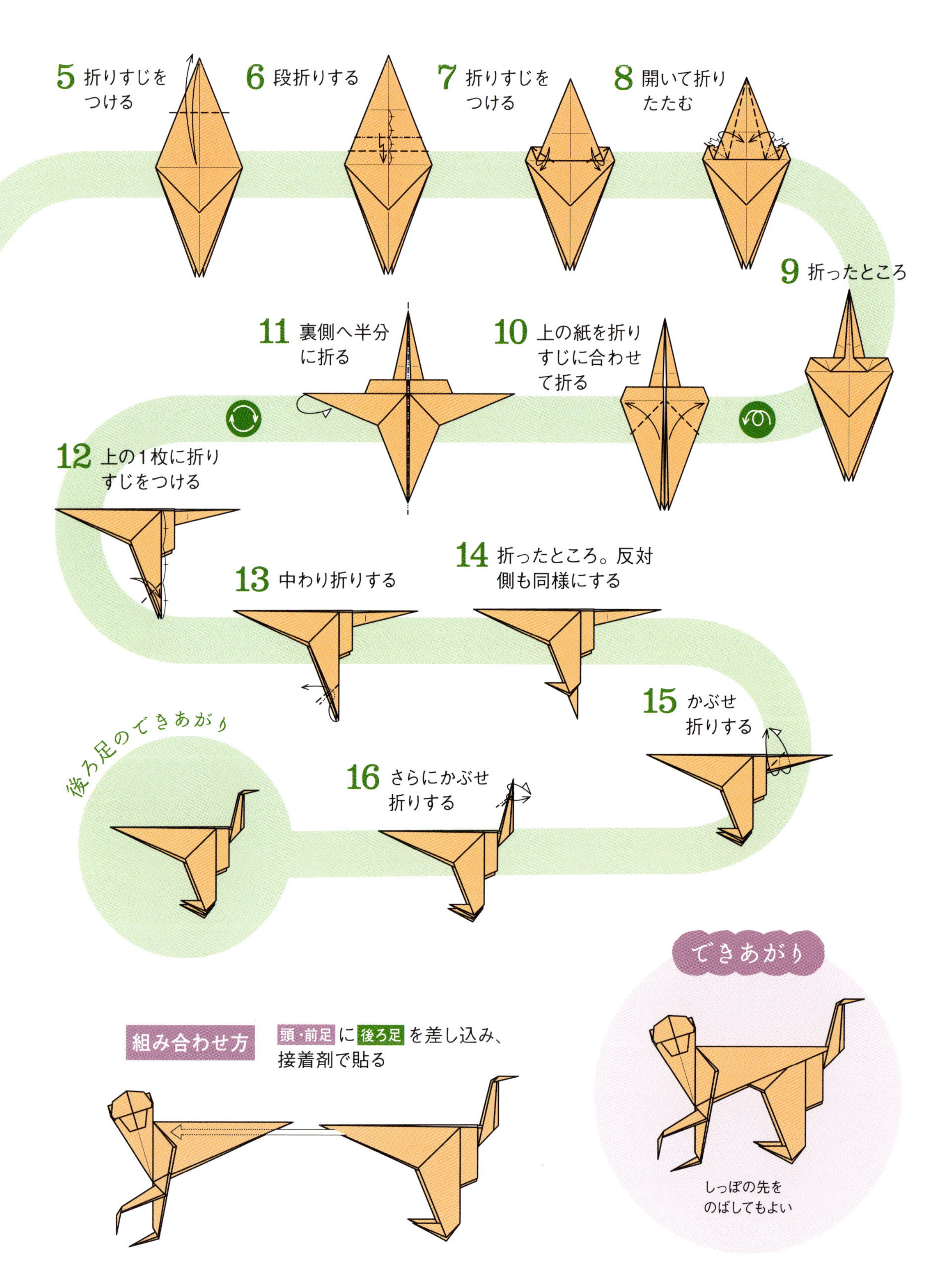
5 折りすじをつける
6 段折りする
7 折りすじをつける
8 開いて折りたたむ
9 折ったところ
10 上の紙を折りすじに合わせて折る
11 裏側へ半分に折る
12 上の1枚に折りすじをつける
13 中わり折りする
14 折ったところ。反対側も同様にする
15 かぶせ折りする
16 さらにかぶせ折りする
後ろ足のできあがり
組み合わせ方
頭・前足 に 後ろ足 を差し込み、接着剤で貼る
できあがり
しっぽの先をのばしてもよい

★★★

酉（とり）【→P.121】

Point
トリは福を「取り込む」と言われ、縁起のいい動物です。白に透かし模様の入った紙などを体に使うと、華やかになります。

▶**用紙する紙**
[頭] 3.75×3.75cm（15cm四方のおりがみの16分の1）の紙を1枚
[体] 15×15cmの紙を1枚

▶**完成サイズ** 7×8cm

● 頭 と 体 を作って組み合わせます。

頭

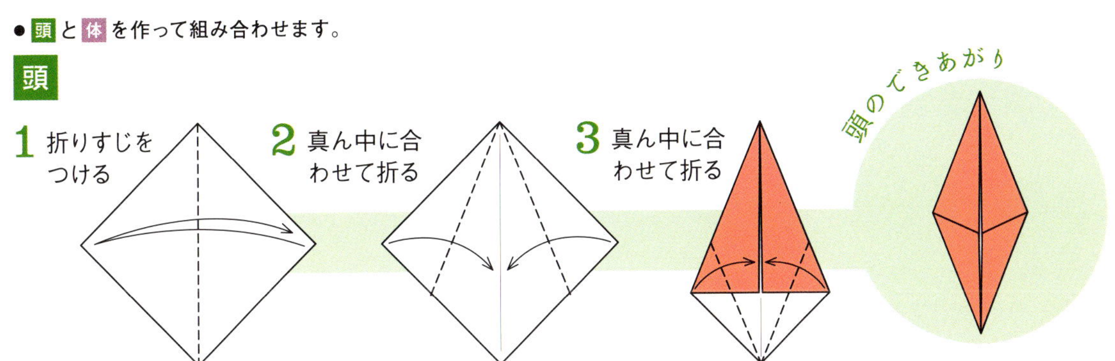

体

※正方基本形［→P.17］から始めます。

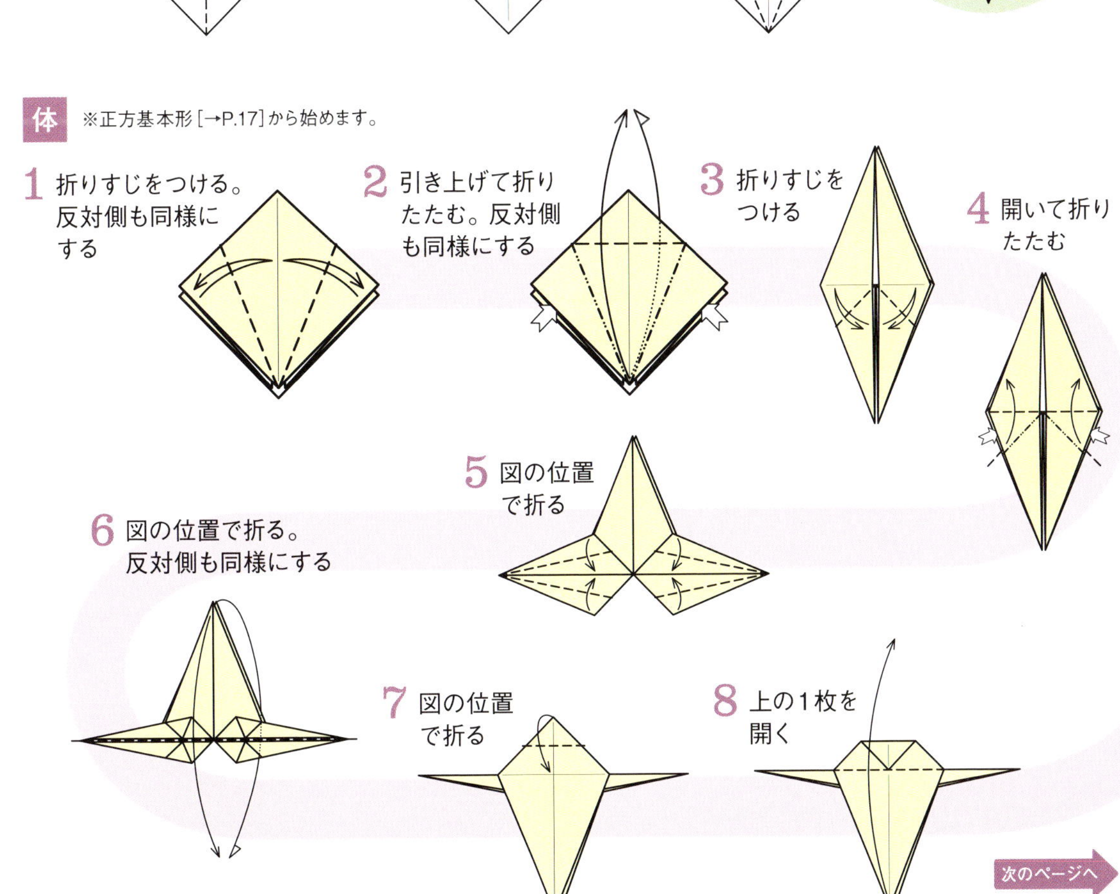

次のページへ

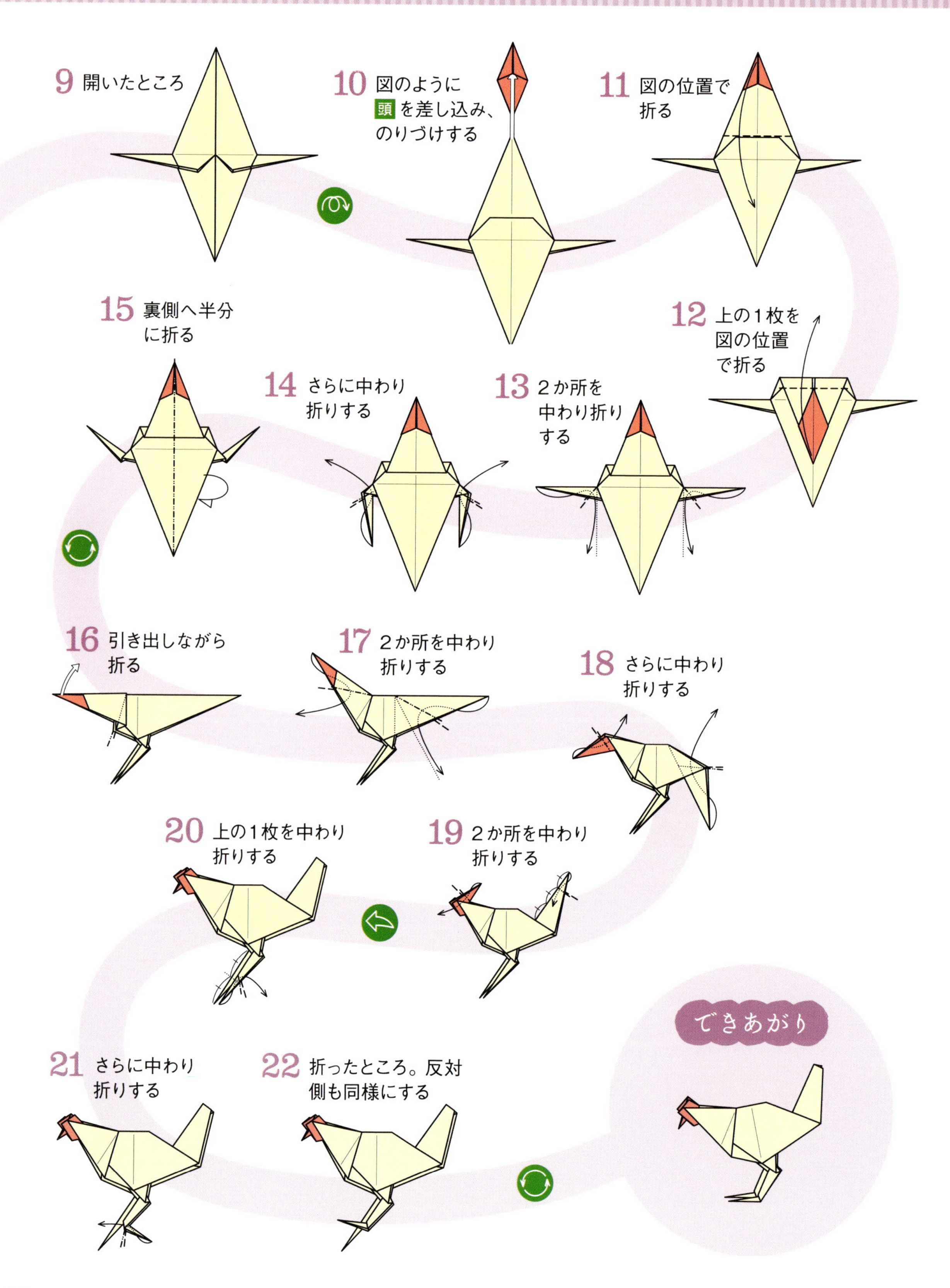
9 開いたところ
10 図のように
頭 を差し込み、
のりづけする
11 図の位置で
折る
12 上の1枚を
図の位置
で折る
13 2か所を
中わり折り
する
14 さらに中わり
折りする
15 裏側へ半分
に折る
16 引き出しながら
折る
17 2か所を中わり
折りする
18 さらに中わり
折りする
19 2か所を中わり
折りする
20 上の1枚を中わり
折りする
21 さらに中わり
折りする
22 折ったところ。反対
側も同様にする
できあがり

★★★

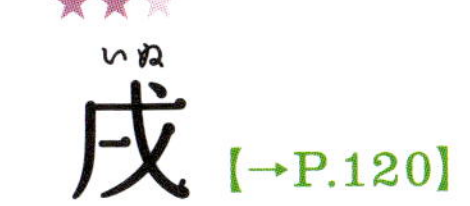

戌（いぬ） 【→P.120】

Point
イヌには、忠誠や安全といった意味があります。7.5×7.5cmの紙で折れば、親子にすることもできます。

▶**用紙する紙**
15×15cmの紙を1枚

▶**完成サイズ**　6.5×7cm

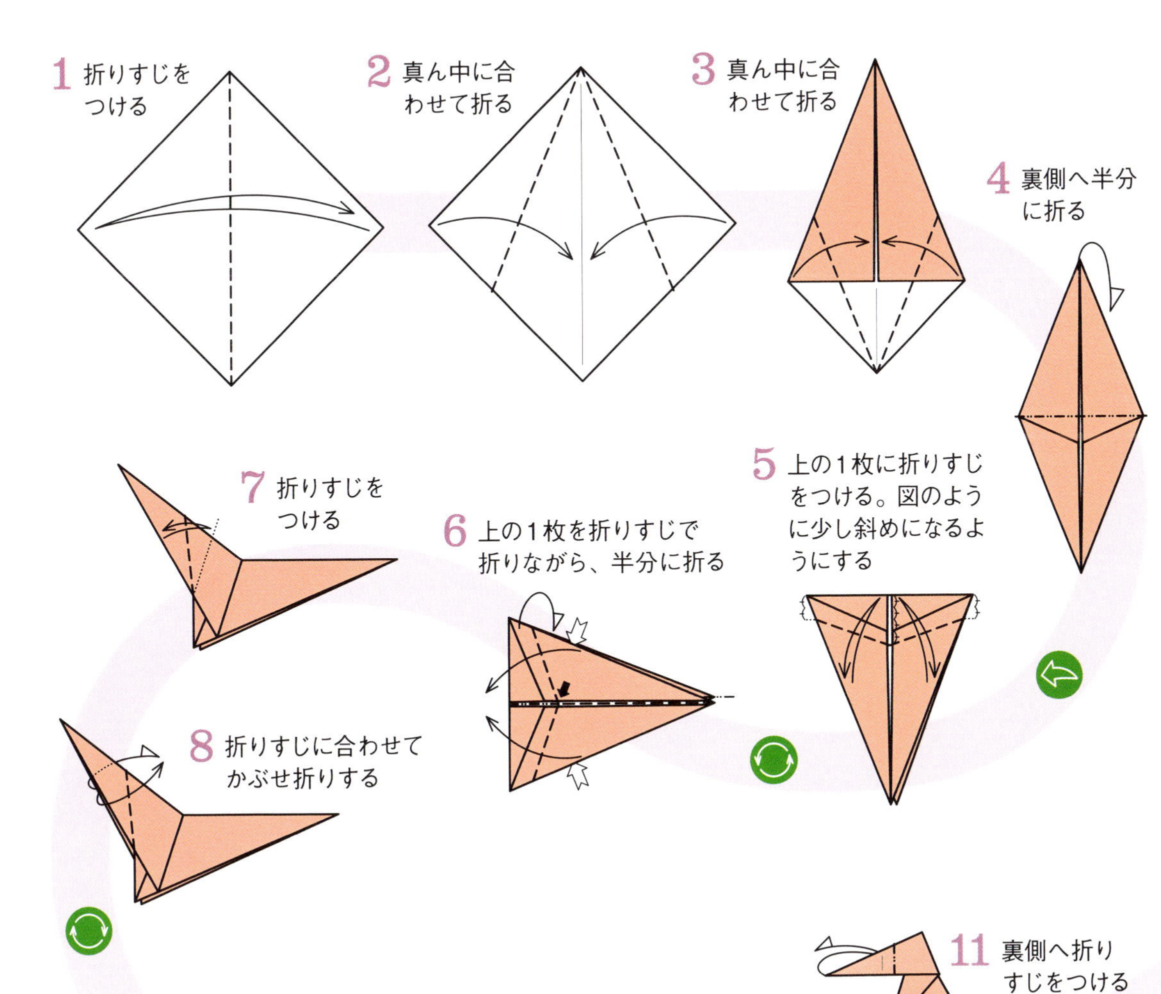

1 折りすじをつける

2 真ん中に合わせて折る

3 真ん中に合わせて折る

4 裏側へ半分に折る

5 上の1枚に折りすじをつける。図のように少し斜めになるようにする

6 上の1枚を折りすじで折りながら、半分に折る

7 折りすじをつける

8 折りすじに合わせてかぶせ折りする

9 さらにかぶせ折りする

10 ○が重なるように折りすじをつける

11 裏側へ折りすじをつける

次のページへ

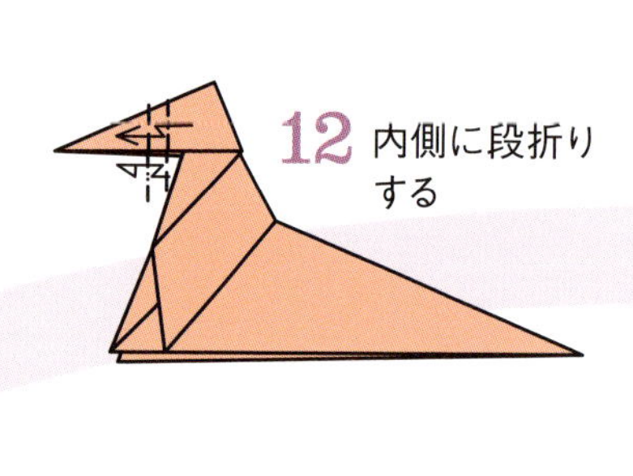

12 内側に段折りする

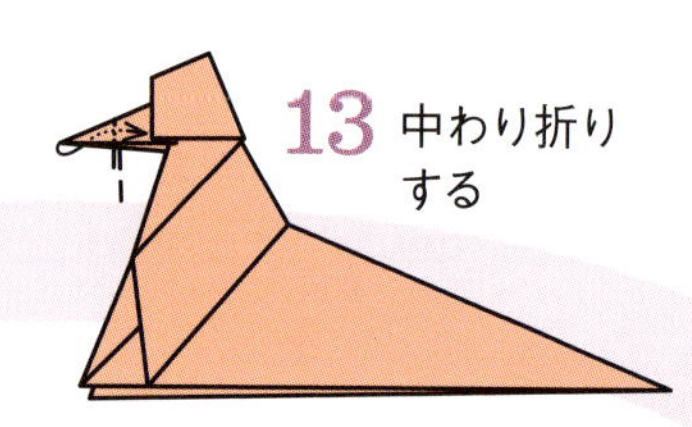

13 中わり折りする

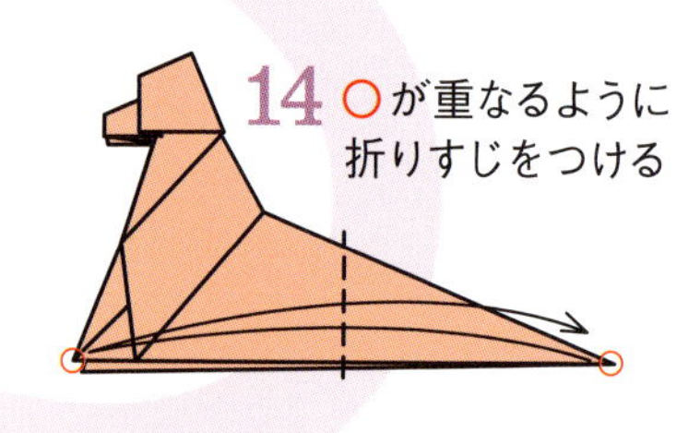

14 ○が重なるように折りすじをつける

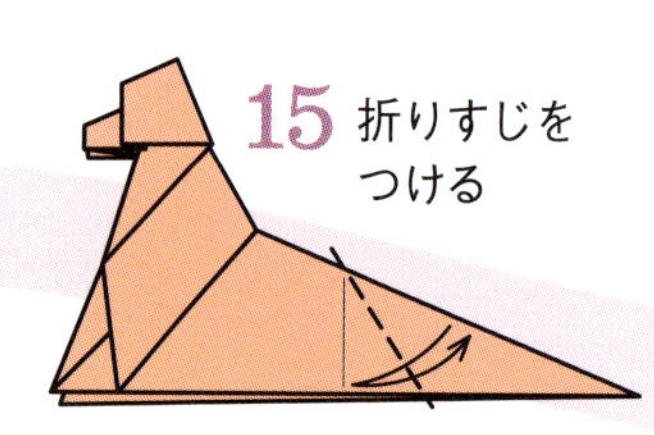

15 折りすじをつける

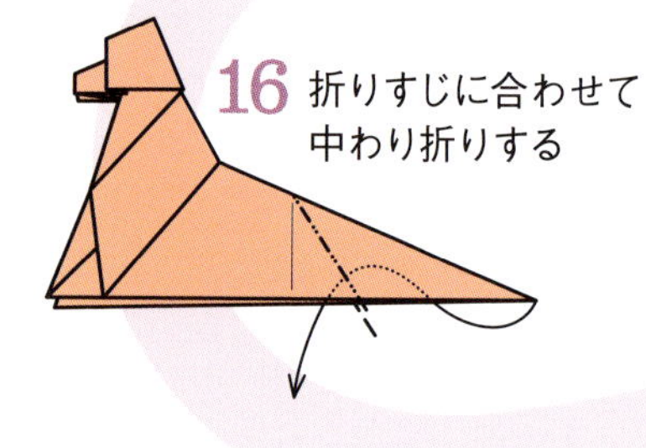

16 折りすじに合わせて中わり折りする

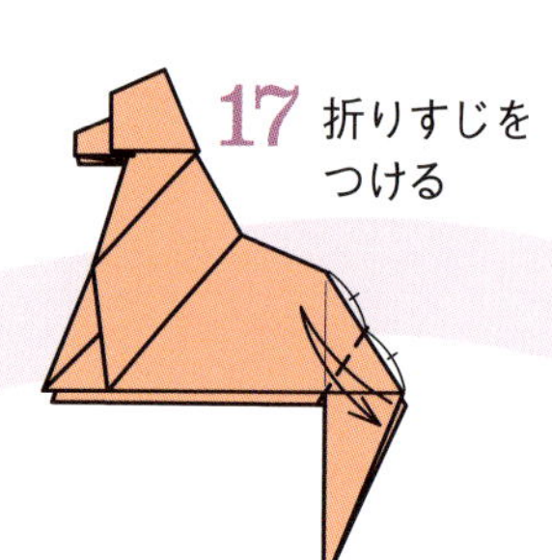

17 折りすじをつける

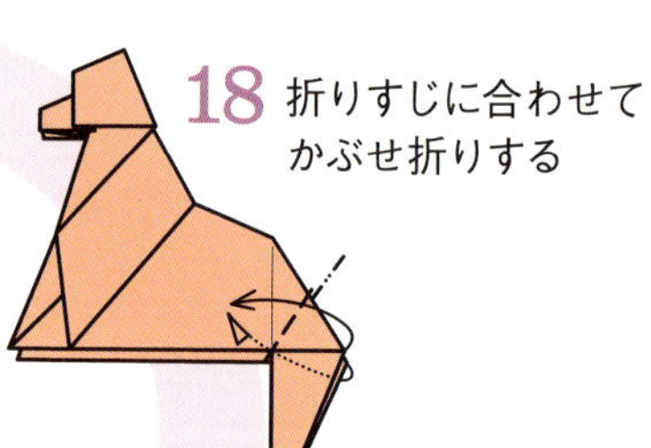

18 折りすじに合わせてかぶせ折りする

19 折りすじをつける

20 折りすじに合わせて中わり折りする

21 さらに中わり折りする

22 内側に差し込む

できあがり

亥（い）

【→P.120】

Point

イノシシは無病息災や子孫繁栄などを意味する動物です。裏が白い紙を使うと、牙を白く仕上げられます。

▶**用紙する紙**
15×15cmの紙を１枚

▶**完成サイズ**　4.5×9cm

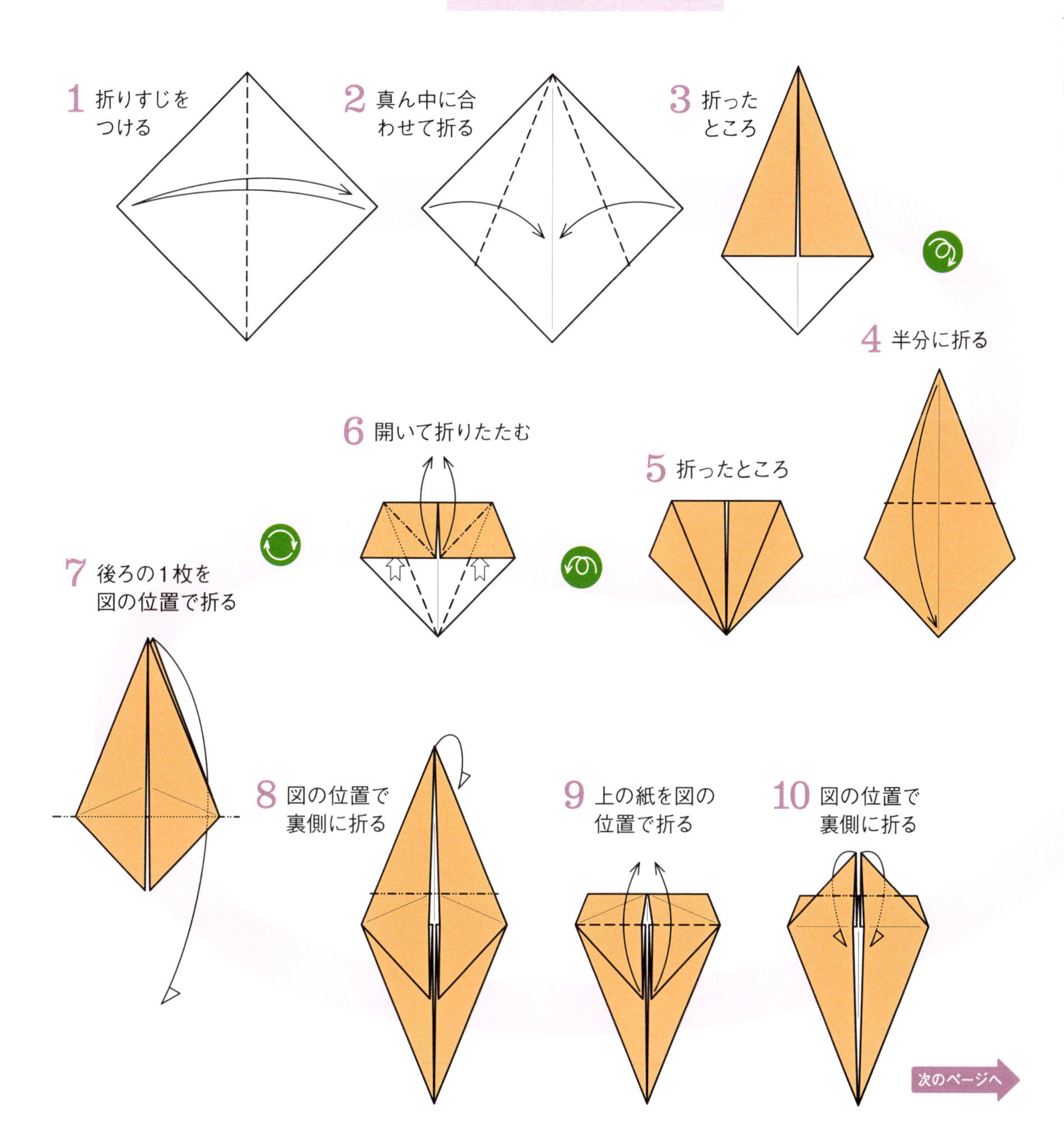

次のページへ

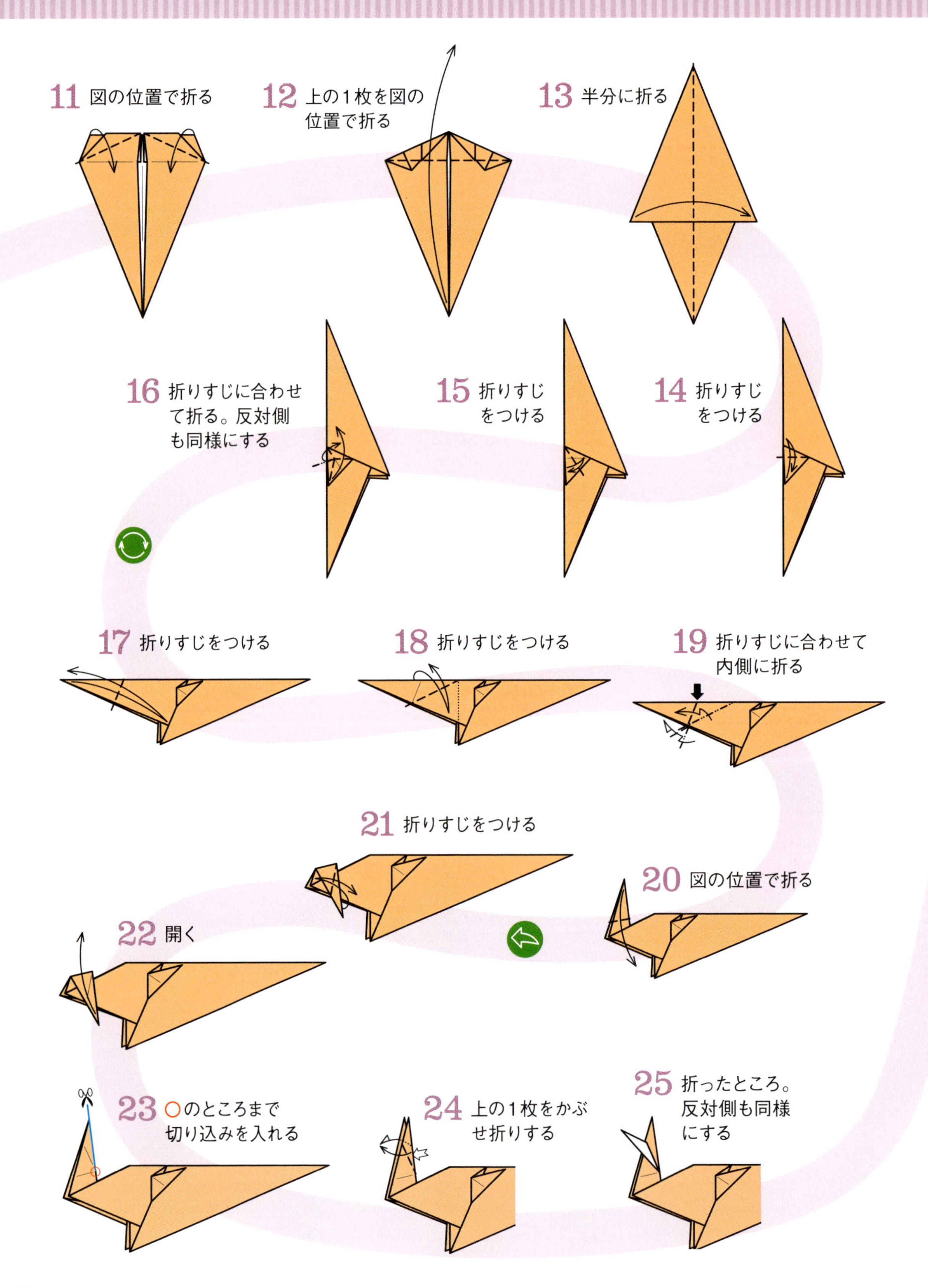
11 図の位置で折る
12 上の1枚を図の位置で折る
13 半分に折る
16 折りすじに合わせて折る。反対側も同様にする
15 折りすじをつける
14 折りすじをつける
17 折りすじをつける
18 折りすじをつける
19 折りすじに合わせて内側に折る
21 折りすじをつける
20 図の位置で折る
22 開く
23 ○のところまで切り込みを入れる
24 上の1枚をかぶせ折りする
25 折ったところ。反対側も同様にする

26 図のように内側に折る。反対側も同様にする

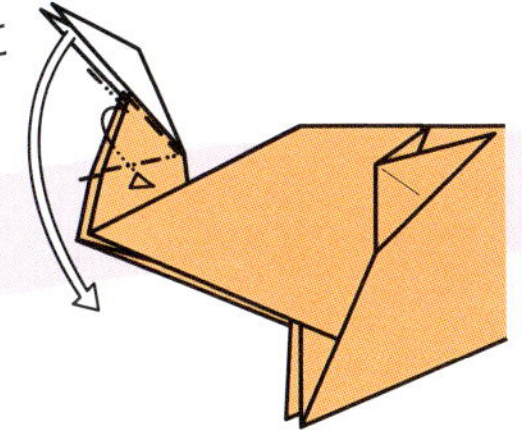

27 上の1枚を図の位置で折る

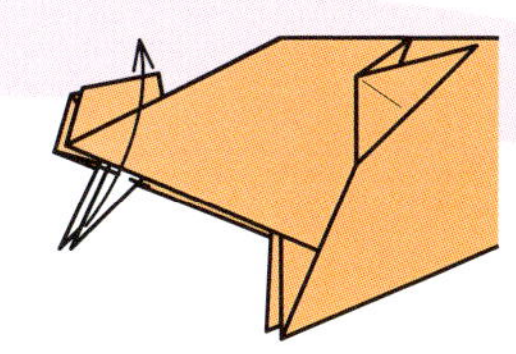

28 はしに合わせて折る

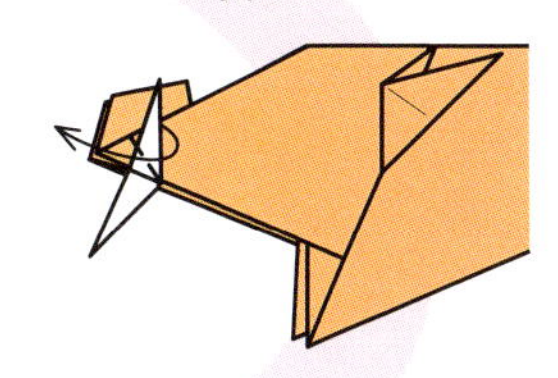

29 折ったところ。反対側も同様にする

30 はしに合わせて折る

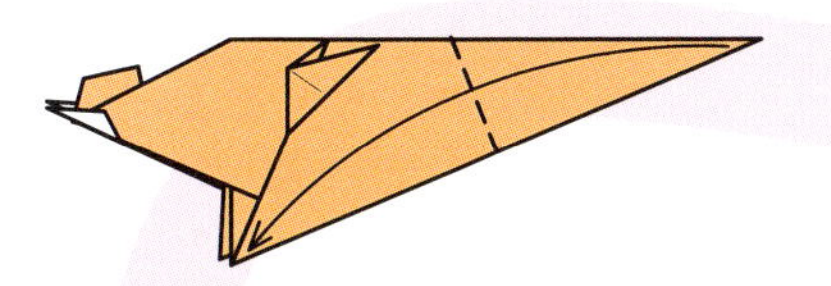

31 はしに合わせて折る

32 開く

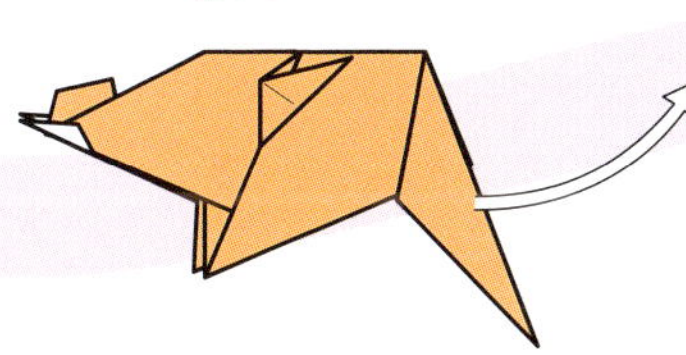

33 折りすじに合わせて中わり折りする

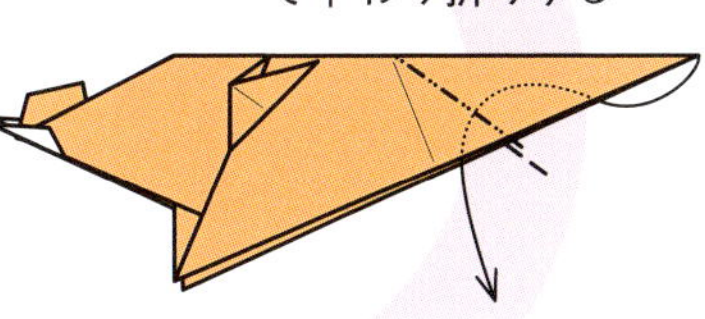

34 さらに中わり折りする

35 先を中わり折りする

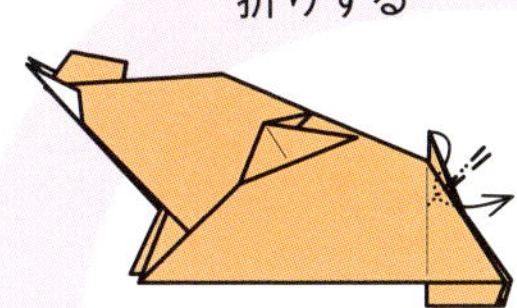

36 図の位置で内側に折る

37 引っ張りながら、立体的になるように整える。反対側も同様にする。ここが耳になる

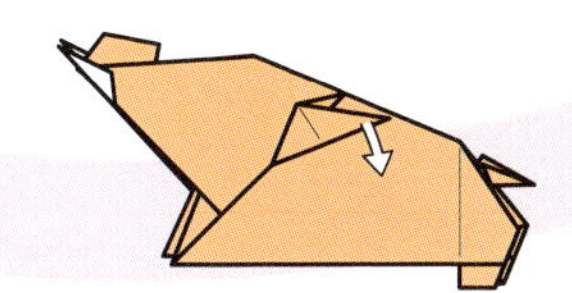

できあがり

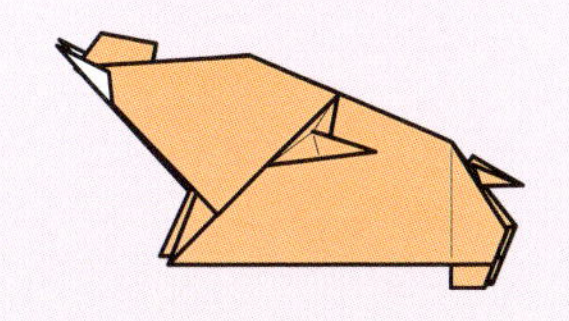

★★★

屏風（びょうぶ）【→P.120、123】

【→P.120、123】

Point

シンプルですが、干支飾り[→P.126-155]や兜（かぶと）[→P.167]の後ろに立てて飾ると作品がより引き立ちます。

▶**用紙する紙**
12.5×25cmの紙（両面和紙）を1枚

▶**完成サイズ**　10.5×21cm（広げた場合）

1 はしを少し折る

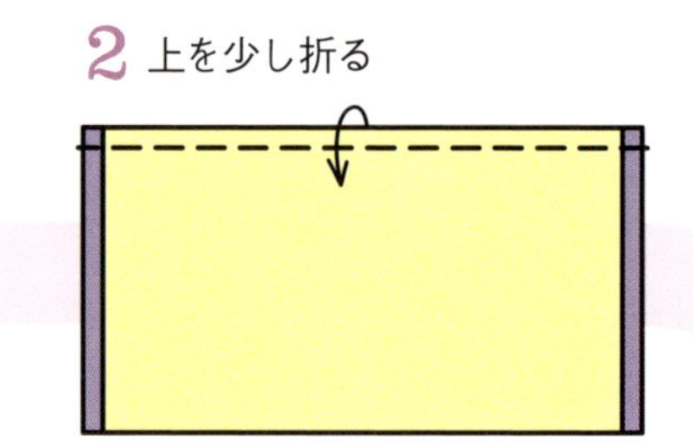

2 上を少し折る

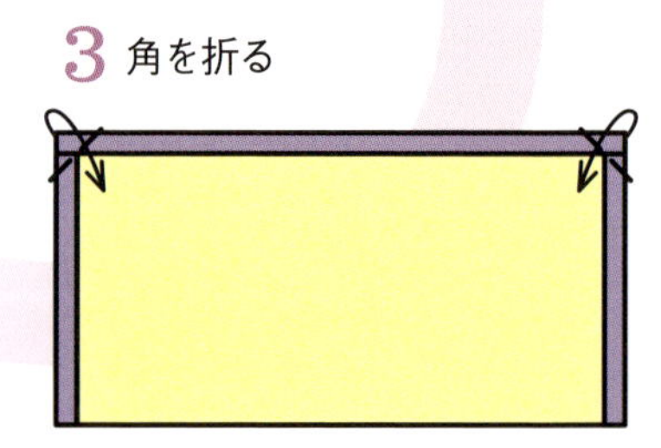

3 角を折る

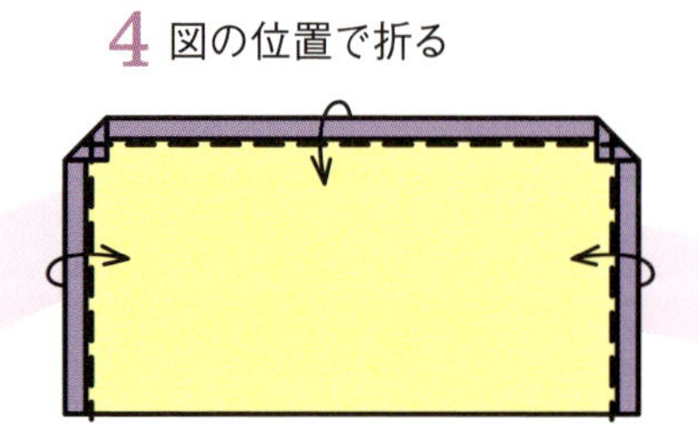

4 図の位置で折る

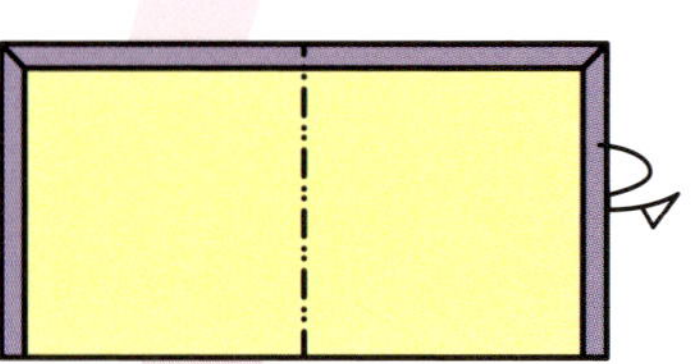

5 山折りし、折りすじをつける

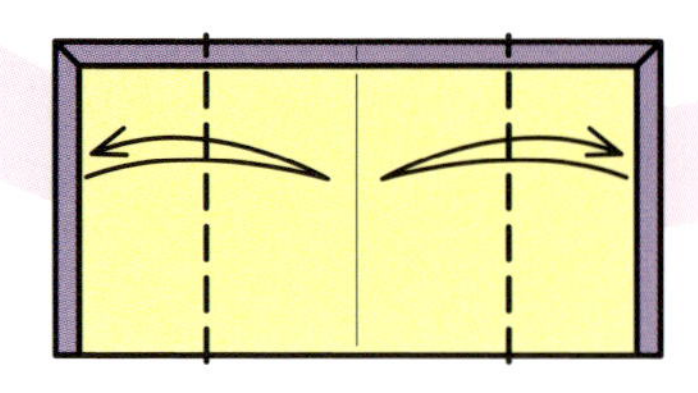

6 真ん中に合わせて折りすじをつける

できあがり

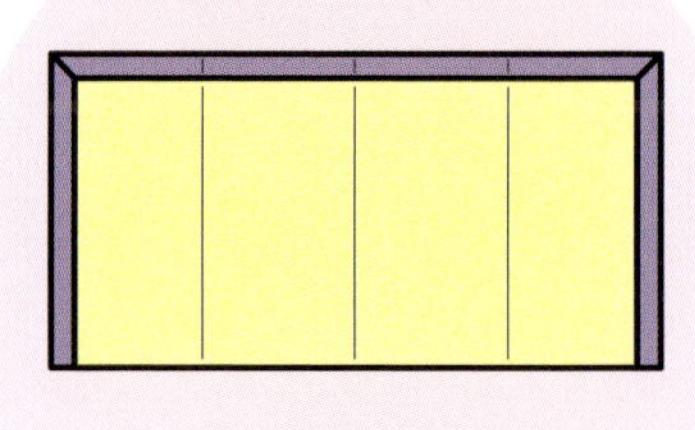

じゃばら状に、立てて使う

★★★

座布団【→P.121】

Point

和紙のもみ紙や板染めなどを使うと質感が出ます。のせるものに合わせて紙のサイズを変えてみましょう。

▶用紙する紙
15×15cmの紙を1枚、7.5×7.5cmの紙を1枚

▶材料　約4cmの糸を4束（写真は4cmの糸8本を束ねています）、ティッシュを1枚

▶完成サイズ　10.5×10.5cm（糸部分は含まず）

※15×15cmの紙を使って、ざぶとん基本形［→P.17］から始めます。

1 すべて開く

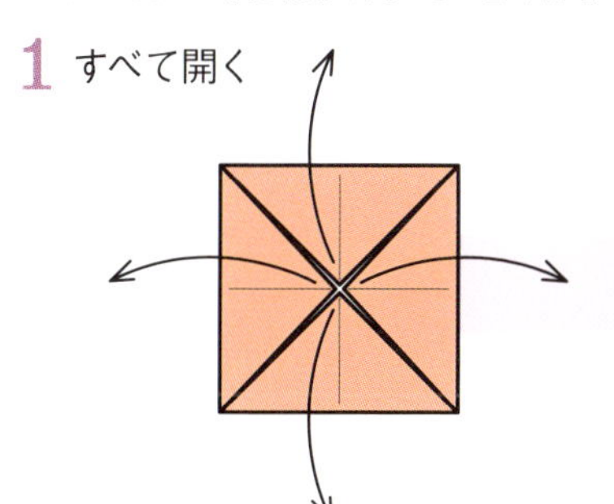

2 四隅に糸を束ねたものを接着剤で貼りつける

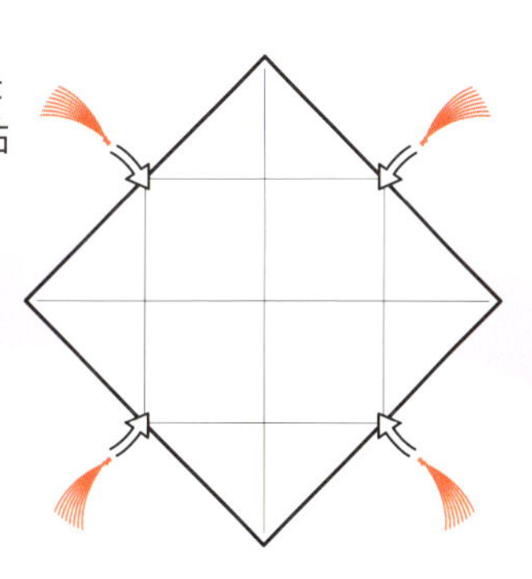

3 ティッシュを4分の1に折り、2の上に置く

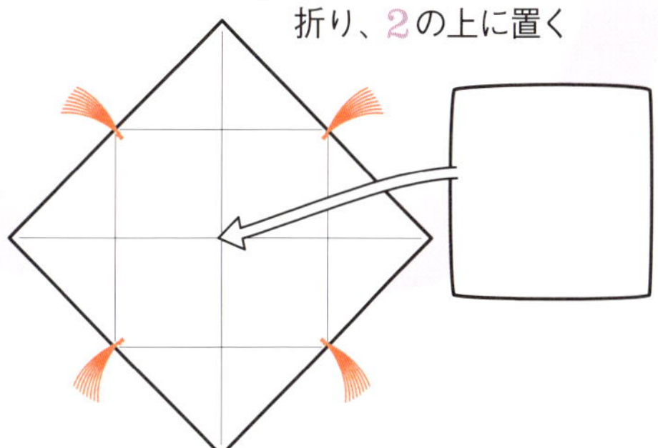

4 7.5×7.5cmの紙をティッシュに接着剤で貼りつけ、ティッシュがすき間から見えないようにする

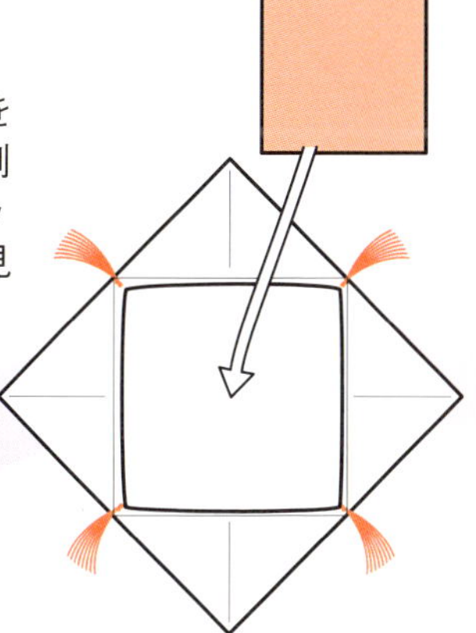

5 折りすじに合わせて折りもどし、接着剤で貼りつける

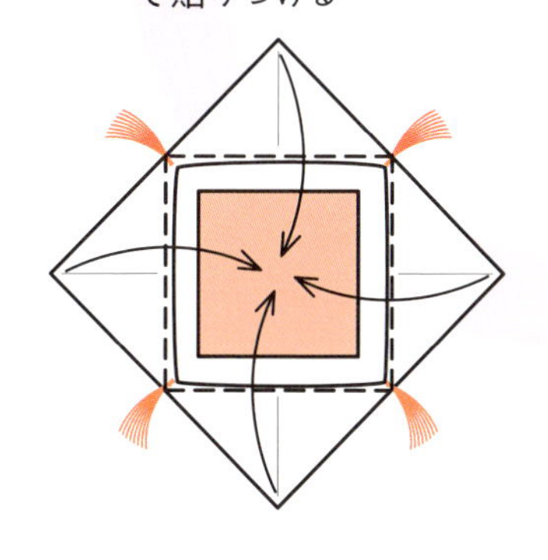

6 折ったところ

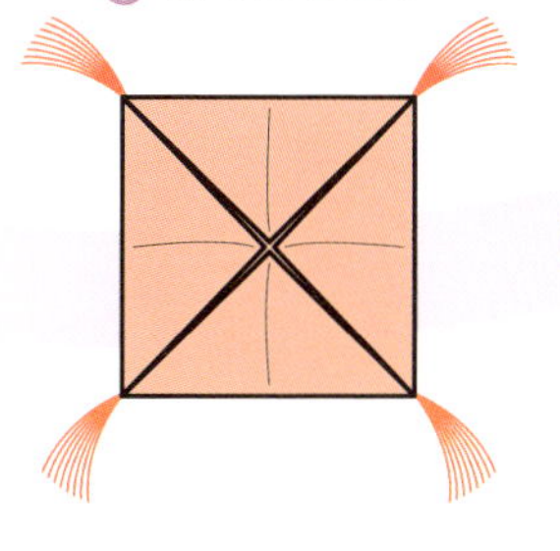

できあがり

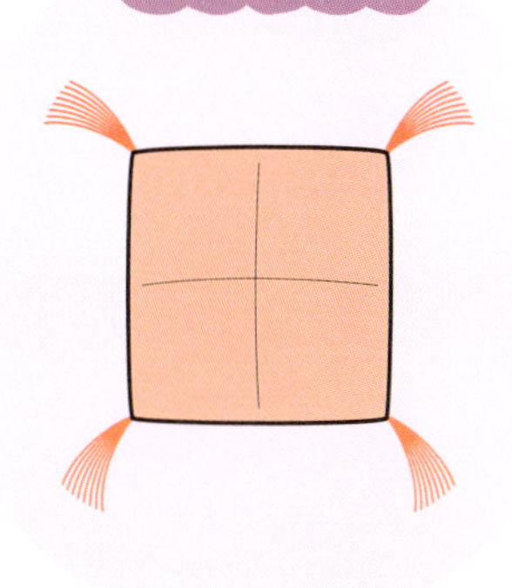

★★★

つりぶね 【→P.122】

1月

Point

1羽の親鶴と7羽の子鶴を1枚の紙で折る連鶴です。子鶴がちぎれにくいよう、丈夫な紙（和紙など）を使うとよいでしょう。

▶**用意する紙**
20×20cmの紙を1枚

▶**完成サイズ**　7×14×9cm

1 折りすじをつける

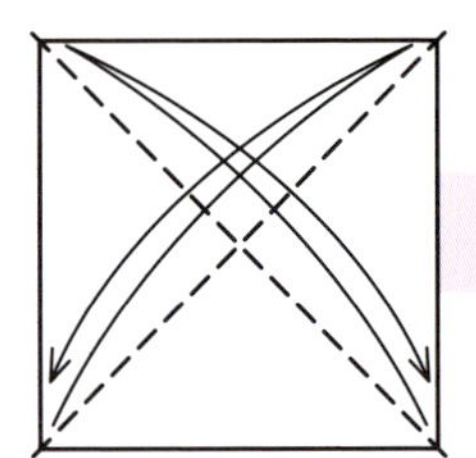

2 ○が重なるように折りすじをつける

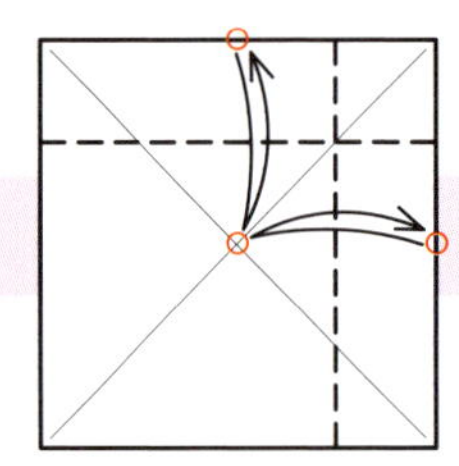

3 折りすじをつける

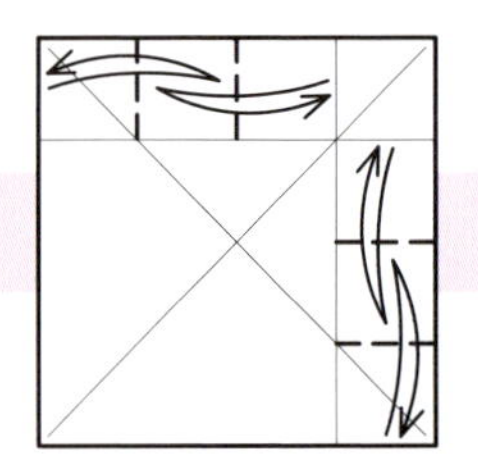

4 折りすじをつける

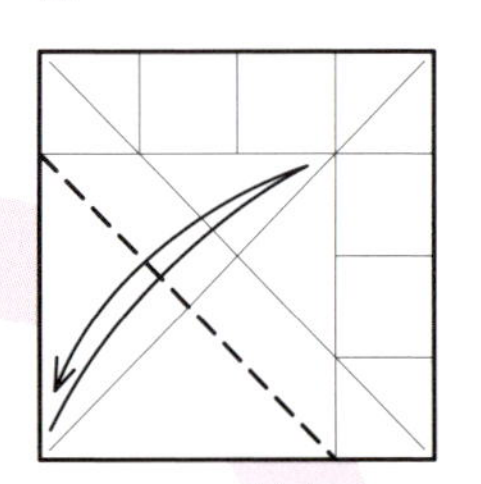

5 折りすじに沿って○のつながる部分を残し、切り込みを入れる

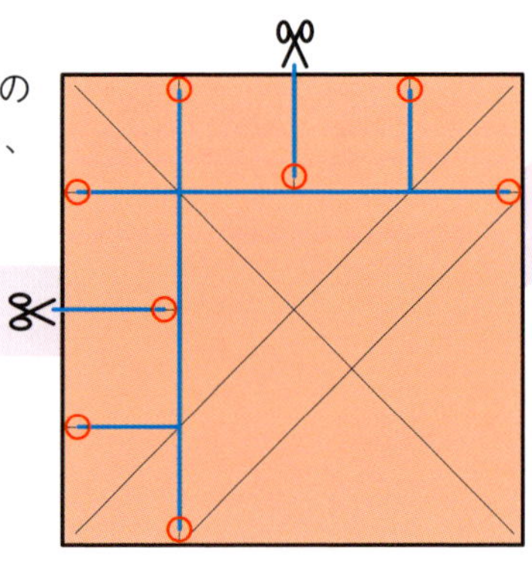

6 図のように折りたたむ

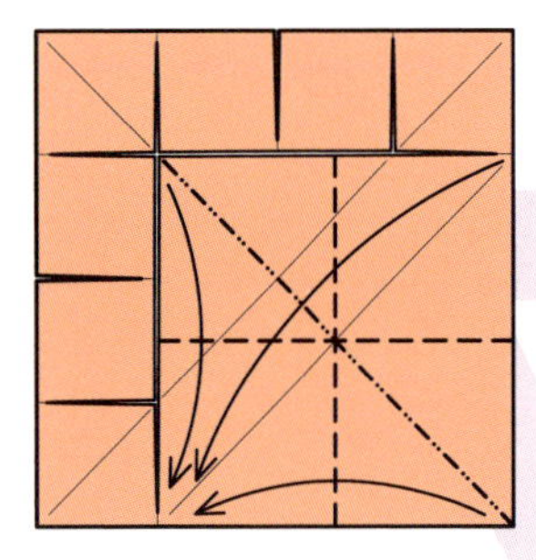

このように、○の位置でつながっている状態にする。つながる場所がちがうと鶴のくちばしと尾でつながってしまうので注意

7 つながっている部分が表と裏にくるようにして、折りすじをつける。反対側も同様にする

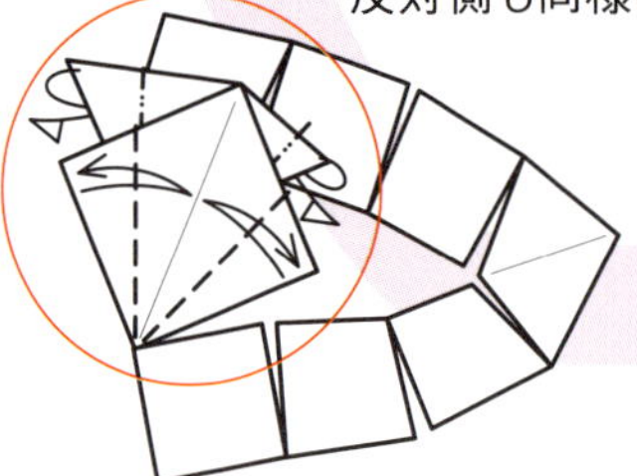

8 引き上げて折りたたむ。反対側も同様にする

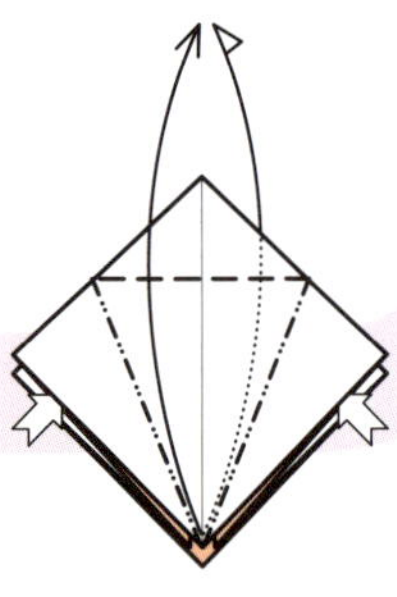

9 真ん中に合わせて折る。反対側も同様にする

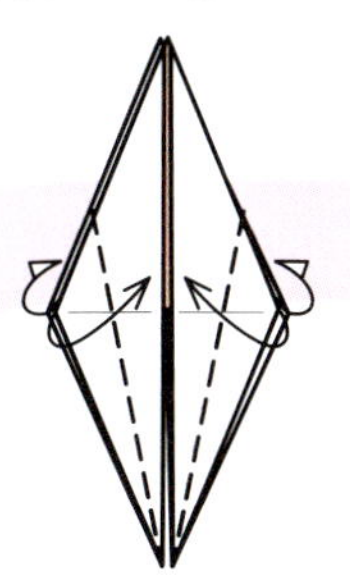

10 中わり折りする

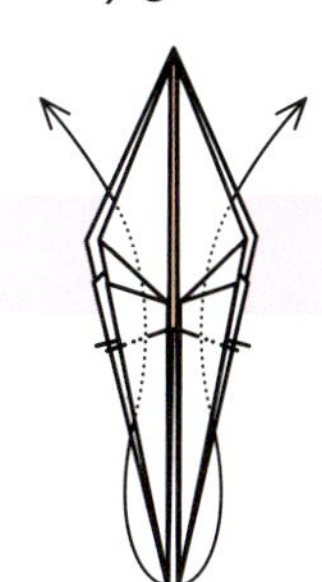

11 中わり折りする

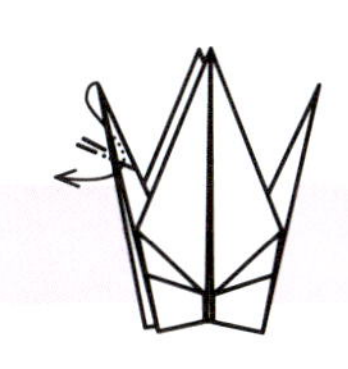

12 羽を広げて立体にする

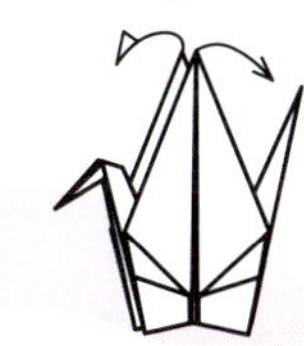

13 残りの7枚に折りすじをつけ、それぞれ折りたたむ。このとき、山折りと谷折りのつけ方を図のように交互に変えていく

難

14 折っているところ。つながっている部分が7と同様に表と裏にくるようにして、7〜12と同様にして鶴を折る

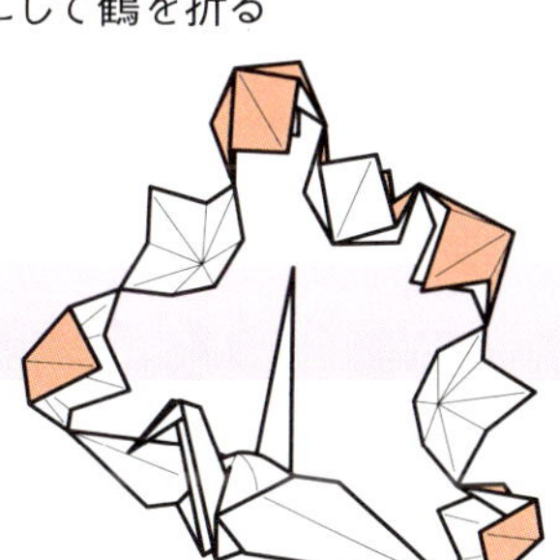

15 鶴を折ったところ

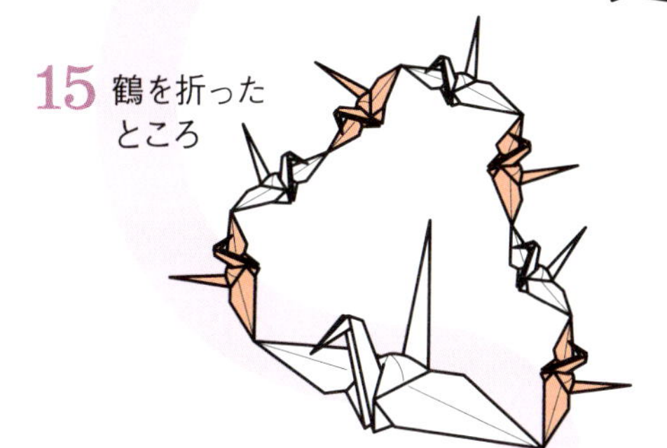

折ったところ。表と裏の色が交互に出る

16 真ん中の鶴の穴に親鶴の尾を図のように差し込む

差し込んでいるところ

できあがり

アレンジ

★★★

連鶴（妹背山）

（いもせやま）

Point

1枚の紙で2羽を折る、伝承の連鶴です。折りすじをしっかりとつけながら折ると折りやすくなります。

伝承作品

▶用意する紙
7.5×15cmの紙を1枚

▶完成サイズ　4×8×2cm

1 折りすじをつける

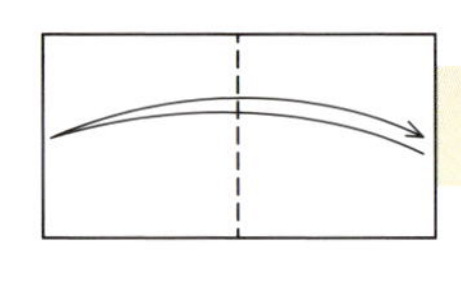

2 図の位置で切り込みを入れる

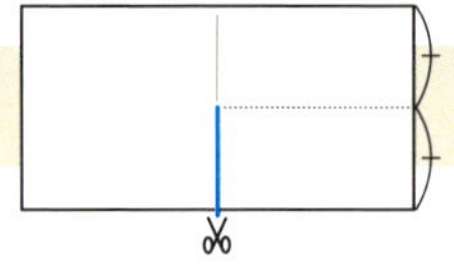

3 半分に折りもどす

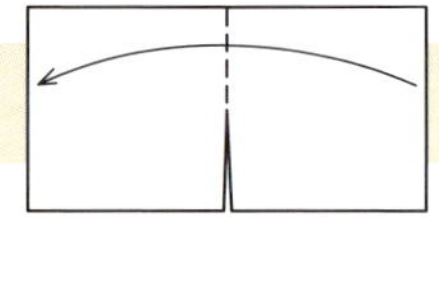

4 山折りし、折りすじをつける

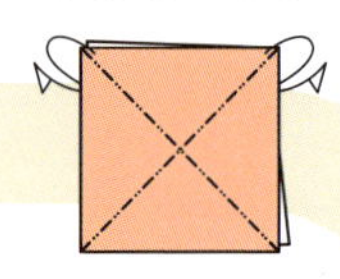

5 折りすじをつける

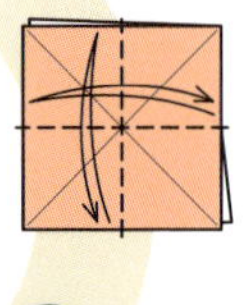

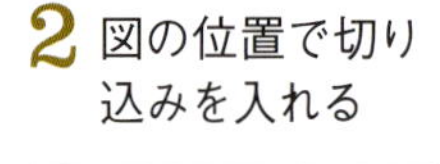

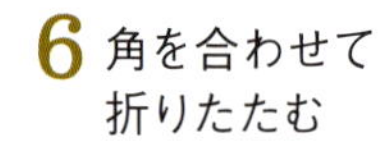

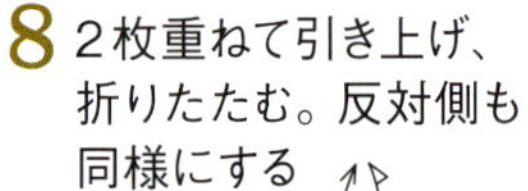

6 角を合わせて折りたたむ

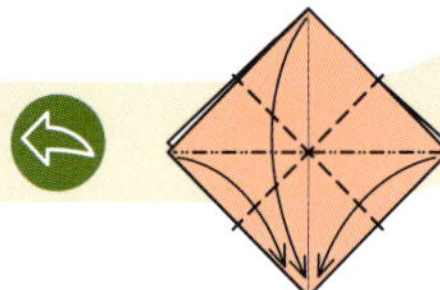

7 折りすじをつける。反対側も同様にする

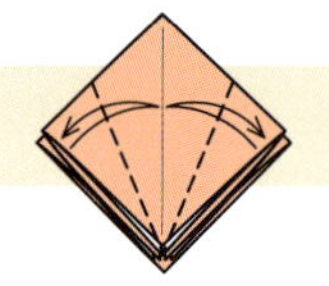

8 2枚重ねて引き上げ、折りたたむ。反対側も同様にする

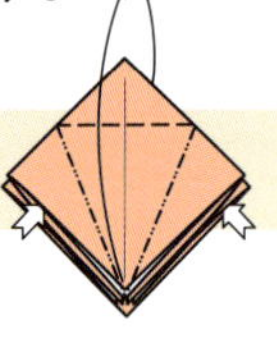

9 しっかり折りすじをつけてから、すべて開く

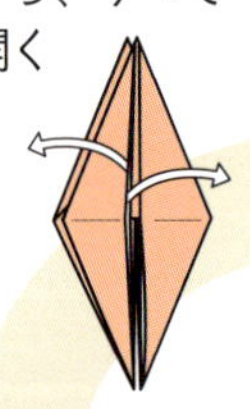

難

10 折りすじに合わせて図のように折りたたむ

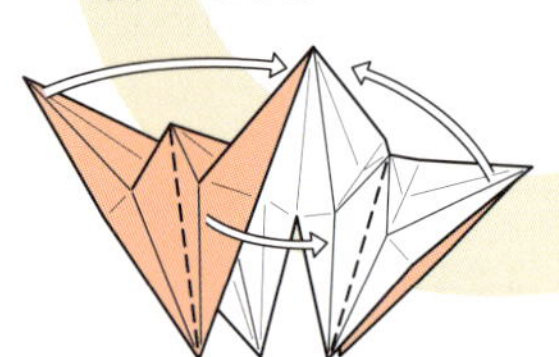

11 真ん中に合わせて折る。反対側も同様にする

12 真ん中に合わせて内側に折る。反対側も同様にする

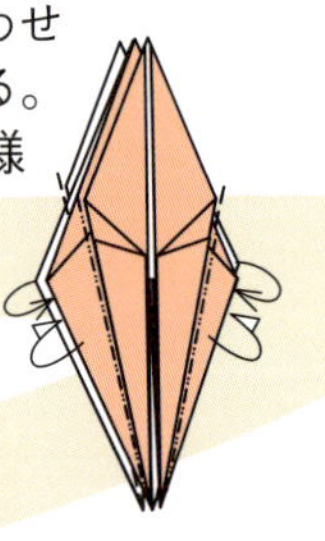

13 中わり折りする

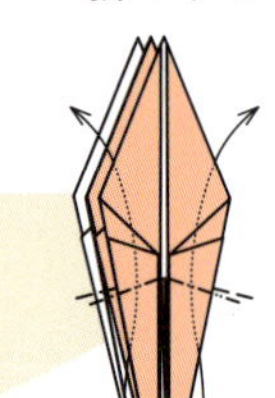

14 反対側も同様にする

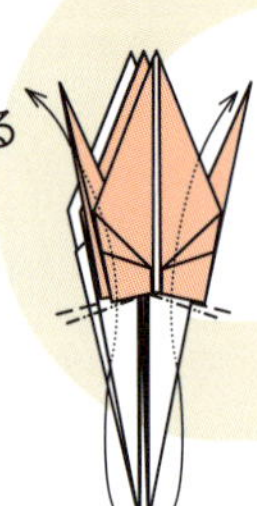

15 中わり折りする。反対側も同様にする

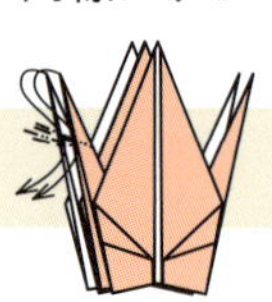

16 羽を広げて立体にする

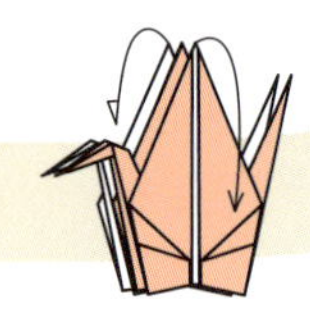

できあがり

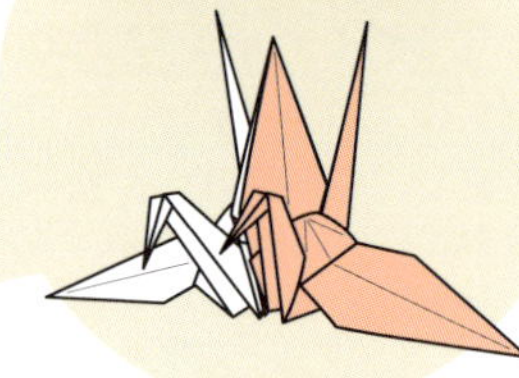

★★★

ハートのリース 【→P.122】 2月

Point

バレンタインの季節に壁に飾ってみてはいかがですか。水玉やストライプなどの柄のある紙を使ってポップに仕上げてもよいでしょう。

▶**用意する紙**
7.5×7.5cmの紙を8枚

▶**完成サイズ**　直径13cm

1月／連鶴（妹背山）、2月／ハートのリース

●ハートを8個作って組み合わせます。

1 折りすじをつける

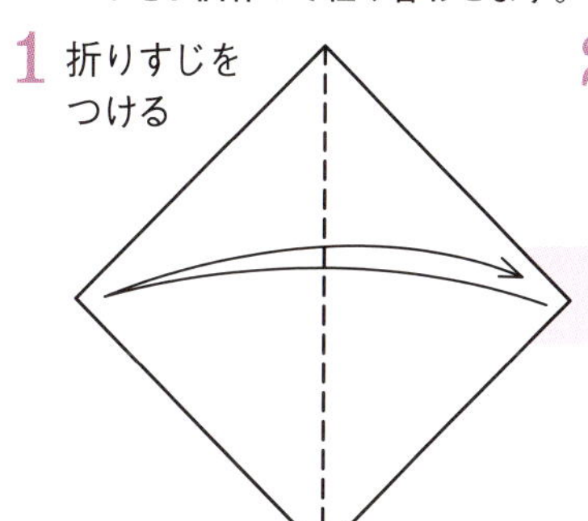

2 真ん中に合わせて折る

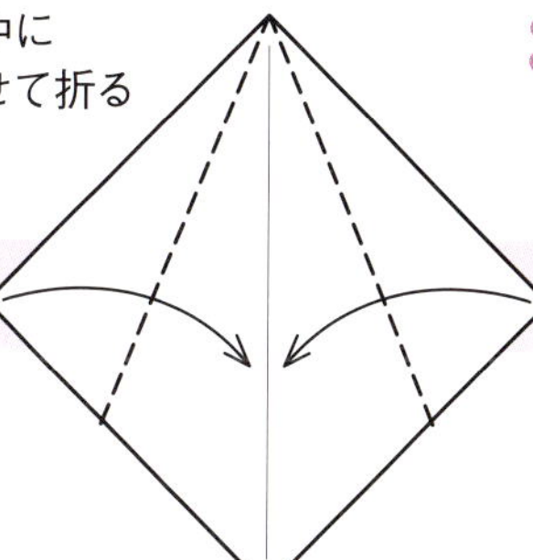

3 折ったところ

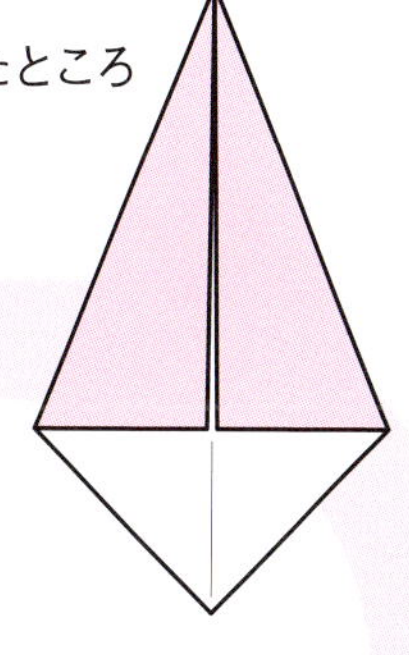

4 半分に折る

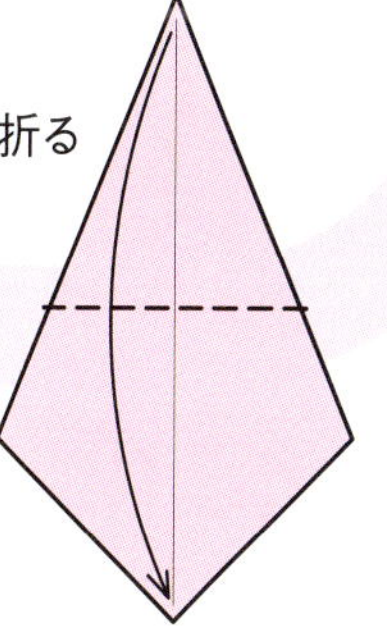

5 折ったところ

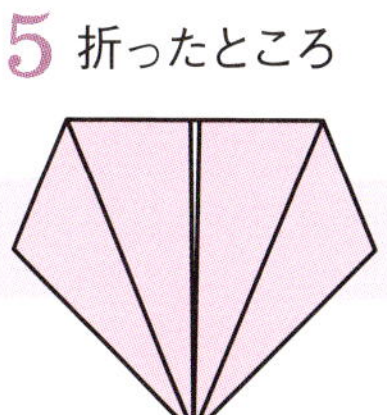

6 開いて折りたたむ

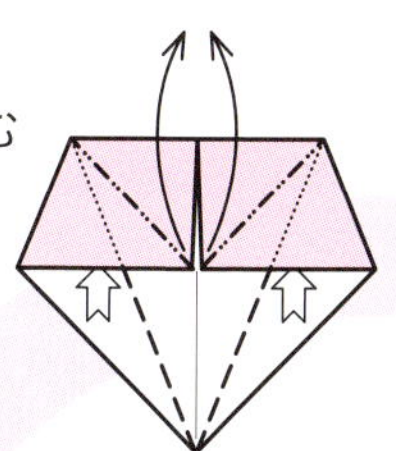

7 図の位置で裏側に折る

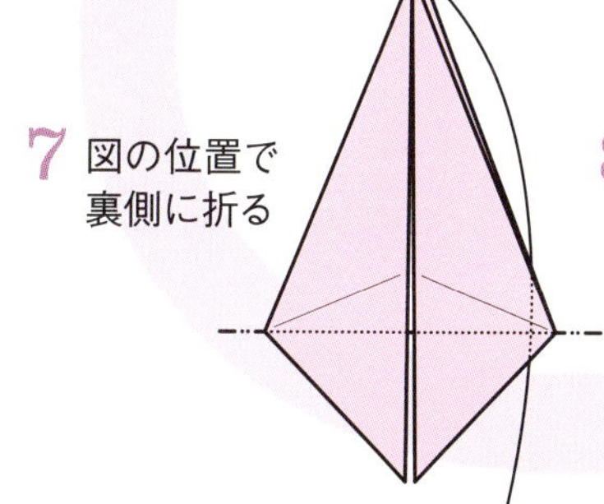

8 折ったところ

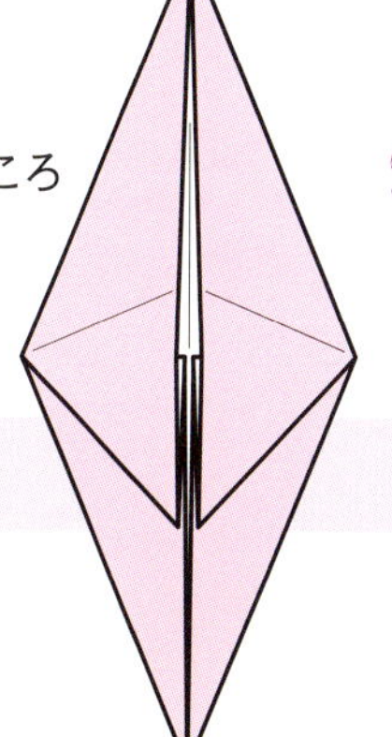

9 真ん中に合わせて折る

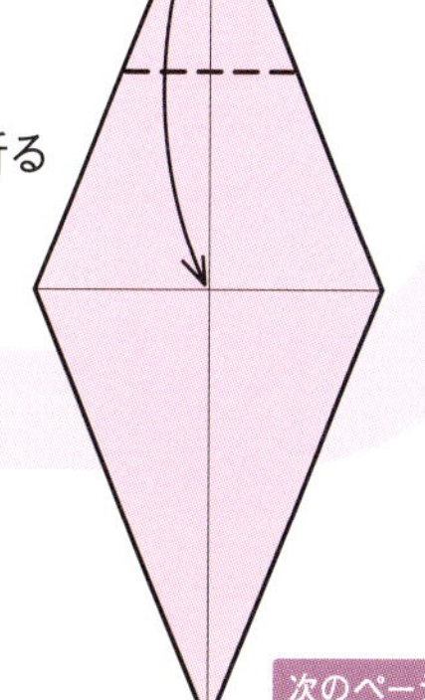

次のページへ

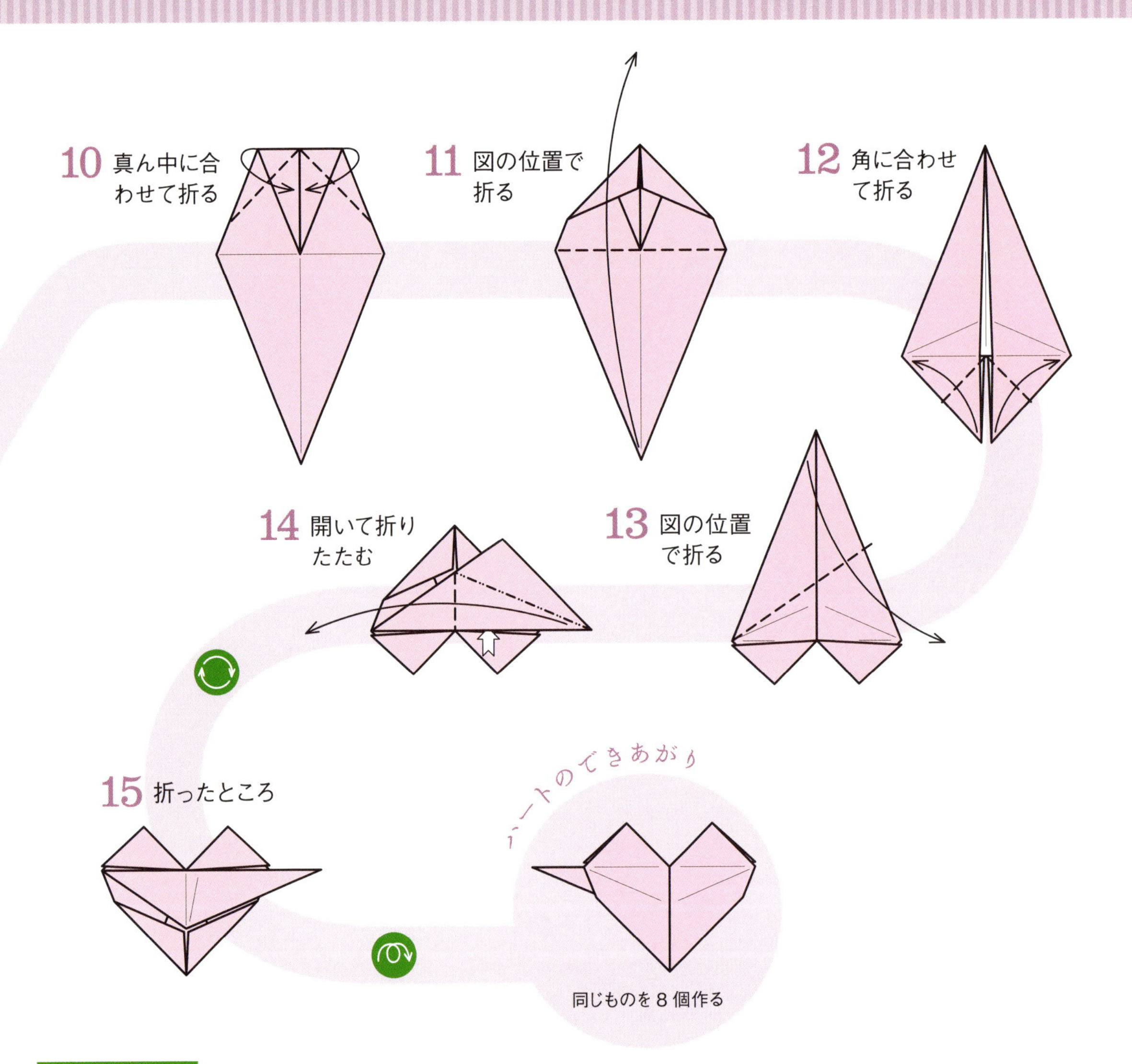

組み合わせ方

1 ハートを裏返し、図のように先を左上に差し込み、のりづけする

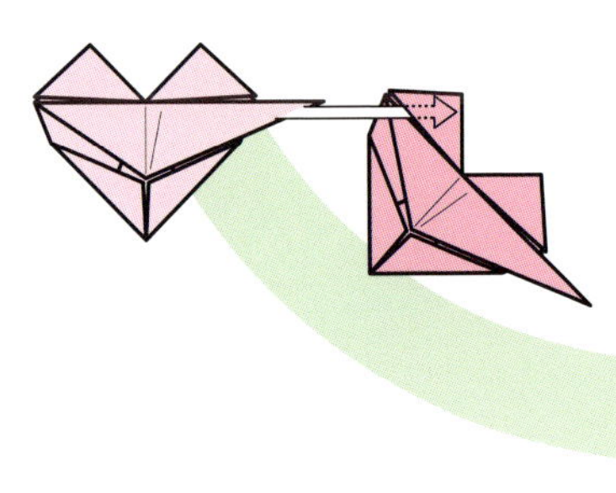

2 のりづけしたところ。残り６個も同様にする

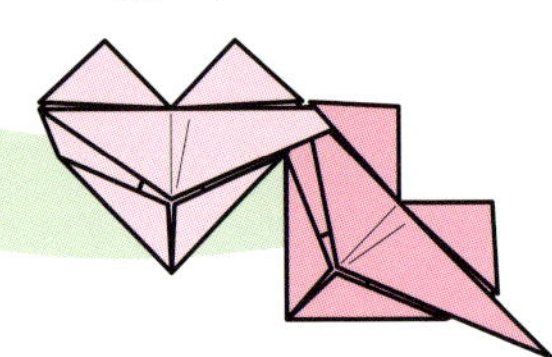

★★★

めびな・おびな

【→P.122】

3月

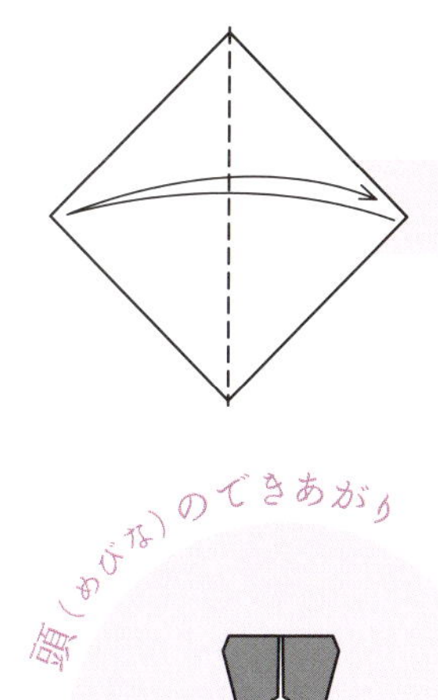

Point

パーツを３つに分けて折るため、手順は多いですが、ひとつひとつはとてもかんたん。ぜひ桃の節句に折ってみてください。

▶**用意する紙**
[頭（めびな・おびな）] 5×5cmの紙を各１枚
[着物（めびな・おびな）] 15×15cmの紙を各１枚
[本体（めびな・おびな）] 15×15cmの紙を各１枚

▶**完成サイズ**　8×10.5cm（めびな）、9.5×13cm（おびな）
※写真は紙2枚を重ねて着物を折っています。

●それぞれ、頭と着物、本体を作って組み合わせます。

頭（めびな）

1 折りすじをつける

2 真ん中に合わせて折る

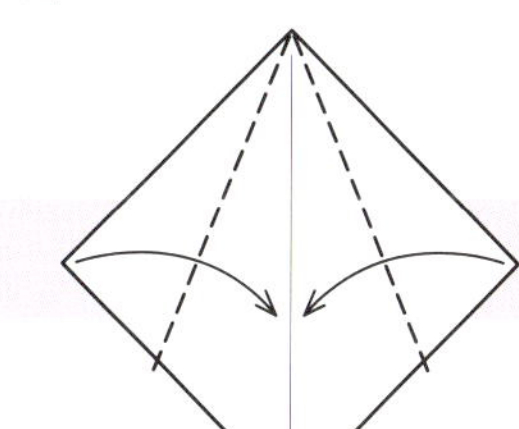
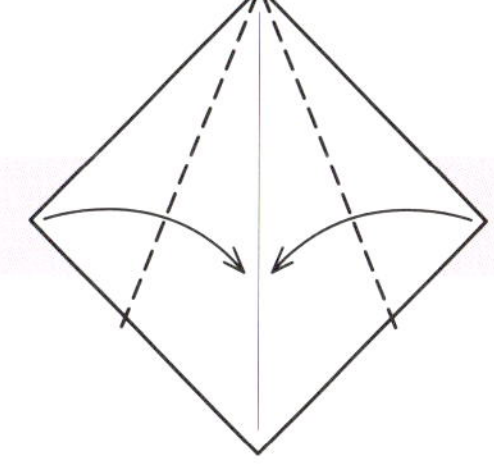

3 すべて開く

4 図の位置で２回巻くように折る

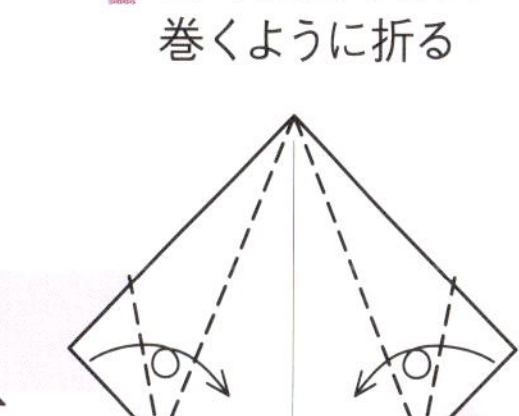

5 折ったところ

6 図の位置で折る

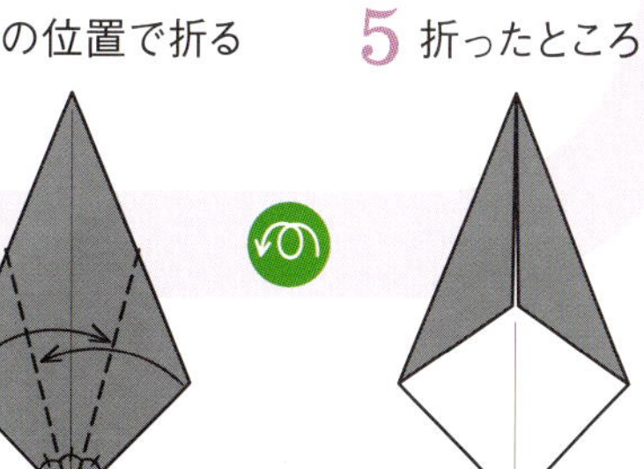

7 図の位置で折る

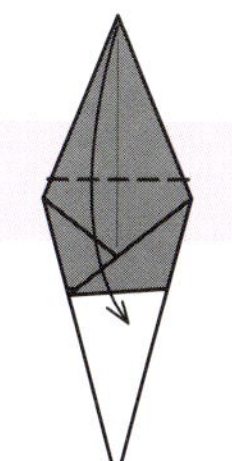

頭（めびな）のできあがり

頭（おびな）

※頭（めびな）の6まで折ったところから始めます。

1 図のように左右に少しずつ切り込みを入れる

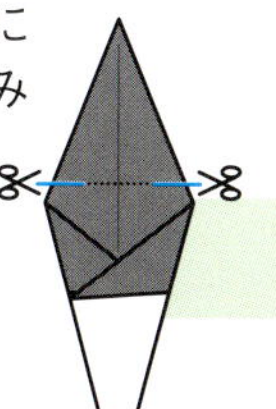

2 図の位置で折る

頭（おびな）のできあがり

次のページへ

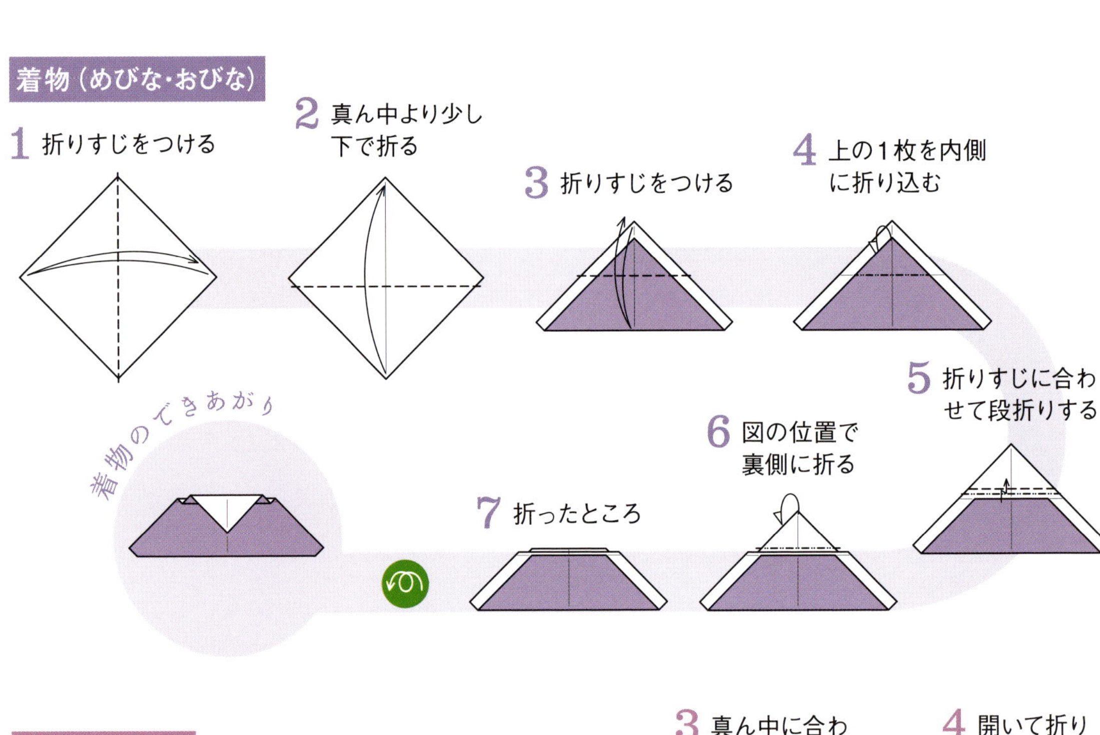
着物（めびな・おびな）
1 折りすじをつける
2 真ん中より少し下で折る
3 折りすじをつける
4 上の1枚を内側に折り込む
5 折りすじに合わせて段折りする
6 図の位置で裏側に折る
7 折ったところ
着物のできあがり

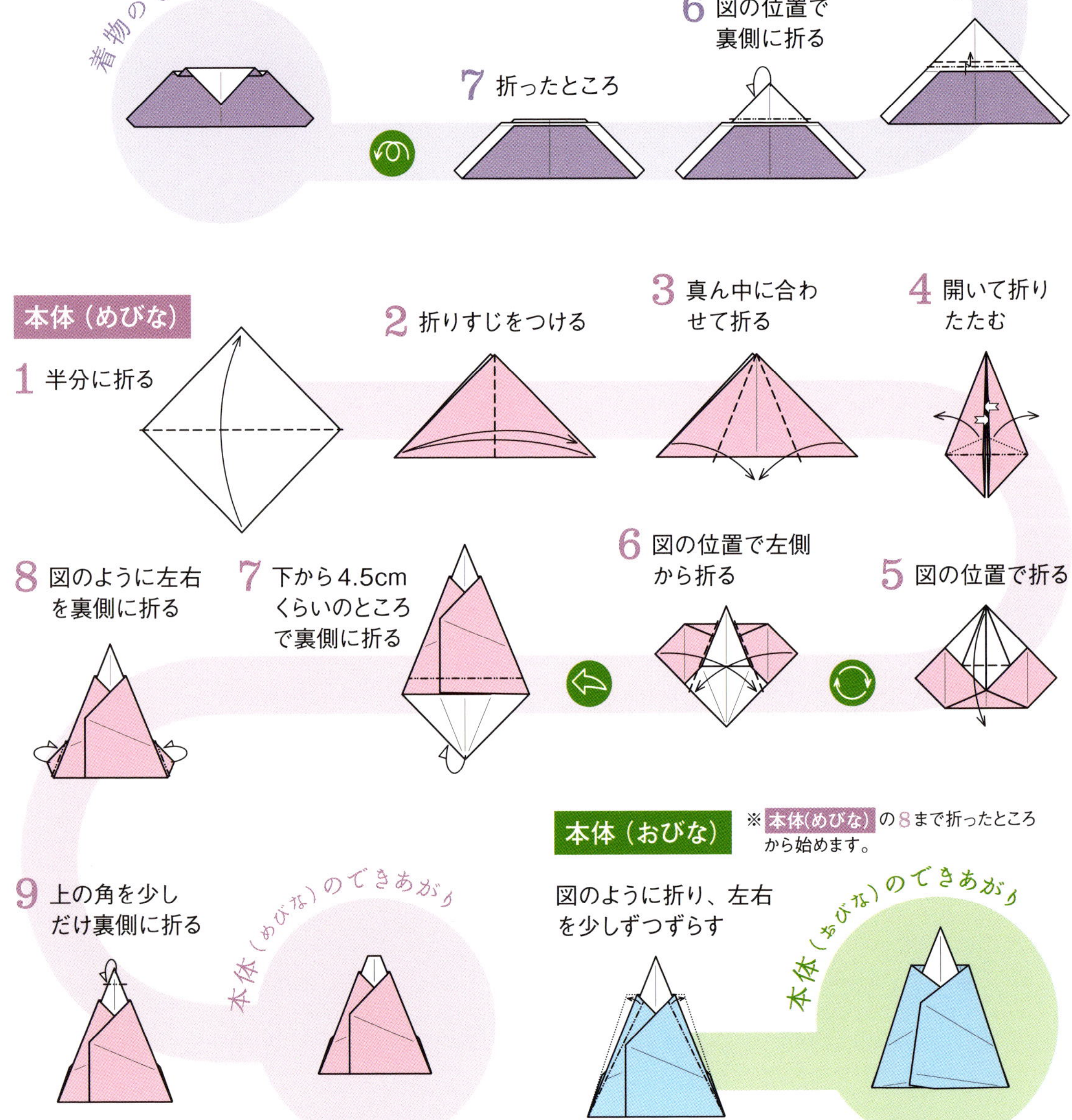
本体（めびな）
1 半分に折る
2 折りすじをつける
3 真ん中に合わせて折る
4 開いて折りたたむ
5 図の位置で折る
6 図の位置で左側から折る
7 下から4.5cmくらいのところで裏側に折る
8 図のように左右を裏側に折る
9 上の角を少しだけ裏側に折る
本体（めびな）のできあがり
本体（おびな）
※ 本体(めびな) の8まで折ったところから始めます。
図のように折り、左右を少しずつずらす
本体（おびな）のできあがり

組み合わせ方（めびな）

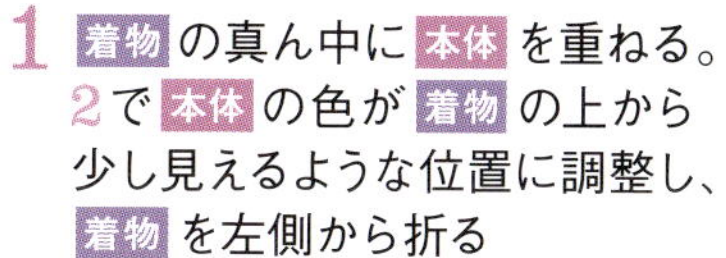

1 着物の真ん中に本体を重ねる。2で本体の色が着物の上から少し見えるような位置に調整し、着物を左側から折る

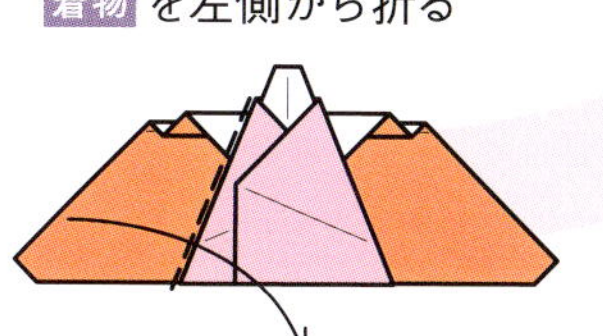

2 図の位置で折る

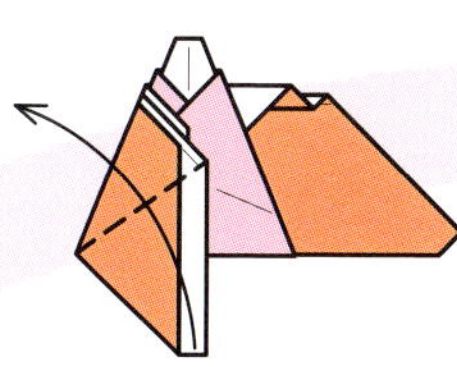

3 はしに合わせて折る

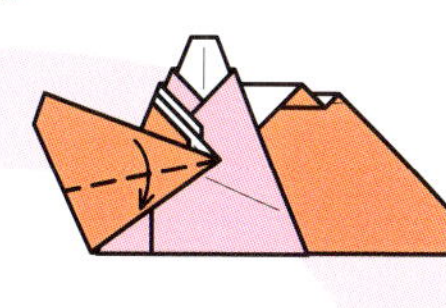

4 はみ出した部分を裏側に折る

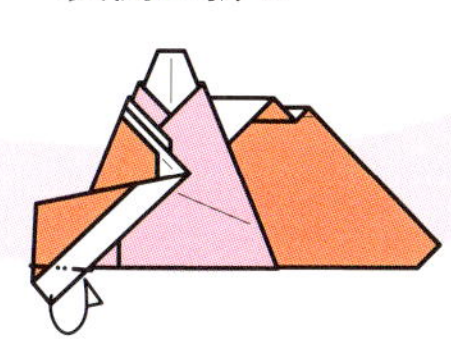

5 右側も折り、2～4と同様にする

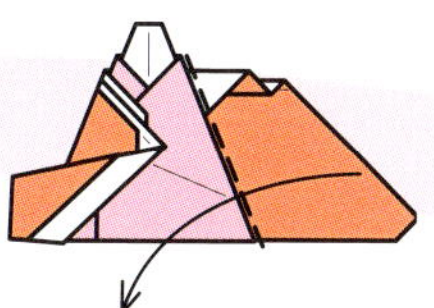

6 折ったところ

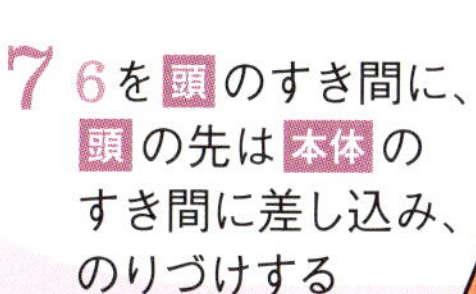

7 6を頭のすき間に、頭の先は本体のすき間に差し込み、のりづけする

8 本体と着物の後ろを少し裏側に折る

できあがり

着物はのりづけするとよい

組み合わせ方（おびな）

1 着物の真ん中に本体を重ね、めびなと同様に位置を調整する。着物を左側から折る

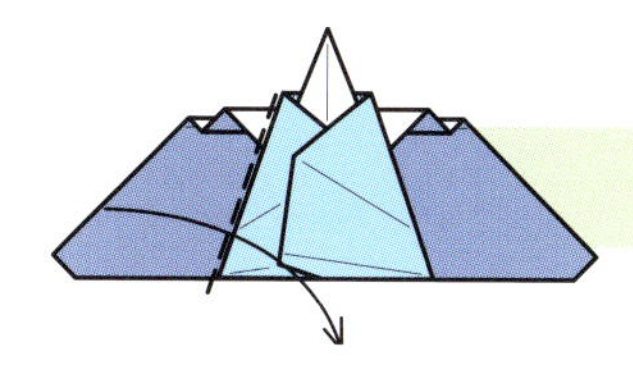

2 図の位置で折る

3 右側も折って2と同様にする

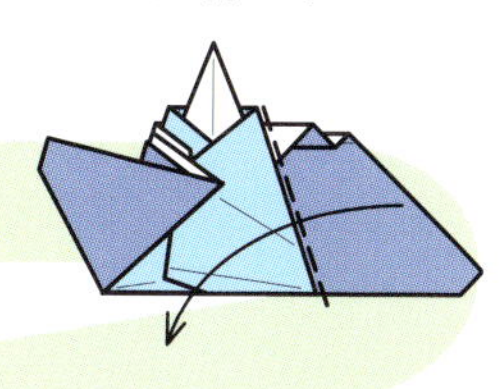

4 折ったところ

5 4を頭のすき間に、頭の先は本体のすき間に差し込み、のりづけする

6 図の位置で少し裏側に折る

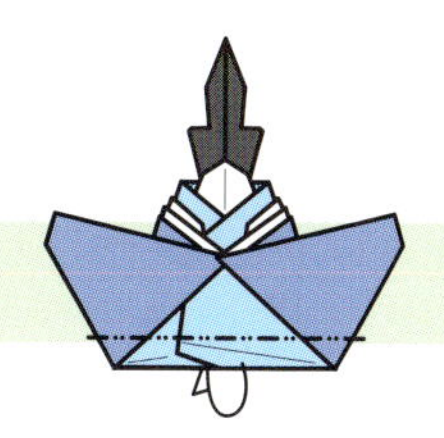

できあがり

着物はのりづけするとよい

★★★

サクラの置物 【→P.3、123】

4月

Point

玄関やテーブルに置くだけで春にふさわしい飾りになります。花びらのみを数枚いっしょに散らしてもいいですね。

▶**用意する紙** ［花びら（花１個分）］2.5×3.5cmの紙を５枚（写真の小さいサクラは1.5×2cmの紙）
［葉（１枚分）］5×12cmの紙を１枚

▶**材料** 花芯を１本（花１個につき、10〜14本のペップ［粒は両つき、直径約1mm］に20cmの30番のワイヤーをつけたもの［→P.108 1〜6参考］）、20cmのワイヤーの24番を１本（葉１本分）、フローラルテープ

▶**完成サイズ** 15×10×厚さ4cm
※写真は花（大）を２個、（小）を１個、葉を５本使っています。

●花と葉を作って組み合わせます。

花びら

1 半分に折る

2 半分に折る

3 上の１枚を開く

4 ３等分より少し広い角度になるように左側から折る

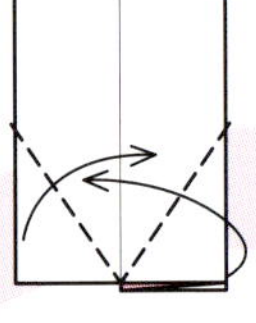

5 開いて折りたたむ

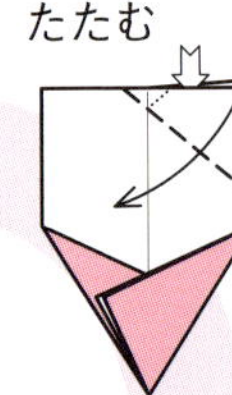

6 図の位置で折る

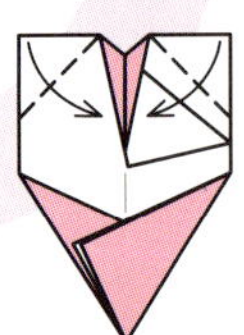

7 上の２枚を開く

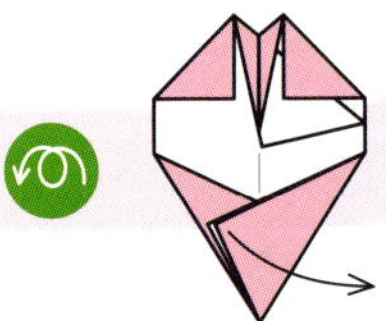

花びらのできあがり

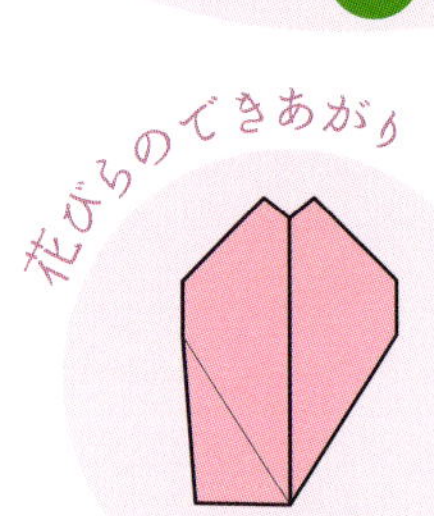

同じものを５枚作る

組み合わせ方

1 図のように飛びだした部分に重ねてのりづけする

2 のりづけしたところ。残り３枚も同様にして、中心が少しくぼむように立体的に仕上げる

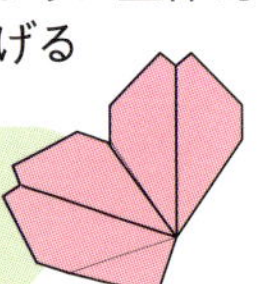

3 花のできあがり。これを好みの数作る

4 葉の紙を半分に折って好みの葉の形に切り、24番のワイヤーを接着剤でつける［→P.108 11］。これを好みの数作る

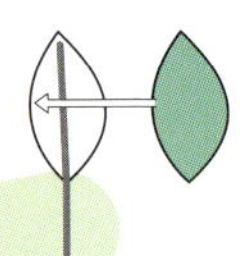

5 3に花芯をつけ、葉をいっしょにフローラルテープで束ねる［→P.108 7〜10、12〜13、16参考］

できあがり

アレンジ

★★★

サクラのブローチ

▶**材料** サクラの置物を１個、10cmの30番のワイヤーを１本、ブローチ用のピンを１個、フローラルテープ

▶**完成サイズ** 5×7×厚さ4cm

Point

サクラの置物にピンをつけて［→P.108 14〜16参考］ブローチにしましょう。

★★☆

兜（かぶと）

【→P.123】

5月

Point

かんたんで、かっこよく作れる兜を端午の節句に飾ってみませんか。金や銀の入ったリバーシブルの紙を使うと豪華になります。

▶**用意する紙**
[本体] 15×15cmの紙を2枚
[飾り（鍬形）] 7.5×7.5cmの紙を1枚

▶**完成サイズ**　9×14×4cm

● 本体 と 飾り（鍬形） を作って組み合わせます。

本体

1 折りすじをつける

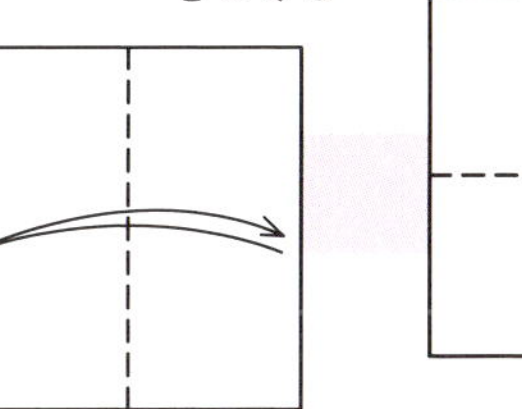

2 半分に折る

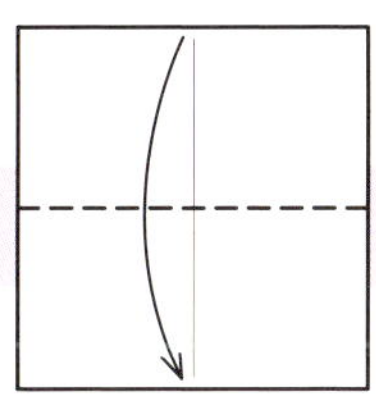

3 真ん中に合わせて折る

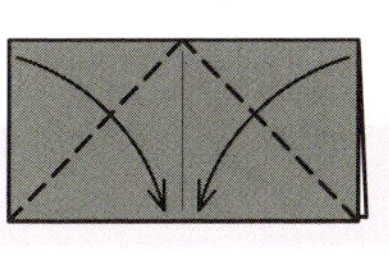

4 はしに合わせて折る

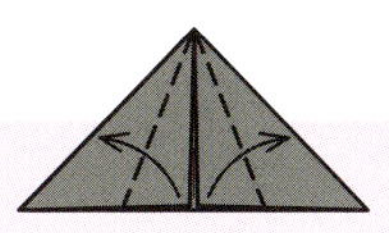

5 左右を開く

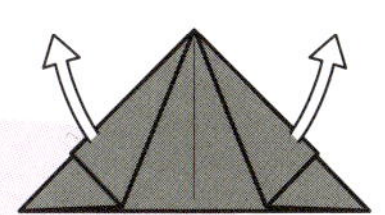

6 内側に段折りする

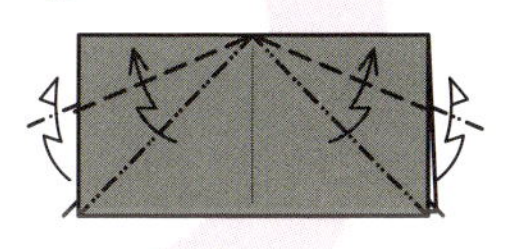

7 開いて折りたたむ

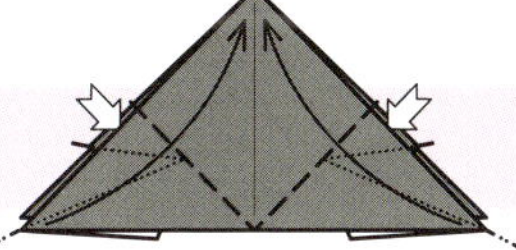

8 図の位置で折る

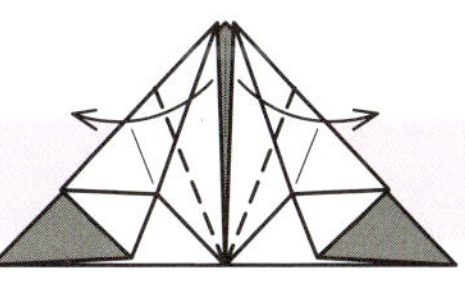

9 もう1枚の紙を図のように差し込み、のりづけする

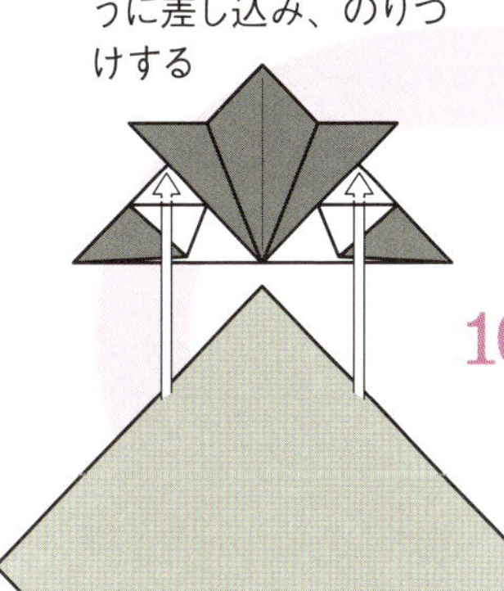

10 図の位置で裏側に折る

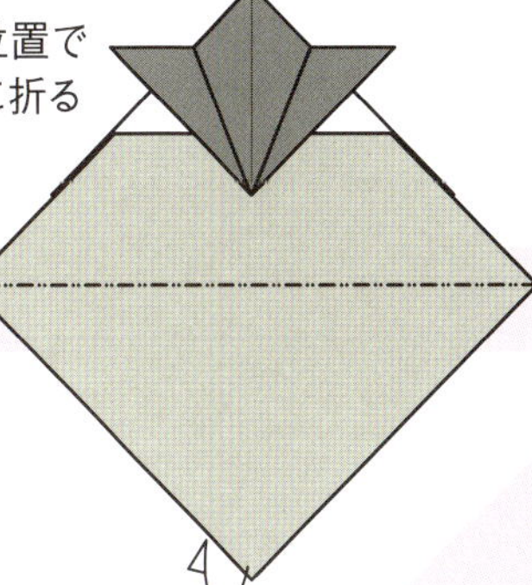

11 図の位置で裏側に折る

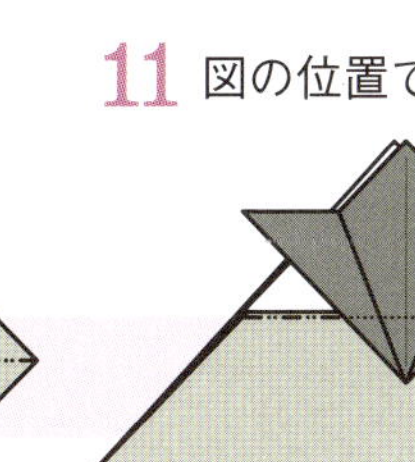

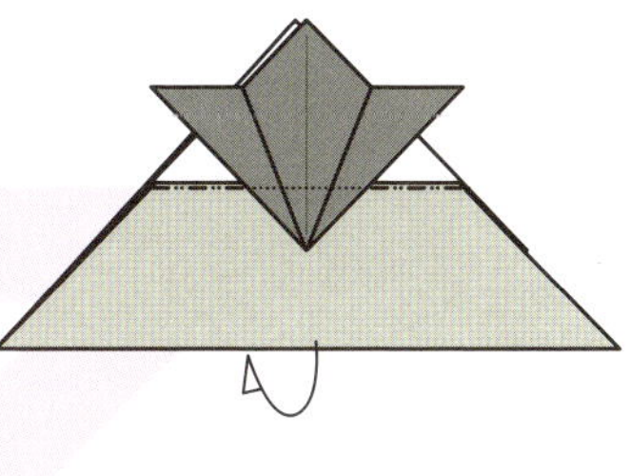

12 後ろの紙を図の位置で裏側に折る

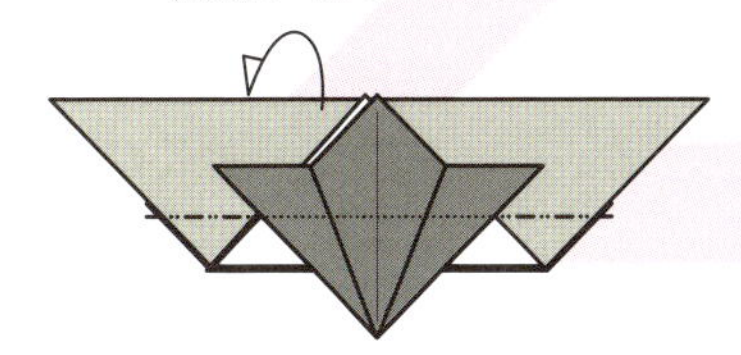

13 左右に折りすじをつけ、真ん中の1枚を折る

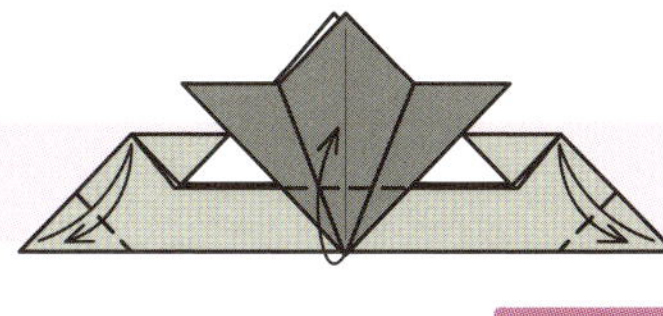

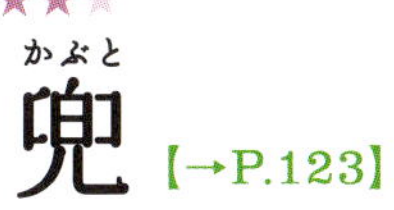

次のページへ

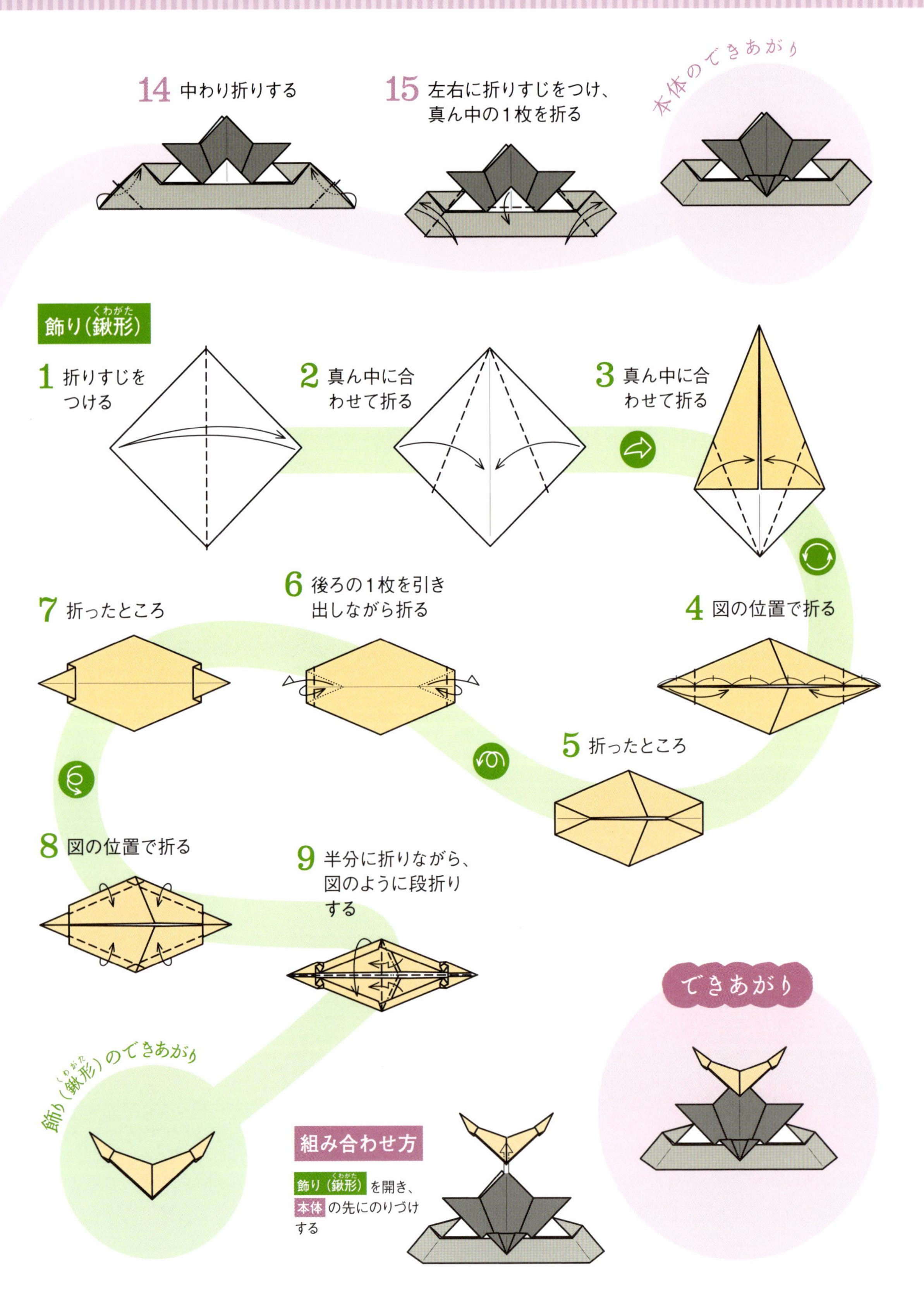
14 中わり折りする
15 左右に折りすじをつけ、真ん中の1枚を折る
本体のできあがり
飾り（鍬形）
1 折りすじをつける
2 真ん中に合わせて折る
3 真ん中に合わせて折る
4 図の位置で折る
5 折ったところ
6 後ろの1枚を引き出しながら折る
7 折ったところ
8 図の位置で折る
9 半分に折りながら、図のように段折りする
飾り（鍬形）のできあがり
組み合わせ方
飾り（鍬形）を開き、本体の先にのりづけする
できあがり

★★★

こいのぼりの置物 【→P.123】

5月

Point
玄関やお部屋のインテリアとしてだけではなく、端午の節句のお祝いに、プレゼントしてもよいでしょう。

▶**用意する紙**　[こいのぼり]7.5×7.5cmの紙を2枚
[ショウブ（1個分）]4×4cmの紙を2枚（花1枚、葉1枚）
[矢車]3.75×3.75cmの紙を2枚　[吹き流し]7.5×2cmの紙を1枚（輪）、1×7.5cmの紙を6枚（五色各1枚、模様1枚）、4×4cmの紙を1枚（回転球）、1.5×2cmの紙を1枚（根もと）

▶**材料**　5cmの30番のワイヤーを1本（ショウブ1個分）、ティッシュを2分の1枚（回転球）、ストロー、25cmの26番のワイヤーを1本、約23cmの竹串、土台

▶**完成サイズ**　25×9×7.5cm

● こいのぼり と ショウブ 、矢車 、吹き流し を作って組み合わせます。

こいのぼり

※かんのん基本形[→P.17]から始めます。

1 すべて開く

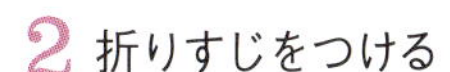

2 折りすじをつける

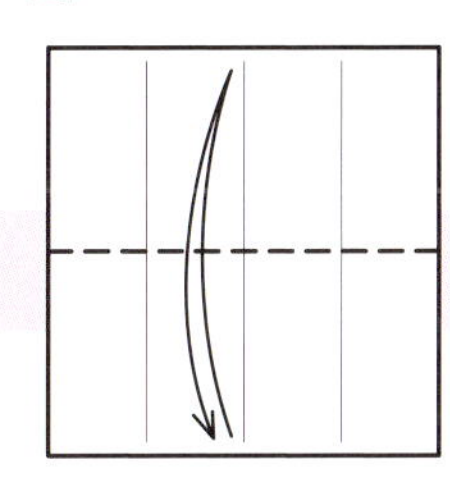

3 図のように切り込みを入れる

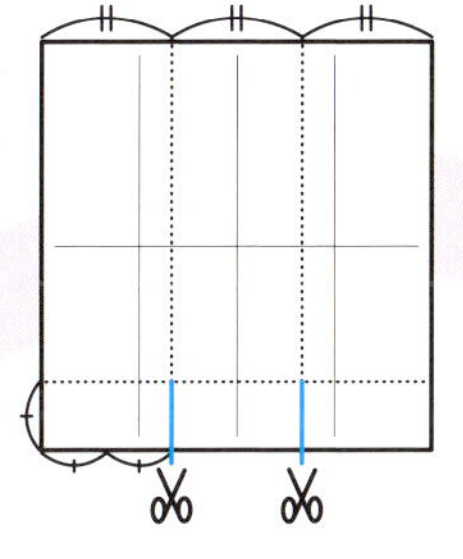

4 図の位置で折る

5 折ったところ

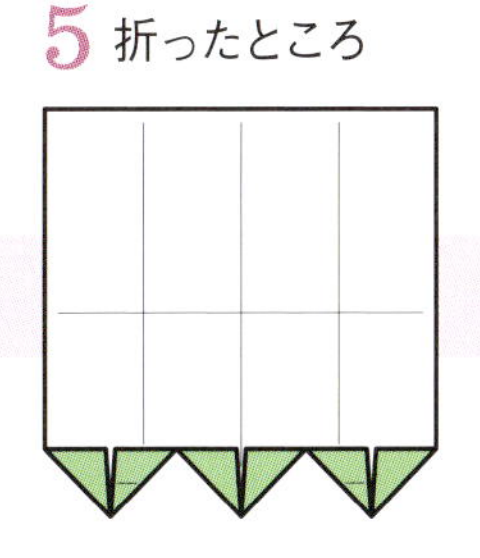

6 真ん中に合わせて折る

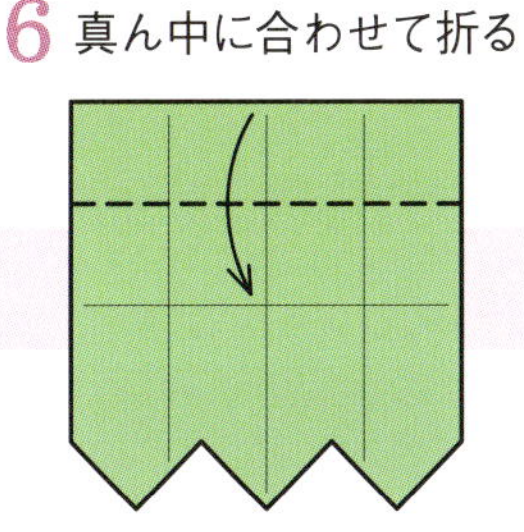

7 折りすじをつける

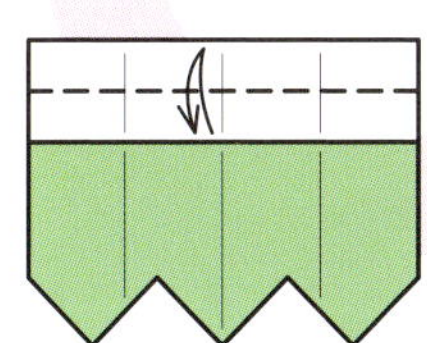

8 折りすじに合わせて折る

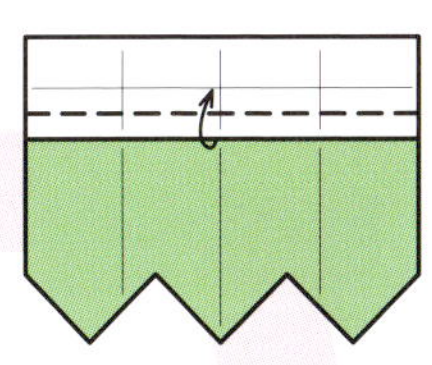

9 折ったところ。これを丸め、はしを接着剤で貼る

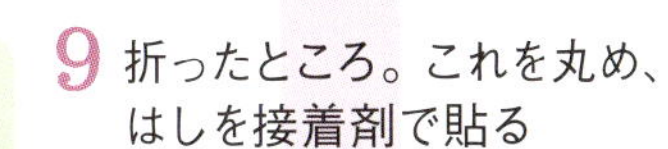

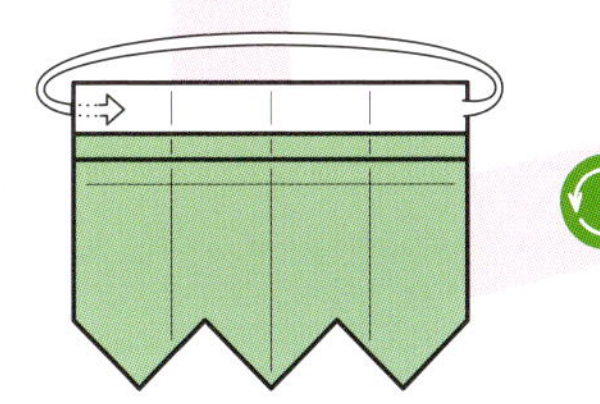

丸めているところ

こいのぼりのできあがり

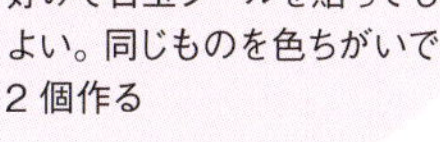

好みで目玉シールを貼ってもよい。同じものを色ちがいで2個作る

次のページへ

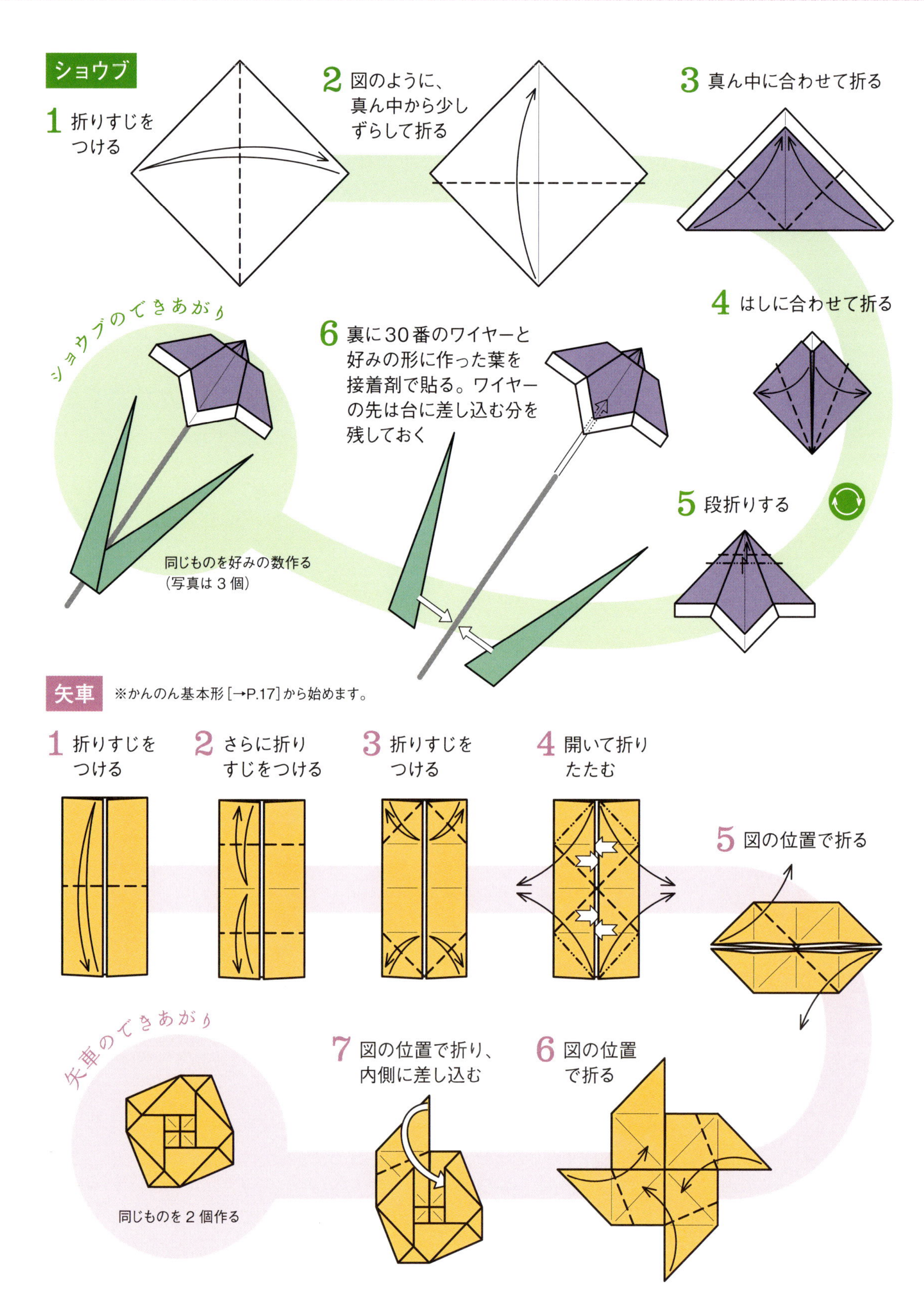
ショウブ
1 折りすじをつける
2 図のように、真ん中から少しずらして折る
3 真ん中に合わせて折る
4 はしに合わせて折る
5 段折りする
6 裏に30番のワイヤーと好みの形に作った葉を接着剤で貼る。ワイヤーの先は台に差し込む分を残しておく
ショウブのできあがり
同じものを好みの数作る
（写真は３個）
矢車
※かんのん基本形［→P.17］から始めます。
1 折りすじをつける
2 さらに折りすじをつける
3 折りすじをつける
4 開いて折りたたむ
5 図の位置で折る
6 図の位置で折る
7 図の位置で折り、内側に差し込む
矢車のできあがり
同じものを２個作る

吹き流し

1 輪の紙に縦4分の1の大きさに切った模様の紙を図のようにのりづけする

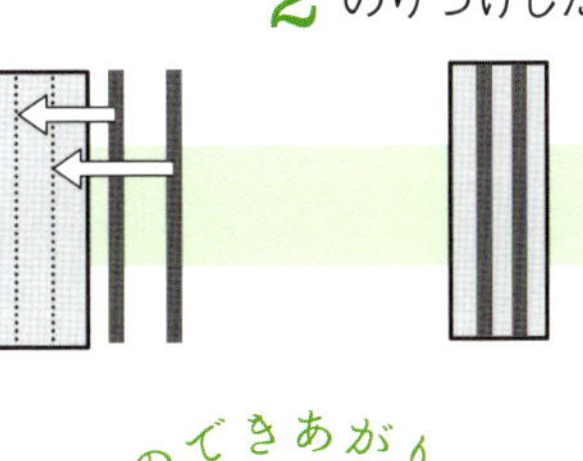

2 のりづけしたところ

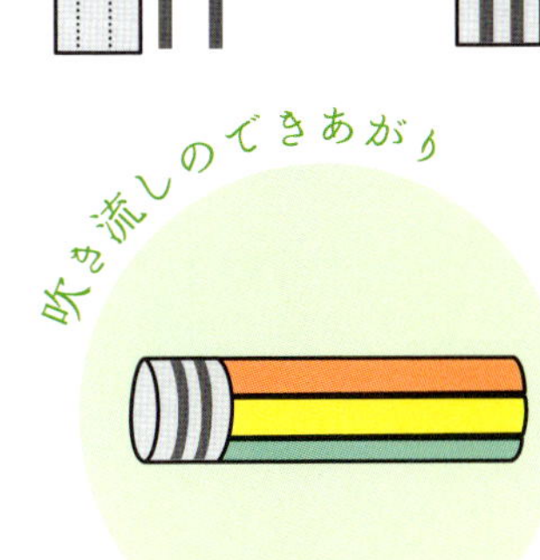

3 2に裏面を上に向けた五色の紙を並べ、のりづけする

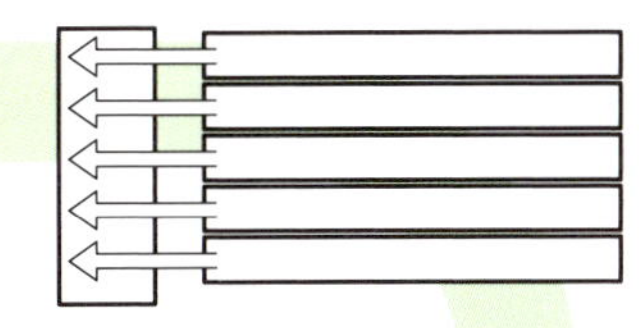

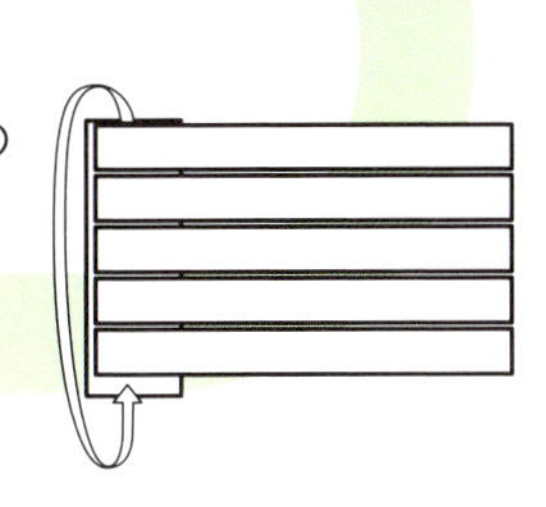

4 こいのぼりの9のように丸めて、接着剤で貼る

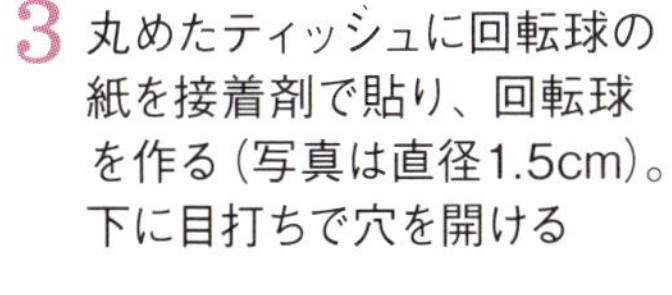

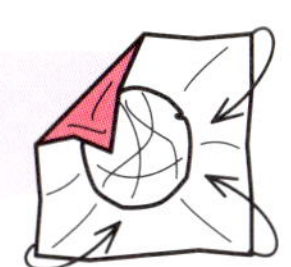

吹き流しのできあがり

組み合わせ方

1 2.5cmに切ったストローの真ん中の上下に目打ちなどで穴を開ける。矢車をストローのはしに接着剤で貼る

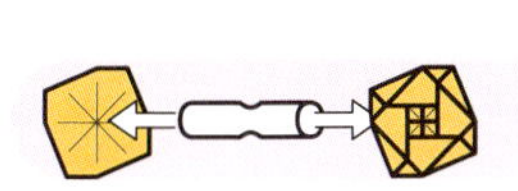

2 吹き流しとこいのぼりにそれぞれ目打ちなどで図の位置にワイヤーが通るくらいの小さい穴を開ける

3 丸めたティッシュに回転球の紙を接着剤で貼り、回転球を作る（写真は直径1.5cm）。下に目打ちで穴を開ける

4 2に26番のワイヤーを通し、接着剤でとめる

5 竹串と4のワイヤーの上をまとめ、1と3に差し込み、接着剤でとめる。ワイヤーの下は図の位置で竹串とまとめ、根もとの紙を巻きつけてとめる。竹串とショウブの先を好みの位置に穴を開けた台に差し込み、接着剤でとめる

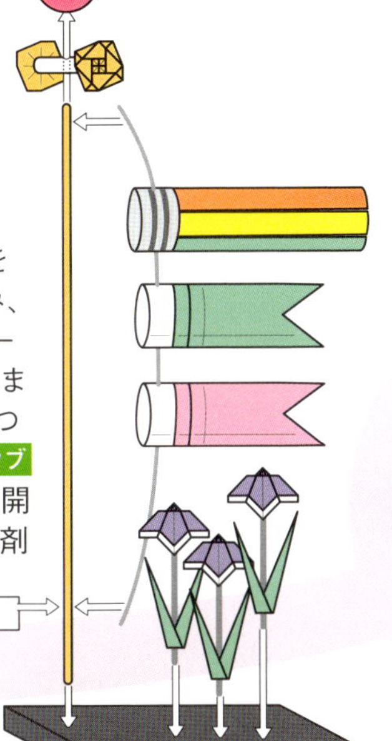

★★☆

アジサイの色紙飾り 【→P.123】 6月

【→P.123】

Point

紙は複数の色を使うと華やかさがましますよ。また、重ねて貼ると厚みが出て立体的に見えます。

▶**用意する紙**　［花（1枚分）］5×5cmの紙を1枚　［葉（1枚分）］7.5×7.5cmの紙を1枚

▶**材料**　色紙

▶**完成サイズ**　3×3cm（花のみ）

※写真は花を52枚、葉を8枚使っています。

※正方基本形［→P.17］から始めます。そのとき、紙の表面を下にして折り始めます。

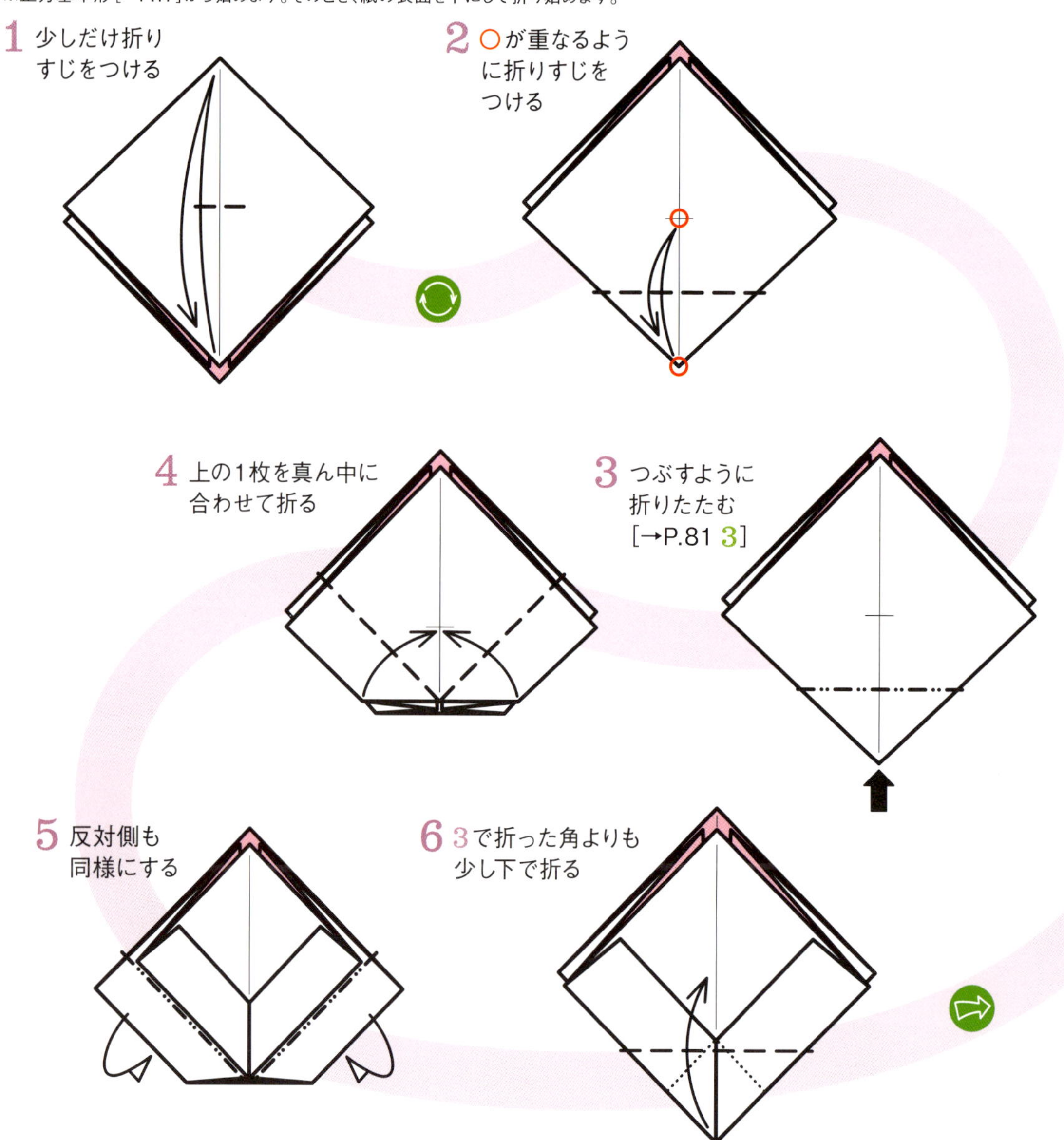

7 内側の角を引き出しながら、折りたたむ

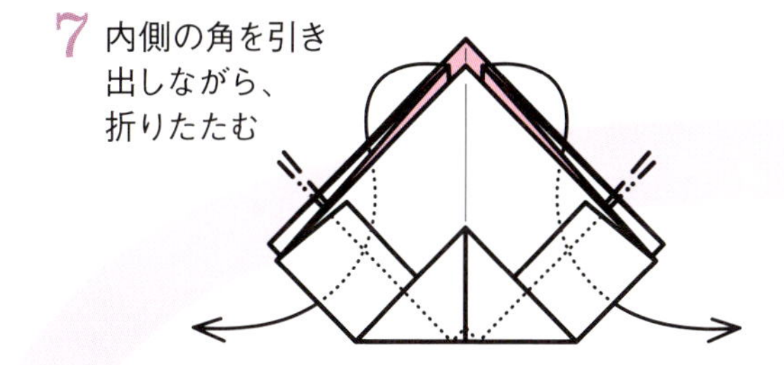

8 角を開いて折りたたむ

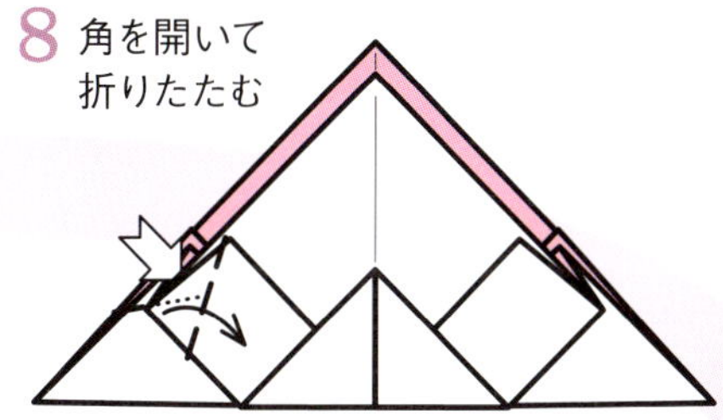

9 折ったところ。残り3か所も同様にする

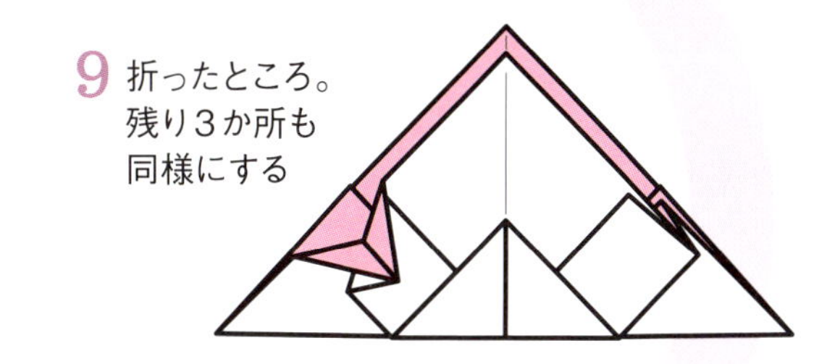

11 角を裏側に折る

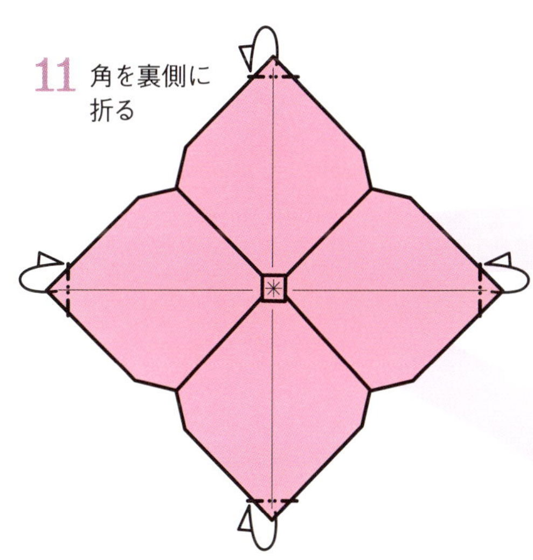

10 花びらを開く

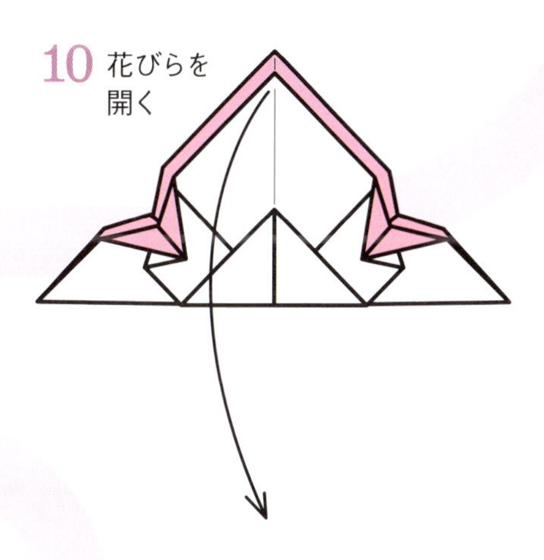

花のできあがり

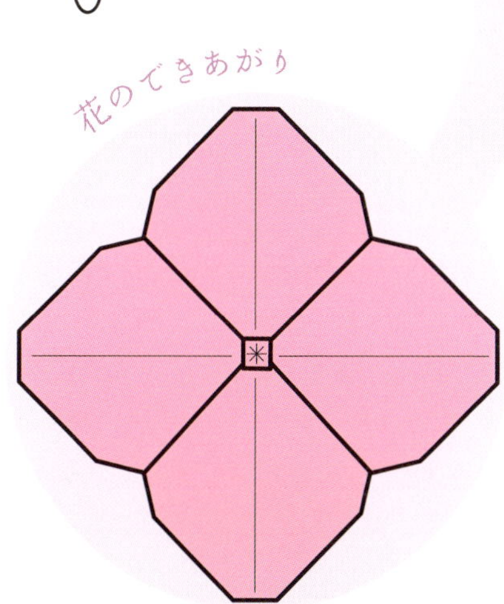

できあがり

好みの色紙に、好きな形に切った葉と好きな枚数の 花 をのりづけする

★★★

織姫・彦星 【→P.124】

7月

【→P.124】

Point

気軽に折れる織姫・彦星です。裏側にひもをつけて笹に吊るしたり、フレームに入れたりして飾ってください。

▶用意する紙
［織姫］［彦星］15×15cmの紙を各1枚

▶完成サイズ 10.5×5.5cm（織姫）、11.5×7cm（彦星）

織姫

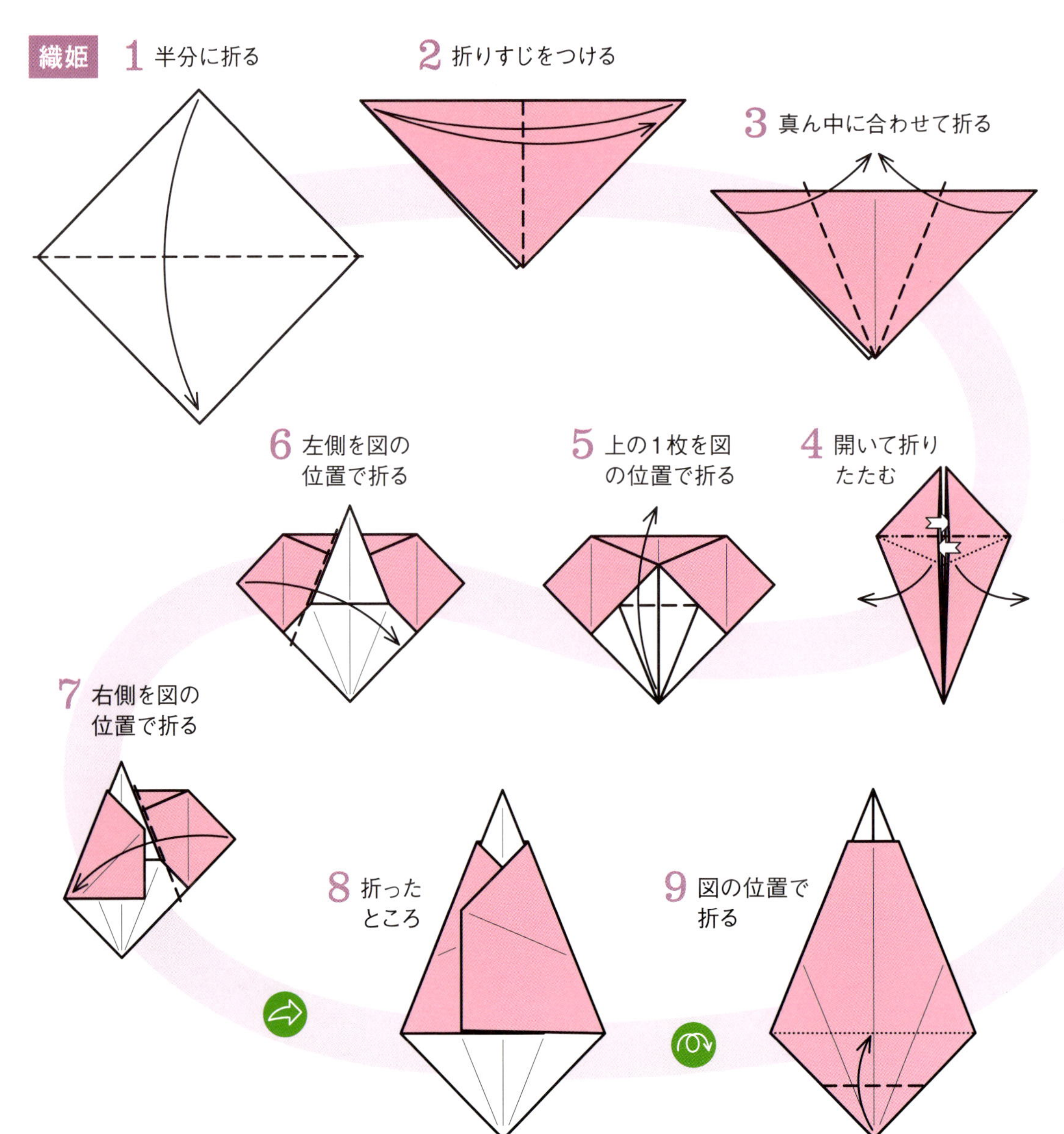

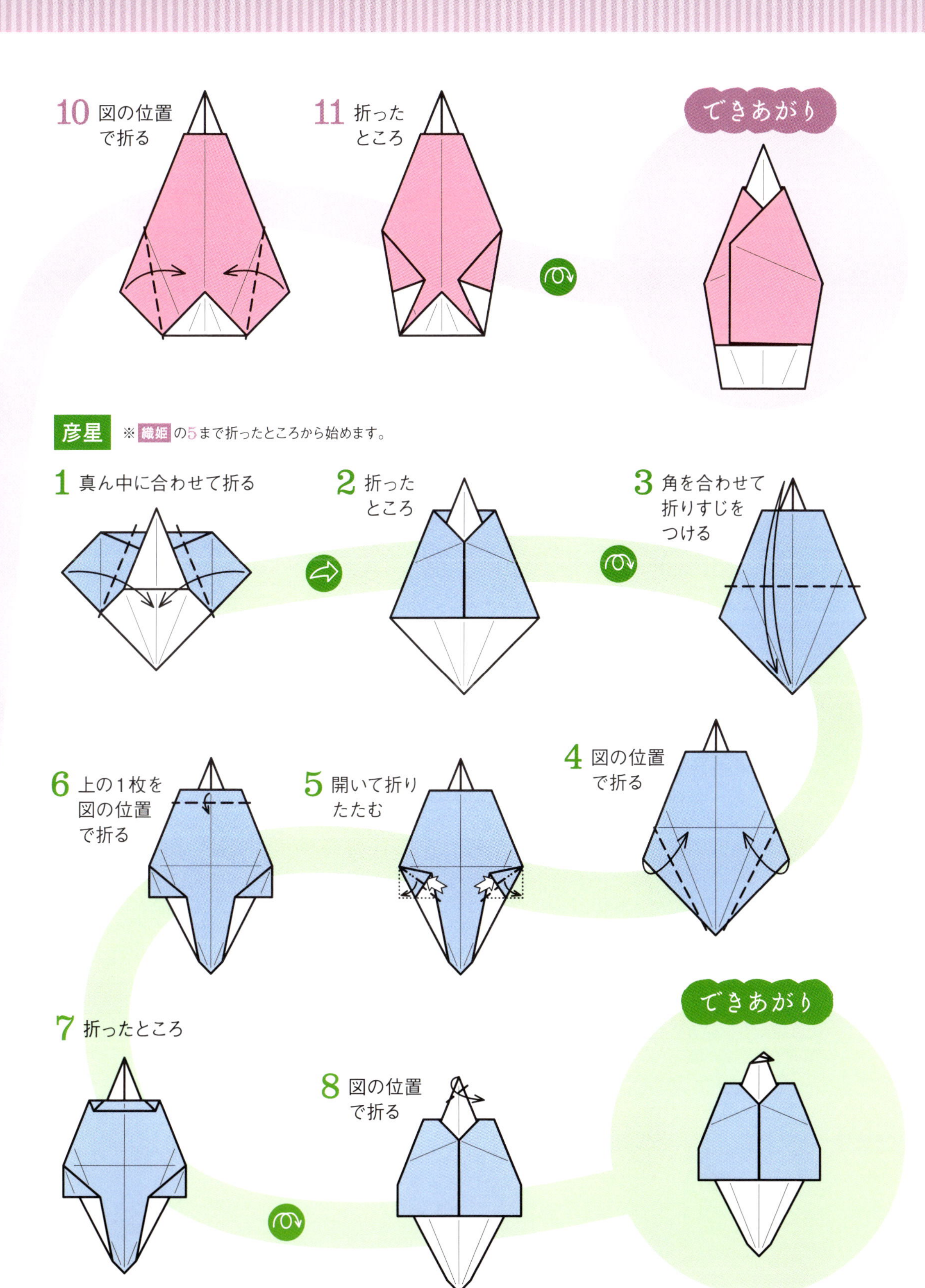
10 図の位置で折る
11 折ったところ
できあがり
彦星
※織姫の5まで折ったところから始めます。
1 真ん中に合わせて折る
2 折ったところ
3 角を合わせて折りすじをつける
4 図の位置で折る
5 開いて折りたたむ
6 上の1枚を図の位置で折る
7 折ったところ
8 図の位置で折る
できあがり

作者：青木良

★★★

星【→P.124】

7月

Point

七夕飾りやクリスマス飾りなどに使える星です。1枚の紙で4個分とれますので、たくさん作ってみましょう。

▶用意する紙
15×15cmの紙を1枚

▶完成サイズ　4×4cm

1 図の位置で切って4分の1の大きさにする

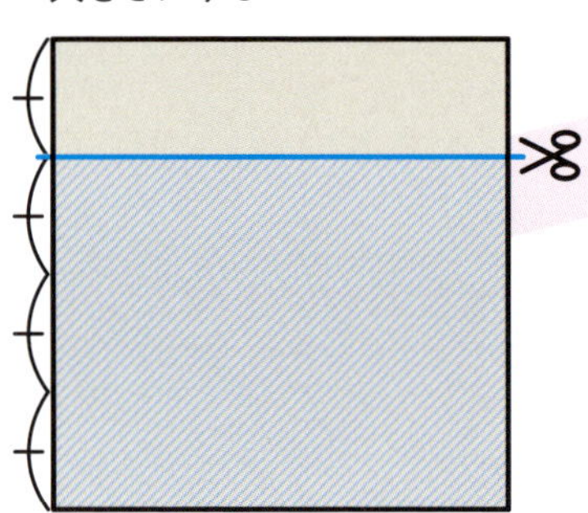

2 裏側へ半分に折る

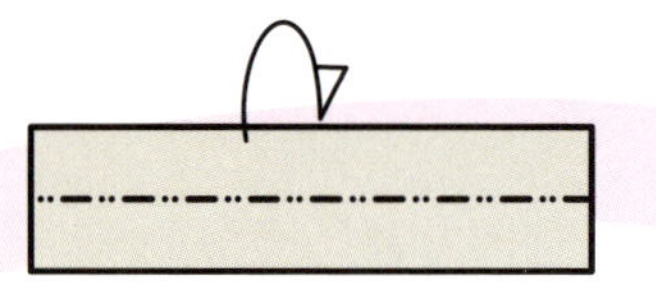

3 折りすじをつける

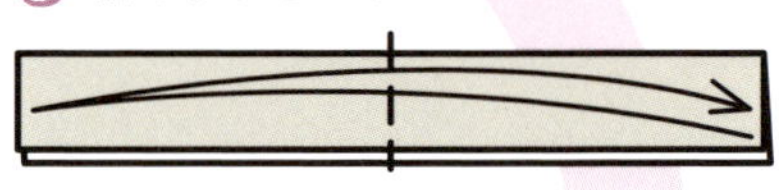

4 真ん中に合わせて折る

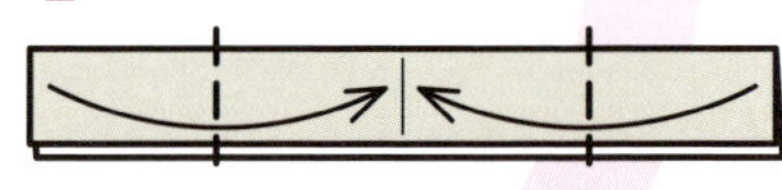

5 右側ははしに合わせて折り、左側は真ん中に合わせて後ろの1枚を折る

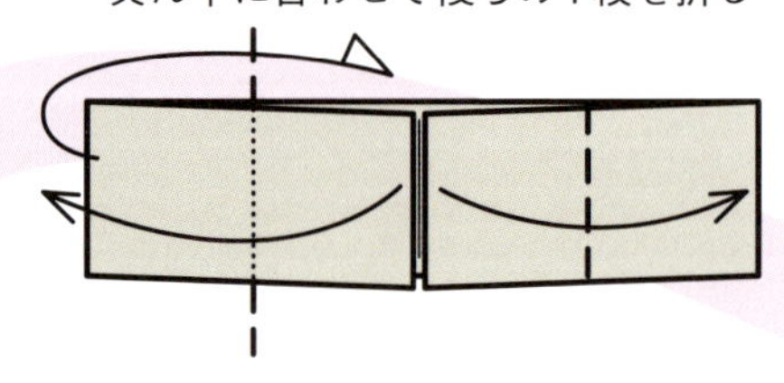

6 半分に折る

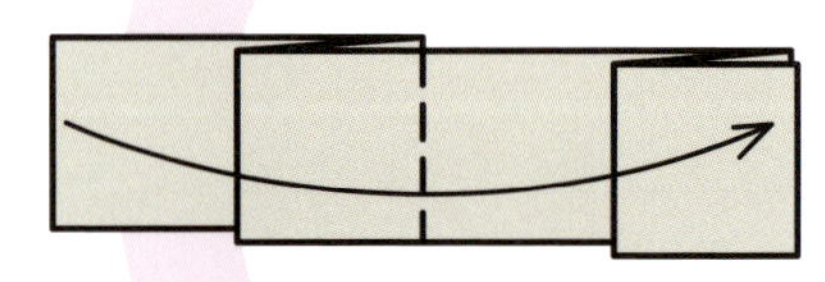

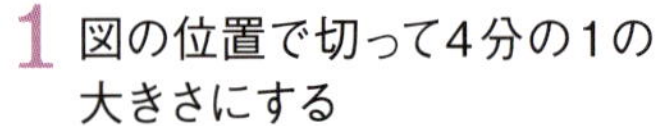

7 表と裏の1枚にそれぞれ折りすじをつける

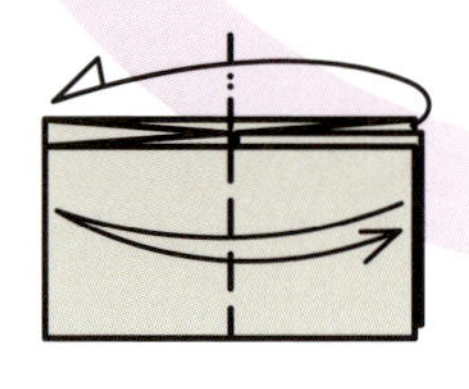

8 ○の位置を動かさないように、上の1枚を反時計回りに折る

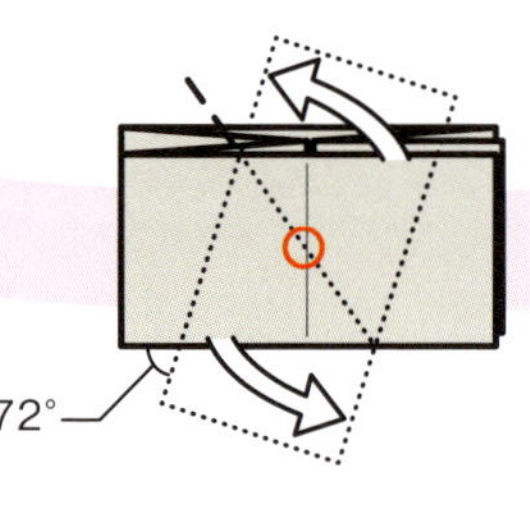

折っているところ

9 上の1枚を8と同じ角度になるように折る

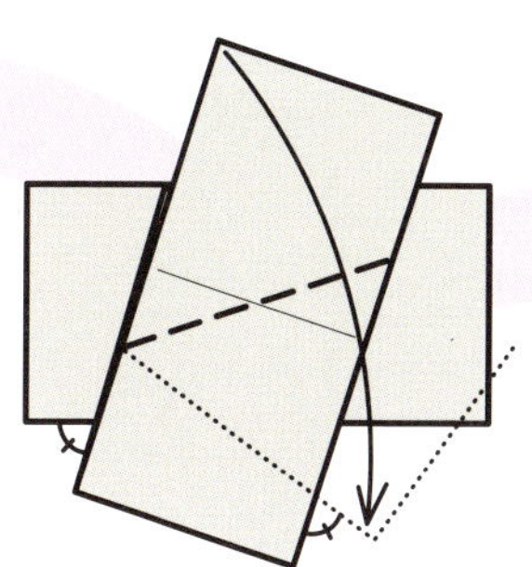

10 折ったところ

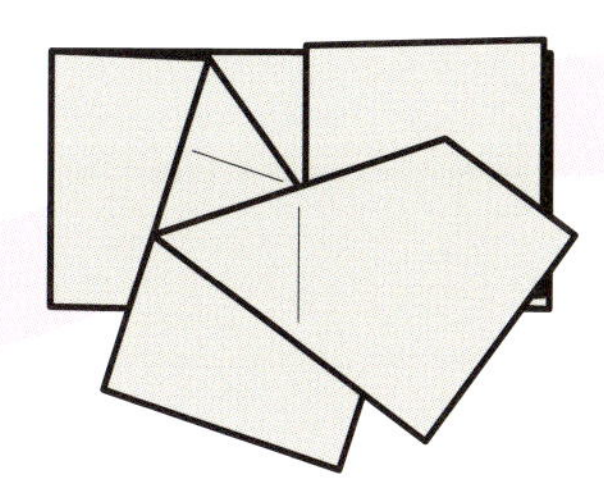

11 12の形になるように後ろの角を引き出しながら、2枚いっしょに図の位置で折る

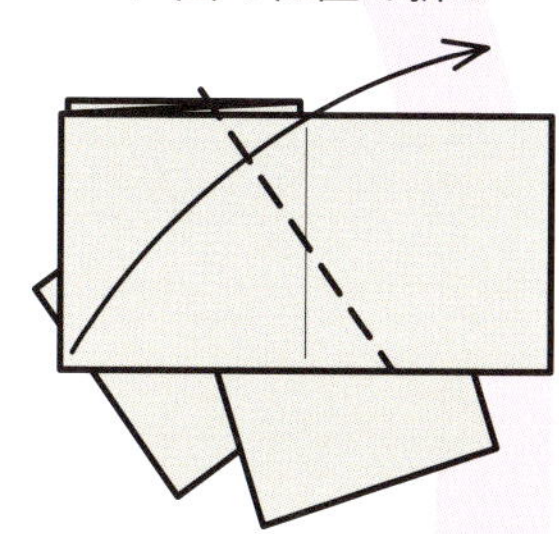

12 上の1枚を開く

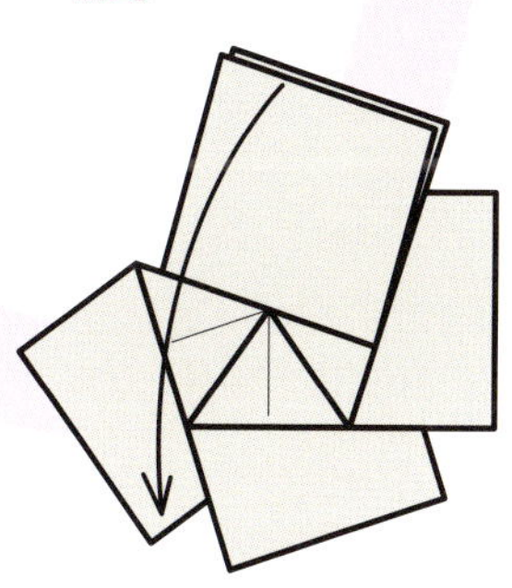

13 上の1枚を図の位置で折る

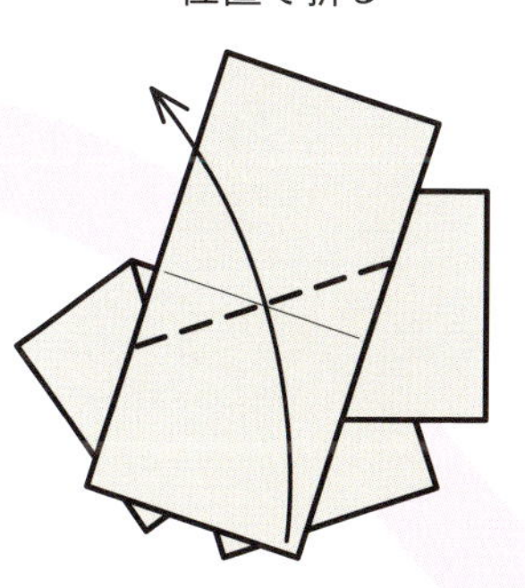

14 図のように内側を引き出し、重なりを変える

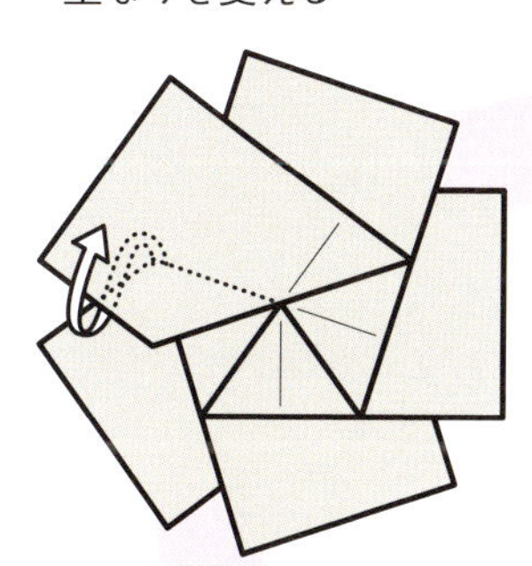

15 ○の位置（中心）を意識しながら5か所が8と同じ角度になるように整える

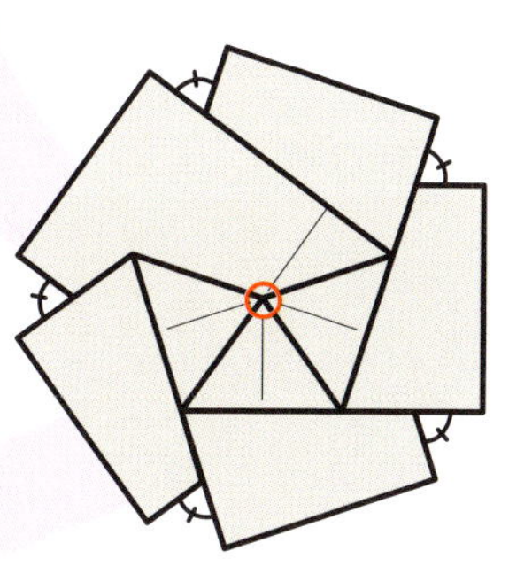

16 図の位置で折る

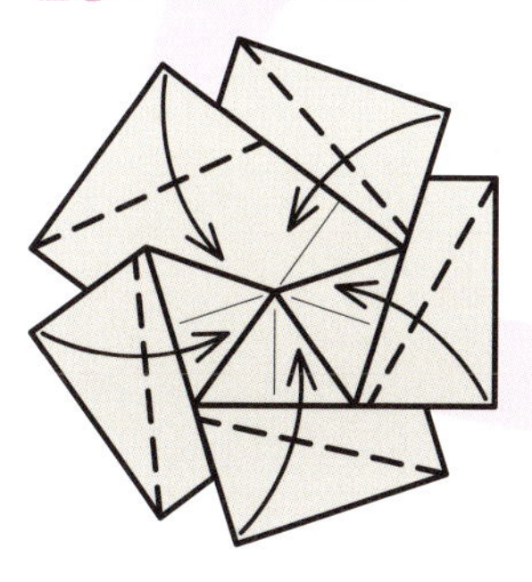

17 折ったところ

できあがり

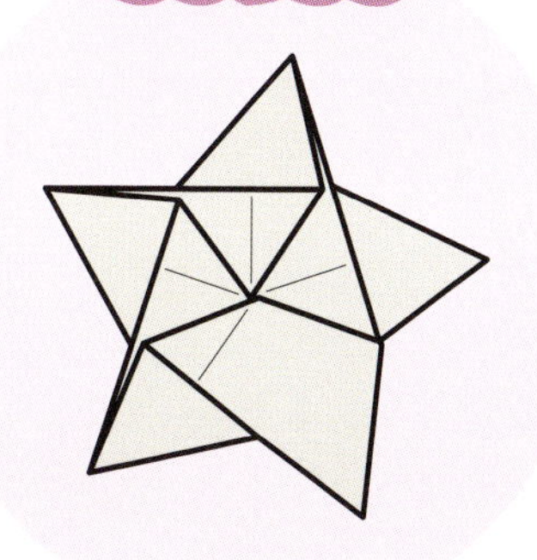

★★★

花火のうちわ飾り

【→P.124】

8月

Point

1個の花火を大きく見せたり、見本のように3個にしたり、うちわに貼る花火の数を変えるだけで雰囲気が変わります。

▶**用意する紙**　[花火 1] 7.5×7.5cmの紙を4枚　[花火 2] 1.5×1.5cmの紙を8枚　[花火 3] 1.5×1.5cmの紙を4枚

▶**材料**　うちわ（写真は持ち手を含めずに15×17cm）

▶**完成サイズ**　直径10cm（P.179右下の写真のように並べた場合）

※左の写真は、うちわのサイズに合わせて花火のパーツの数を変えています。

花火1

1 折りすじをつける

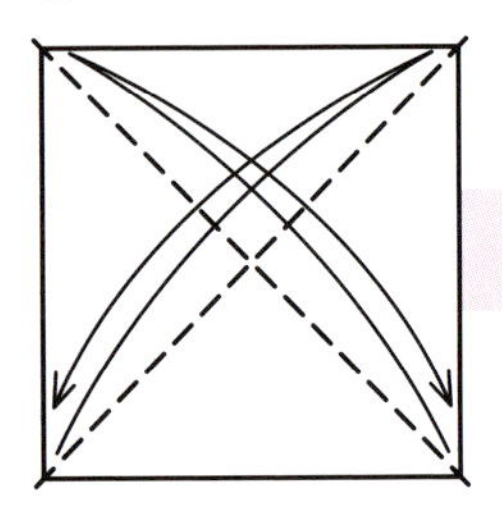

2 折りすじをつける

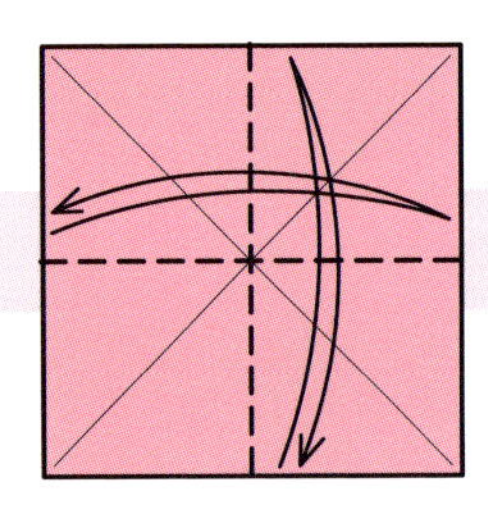

3 真ん中まで切り込みを入れる

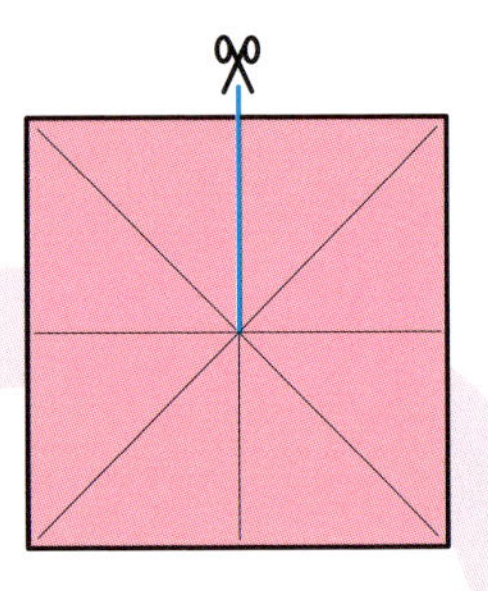

4 図のように折りたたむ

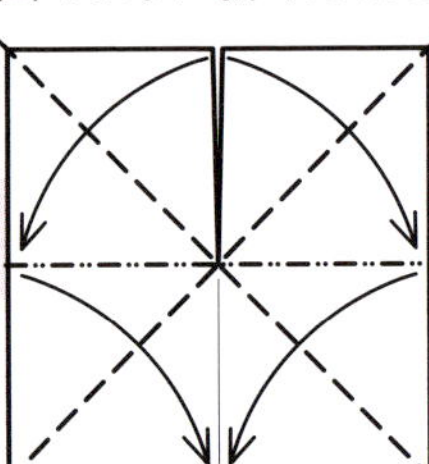

5 真ん中に合わせて折る。反対側も同様にする

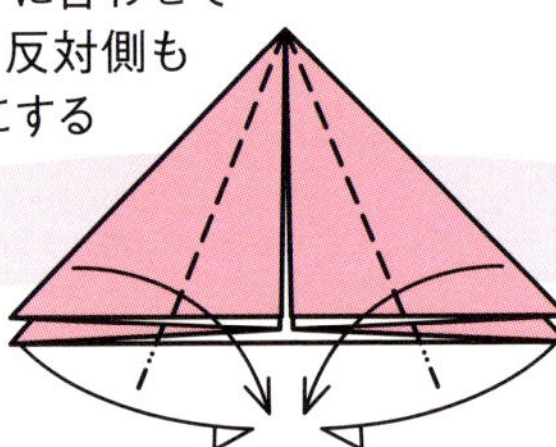

6 折りすじをつける。反対側も同様にする

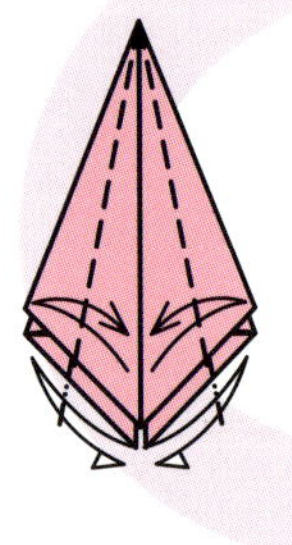

7 開いて折りたたむ

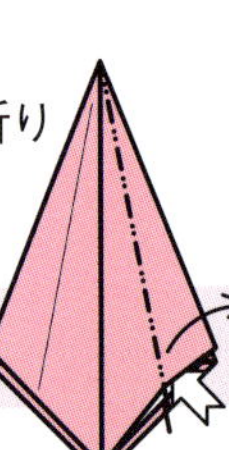

8 折ったところ。残り3か所も同様にする

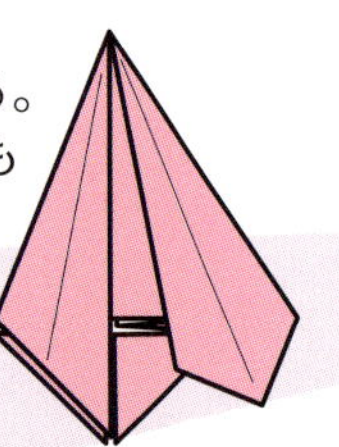

9 左右を開く

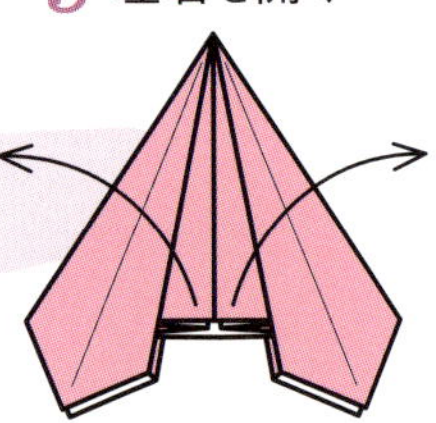

10 左右を引き上げ、内側を11の形になるよう折りたたむ

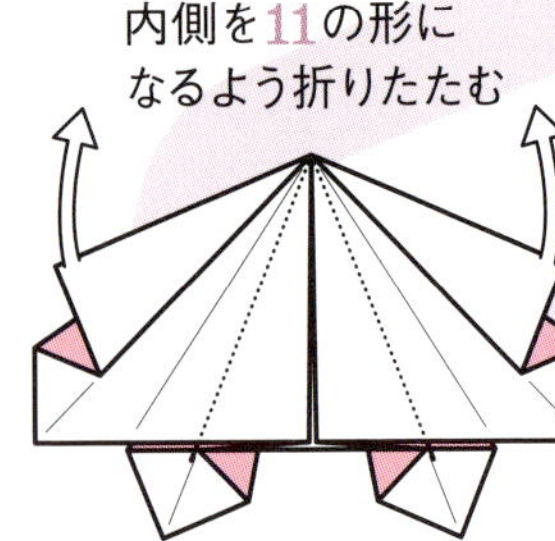

11 段折りする

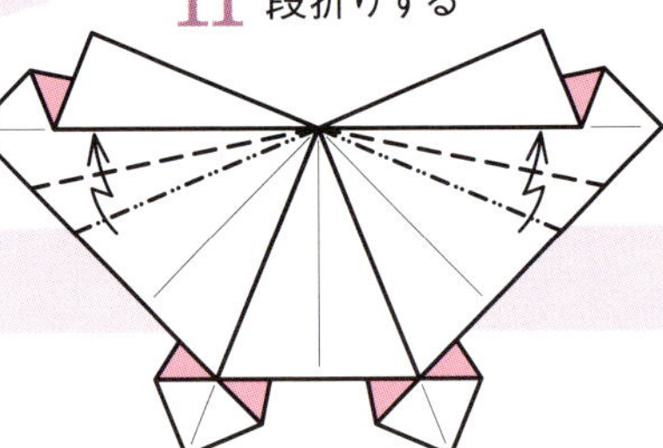

12 段折りする

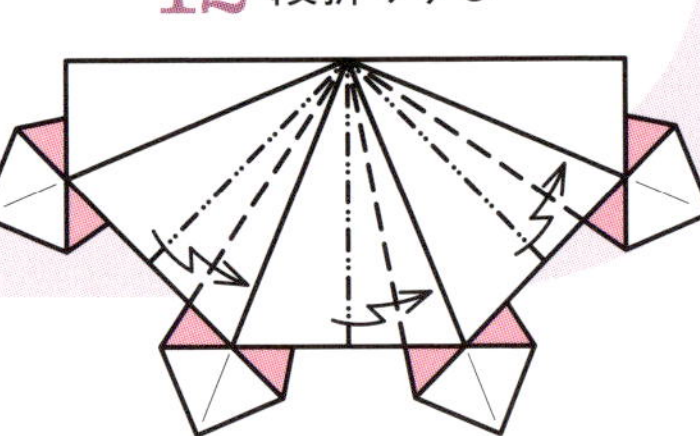

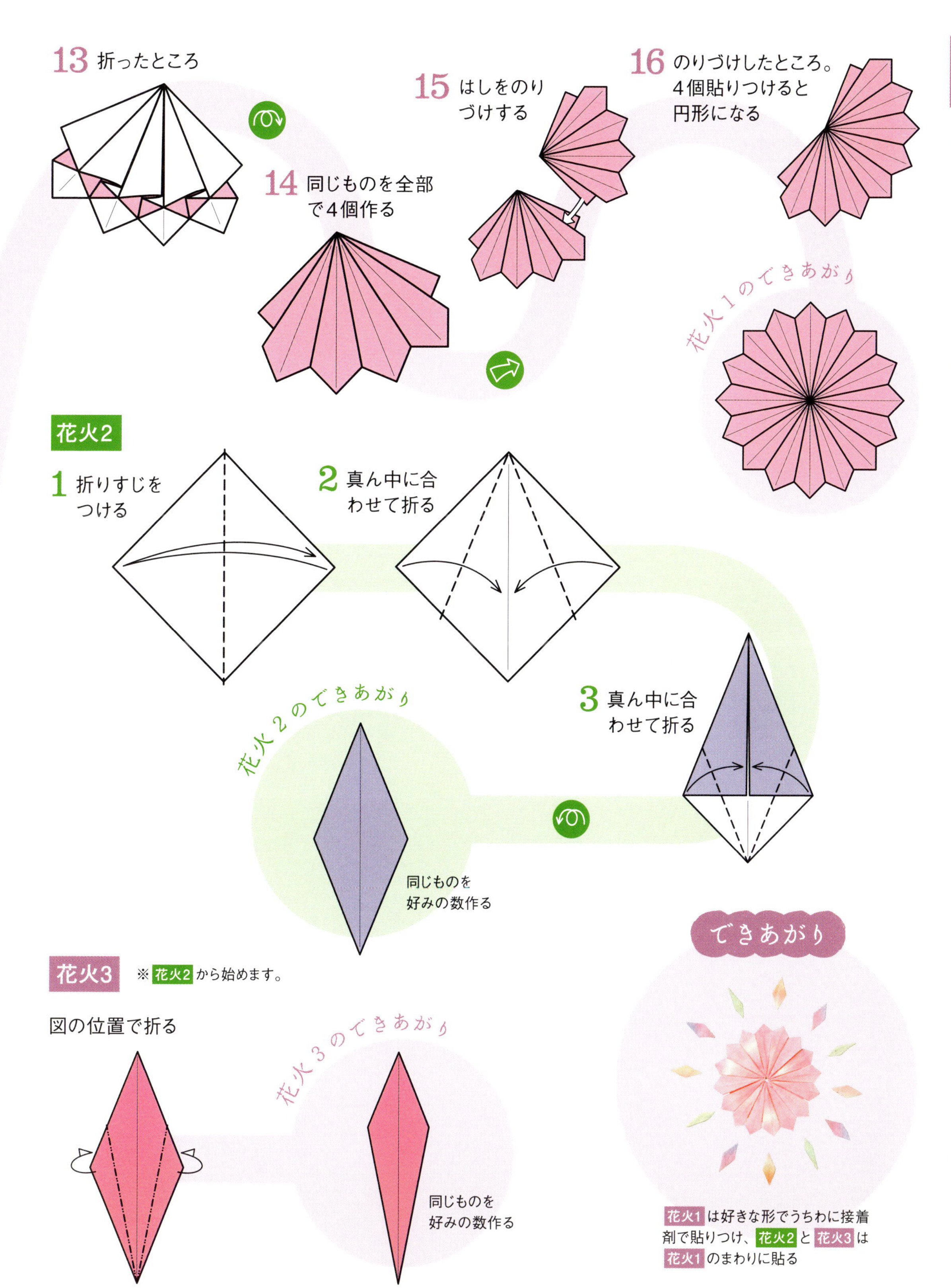
13 折ったところ
14 同じものを全部で4個作る
15 はしをのりづけする
16 のりづけしたところ。4個貼りつけると円形になる
花火1のできあがり
花火2
1 折りすじをつける
2 真ん中に合わせて折る
3 真ん中に合わせて折る
花火2のできあがり
同じものを好みの数作る
花火3
※花火2から始めます。
図の位置で折る
花火3のできあがり
同じものを好みの数作る
できあがり
花火1は好きな形でうちわに接着剤で貼りつけ、花火2と花火3は花火1のまわりに貼る

★★☆

アサガオのうちわ飾り 【→P.124】 8月

Point

アサガオのうちわ飾りを作りました。花は表と裏、両方の色が見えるので、リバーシブルの紙を使うのがおすすめです。

▶**用意する紙**　［花（1個分）］7.5×7.5cmの紙を1枚（写真の小さい花は5×5cmの紙）
［葉（1枚分）］3.5×3.5cmの紙を1枚

▶**材料**　うちわ（写真は持ち手を含めずに10.5×11.5cm）

▶**完成サイズ**　3.5×7.5cm（花1個と葉1枚）
※写真は花を5個と葉を5枚使っています。

花

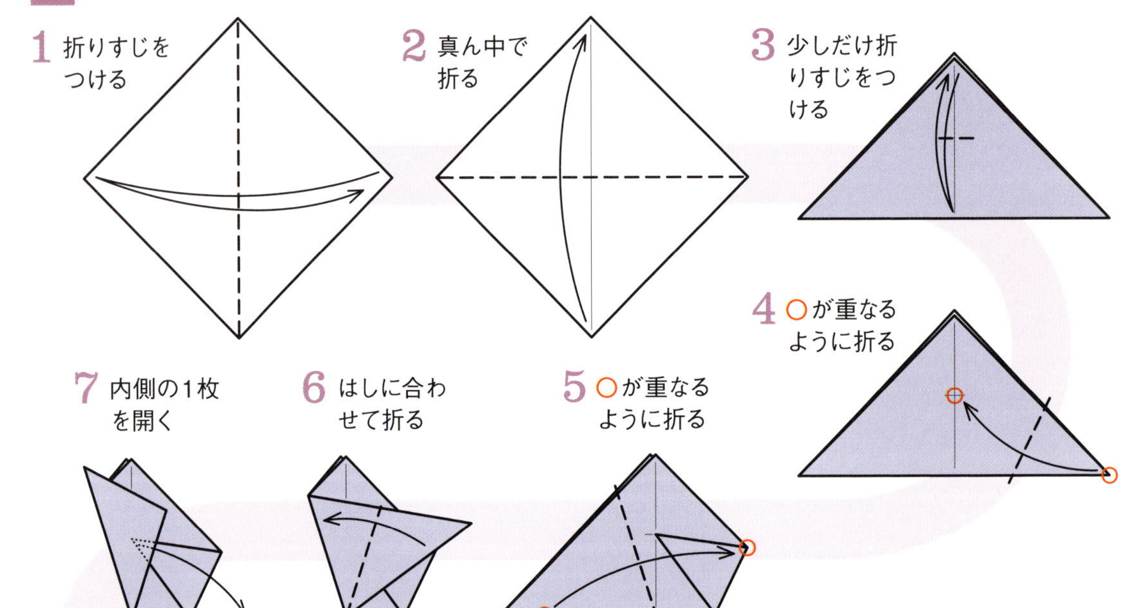

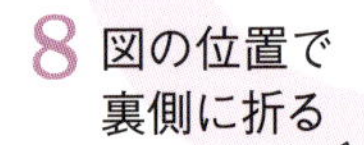

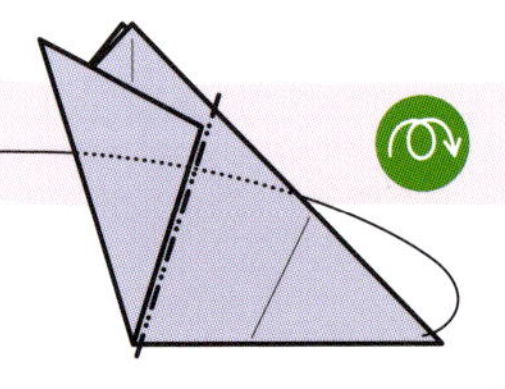

9 はしに合わせて折る

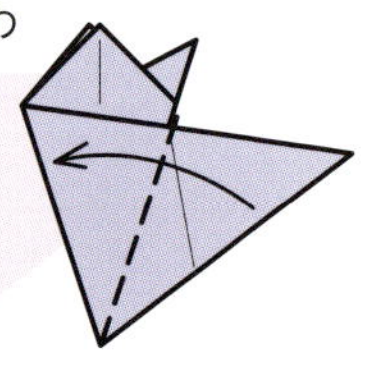

10 図の位置で切る

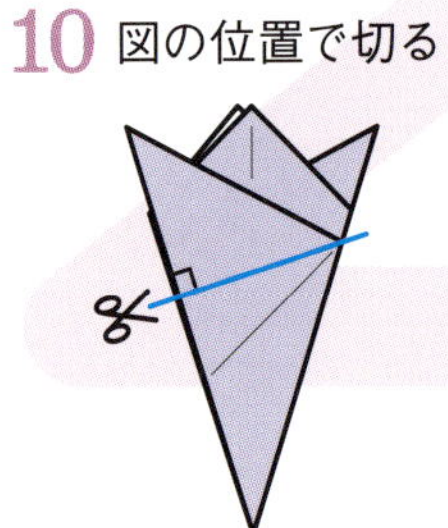

11 すべて開く

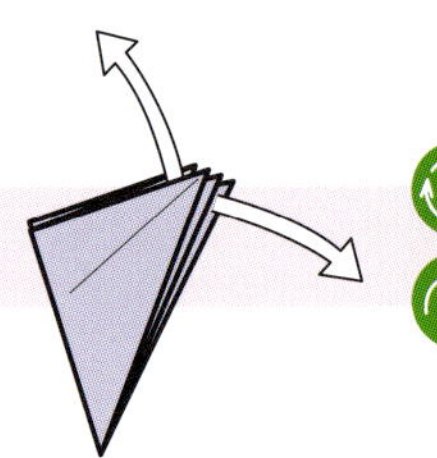

12 図の位置で折る

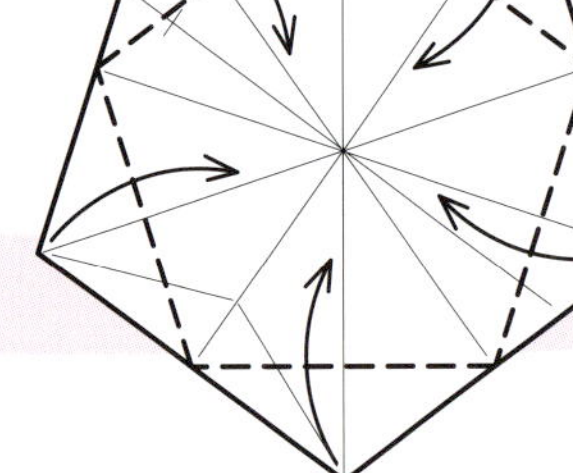

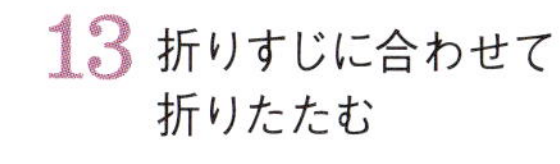

13 折りすじに合わせて折りたたむ

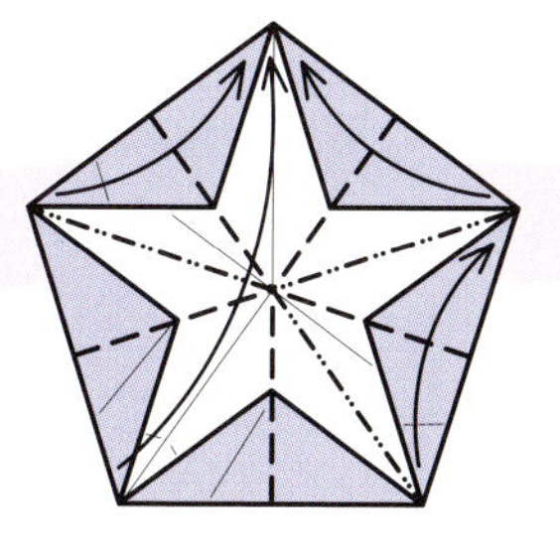

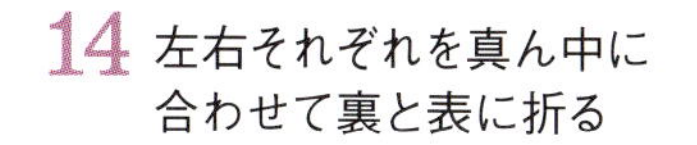

14 左右それぞれを真ん中に合わせて裏と表に折る

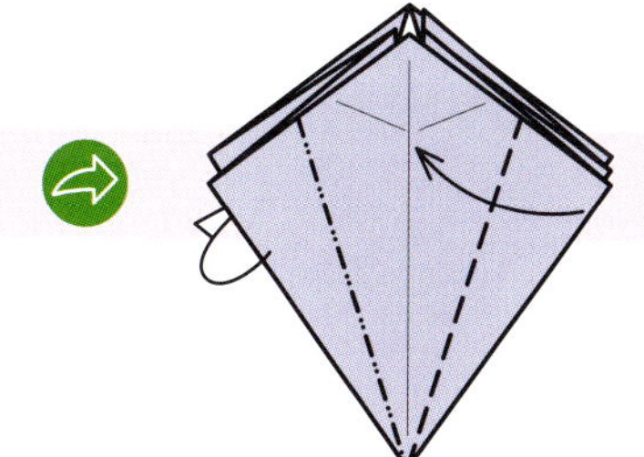

15 折ったところ。残り3か所も同様にする

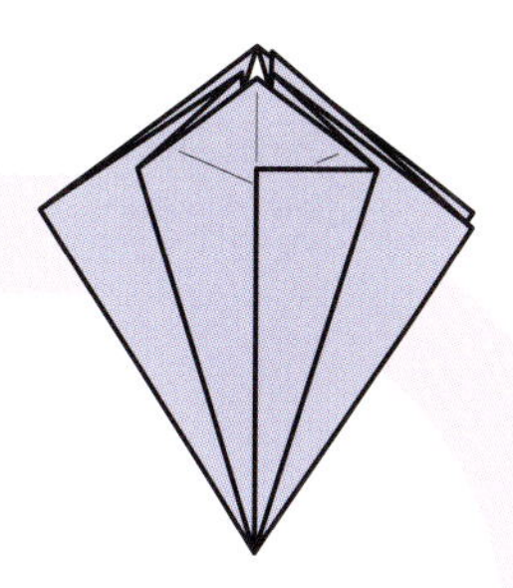

16 半分に折る

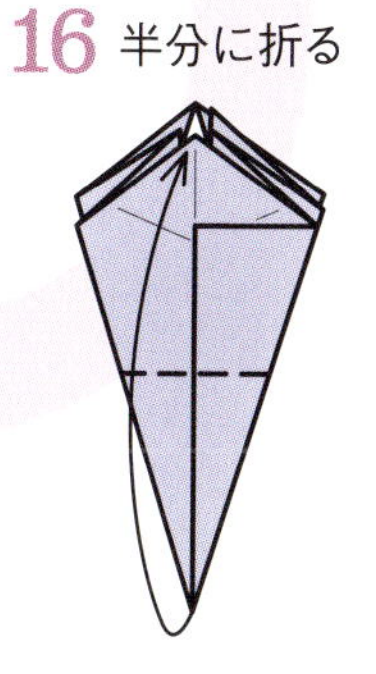

17 花を広げる

18 角を折る

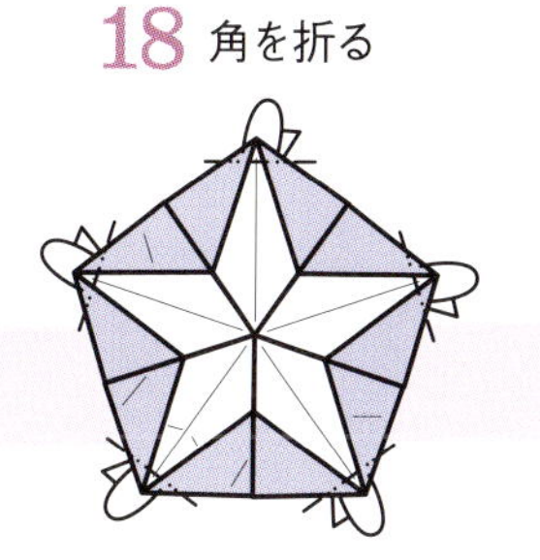

花のできあがり

同じものを好みの数作る

葉

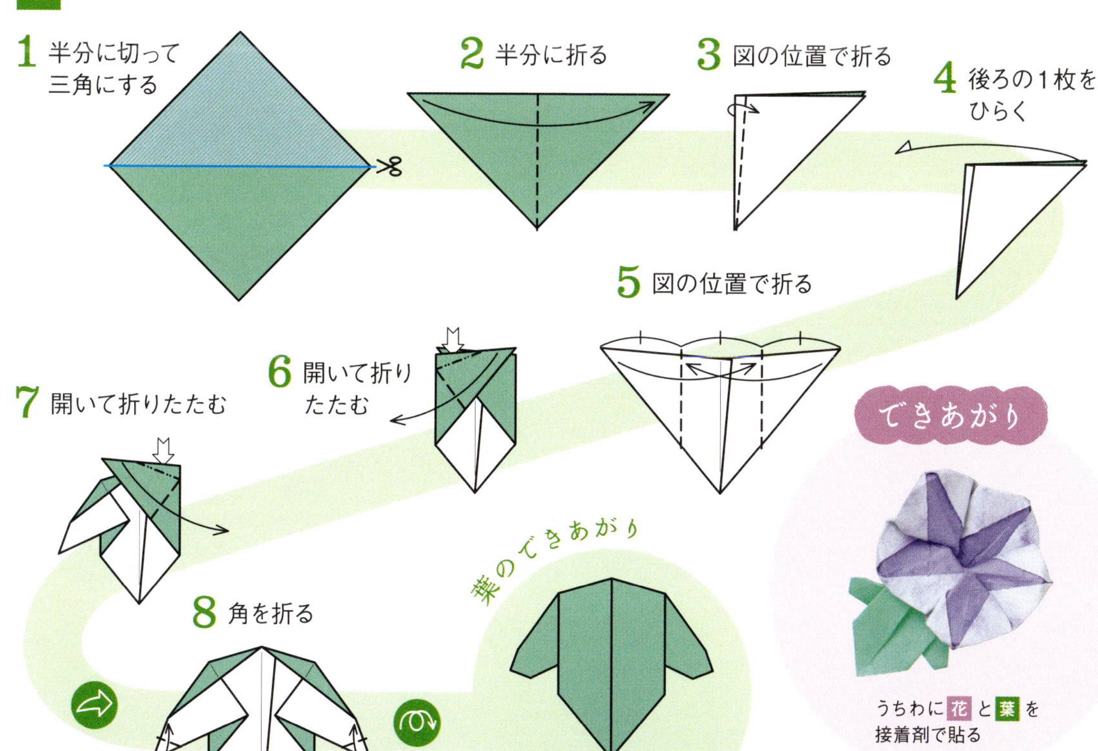

※写真では花にリバーシブルの紙を使用しています。

★★★

コスモスの玄関飾り

【→P.5、124】

9月

Point

おしゃれな雰囲気を演出する玄関飾り。ドアに飾ってみてはいかがでしょうか。花だけで、壁飾りとしてもどうぞ。

▶**用意する紙**　［花びら（花１個分）］3×6cmの紙を８枚、1×1cmの紙を１枚（花芯）

▶**材料**　ふうせん［→P.111 1〜11を7.5×7.5cmの紙で作ったもの］を２個、ひもを１本

▶**完成サイズ**　7×7cm（花のみ）

※写真はひも1本につき花とふうせんを2個ずつ使っています。

●花とふうせんを作って組み合わせます。

花びら

1 折りすじをつける

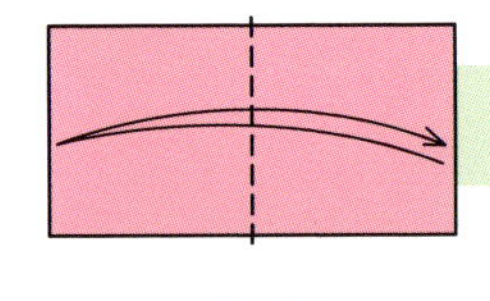

2 真ん中に合わせて折る

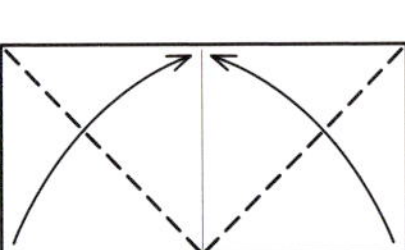

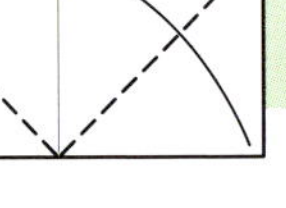

3 裏側へ半分に折る

4 折りすじをつける

5 開いて折りたたむ

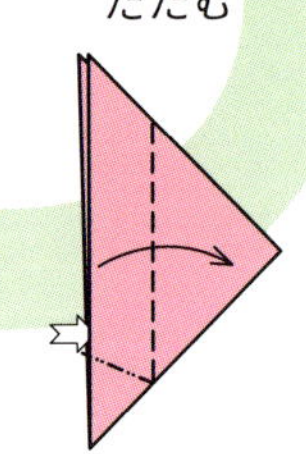

6 図の位置で折る

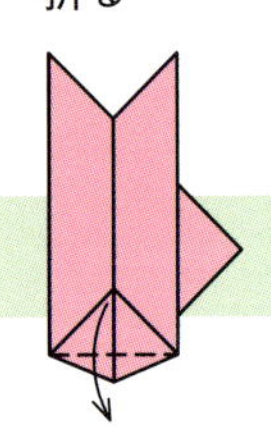

7 図の位置で折り、内側に差し込む

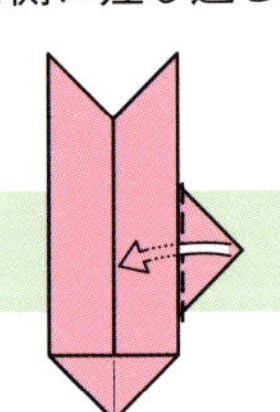

8 角を裏側に折る

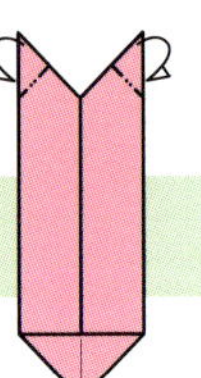

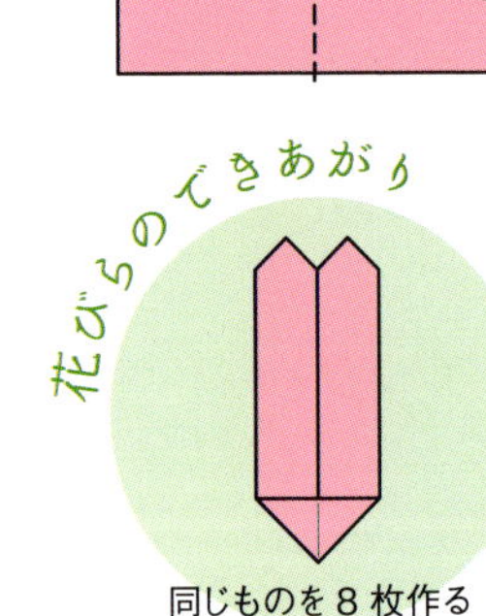

同じものを８枚作る

組み合わせ方

1 花びらが重なるようにのりづけする。このとき、中心にすき間ができるようにするとよい

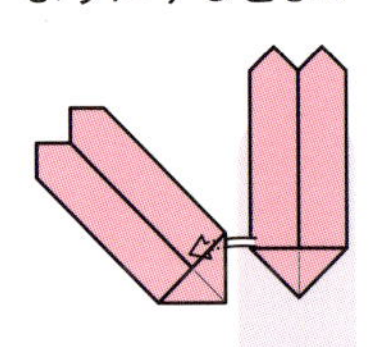

2 のりづけしたところ。残り６枚も同様にする

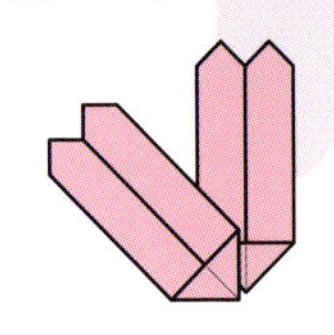

3 丸く切った花芯の紙を表面を下に向けてのりづけする

4 のりづけしたところ。これを好みの数作る

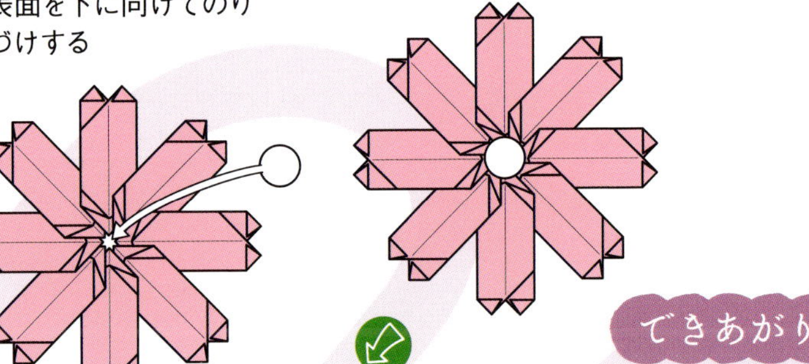

5 ふうせん２個に針でひもを通して接着剤でとめ、好みの位置に4をテープで貼る

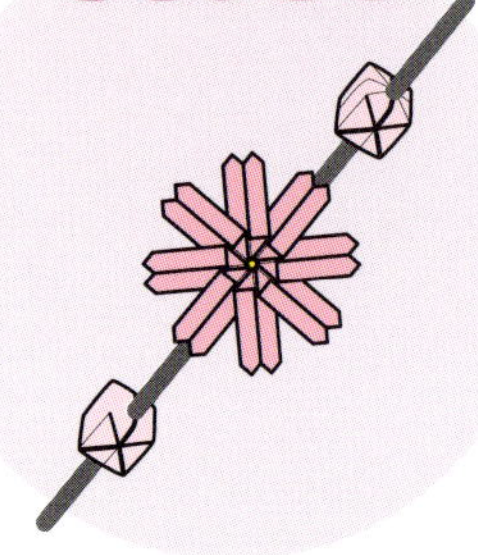

アレンジ

★★★

コスモスの箱

※ざぶとん基本形［→P.17］から始めます。

Point

小物入れにぴったりな箱に、コスモスを貼りました。チェックやストライプなど、ポップな柄の紙を使ってもいいですね。

▶**用意する紙**
15×15cmの紙を5枚

▶**材料**　コスモスの花［→P.182］を4個

▶**完成サイズ**　8×8×8cm

1 すべて開く

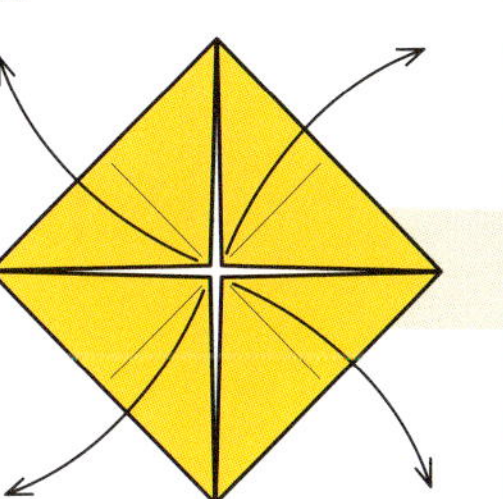

2 3回巻くように折る

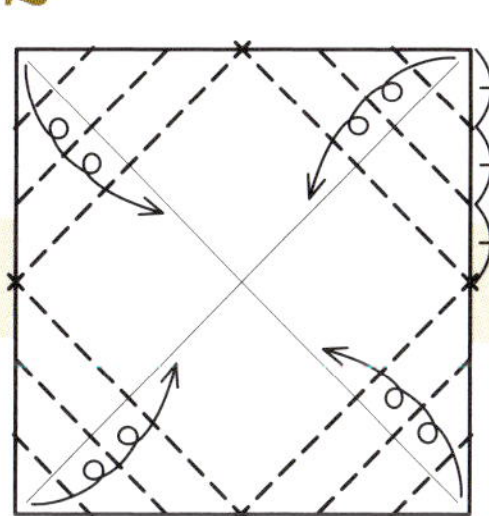

3 折りすじをつける

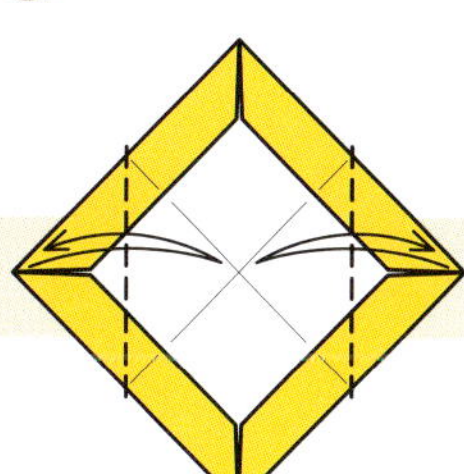

難 **4** すき間を開き、○が重なるように折る。立ち上がった部分の折りすじを逆にして、5の形になるように引き寄せて折りたたむ

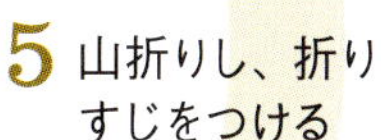

5 山折りし、折りすじをつける

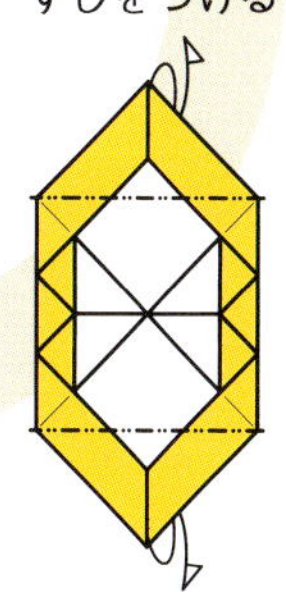

6 折ったところ。同じものを全部で5枚作る

7 底にする1枚だけを表側に向け、残り4枚は裏側にして組み合わせる。図のように差し込む

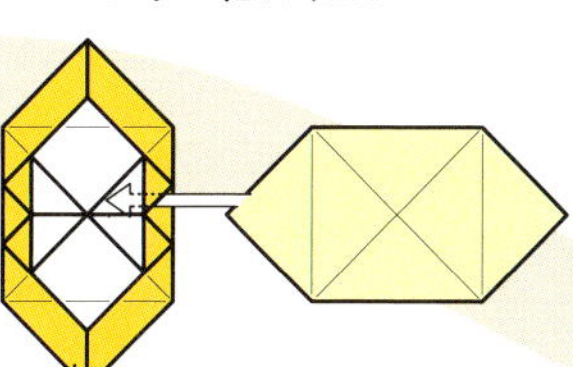

底の紙

8 差し込んだところ。残り3枚も9の形になるように差し込み、接着剤で貼る

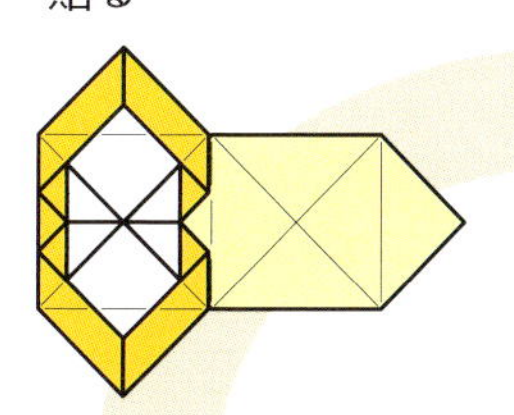

9 4つの角を折って立体にし、角を図のように差し込む。左右の角は内側に折る。角はすべて接着剤でとめる

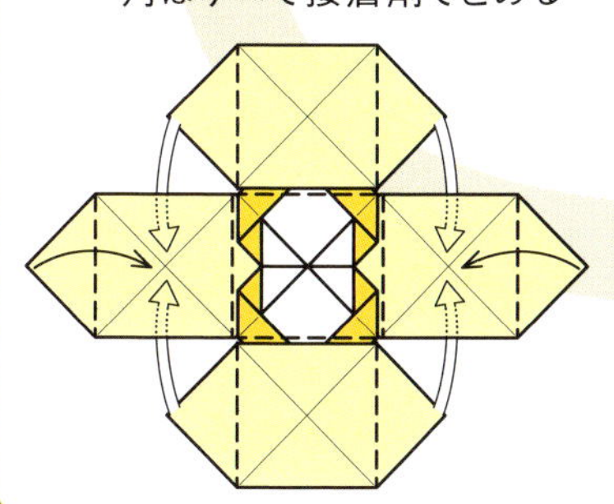

10 差し込んだところ。図のようにコスモスを接着剤で貼る。側面の残り3か所も同様にする

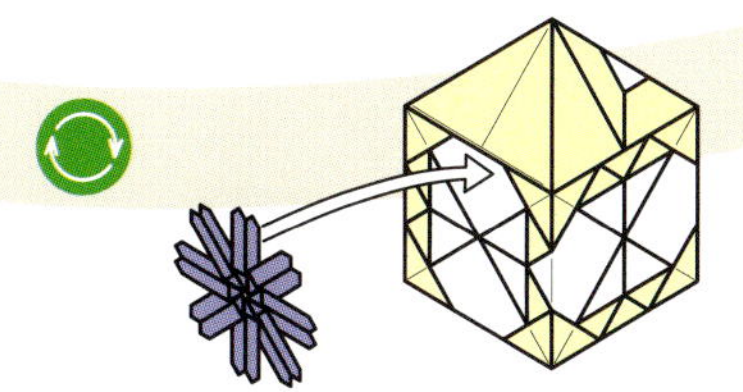

できあがり

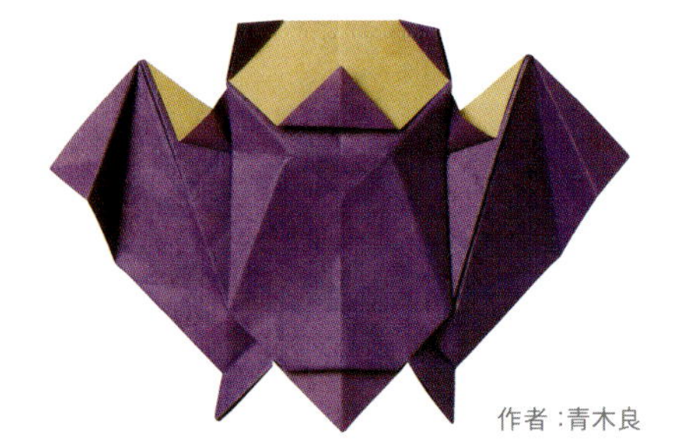
作者：青木良

★★★

コウモリ

【→P.125】

10月

Point

ジャック・オ・ランタン［→P.186］と一緒に飾り、すてきな空間を演出してみてはいかがですか。

▶**用意する紙**
15×15cmの紙を1枚

▶**完成サイズ** 9.5×14cm

※ざぶとん基本形［→P.17］から始めます。

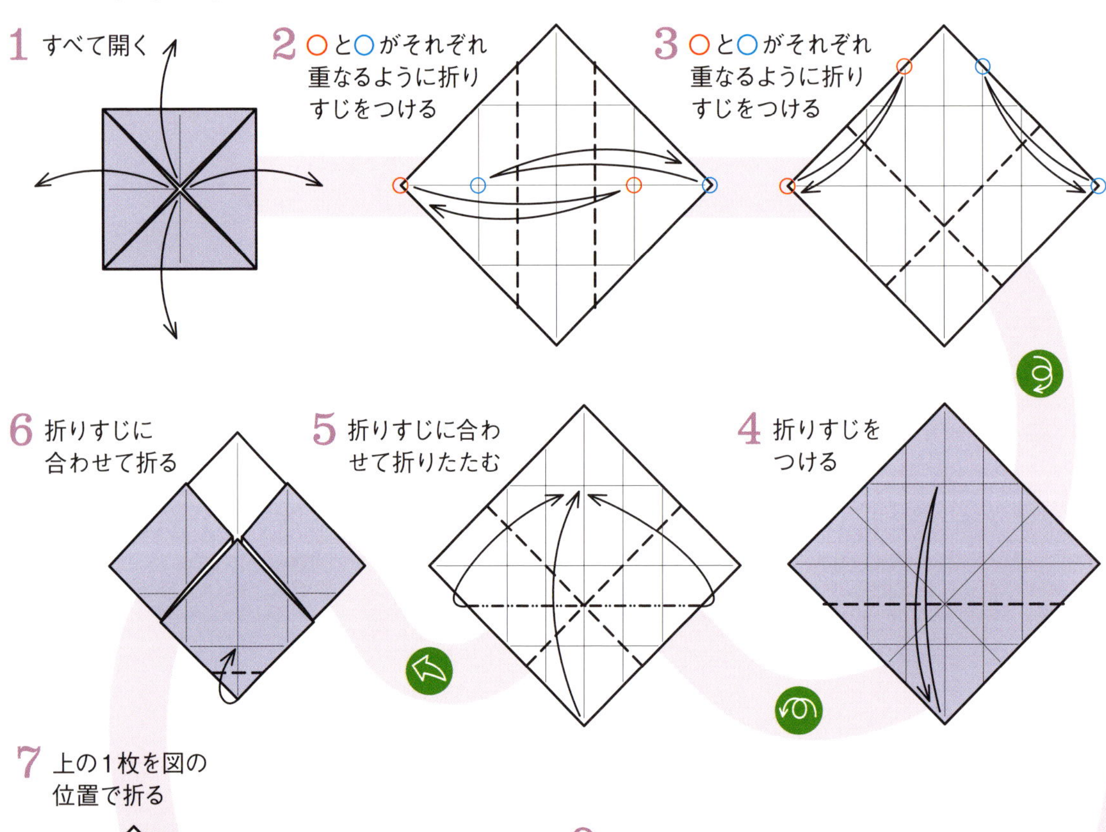

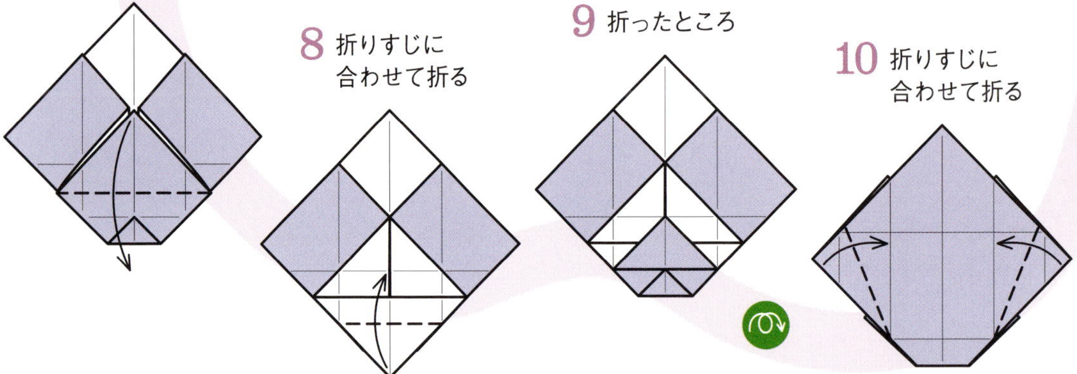

11 上の紙を内側に折る

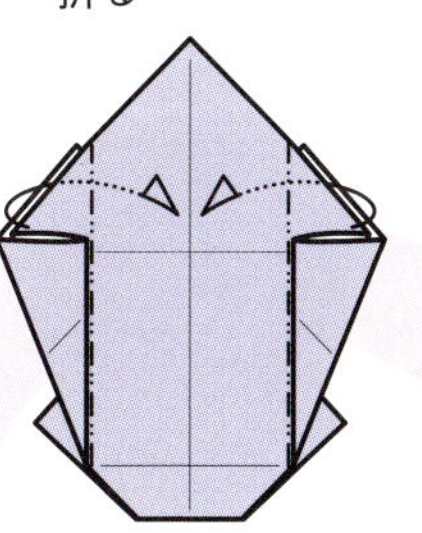

12 上の1枚を○が重なるように折る

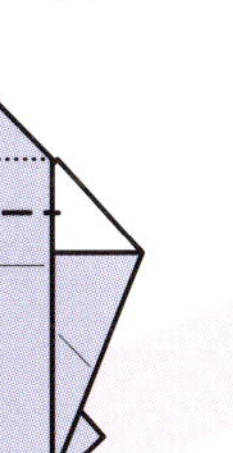

13 後ろの紙を山折りし、折りすじをつける

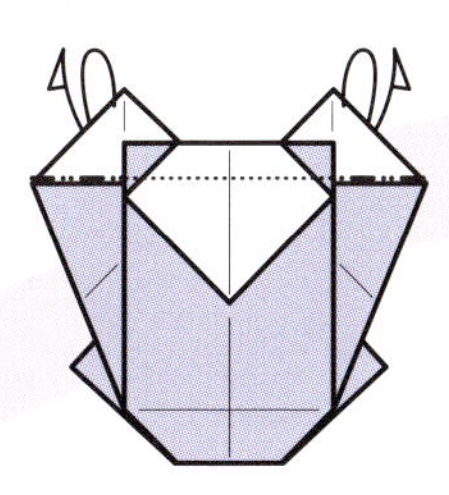

14 開いて折りたたむ

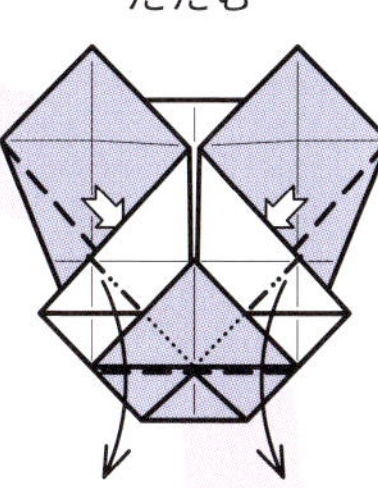

15 図の位置で折る

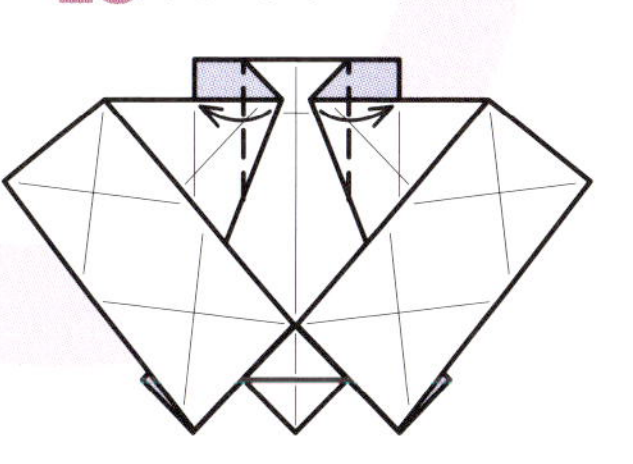

16 図のように折る

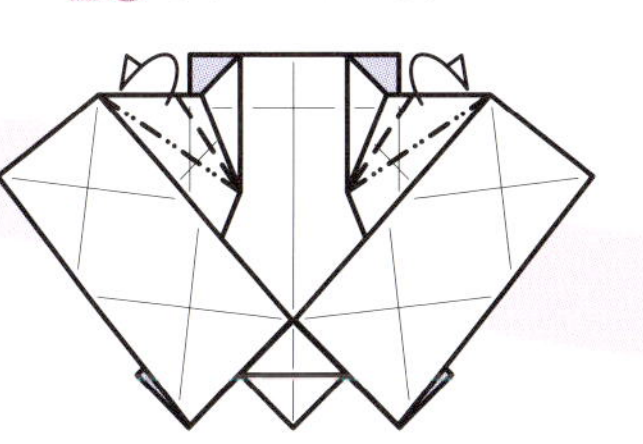

17 しっかり折りすじをつける

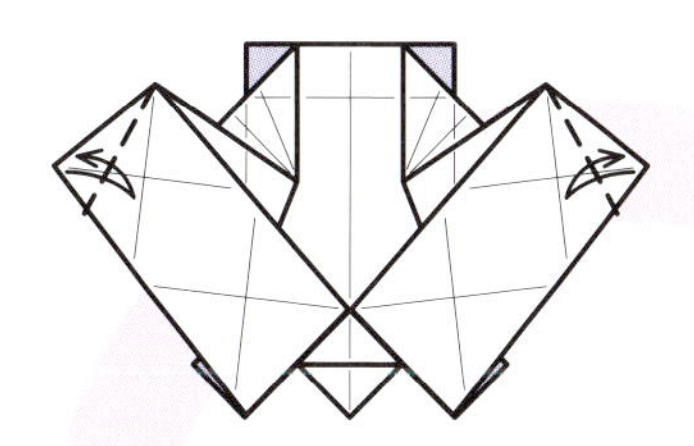

18 はしに合わせて折る

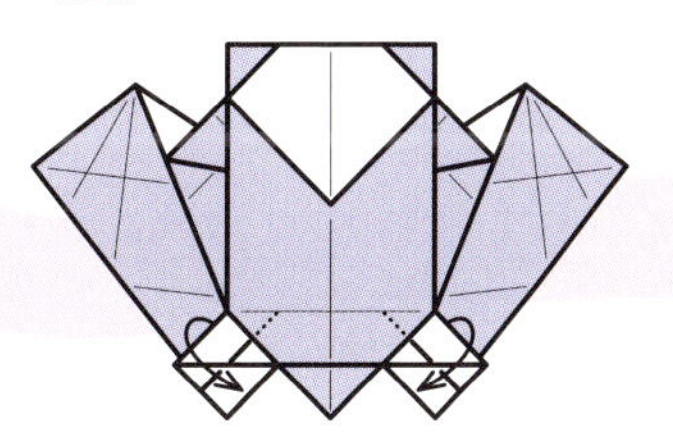

19 少し立体的になるように4か所山折りし、しっかり折りすじをつける

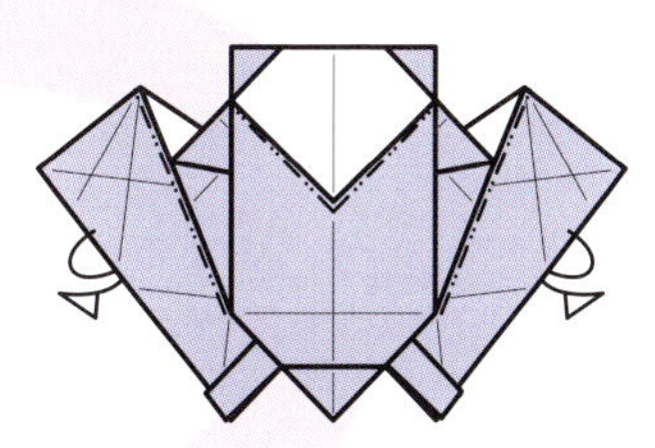

20 図の位置で折る

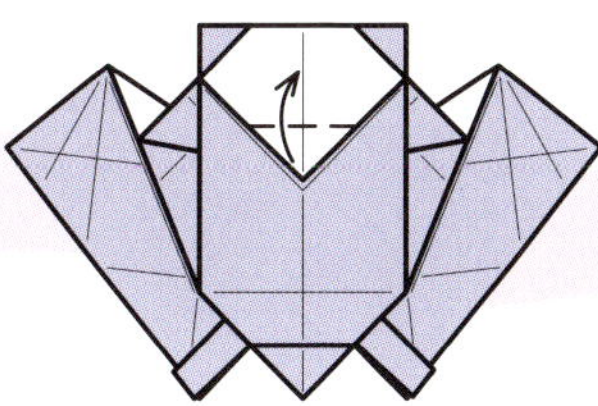

21 折ったところ

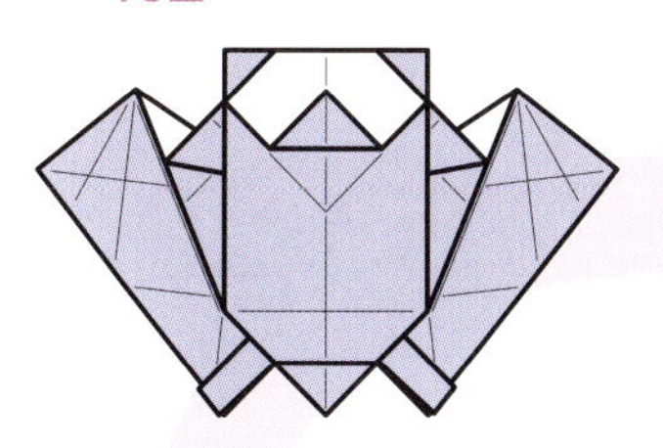

22 開いて折りたたむ

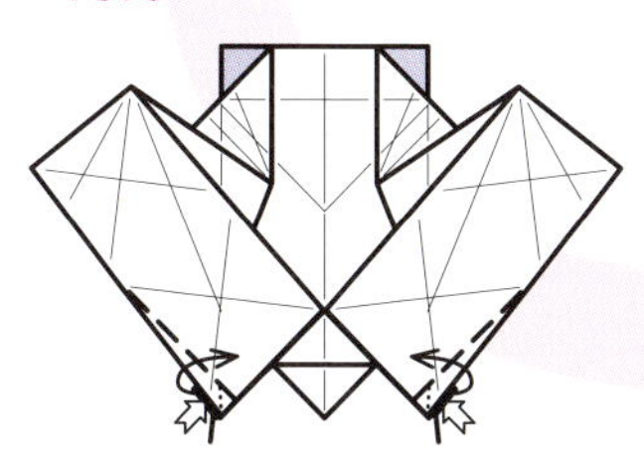

23 段折りして立体的にする

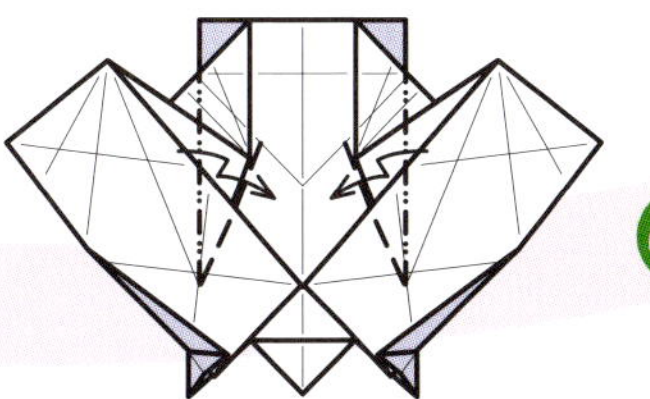

できあがり

好みで目玉シールを貼ってもよい

★★★

ジャック・オ・ランタン【→P.125】 10月

【→P.125】

作者：青木良

Point

黒とオレンジのリバーシブルになっている紙を使うといいですよ。玄関や部屋に飾って、ハロウィン気分を盛り上げましょう。

▶**用意する紙**
15×15cmの紙を1枚

▶**完成サイズ**　7×7.5cm

※かんのん基本形［→P.17］から始めます。

1 折りすじをつける

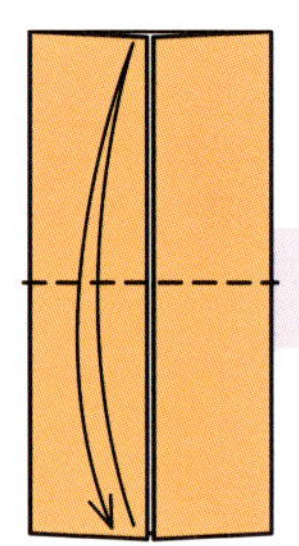

2 折りすじをつける

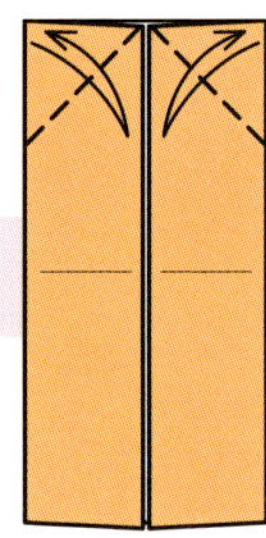

3 すべて開く

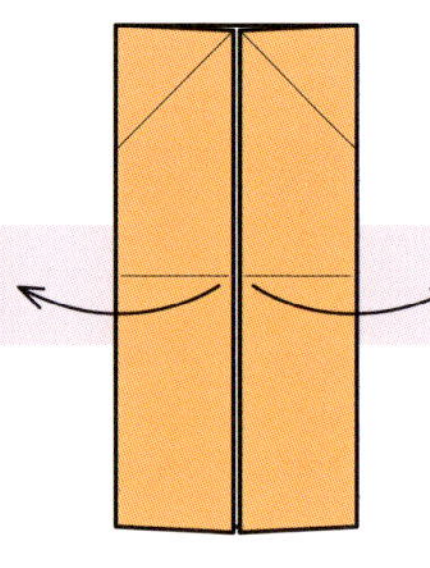

4 真ん中に合わせて折る

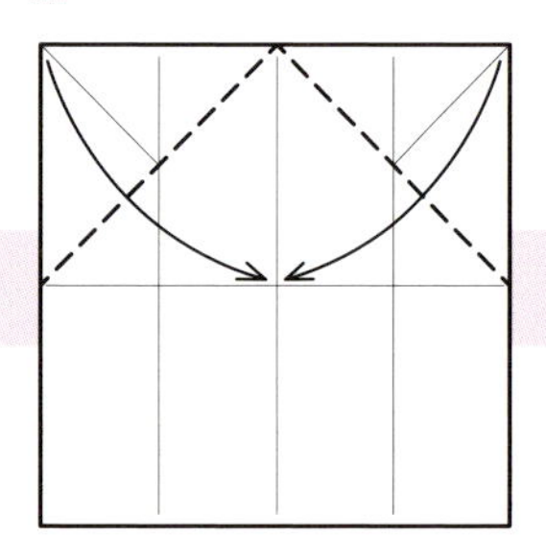

5 開いて折りたたむ

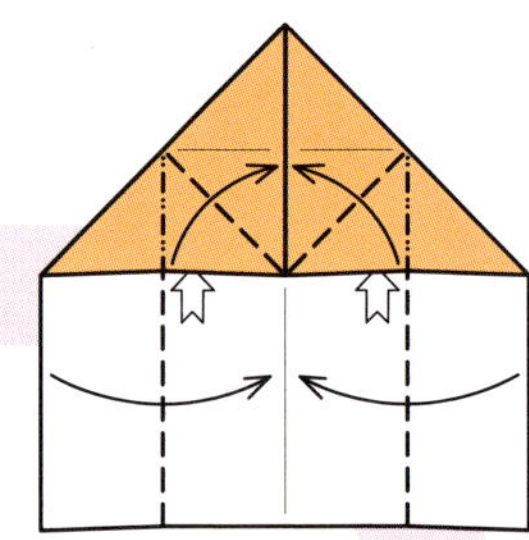

6 真ん中に合わせて折る

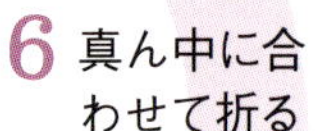

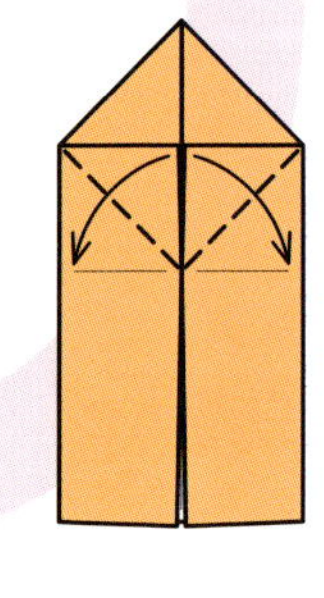

7 ○と○がそれぞれ重なるように折る

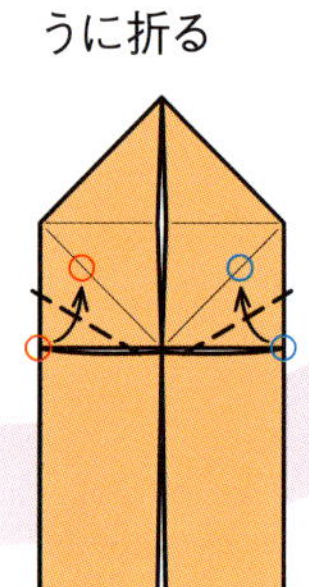

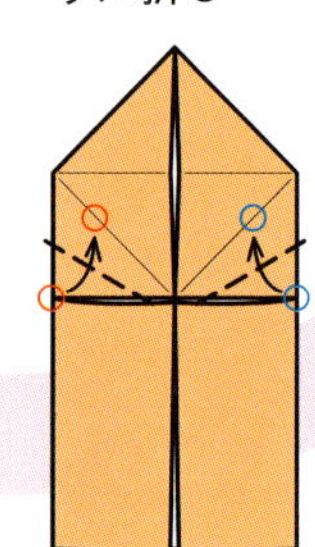

8 開いて折りたたむ

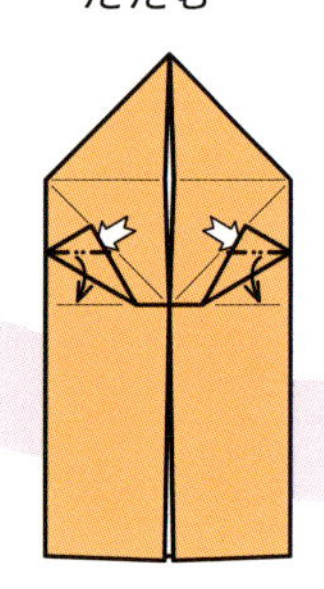

9 ○が重なるように折る

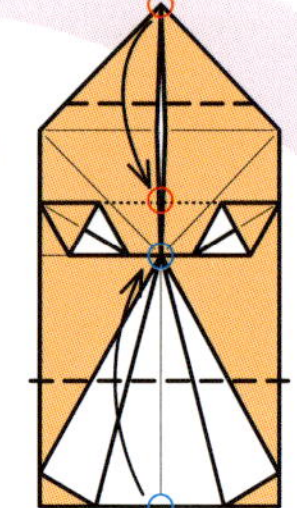

10 ○と○がそれぞれ重なるように折る

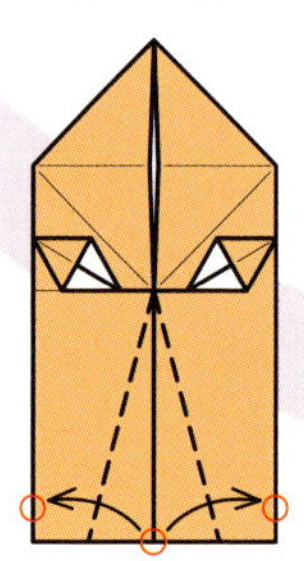

11 上は上の1枚を引き上げながら裏側へ折り、下は図の位置で折る

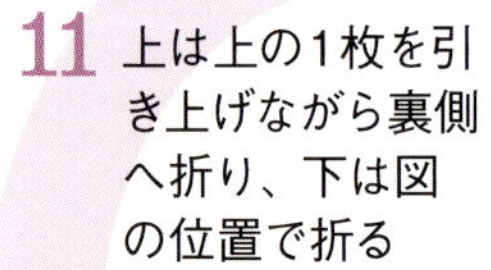

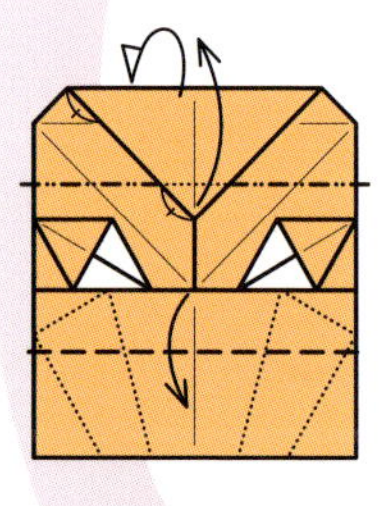

12 角を折る

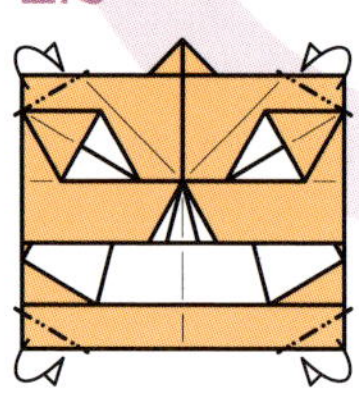

13 開いて折りたたむ

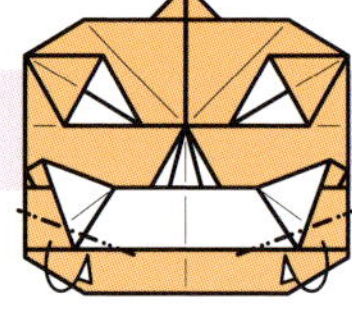

14 角を内側に折る

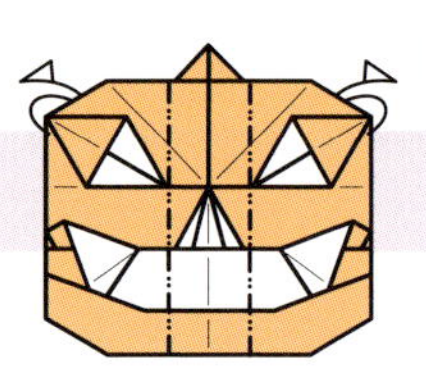

15 少し立体になるように山折りし、折りすじをつける

できあがり

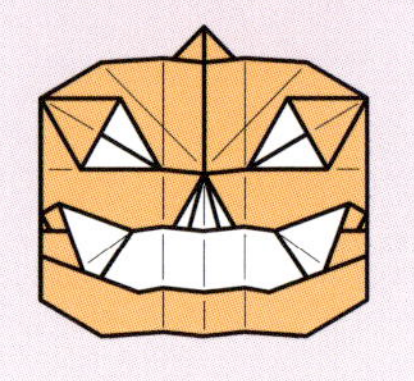

★★★

ドングリ・クリ 【→P.125】

11月

Point

ぜひもみじ［→P.188］やリス［→P.190］と一緒に飾ってみてください。秋らしさを表現できます。

▶**用意する紙**
［ドングリ］［クリ］5×5cmの紙を各1枚

▶**完成サイズ**　3.5×2.5cm（ドングリ）、3.5×3.5cm（クリ）

ドングリ

1 折りすじをつける

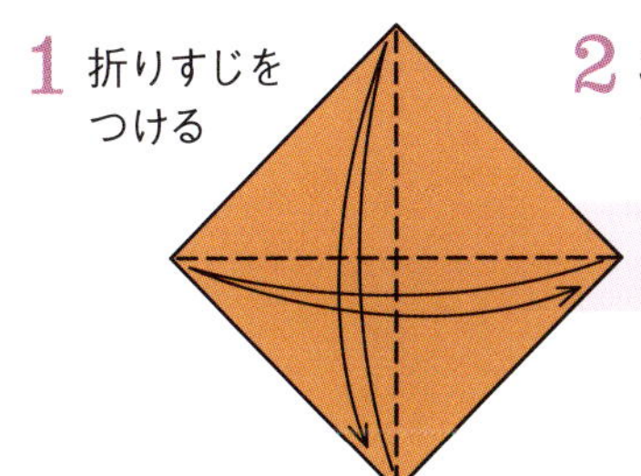

2 3回巻くように折る

3 折ったところ

4 3分の1の位置で折る

5 3分の1の位置で折り、図のように差し込む

6 折ったところ

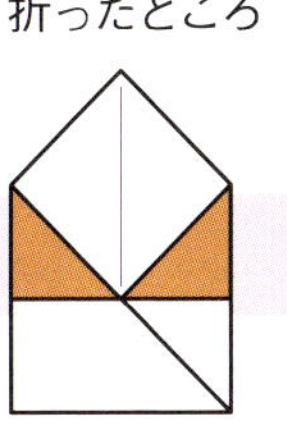

7 角を折る。下は中わり折りする

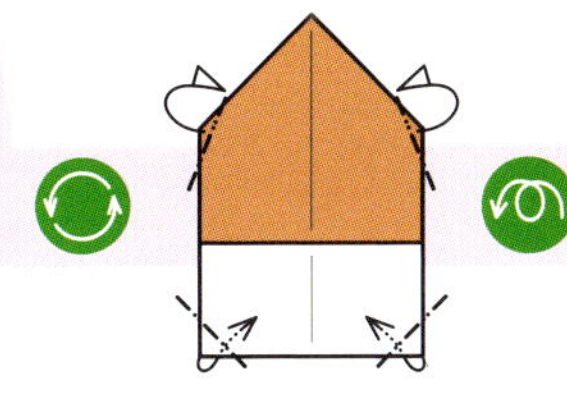

できあがり

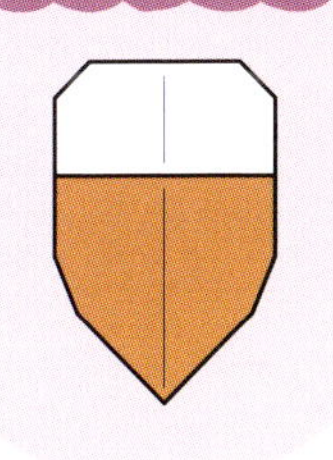

クリ

1 折りすじをつける

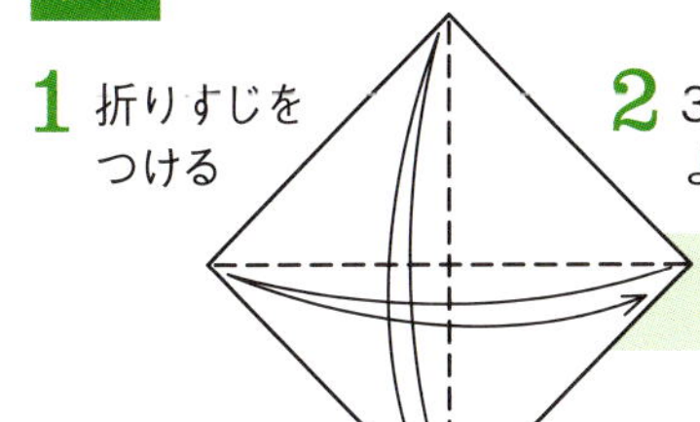

2 3回巻くように折る

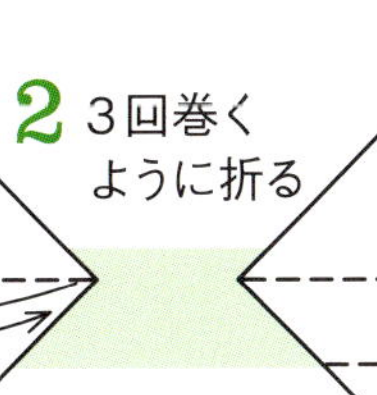

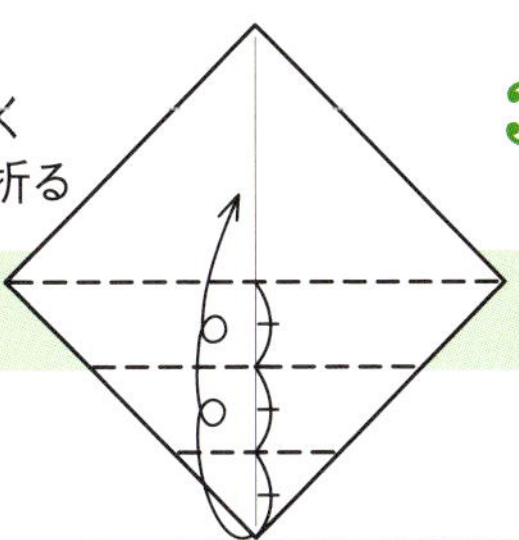

3 折ったところ

4 真ん中に合わせて折る

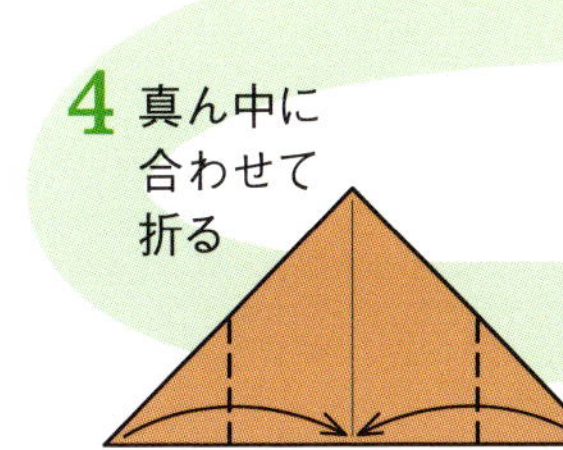

5 折ったところ

6 角を折る。下は中わり折りする

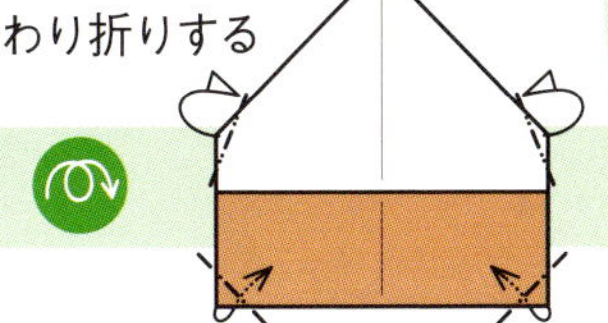

できあがり

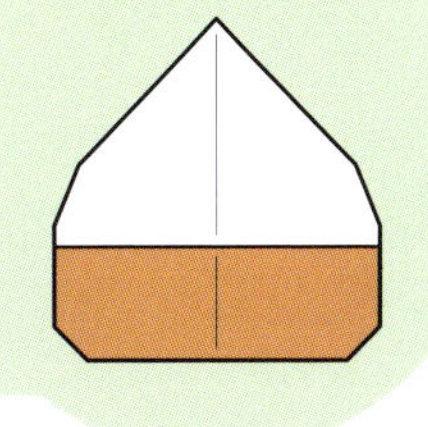

★★★

もみじ 【→P.125】

【→P.125】

11月

Point

玄関や壁に飾れば、家の中でも季節の移ろいを楽しめます。雲竜紙などの柔らかい印象の和紙で作るのがおすすめ。

▶**用意する紙**
10×10cmの紙を1枚

▶**完成サイズ** 6×8cm

※正方基本形［→P.17］から始めます。

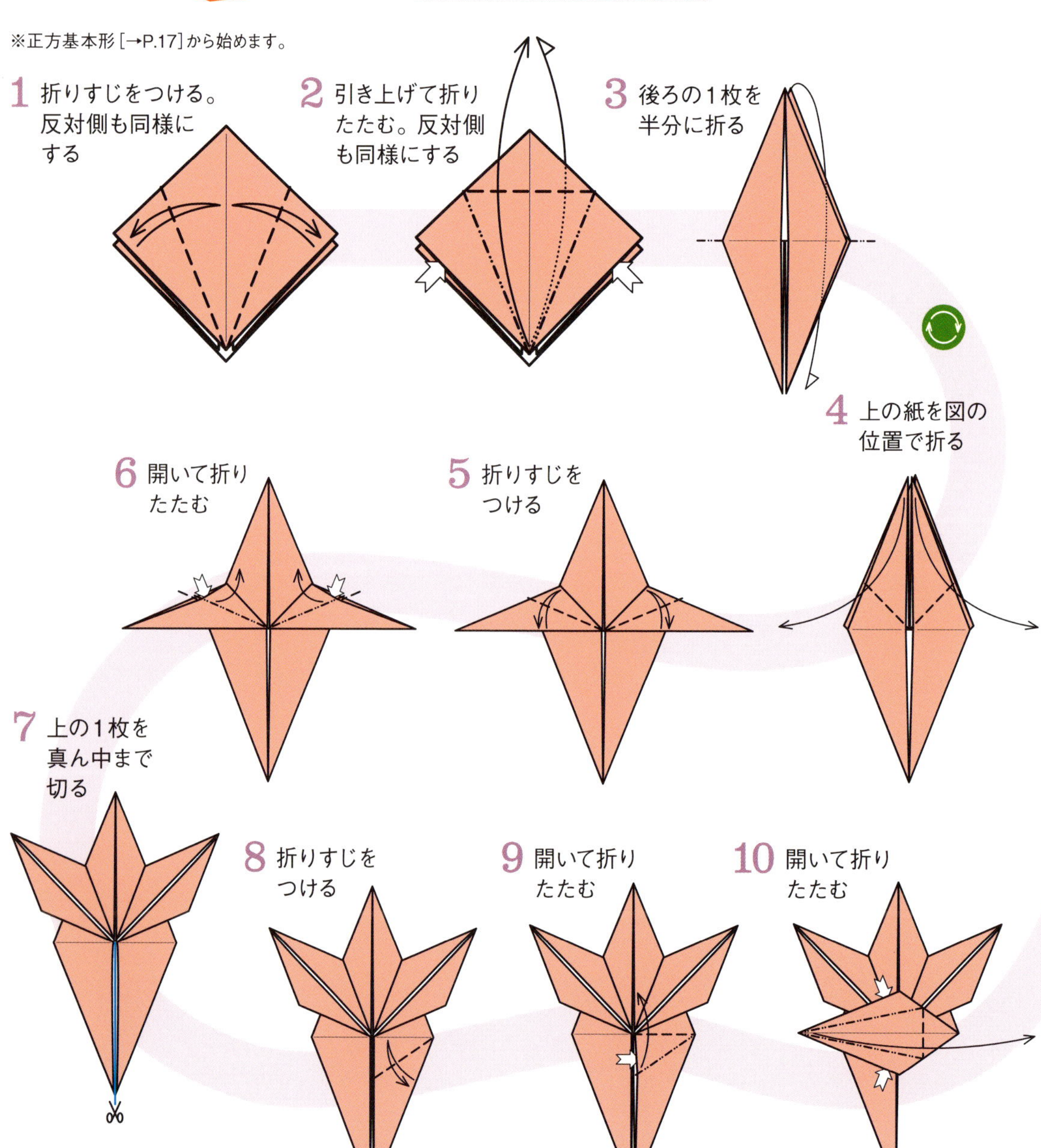

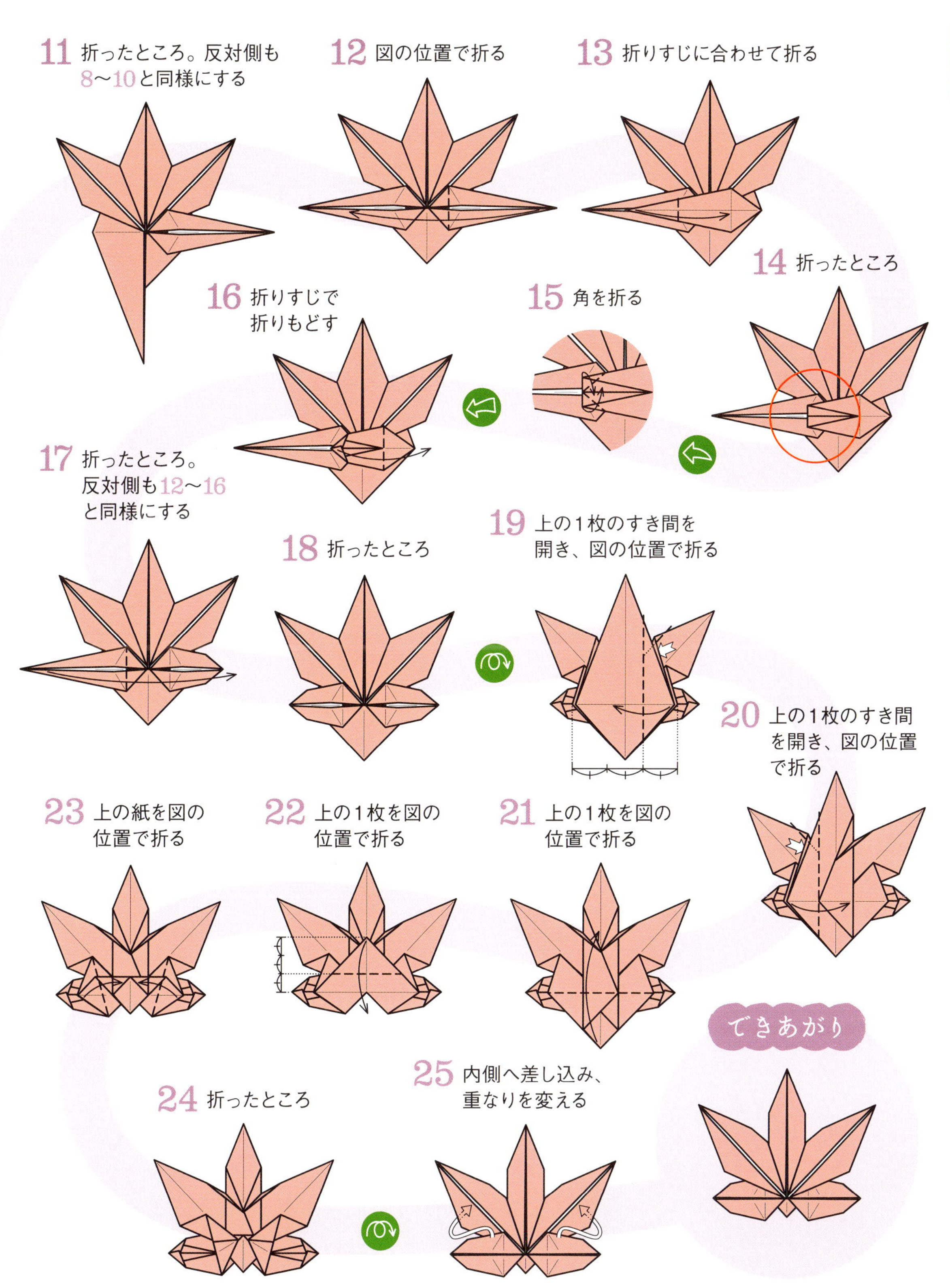
11 折ったところ。反対側も8〜10と同様にする
12 図の位置で折る
13 折りすじに合わせて折る
14 折ったところ
15 角を折る
16 折りすじで折りもどす
17 折ったところ。反対側も12〜16と同様にする
18 折ったところ
19 上の1枚のすき間を開き、図の位置で折る
20 上の1枚のすき間を開き、図の位置で折る
21 上の1枚を図の位置で折る
22 上の1枚を図の位置で折る
23 上の紙を図の位置で折る
24 折ったところ
25 内側へ差し込み、重なりを変える
できあがり

★★☆

リス 【→P.125】

11月

Point
手足の角度を変えることで、リスの動きが変わります。2本足でも4本足でも立たせて飾ることができます。

▶用意する紙
15×15cmの紙を2枚

▶完成サイズ　10×7×1.5cm

● 頭・前足 と 体 を作って組み合わせます。

頭・前足

※正方基本形［→P.17］から始めます。

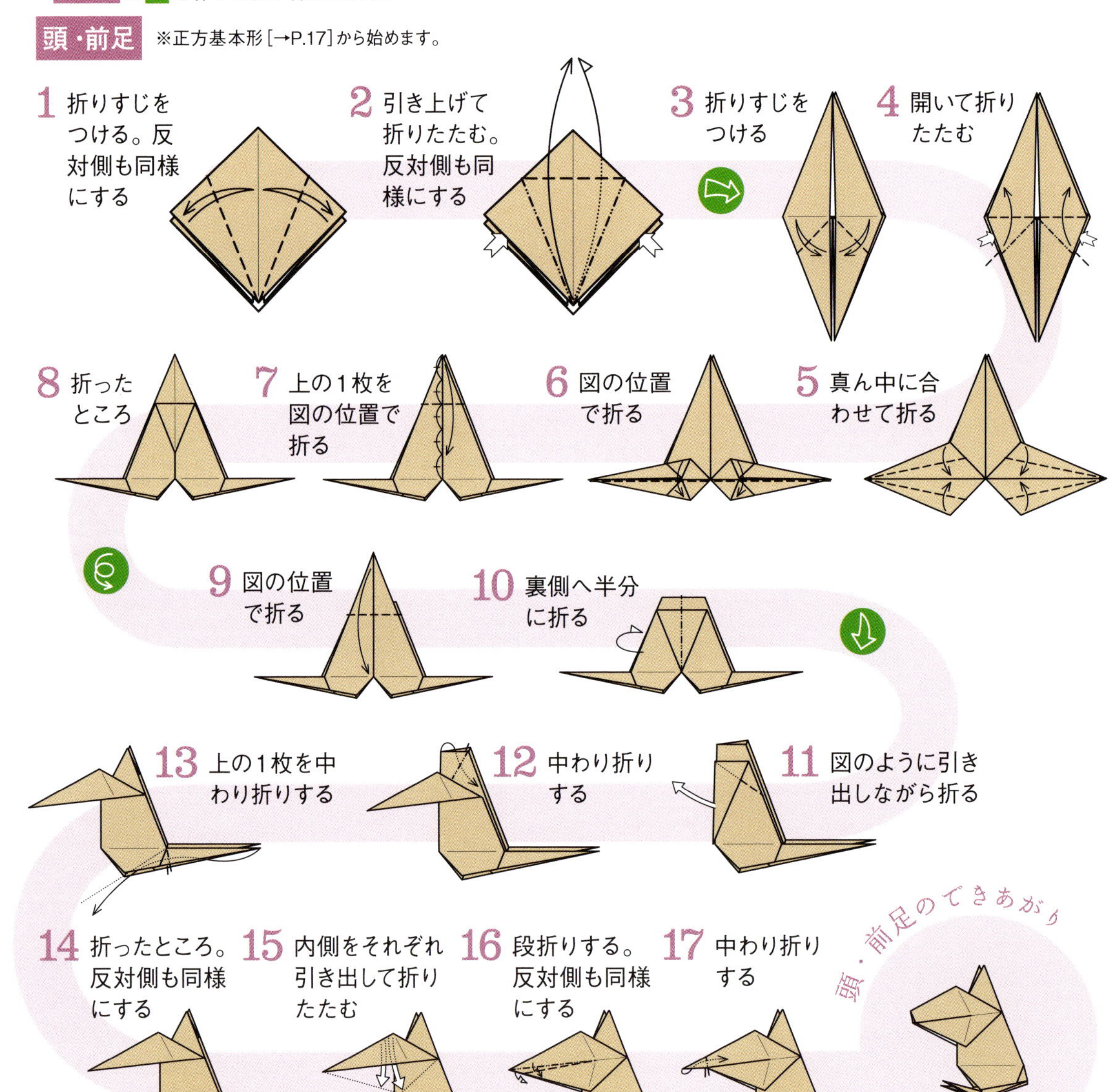

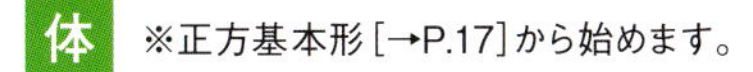
体 ※正方基本形[→P.17]から始めます。

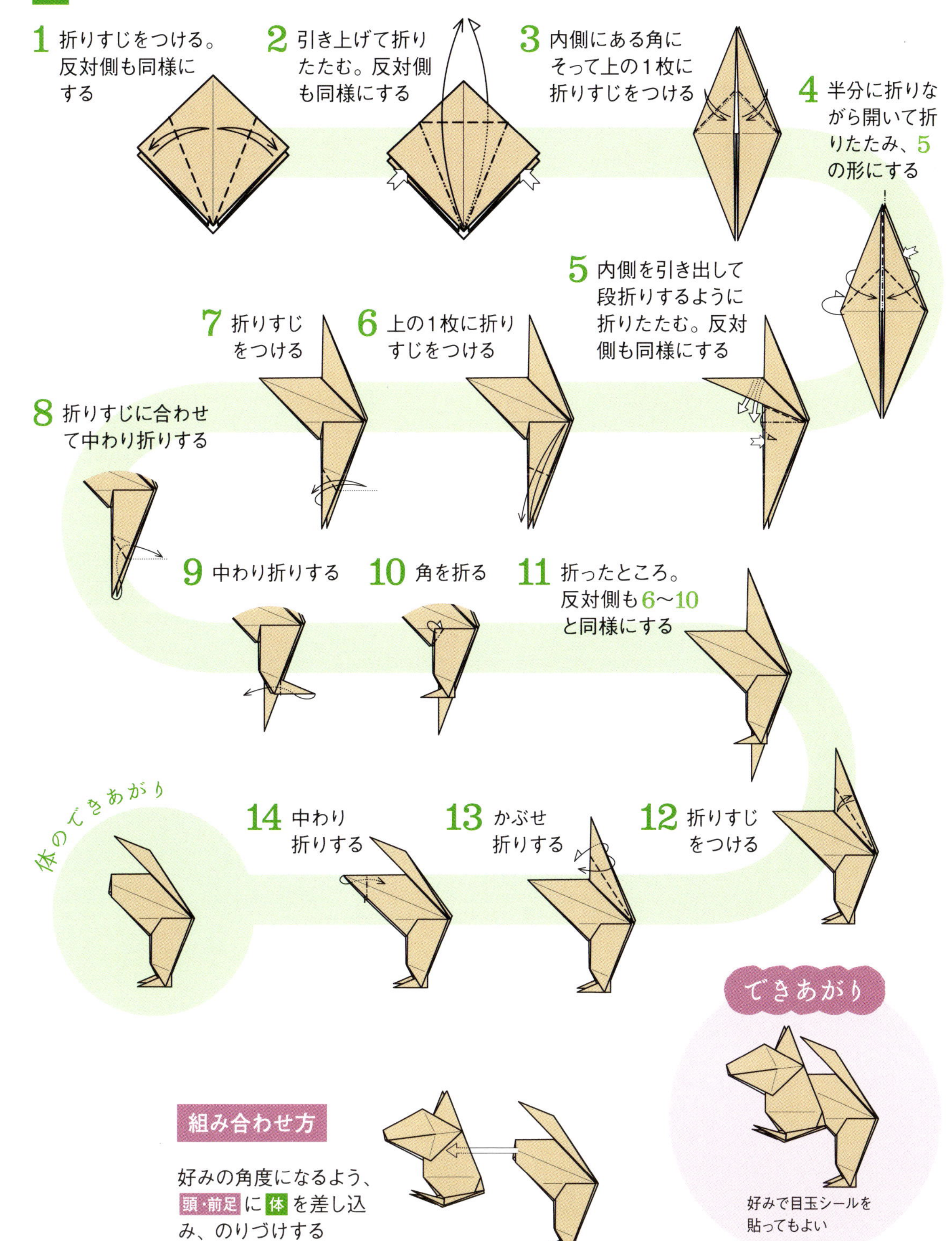
1 折りすじをつける。反対側も同様にする
2 引き上げて折りたたむ。反対側も同様にする
3 内側にある角にそって上の1枚に折りすじをつける
4 半分に折りながら開いて折りたたみ、5の形にする
5 内側を引き出して段折りするように折りたたむ。反対側も同様にする
6 上の1枚に折りすじをつける
7 折りすじをつける
8 折りすじに合わせて中わり折りする
9 中わり折りする
10 角を折る
11 折ったところ。反対側も6〜10と同様にする
12 折りすじをつける
13 かぶせ折りする
14 中わり折りする
体のできあがり
できあがり
好みで目玉シールを貼ってもよい
組み合わせ方
好みの角度になるよう、頭・前足に体を差し込み、のりづけする

★★★

リースの土台【→P.125】

12月

Point

リースの土台に、お好みでリボン[→P.193]やベル[→P.194]などを飾ればにぎやかなクリスマスリースになります。

▶**用意する紙**
15×15cmの紙を12枚

▶**完成サイズ** 直径28cm

●**パーツを12枚作って組み合わせます。**

※正方基本形[→P.17]から始めます。

1 折りすじをつける。反対側も同様にする

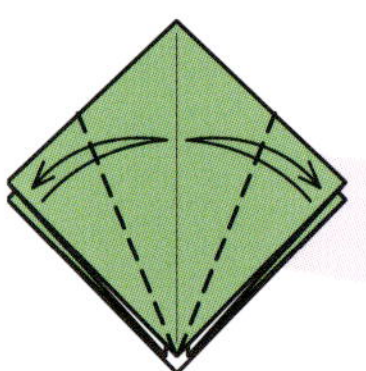

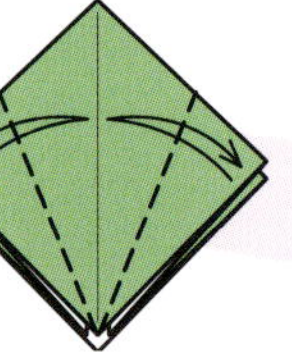

2 引き上げて折りたたむ。反対側も同様にする

3 上の1枚を半分に折る。反対側も同様にする

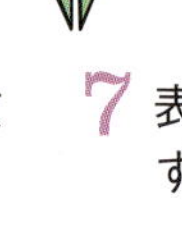

4 左右を引き出しながら、角をつぶして折りたたむ

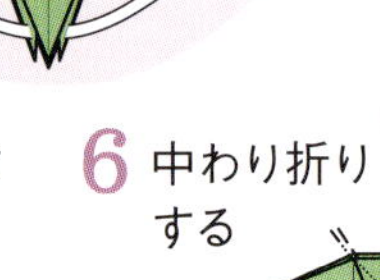

5 折っているところ

6 中わり折りする

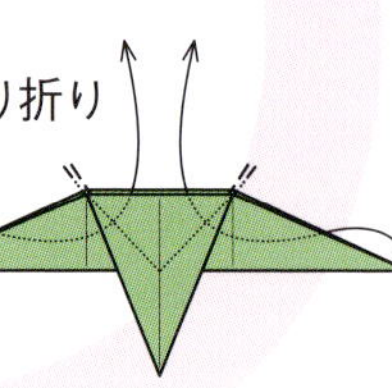

7 表と裏を1枚ずつめくる

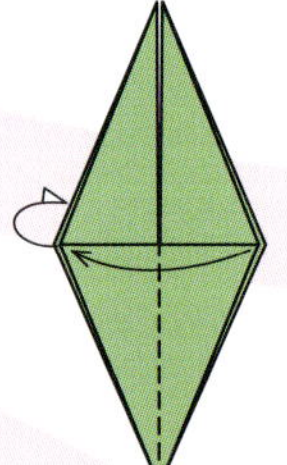

8 ○を中心に上の1枚を少しずらして折る

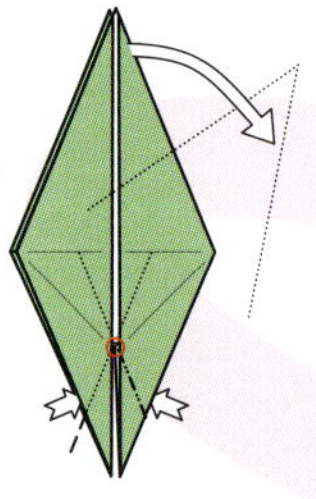

ずらしているところ

折っているところ

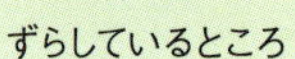

9 図の位置で折る

10 図の位置で内側に折る

11 図の位置で裏側に折る

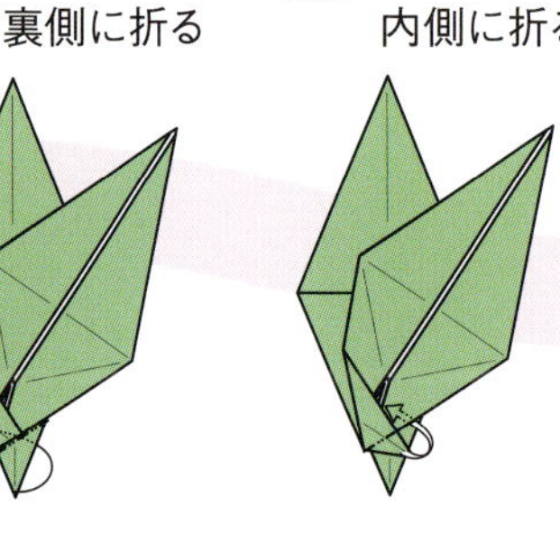

12 折ったところ。これを全部で12枚作る

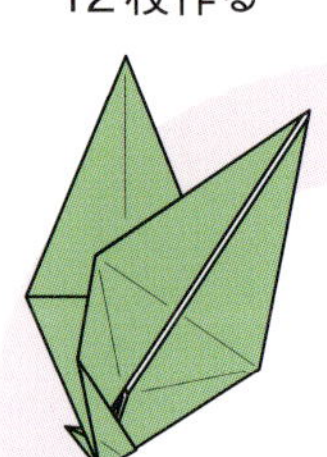

13 図のように差し込み、接着剤で貼る

14 貼ったところ。残り10枚も同じように貼り、輪にする

できあがり

好みで飾りつけてもよい（飾りつけの見本は右ページ）

★★★

リボン 【→P.125】

12月

Point

リースの土台[→P.192]の飾りのほか、紙の種類やサイズを変えれば、ラッピングアイテムとしても使えます。

▶用意する紙
10×15cmの紙を1枚

▶完成サイズ　6.5×10.5cm

1 折りすじをつける

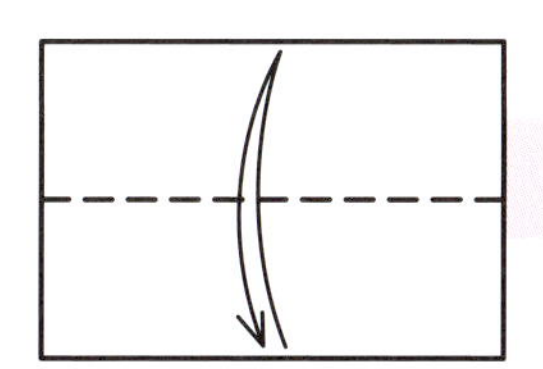

2 真ん中に合わせて折る

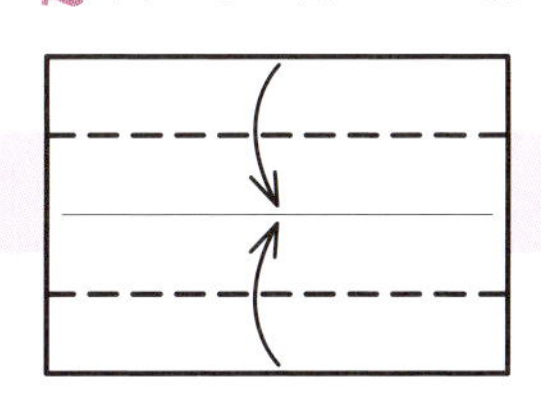

3 折りすじをつける

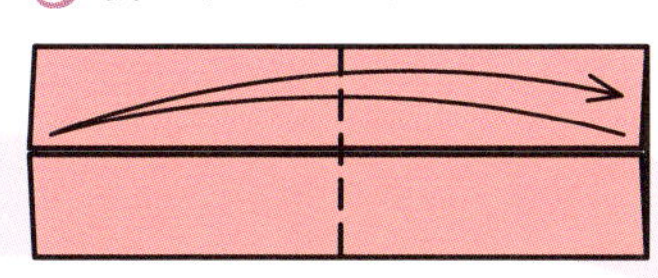

4 3分の1の位置で折りすじをつける

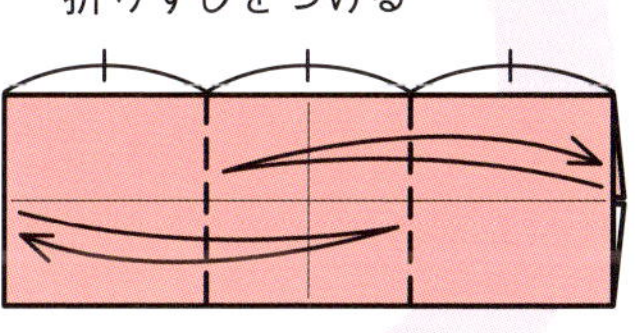

5 段折りする

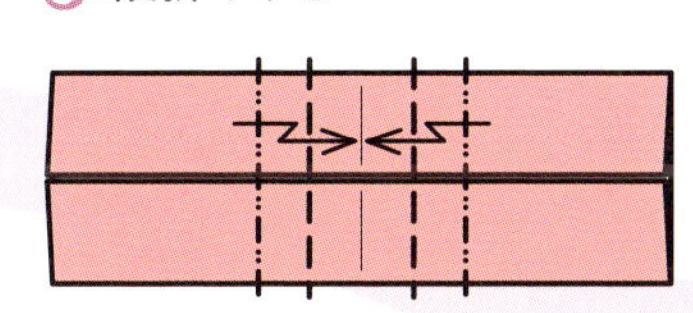

6 折りすじをつける

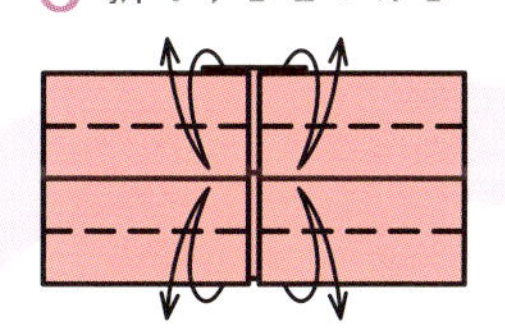

7 上の紙を開いて折りたたむ

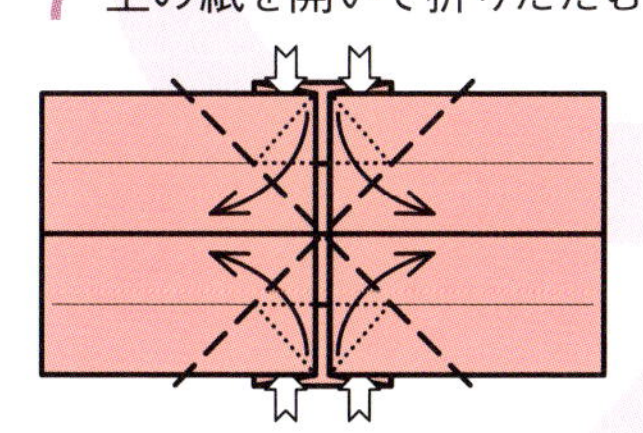

8 図の位置で折る

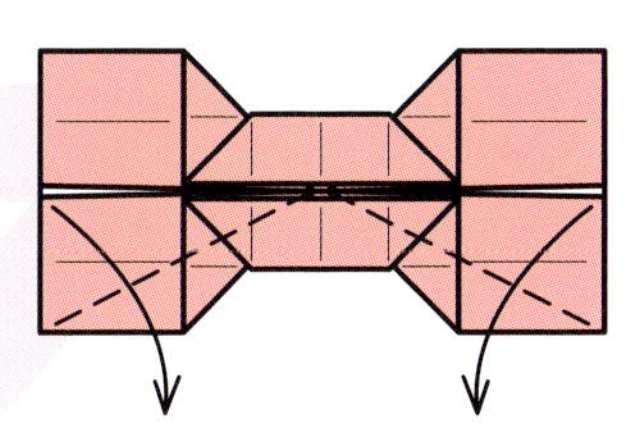

9 折ったところ

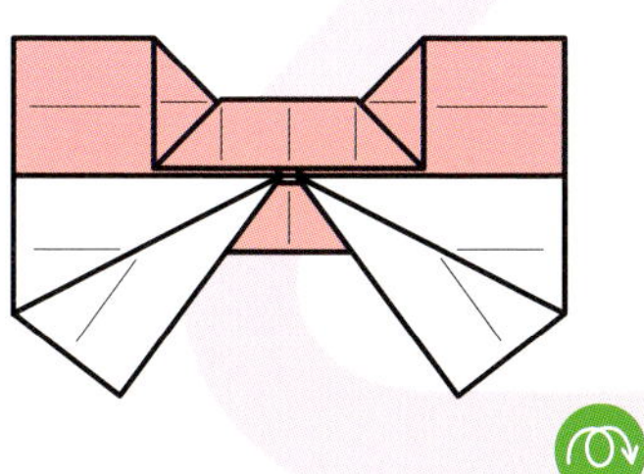

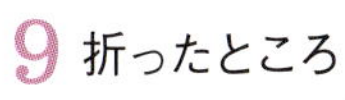

できあがり

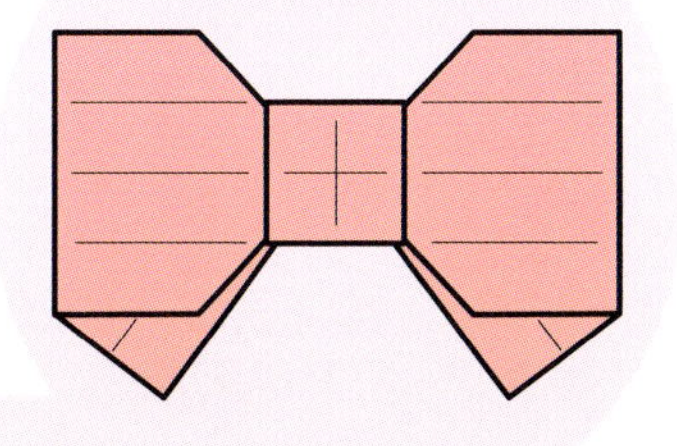

リボンや飾りをつけてリースを華やかに！

写真はリースの土台[→P.192]にリボンと、ポインセチア[→P.100]、ベル[→P.194]、ボール状の飾りを接着剤でつけています。ポインセチア大は3×3cmと4×4cmの紙を各6枚、小は3×3cmの紙を6枚使って組み合わせています。

★☆☆

ベル 【→P.125】

【→P.125】

12月

Point

クリスマスに欠かせないアイテムです。ぜひリースの土台[→P.192]やお好きなツリーに飾ってみてください。

▶**用意する紙**
5×5cmの紙を1枚

▶**完成サイズ** 3.5×4cm

1 折りすじをつける

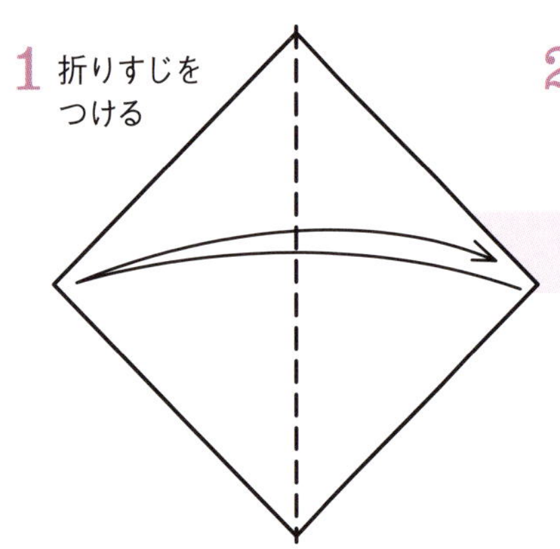

2 真ん中に合わせて折る

3 図の位置で折る

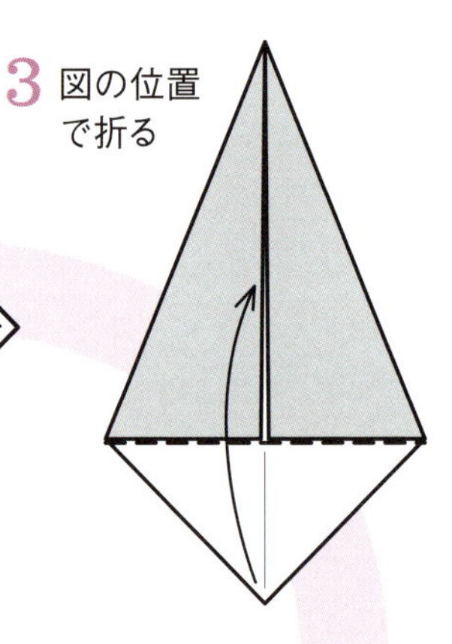

4 図の位置で折る

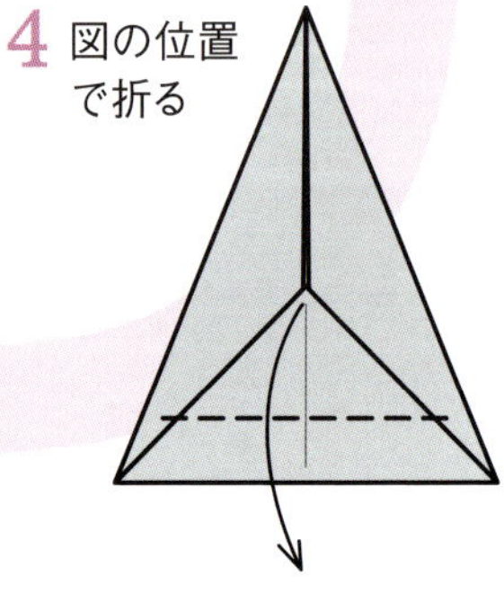

5 図の位置で折る

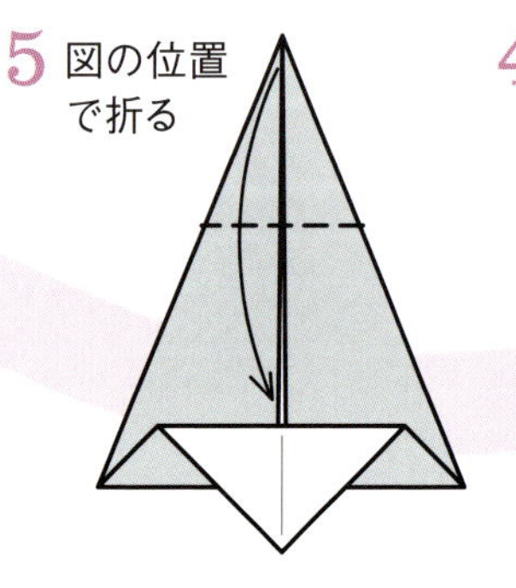

6 図の位置で折る

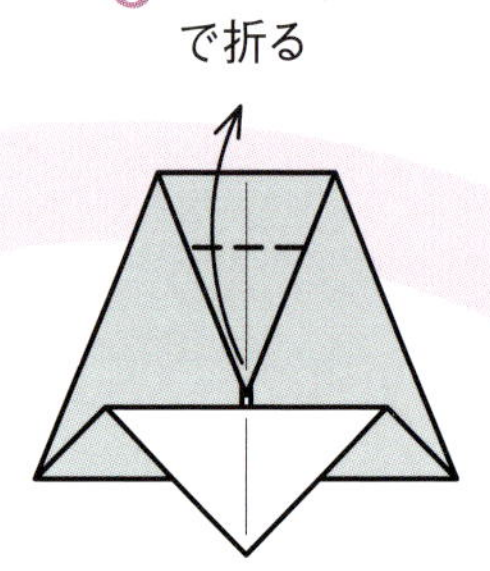

7 開いて折りたたむ

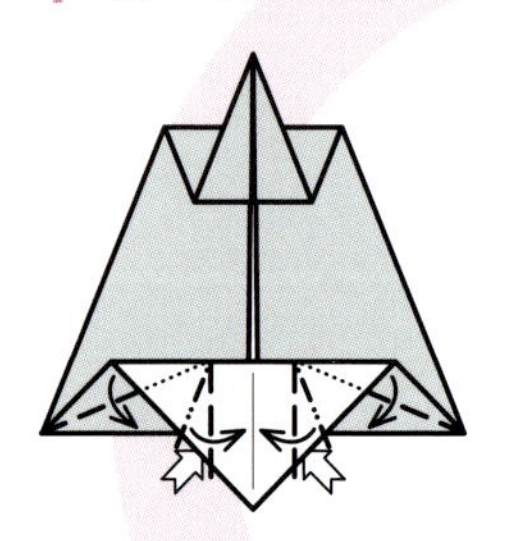

8 角を折る

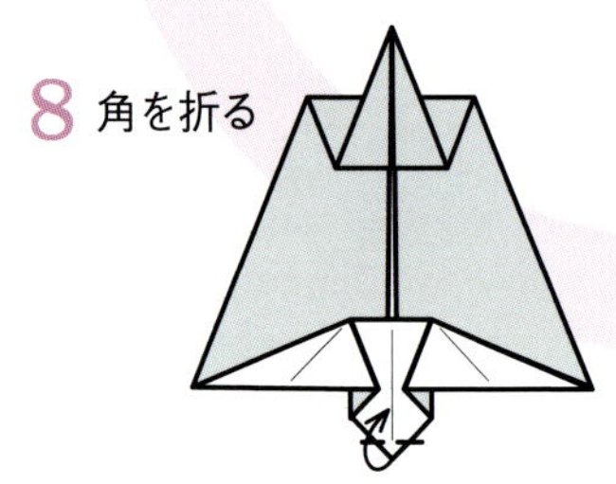

9 折ったところ

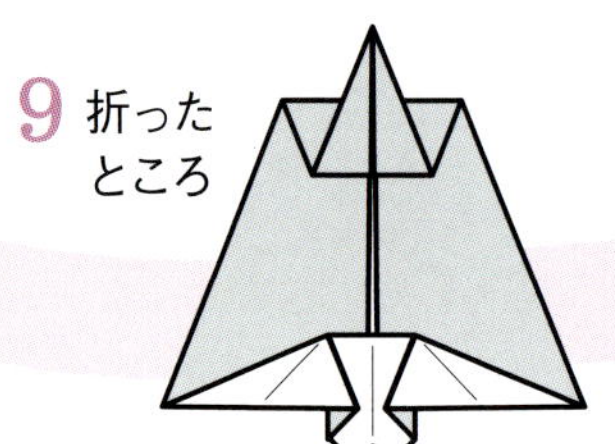

できあがり

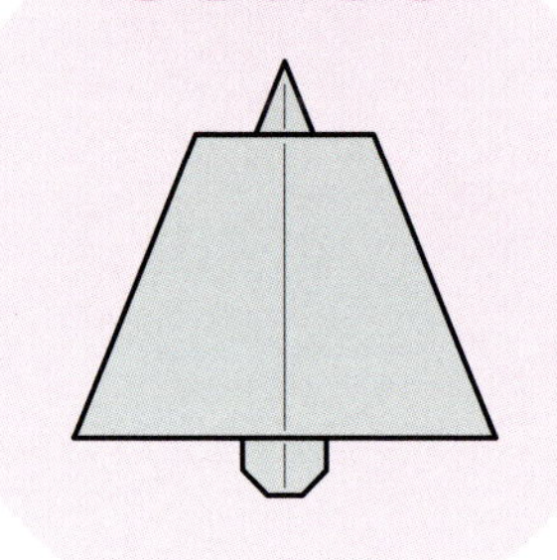

5章

ブロックおりがみ

小さなパーツをいくつも組み合わせて作る
ブロックおりがみです。
じっくり時間をかけて仕上げれば、
できあがったときの満足感はひとしおです。

品よくたたずむ繊細なスワン。入れたペンや小物も自然と格上げされます。

心が豊かになる

作って使える ブロックおりがみ

スワンのペン立て 【→P.198】

カゴのお菓子入れ 【→P.201】

おもてなしに便利なサイズのお菓子入れ。話題作りにも一役買ってくれるでしょう。

百日草を花瓶にさして飾るだけで、目を引く印象的な空間になります。

百日草 【→P.204】

サボテンの置物
【→P.208】

インテリアとして部屋に置くことで、部屋が温かな雰囲気に。

ひょうたんの貯金箱
【→P.211】

フクロウの芳香剤入れ
【→P.215】

実用的なうえにかわいらしい姿によって見る者は穏やかな気持ちになります。

ネモフィラ 【→P.220】

本書での最後の作品はネモフィラ。ネモフィラの「可憐」という花言葉の通り、かわいらしい姿に癒されます。

★★★

スワンのペン立て

【→P.4、196】

Point

優雅なスワンの姿のペン立てです。よく使うペンを入れてみてはいかがですか。底に厚紙を敷けば小物入れとしても使えます。

▶用意する紙
3×6cmの紙（タント）を453枚（本体449枚、頭3枚、くちばし1枚）

▶完成サイズ　13.5×13×7cm

●三角パーツを453個使います。三角パーツの作り方はP.207をご覧ください。

1 三角パーツを2個手に取り、一方の三角パーツのすき間にもう一方の三角パーツを差し込む

※三角パーツはすべて接着剤でとめていきましょう。

2 できたもの。同様にして28組作る

3 2を2個、袋状になったところを持ち、別の三角パーツで、写真のようにつなぎ合わせる

4 同様にしてどんどんつなぎ合わせていく

5 28組すべてつなぎ合わせたら、最後に円形にする

6 3、4と同様にして、さらに1周分三角パーツを差し込む

7 できたものをひっくり返す

8 親指で真ん中をへこませてはしを立たせ、すり鉢状にする

9 6と同様にして、あと6周分三角パーツを差し込む（合計8周）

10 できたもの。ここからは胸（5個分）、尾（7個分）、両羽（各8個分）に分けて組み上げていく

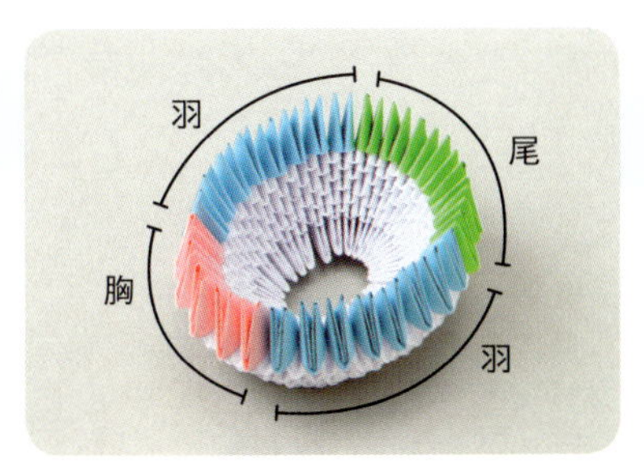

※わかりやすいようにここでは色を変えています。

11 まず胸を組み上げる。4個、3個、2個、1個と1段ごとにひとつずつ三角パーツの数を減らして差し込む

12 尾を組み上げる。胸と同じように、1段ごとにひとつずつ三角パーツの数を減らしながら、3個になる段まで差し込む

13 羽を組み上げる。まず三角パーツを7個差し込む

14 もう一度三角パーツを7個差し込む。このとき、写真のように胸側を1個減らす

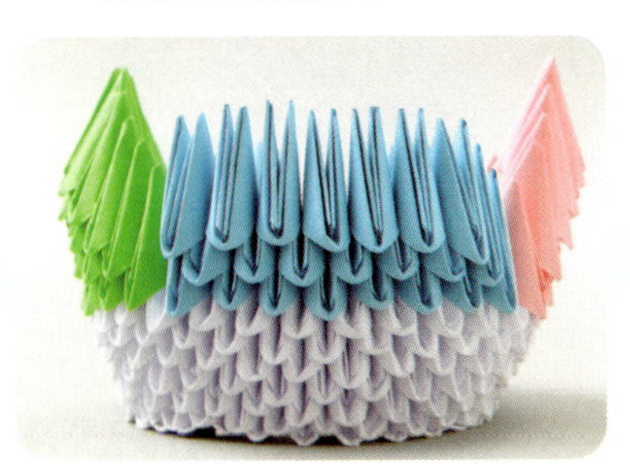

15 13〜14と同様にして、三角パーツを6個から1個まで2段ずつ差し込む

16 もう一方の羽も同様にする

17 頭を作る。1と同様にして三角パーツを2個組み合わせ、上のとがった部分を中わり折りする

18 別の三角パーツを手に取って開き、内側に接着剤をつける

19 18で17をはさんで固定する

20 くちばしの三角パーツを手に取り、19を差し込む。これで頭ができる

21 三角パーツを29個重ねて頭に差し込み、首を作る。首は形を整えるため、接着剤はつけないようにする

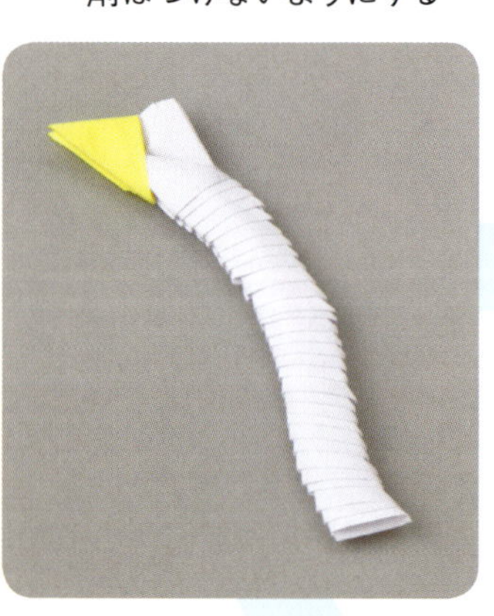

22 21を16の胸の一番上に差し込み、写真のようにして首の角度を調整する

※尾側に首をつけてもちがった雰囲気を楽しめます。

できあがり

好みで目玉シールを貼ってもよい

★★★

カゴのお菓子入れ 【→P.196】

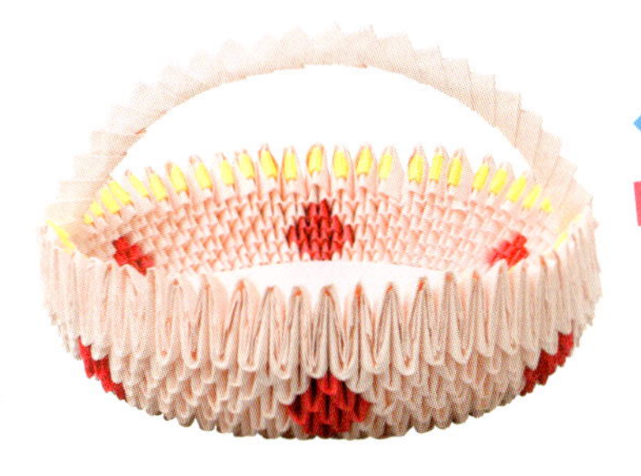

Point

おもてなしにも普段にも使える、浅めのお菓子入れです。模様の入り方はお好みで変えることもできます。

▶**用意する紙**　4×6cmの紙（タント）を564枚（本体486枚、模様54枚、取っ手24枚）、2×4cmの紙（タント）を60枚（飾り）

▶**材料**　直径14cmの円形の厚紙を1枚（底）

▶**完成サイズ**　直径20.5×高さ12cm

●三角パーツを（大）564個、（小）60個使います。三角パーツの作り方はP.207をご覧ください。

※スワンのペン立て［→P.198］1～2を本体の三角パーツで60組作ったところから始めます。

1 60組の三角パーツを別の三角パーツでつなぎ、円形にする［→P.198 3～5参考］。このとき、本体の三角パーツを9個差し込んだら10個目に模様の三角パーツを1個差し込むようにする

※わかりやすいように、ここでは大きさと色を変えています。

2 模様の三角パーツを2個差し込む。残りの5か所も同様にする

3 1と同様に2周目を差し込む。模様と模様の間の本体の三角パーツは8個分になる

4 2と同様に模様の三角パーツを3個ずつ差し込む

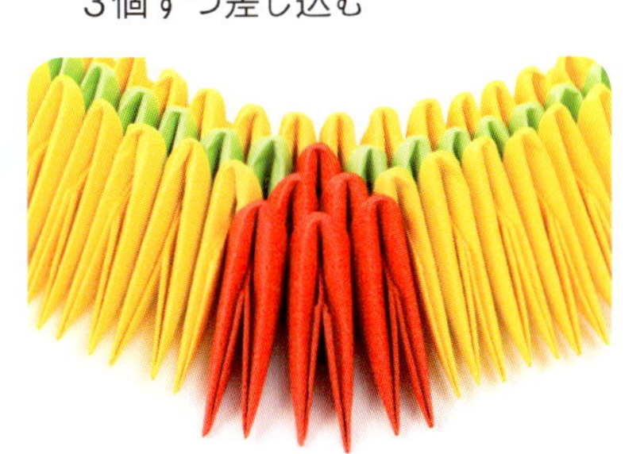

5 1と同様に3周目を差し込む。模様と模様の間の本体の三角パーツは7個分になる

6 模様の三角パーツを2個ずつ差し込む

7 4周目を差し込む。模様と模様の間の本体の三角パーツは8個分になる

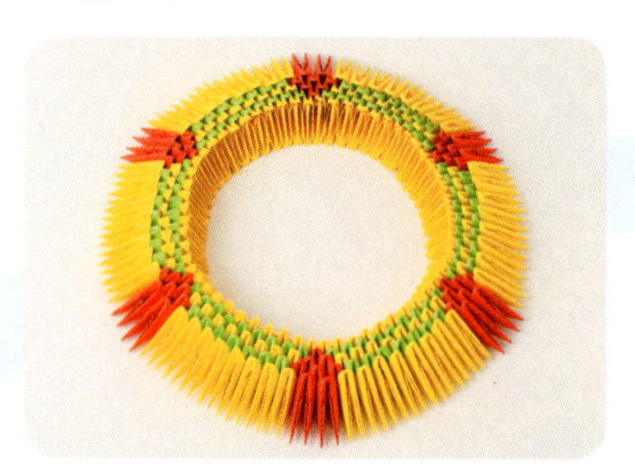

8 模様の三角パーツを1個ずつ差し込む

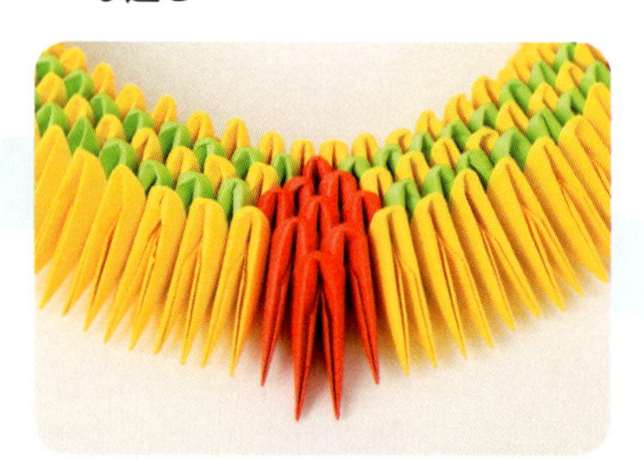

9 5周目を差し込む。模様と模様の間の本体の三角パーツは9個分になる

10 6周目に本体の三角パーツを差し込む

11 できたものをひっくり返し、深さが出るように整える

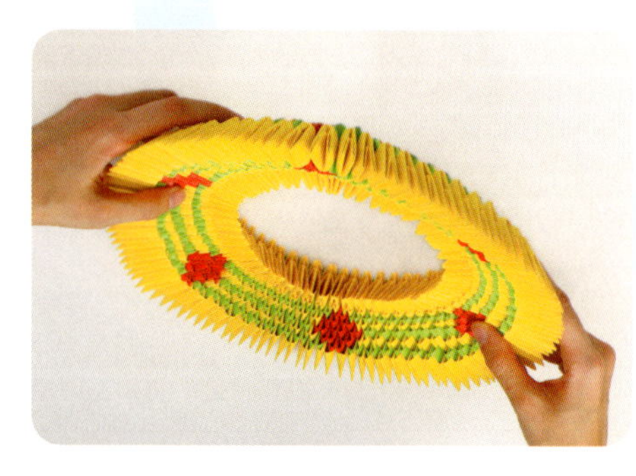

12 本体の三角パーツと飾りの三角パーツをそれぞれ60個用意する

13 本体の三角パーツを手に取り、すき間に飾りの三角パーツを差し込む

14 できたもの。同様にして60組作る

15 14のパーツを手に取って開き、内側に接着剤をつける

16 15を11の上にかぶせるように接着剤で貼る。残りの59個も同様にする

17 できたもの

18 厚紙を17の中に入れて底にする

19 三角パーツを24個重ねて取っ手を作る

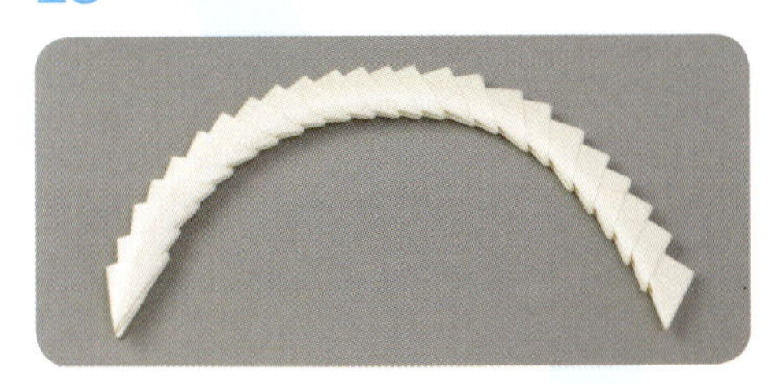

20 19を17の一番上のパーツとパーツの間に差し込み、接着剤でとめる。反対側も同様にする

できあがり

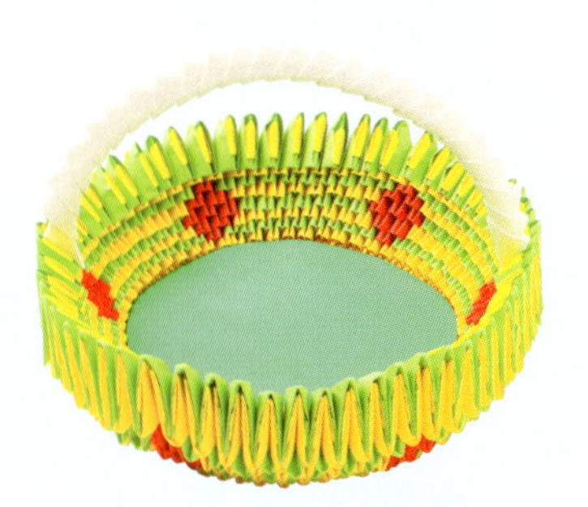

★★★

百日草 【→P.196】

Point

三角パーツのすき間を開いて組み立てる百日草。色とりどりの花を作ってお部屋のインテリアにしてみてはいかがですか。

▶**用意する紙**　6×10cmの紙（タント）を27枚（花14枚、ガク7枚、葉6枚）、6×10cmの紙（タント）を2枚（花芯）

▶**材料**　30cmの18番のワイヤーを1本（茎）、ティッシュを1枚（茎）、15cmの26番のワイヤーを2本（葉）、フローラルテープ

▶**完成サイズ**　35×7×厚さ5.5cm

●三角パーツを27個と、花芯の紙を2枚使います。三角パーツの作り方はP.207をご覧ください。

1 花の三角パーツをつまみ、袋になっているほうをつぶすように折る

2 すき間に指を入れて丸くなるように開く

3 できたもの。同様にして14個作る

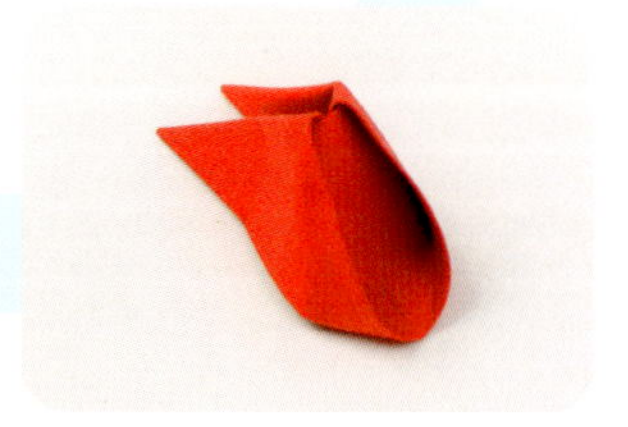

4 ガクの三角パーツに3を差し込む。同様にして7組作る

5 4を2個手に取り、3の三角パーツをすき間に差し込み、接着剤でとめる。残りの5個も同様にして円形につなぎ合わせていく

6 つなぎ合わせているところ

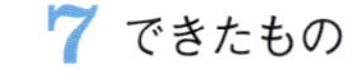

7 できたもの

8 花芯の紙2枚をそれぞれ半分に折る

9 はしを少し重ねて、両面テープでとめる

10 茎を作る。P.117-118 **5**～**8**のように18番のワイヤーをティッシュで太くし、フローラルテープを巻きつける。それを**9**にのせ、巻きつけて貼る

11 はしを接着剤でとめる

12 **7**の中心に**11**を差し込む

次のページへ

13 花芯とガクを接着剤でとめる

14 葉の三角パーツ２個を手に取り、一方の三角パーツのすき間に上下を逆にしたもう一方の三角パーツを差し込む

15 14と同様にしてもう１個差し込む

16 接着剤をつけた26番のワイヤーを15に差し込み、とめる。同様にして全部で２本作る

17 16を茎の好みの位置にフローラルテープでとめていく。残りの１本も同様にする

できあがり

三角パーツの作り方

ブロックおりがみのためのパーツの折り方です。
たくさん折ってストックしておくと便利です。作品を作るときは、
強度を上げるためにパーツ同士を接着剤でとめましょう。

▶**用意する紙（1個分）**
長方形の紙（タント）を1枚
※作品ごとに比率が変わります。
各作品の「用意する紙」のサイズをご覧ください。

1 半分に折る

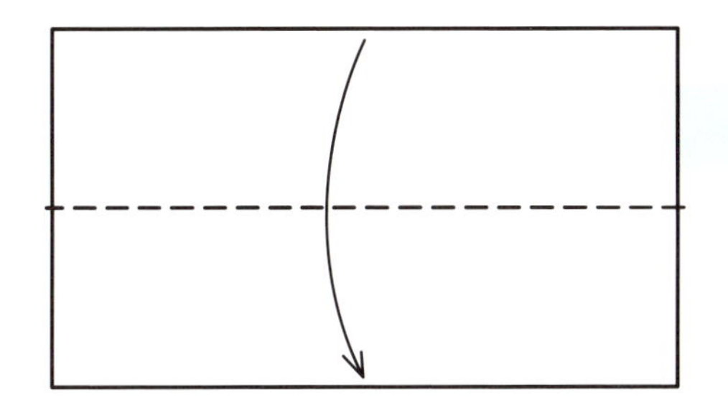

2 折りすじをつける

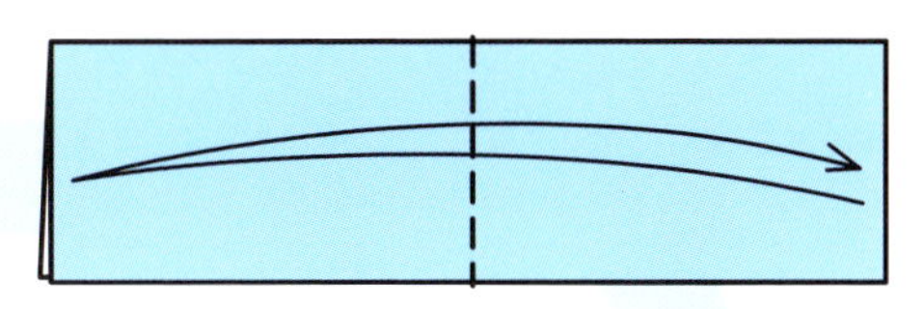

3 真ん中に合わせて折る

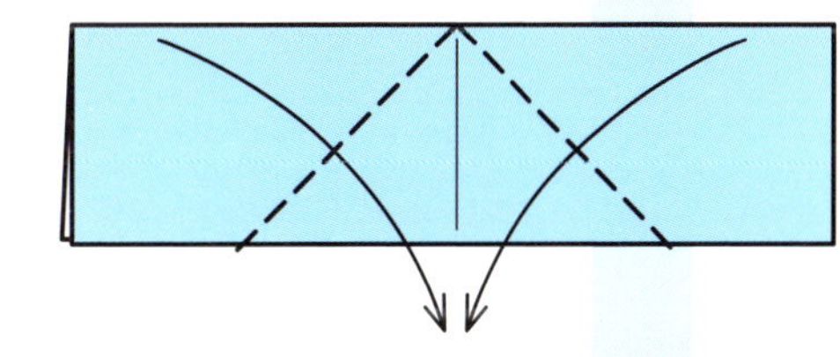

4 折ったところ

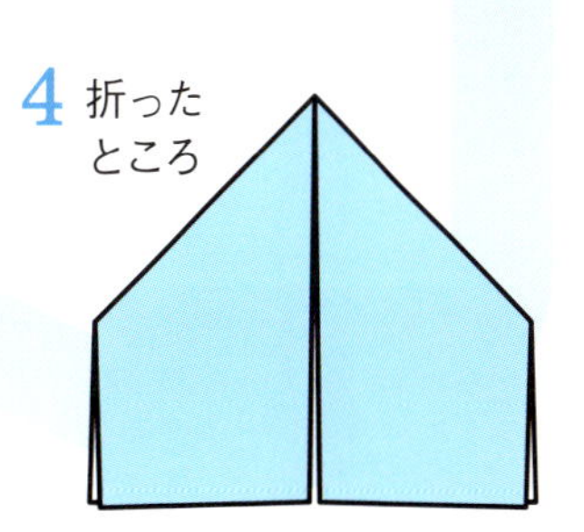

5 図の位置で折る

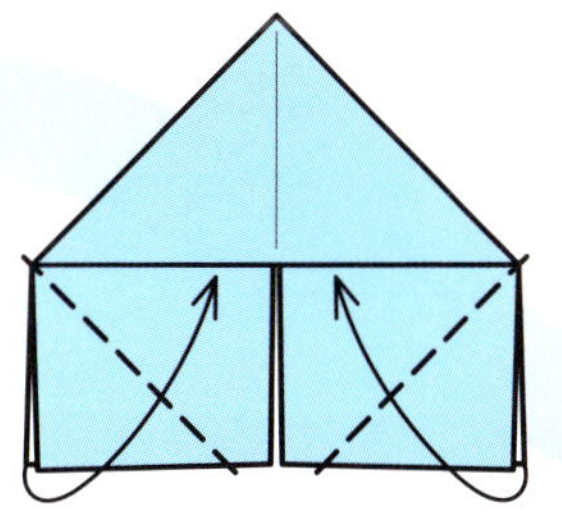

6 図の位置で折る

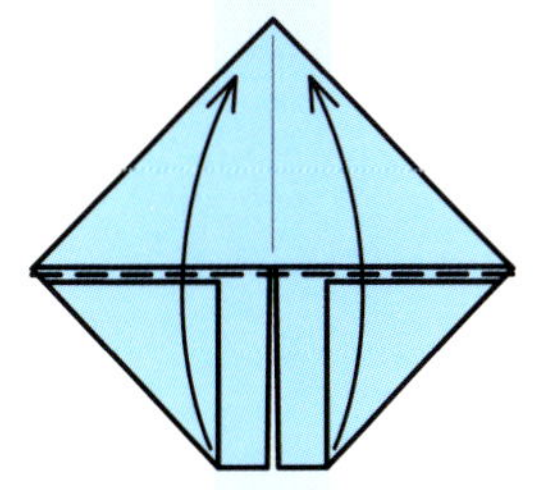

7 半分に折る

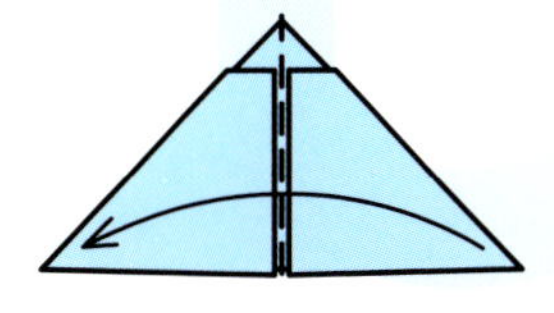

できあがり

基本の組み合わせ方

袋状になったところに、接着剤をつけた別の三角パーツを差し込んで組み合わせる

サボテンの置物 【→P.197】

Point
まるで本物のようなサボテンの置物です。鉢に入れてインテリアとして飾るのもおすすめです。

▶**用意する紙**　［サボテン］5×25cmの紙（タント）を2枚、3×5cmの紙（タント紙）を168枚（トゲ154枚、土台14枚）［花］7.5×7.5cmの紙（和紙）を4枚［ガク］5×2cmの紙（和紙）を2枚［茎］15×2cmの紙（和紙）を2枚、ティッシュペーパー、フローラルテープ

▶**材料**　15cmの20番のワイヤーを2本

▶**完成サイズ**　9.5×15cm

●三角パーツを168個使います。
三角パーツの作り方はP.207をご覧ください。

1 5×25cmの2枚（AとB）を、のりしろとして1cmで折り、残りはじゃばら折りで折りすじをつける

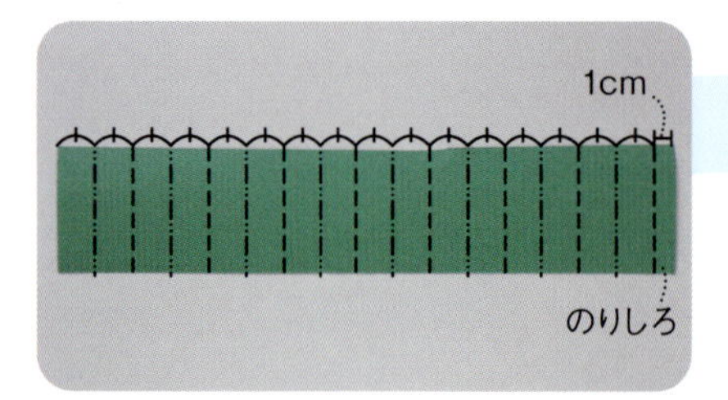

2 Aのみ★で切り離す。長い方を使用する

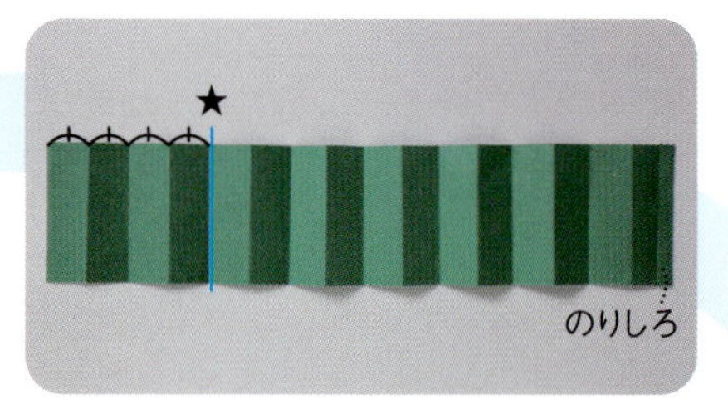

3 AとBの上下全体に図の位置で折りすじをつける

4 AとBをつなげて、輪にして接着剤でとめる

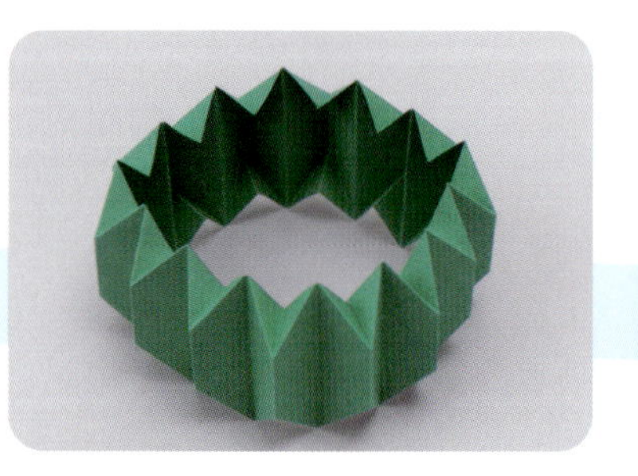

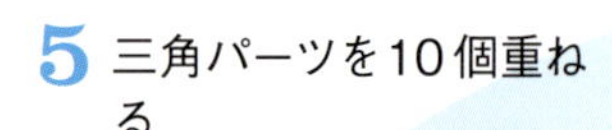

5 三角パーツを10個重ねる

6 向きを変えて1個差し込み、角度を調整して接着剤でとめる。同様にして14組作る

7 別の三角パーツの片側に6の片方を差し込み、接着剤でとめる

8 同様にして、14組をつなぎ合わせていく

9 14組すべてつなぎ合わせたら、最後に円形にする

10 4を折りたたんで中にはめ込む

11 4のくぼみに9の先を合わせる

12 横から見たところ

本体のできあがり

組み合わせ方

本体の三角パーツにP.210で作成した花を差し込む

できあがり

花

※2枚重ねで作った正方基本形[▸P.17]から始めます。

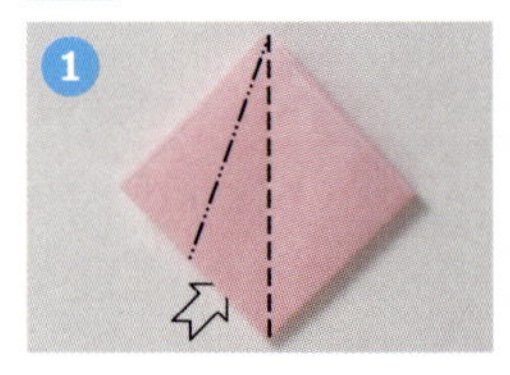
図の位置で折りすじをつけてから開く

残りの3か所も同様にする

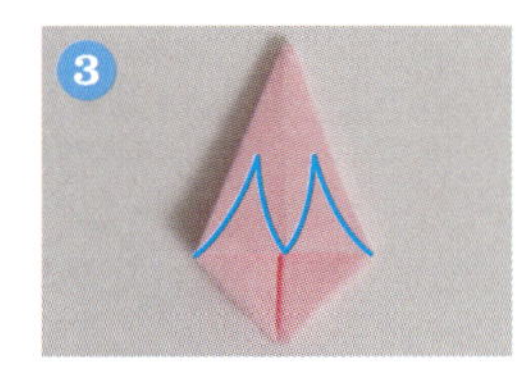
図の位置で切る

図の位置で折る

4で折った部分をつまみ、先を矢印の向きにクセをつける

束を広げる

花びらの先をカールさせる

できたところ

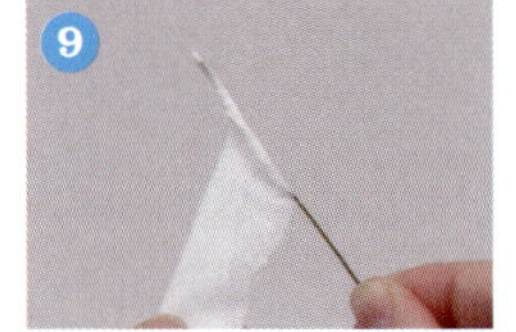
20番のワイヤーにティッシュペーパーを巻く

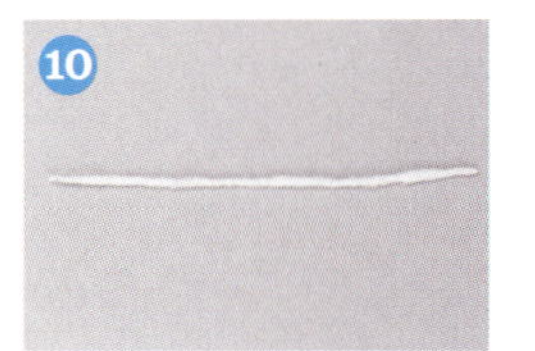
できたところ

細く切ったティッシュペーパーを10の下から1/3ぐらいの位置に巻いてねじり、こぶを作る

もう一度巻いてねじったらティッシュペーパーを切る

4の折り目で挟んで接着剤でとめる

花の根元からフローラルテープを全体に巻く

できたところ

写真のようにガクと茎を切る

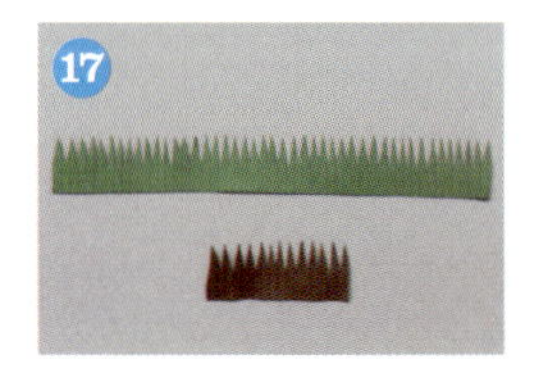
ガクと茎を切ったところ

花の根元にガクを巻く

茎を全体に斜めに巻く

★★★

ひょうたんの貯金箱 【→P.197】

Point

小銭を入れて使えるひょうたん型の貯金箱です。上下に分解して中身を出せます。紐を巻くことでリアルな雰囲気に。

▶**用意する紙** 4×7cmの紙（タント紙）を685枚

▶**完成サイズ** 8.5×18cm

●三角パーツを684個使います。三角パーツの作り方はP.207をご覧ください。

下

1 三角パーツを3個手に取り、1個の黄の三角パーツを残り2個の三角パーツのすき間に片方ずつ差し込む

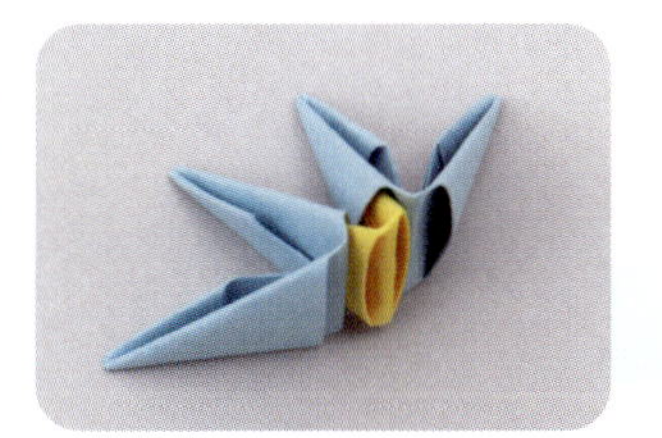

＊わかりやすいように色を変えています。（以下＊部は同様）

2 1のように内と外で8個ずつ差し込み、最後に円形にする

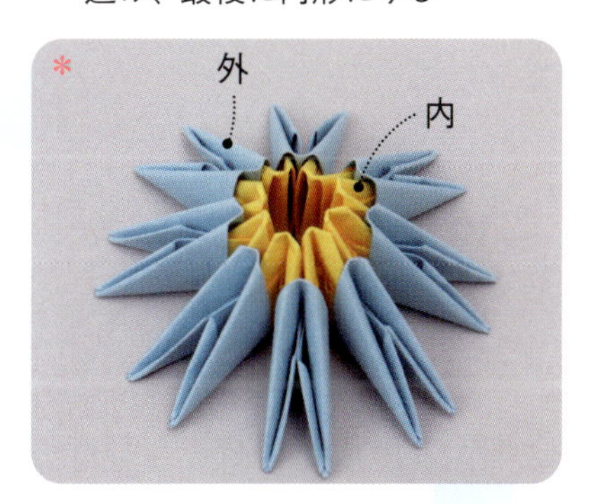

3 2の外側に1周分（8個）差し込む

4 三角パーツの一方のすき間に差し込み、もう一方のすき間には差し込まないようにする

5 同様にして、1周分（16個）差し込む

6 さらに2周分（16個）差し込む（合計6周）

7 6の三角パーツの先に別の三角パーツを今度は上向きに挟み込む

※向きに注意しましょう。

8 同様にして、1周分（32個）差し込む

9 挟み込んだ三角パーツに別の三角パーツを差し込む

10 同様にして、1周分差し込み、さらに7周分差し込む（合計15周）

11 10ができたら三角パーツを7個差し込むごとに1個分あけて1周分（28個）差し込む

12 11にさらに1周分（28個）差し込む（合計17周）

13 1個ずつ間隔をあけて、三角パーツを1周分（14個）差し込む。下のできあがり

上

1 三角パーツ3個のうち、1個を残り2個のすき間に片方ずつ差し込む

※向きに注意しましょう。

2 1のように内と外で28個ずつ差し込み、最後に円形にする

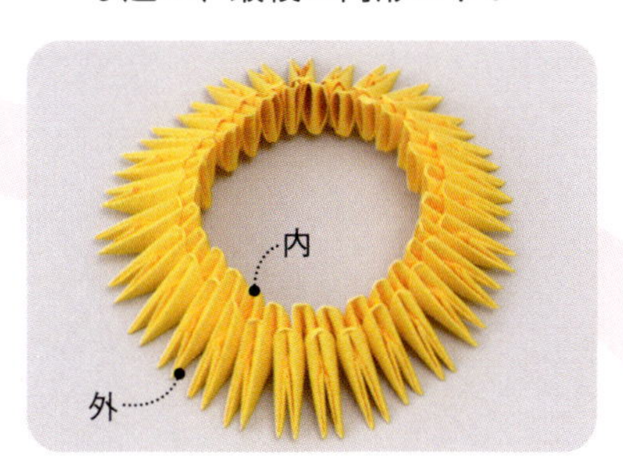

3 2をひっくり返し、三角パーツを6個差し込むごとに1個あけて1周分（24個）差し込む

4 さらに1周分（23個）差し込む。その際、1個分あけておく（投入口）

※3と4の★の位置を参考に1個分あけます。

2周目と3周目が差し込まれている

5 3と4と同様に24個、23個、24個で3周分差し込む

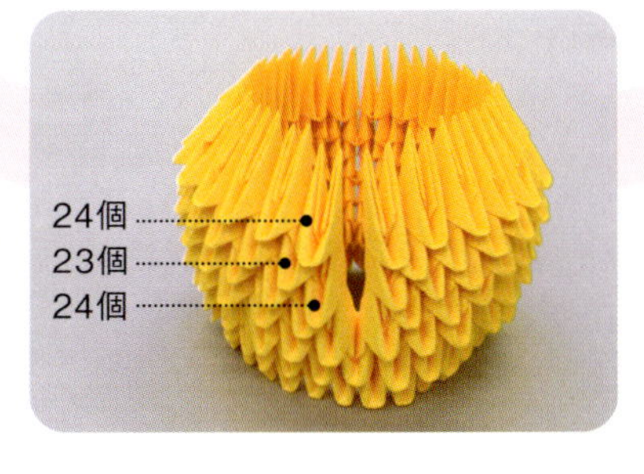

6 さらに24個を2周分差し込む（合計9周）

7 1個ずつ間隔をあけて、1周分（12個）差し込む

8 7に1周分（12個）差し込む

9 紙を鉛筆に巻いて型を取り、のりでとめる

10 頂点に差し込み、のりでとめる。上のできあがり

組み合わせ方

1 下に三角パーツを8個挟み込み、接着剤でとめる

向きに注意

2 上を下に差し込む

できあがり

上の穴から硬貨を入れることができます

★★★

フクロウの芳香剤入れ 【→P.197】

Point

パーツの付け方によって色々な表情を見せます。頭を外して体の中に芳香剤などを入れることができます。

▶**用意する紙**　5×8cmの紙（タント紙）を1922枚（体909枚、羽242枚、頭771枚）、

▶**材料**　つまようじを4本、画用紙を2枚

▶**完成サイズ**　16×20cm

●三角パーツを1922個使います。三角パーツの作り方はP.207をご覧ください。

※図［→P.219］を参考に三角パーツの色と位置を確認しましょう。

体

1 三角パーツ3個のうち、1個を残り2個の三角パーツのすき間に片方ずつ差し込む

※三角パーツの向きに気をつけましょう。

2 同様にして、つなぎ合わせていく（三角パーツの色は図 体［→P.219］を参照）

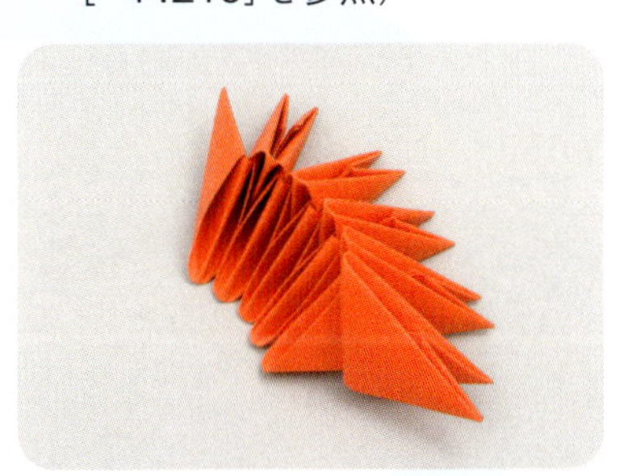

※上側から作ります。

3 内と外で50個ずつつなぎ合わせたら、最後に円形にする

4 三角パーツを1周分（50個）差し込む（合計3周）

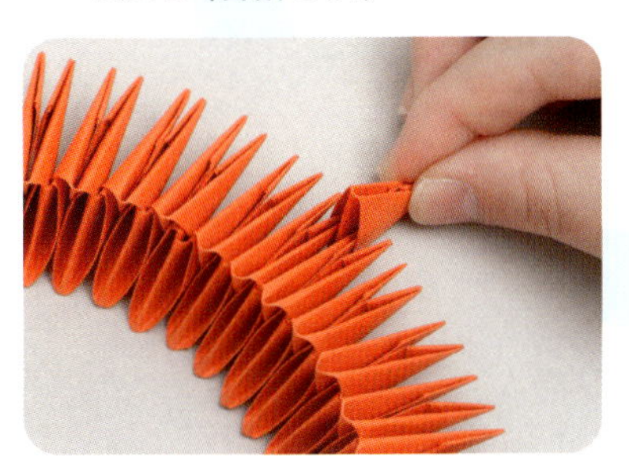

5 三角パーツを13周分（50個）差し込む（合計16周）

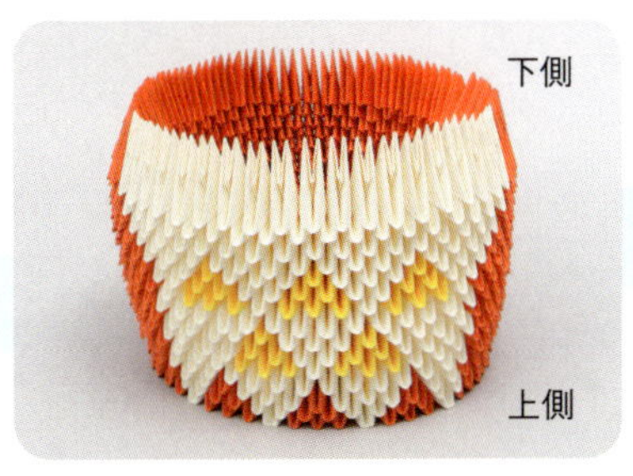

※高さが出たらはしを立たせます。

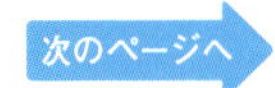

6 図 体 [→P.219] を参考に三角パーツ（30個）を差し込む

＊わかりやすいように色を変えています。（以下＊部は同様）

7 1周ごとにひとつずつ三角パーツの数を減らして、さらに2周差し込む

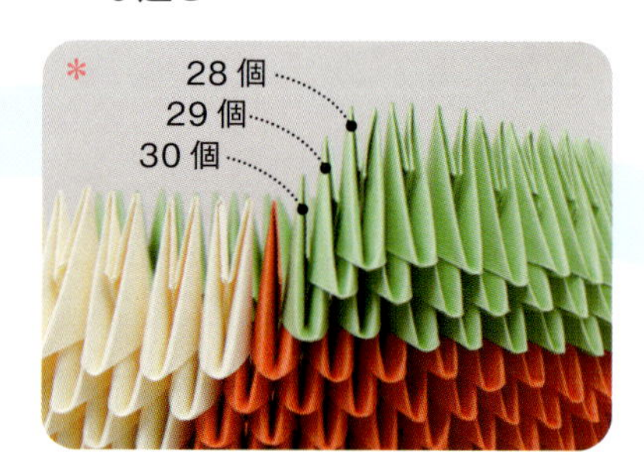

8 図 体 [→P.219] を参考に三角パーツを3個ずつ差し込む

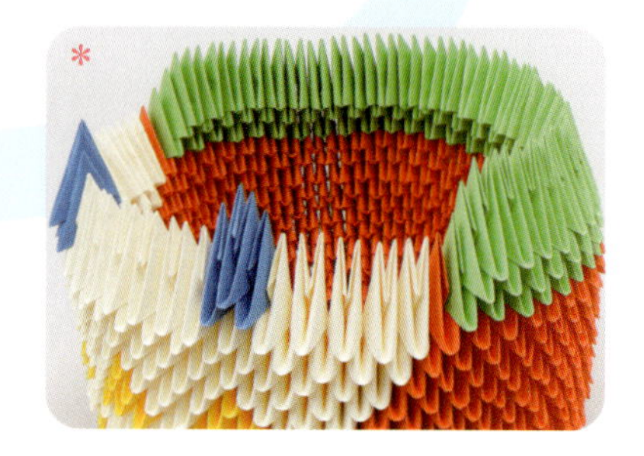

9 足を作る。三角パーツ2個をはさむ

※9 ～12 は接着剤でとめながら作ります。

10 9を別の三角パーツに差し込む

11 別の三角パーツ5個を手に取り、つなぎ合わせる

12 10と11をつなぎ合わせる

13 足のできあがり

14 8の三角パーツに13を差し込む

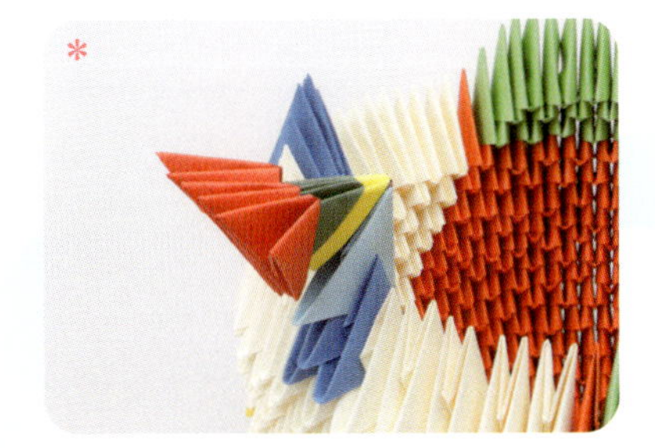

15 羽を作る。図 羽 [→P.219] を参考に三角パーツを差し込む

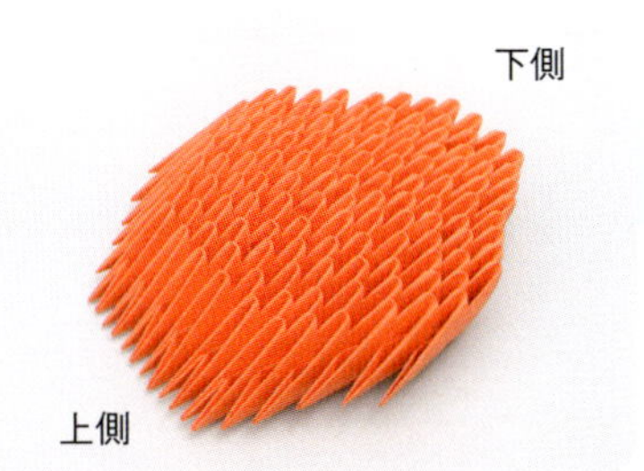

16 羽につまようじを差し込む

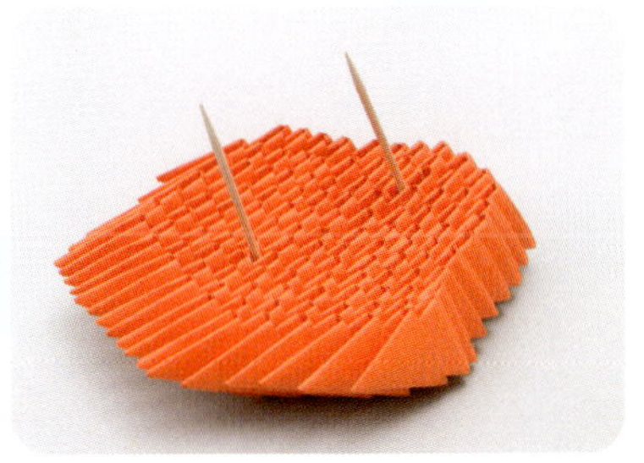

17 羽を手に取ってつまようじを体に差し込む。体のできあがり

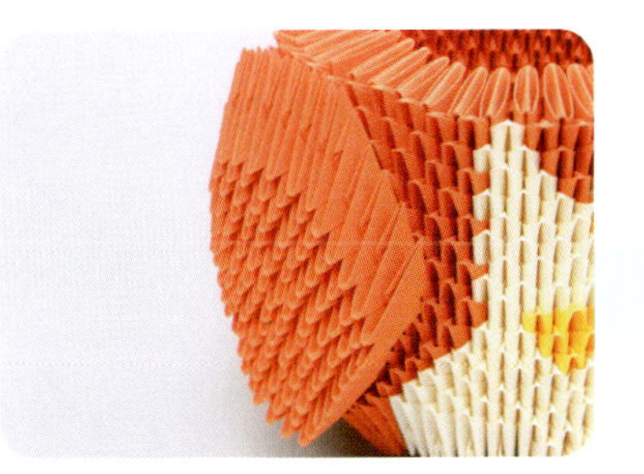

頭

1 P.215の1～3と同様に、内と外で45個ずつつなぎ合わせて円形にする

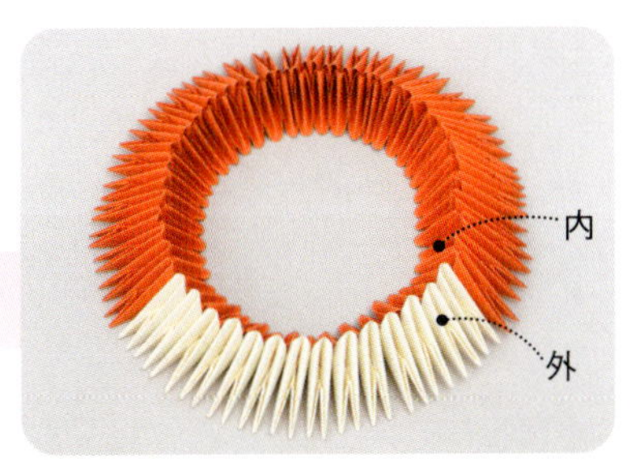

2 三角パーツを12周分（45個）差し込む（合計14周）

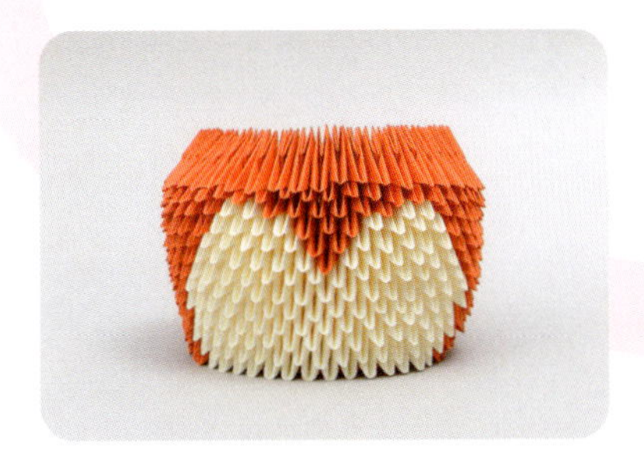

3 14周目に三角パーツ（21個）を1個おきにはさみ込む

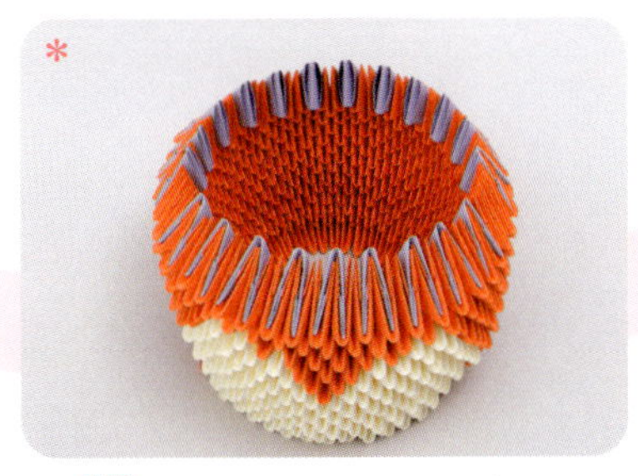

※図 頭 [→P.219] を参考に、耳の位置はあけておきます。

4 3であけた場所に、向きに気をつけて三角パーツをはさみ込む

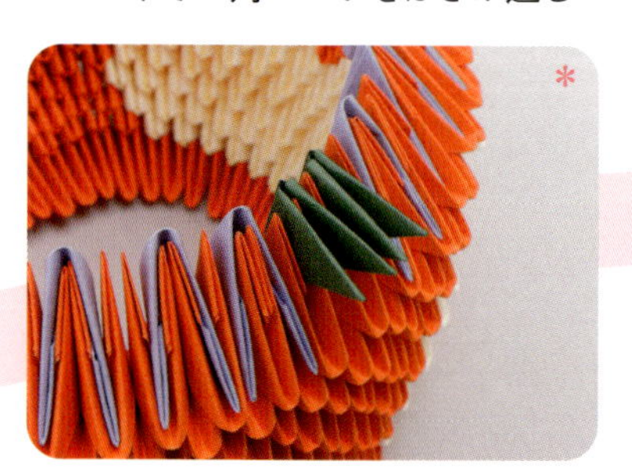

5 耳を2個作る。図 耳 [→P219] を参考に三角パーツを差し込む

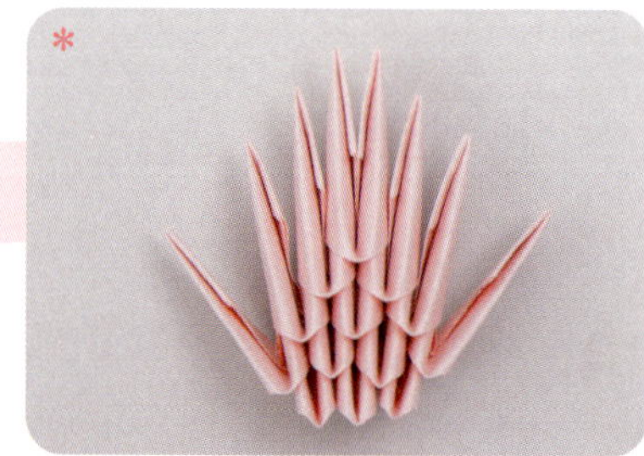

6 4に5を差し込む

7 6に三角パーツを3周分（25個）差し込む（合計18周）

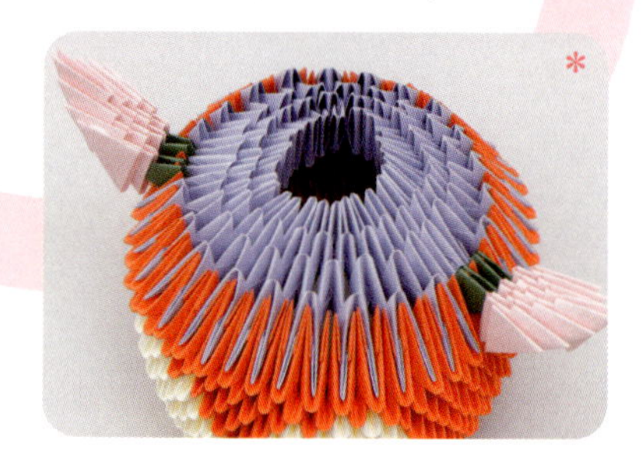

8 口の三角パーツを頭に差し込む

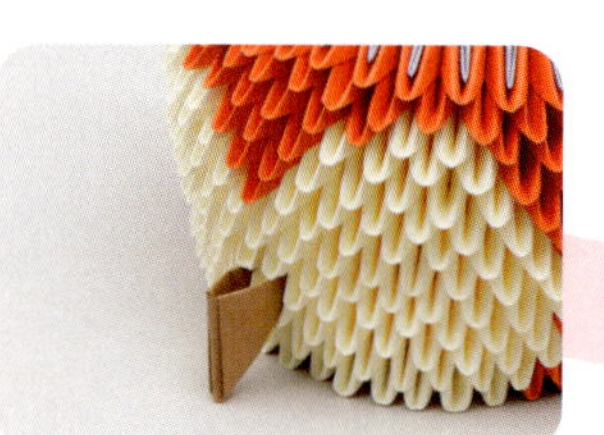

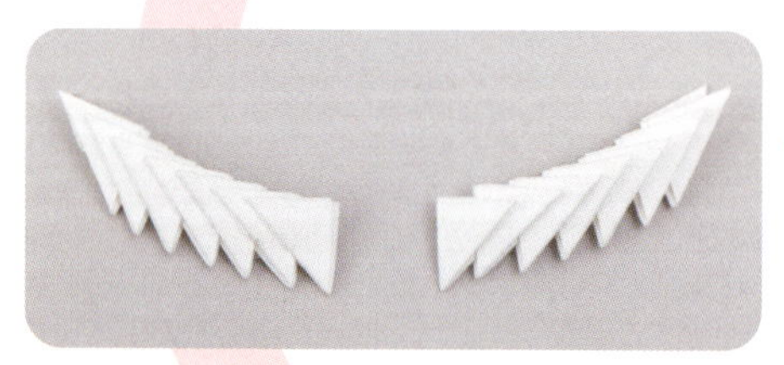

9 三角パーツを7個ずつつなげて、眉の形に接着剤でとめる

10 画用紙を切って目を作り、眉と一緒に顔に貼る。頭のできあがり

眉と目を調整して
さまざまな表情を作ることができます

眠そうにしたり

怒ったり

ボー…っとしたり

できあがり

体の上に頭をのせる

ブロックおりがみ差し込み図

図は三角パーツの差し込み位置を示しています。図を参考に三角パーツの色を変えてください。
[図の見方]
周…底から数えた段数
(個数)…1周に必要な三角パーツの個数

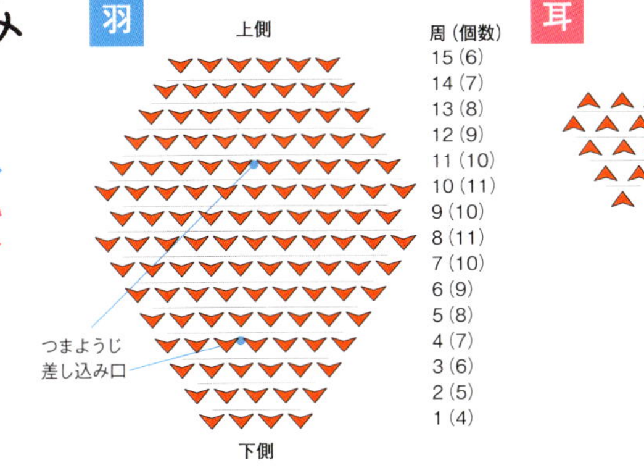

体

頭

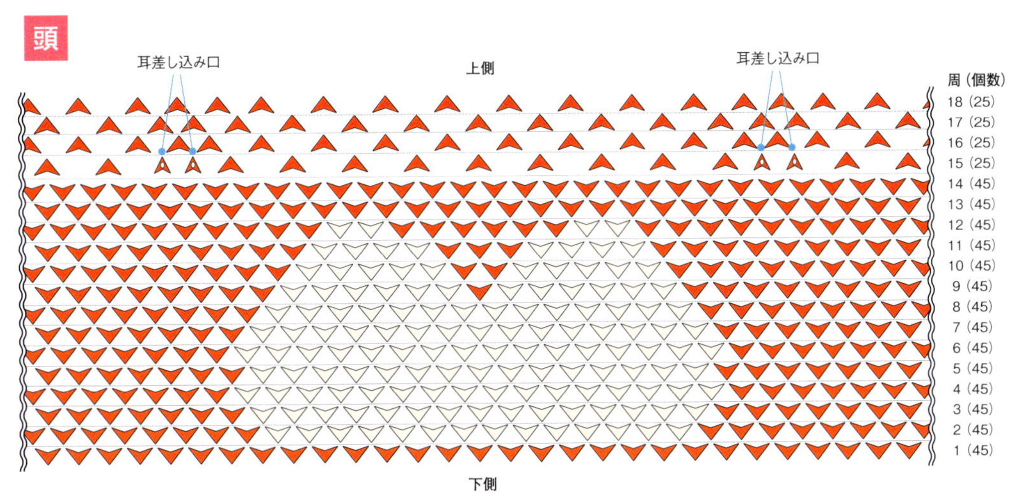

おまけ

★★★

ネモフィラ 【→P.197】

Point

繊細でリアルな一輪のネモフィラ。たくさん作ってまとめることで、より豪華な仕上がりになります。

▶用意する紙　［花］10×10cmの紙を1枚、［ガク］3.75×3.75cmの紙（タント）を1枚、［葉］7.5×1.87cmの紙（タント）を1枚、［茎］7.5×1cmの紙（タント）を1枚

▶材料　13cmの24番のワイヤーを2本（花と茎）、フローラルテープ、ペップを3本

▶完成サイズ　13×5cm

1 半分に折る

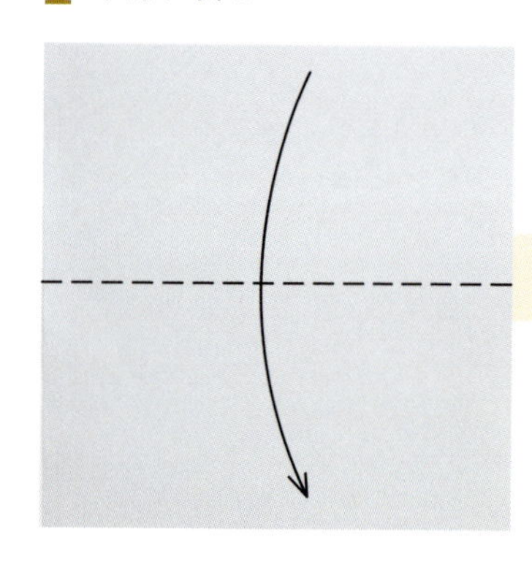

2 折りすじをつける

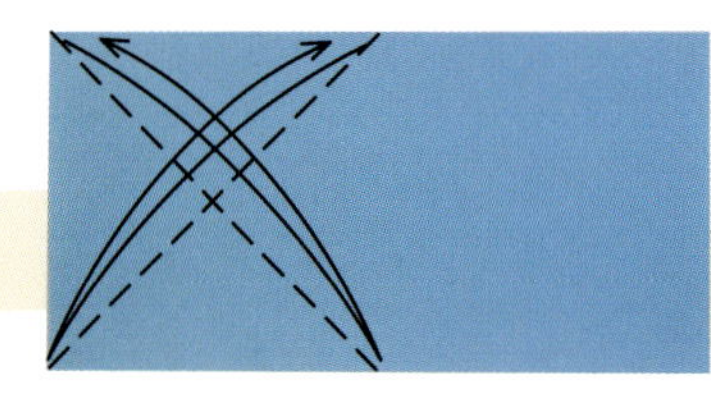

3 ○が重なるように折る

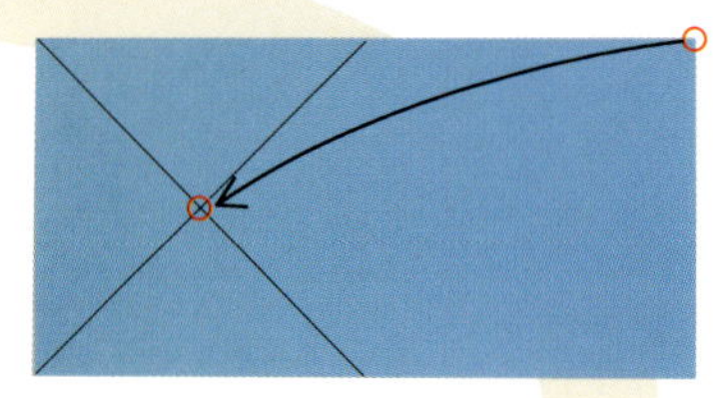

4 図の位置ではしに合わせて折る

5 4の折り線に合わせて折る

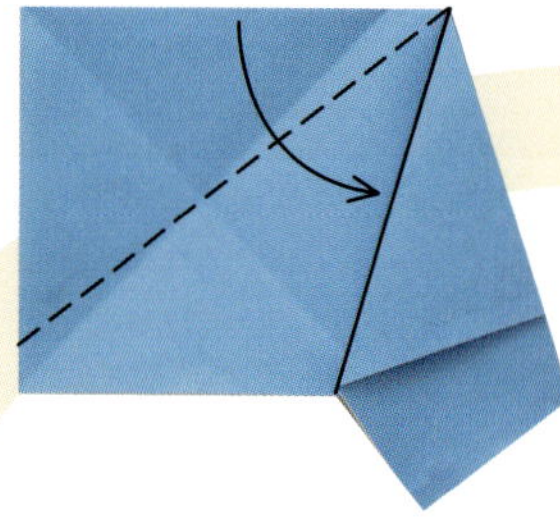

6 図の位置で折る

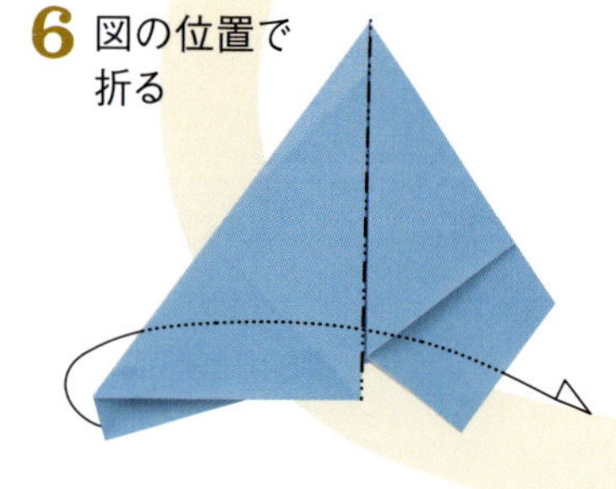

7 紙のはしに沿って切る

8 開いたところ

9 中心に合わせて折りすじをつける

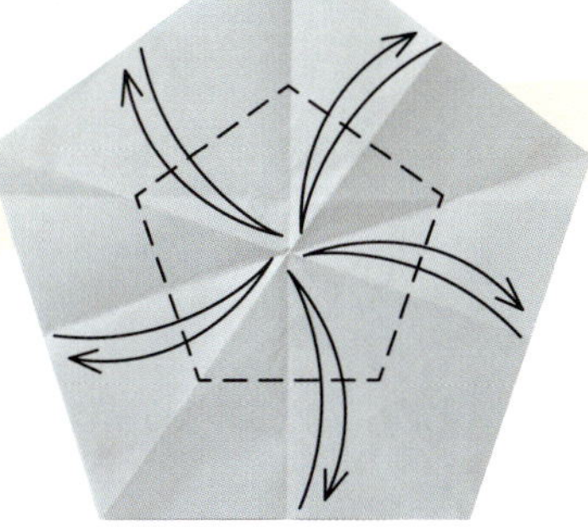

※はしまで折りすじをつけないように気をつけましょう。

10 折りすじに合わせて折り、図の位置に合わせて開いて折りたたむ

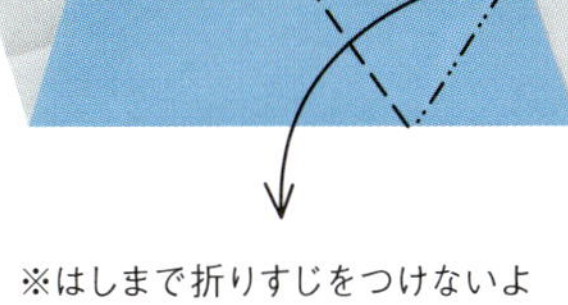

※はしまで折りすじをつけないように気をつけましょう。

11 折ったところ。半時計回りに残りの４か所も同様にし、開いて折りたたむ

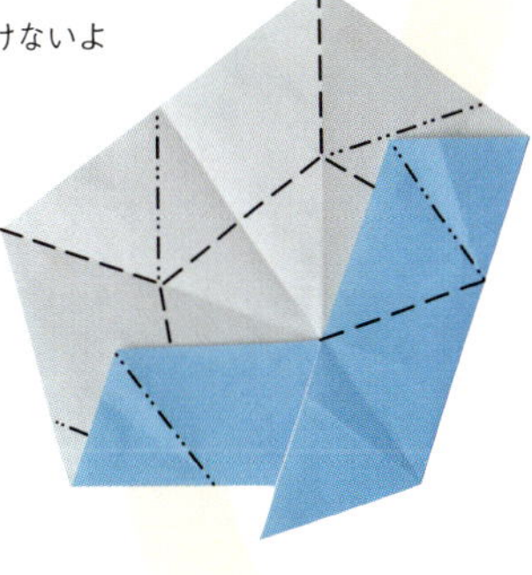

12 図の位置でふくらませて折りたたむ

13 折ったところ。時計回りに残りの４か所も同様にし、ふくらませて折りたたむ

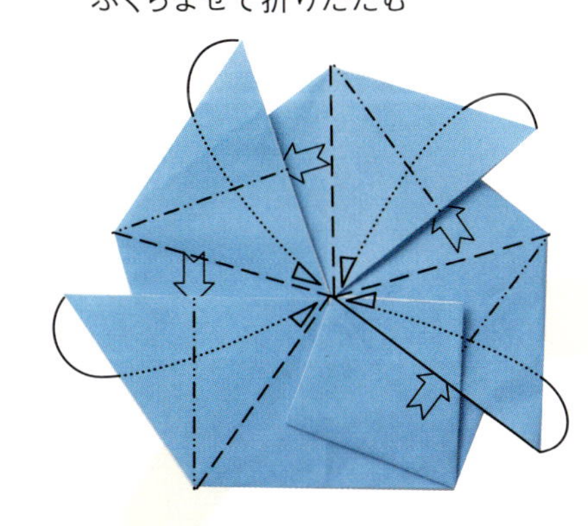

14 図の位置に合わせて折る。残りの４か所も同様にする

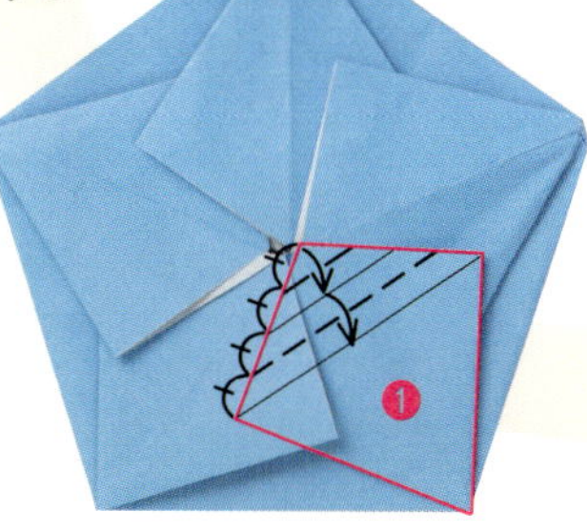

※❶の折る部分をめくり、一番上にします。

15 図の位置で折る。残りの４か所も同様にする

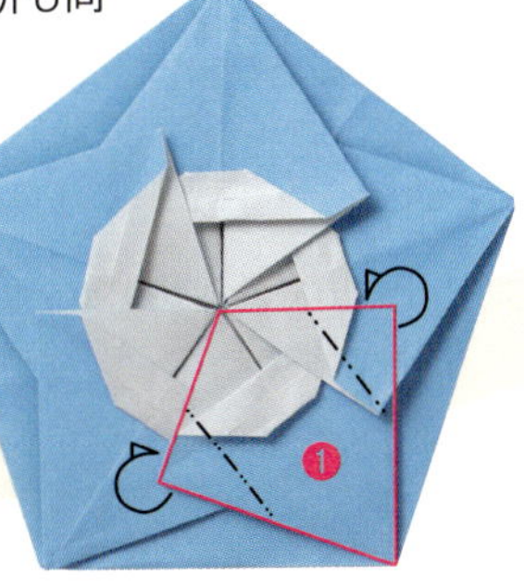

※❶の折る部分をめくり、一番上にします。

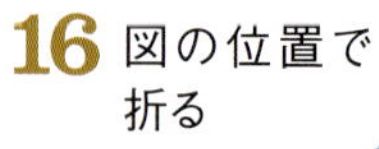

16 図の位置で折る

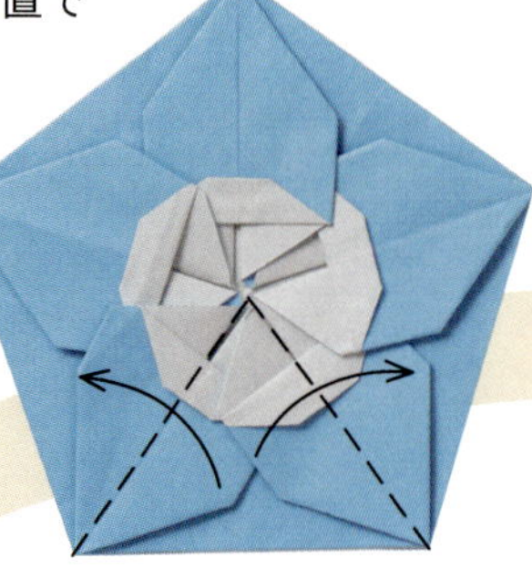

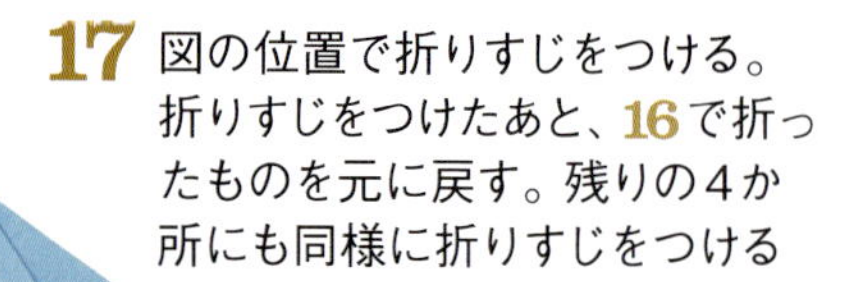

17 図の位置で折りすじをつける。折りすじをつけたあと、16で折ったものを元に戻す。残りの4か所にも同様に折りすじをつける

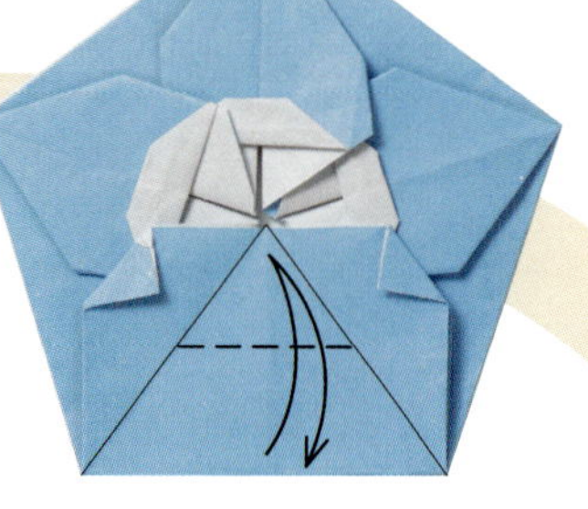

※はしまで折りすじをつけないように気をつけましょう。

18 17で折りすじをつけた位置に合わせて、図の位置で折り、花の立体感を出す

19 ★の位置をつまんで、矢印の方向に折り、ふくらませて折りたたむ

つまみにくい場合はピンセットを使いましょう

20 残りの4か所も同様にする

21 写真のように先端を折る。残りの4か所も同様にする。花のできあがり

葉

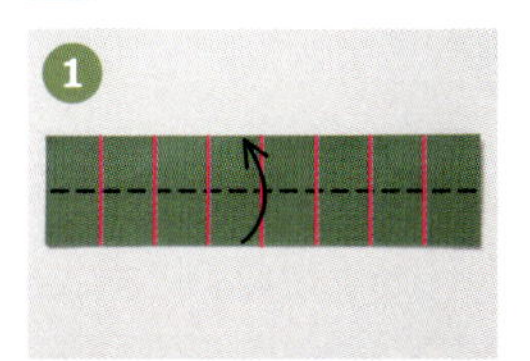

1 葉を作る。8等分の線を鉛筆で書き（—）、半分に折る

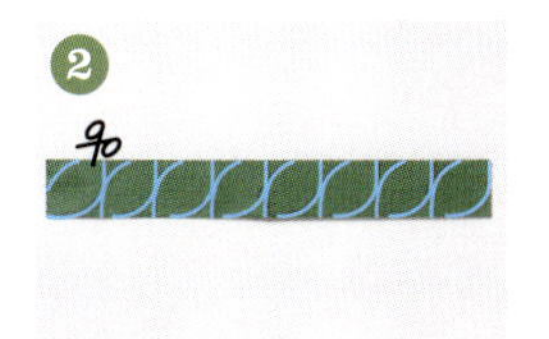

2 図の位置で切る

3 葉のできあがり。開いたところ

茎

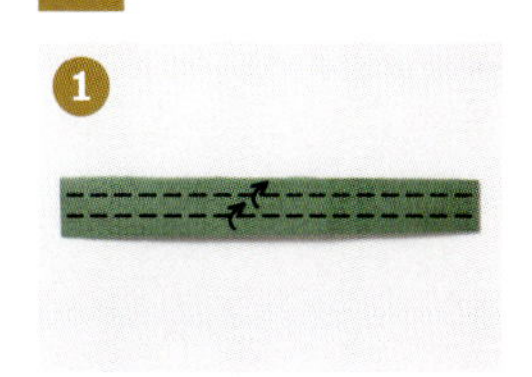

1 茎を作る。24番のワイヤーに接着剤をつけて中心に置き、図の位置で折ってワイヤーを包む

2 茎に葉を貼る。先端は葉で挟み込んでとめる

おしべ

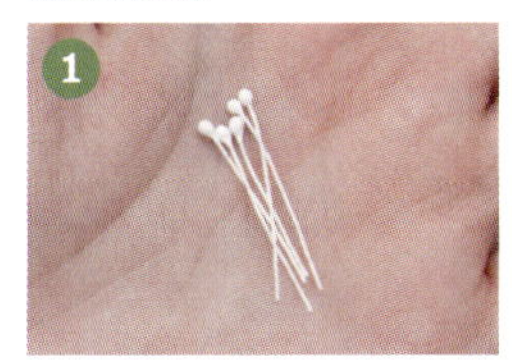

1 3本のペップを半分に切り、半分に切られたペップの先を5本使う

2 ペップ5本とワイヤーを束ねて、フローラルテープをワイヤーの先まで巻く

3 ペップの先をペンで黒く塗る

ガク

1 ガクを作る。P.220の❶～❻と同様に折る。図の位置で折りすじをつけて、折りすじで切る

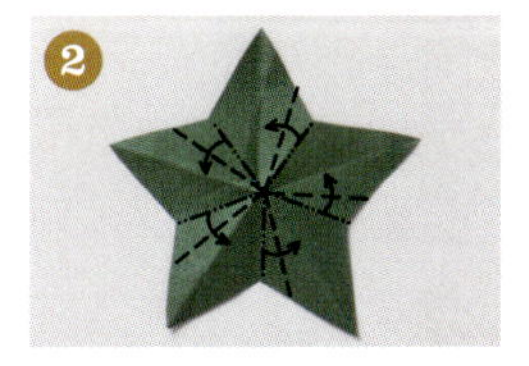

2 開いて、図の位置で折り、接着剤でとめる。ガクのできあがり

組み合わせ方

1 目打ちなどで花の中心に穴を開ける

2 おしべ を花の穴に通し、接着剤でとめる

3 目打ちなどでガクの中心に穴を開けて、❷を通す。★の位置で花とガクを接着剤でとめる

4 茎と❸を束ねて、フローラルテープを巻く

できあがり

左　金杉登喜子
右　金杉優子（作品制作協力）

金杉登喜子（かなすぎ ときこ）

1936年生まれ、埼玉県川口市在住。埼玉県文化団体連合会常任理事。日本折紙協会師範。日本の文化である折り紙を伝承し、指導者を養成して地域に還元することを目的として、1968年に「折り紙夢工房」を設立。ボランティアでの折り紙教室の実施や、イベント・作品展の開催、創作折り紙の研究など、広く活動を展開している。著書は、『毎日を彩る実用折り紙雑貨』（学研プラス）、『人気キャラクターいっぱいのおりがみ』（ブティック社）など多数。

Staff

作品制作協力／青木良、金杉優子
デザイン・DTP／フレーズ
スタイリング／小野寺祐子
撮影／糸井康友
折り図作成／青木良（日本折紙協会）
校正／塩沢尚子、富樫泰子、株式会社みね工房
編集制作／株式会社KANADEL
企画・編集／成美堂出版編集部（原田洋介・芳賀篤史）

- 正誤についてお気づきの場合は、書名・発行日・質問事項（ページ数）・氏名・郵便番号・住所・FAX番号を明記の上、郵送またはFAXで成美堂出版までお問い合わせください。**お電話での問い合わせはお受けできません。**
- 本書の正誤に関するご質問以外にはお答えできません。
- ご質問の到着確認後、10日前後で回答を普通郵便またはFAXで発送いたします。

※本書は2016年に発行された『暮らしと四季を優雅に楽しむ実用おりがみ』の改訂版です。

紙提供

株式会社クラサワ
老舗の折り紙メーカー。一般的な折り紙はもちろん、千代紙や和紙など多彩な折り紙を数多く扱っている。ホームページ内にあるオンラインショップからも購入可能。

電話　03-3844-2058

住所　東京都台東区駒形2-6-7

ホームページ
https://www.kurasawa.net/

オンラインショップ
https://origamiyasan.com/

暮らしと四季を優雅に楽しむ 実用おりがみ

著　者　金杉登喜子（かなすぎときこ）　折り紙夢工房（おりがみゆめこうぼう）

発行者　深見公子

発行所　成美堂出版
〒162-8445　東京都新宿区新小川町1-7
電話(03)5206-8151　FAX(03)5206-8159

印　刷　TOPPAN株式会社

©SEIBIDO SHUPPAN 2024　PRINTED IN JAPAN

ISBN978-4-415-33390-8
落丁・乱丁などの不良本はお取り替えします
定価はカバーに表示してあります

•本書および本書の付属物を無断で複写、複製（コピー）、引用することは著作権法上での例外を除き禁じられています。また代行業者等の第三者に依頼してスキャンやデジタル化することは、たとえ個人や家庭内の利用であっても一切認められておりません。